Pierre Gadoury
5875 av de Carignan
Montréal QC
H1M 2H7

Félicité

Jean-Pierre Charland

Félicité

tome 2

La grande ville

Roman historique

www.quebecloisirs.com

UNE ÉDITION DU CLUB QUÉBEC LOISIRS INC
Avec l'autorisation des Éditions Hurtubise inc.
© 2012 Éditions Hurtubise inc.

Dépôt Légal --- Bibliothèque et Archives nationales du Québec, 2012
ISBN Q.L. 978-2-89666-158-9
Publié précédemment sous ISBN 978-2-89647-854-5

Imprimé au Canada

Liste des personnages principaux

Abel, Jules: Pharmacien, il effectue un stage dans l'officine de Robert Gray.

Chambon, Hélidia: Travailleuse d'une filature habitant la pension de la ruelle Berri.

Dallet, Crépin: Préposé à la tenue des livres chez le manufacturier de savons Barsalou, il habite la pension de la ruelle Berri. Il affiche une religiosité exacerbée.

Demers, Charles: Mécanicien à la MacDonald Tobacco, il habite la pension de la ruelle Berri.

Drolet, Phébée: Jeune couturière, elle se lie d'amitié avec Félicité Drousson dès l'arrivée de celle-ci à Montréal.

Drousson, Félicité: Institutrice formée au couvent des sœurs de Sainte-Anne, à Saint-Jacques-de-l'Achigan. Pour préserver son anonymat lors de son séjour à Montréal, elle se présente sous le nom de Dubois.

Drousson, Marcile: Mère de Félicité. Veuve, elle travaille comme ménagère au presbytère de Saint-Jacques.

Duplessis, Octave: Libraire d'origine française, son commerce se trouve dans le quartier Hochelaga.

Marly, Janvière: Propriétaire avec son époux des Confections Marly, rue Sainte-Catherine. Elle est la patronne de Phébée depuis deux ans.

7

Muir, John : Ébéniste employé aux ateliers du Canadien Pacifique, il habite la pension de la ruelle Berri.

Naud, Mainville : Mécanicien employé à la Dominion Cotton, il habite la pension de la ruelle Berri.

Paquin, Vénérance : Logeuse de la ruelle Berri.

Personnages historiques

Barsalou, Joseph (1822-1897) : Marchand et homme d'affaires, il œuvre dans plusieurs domaines d'activité, dont la fabrication de savons. Ses fils, Hector et Érasme, l'assistent dans ses tâches.

Beaudry, Jean-Louis (1809-1886) : Marchand et homme d'affaires, il occupa la mairie de Montréal de 1862 à 1866, de 1877 à 1879 et de 1881 à 1885.

Beaugrand, Honoré (1848-1906) : Militaire, journaliste et propriétaire de plusieurs journaux dont *La Patrie*, il fut maire de Montréal de 1885 à 1887.

Grey, Henry Robert (1838-1908) : Pharmacien et homme politique, il est responsable du comité d'hygiène au moment de l'épidémie de 1885. Il a inspiré le personnage fictif de Robert Gray.

McKiernan, Charles (alias **Joe Beef; 1835-1889**) : Après des années de service dans l'armée britannique, il devient tenancier d'une grande taverne près du port de Montréal. Il loue aussi des chambres à l'avant-dernier étage de l'établissement.

Robichaud, Marie (?-1885) : Sœur de Pélagie, elle travaille en usine.

Robichaud, Pélagie (?-1885) : Domestique dans une maison de la rue Saint-Denis, elle préfère se faire embaucher à l'Hôtel-Dieu, pour des tâches similaires.

Chapitre 1

L'odeur d'un jardin d'été fleurant bon la rose et la violette flottait dans la boutique. Les clientes aimaient tellement la senteur des fleurs. Dans une petite pièce à l'arrière, Phébée Drolet jetait un regard appréciateur à son travail. La femme devant elle, une brunette au début de la trentaine, essayait une robe bleu azur, fermée devant par une série de boutons de jais. À partir de la taille, un drapé formé de quelques verges de tissu conférait un air d'opulence à l'ensemble. Derrière, un faux-cul volumineux dotait la silhouette de curieuses proportions, puisqu'il excédait de beaucoup la largeur des hanches.

— Vous êtes absolument ravissante, madame Lesage.

La cliente se tordait le cou afin de juger de l'effet de cet étrange appendice fessier.

— N'est-ce pas un peu…

— À cette heure de la journée, pour faire vos courses, ce serait certes un peu… ostentatoire…

La jeune couturière se faisait un devoir d'enrichir son vocabulaire. Attentive à toutes les conversations tenues dans ce commerce, elle était à la bonne école. Toutes les clientes ayant fréquenté les meilleurs couvents, elles châtiaient leur langage. Toutefois, l'usage de certains mots demeurait un peu mystérieux pour elle, de là son hésitation sur « ostentatoire ». L'absence de réaction de son interlocutrice la rassura à ce sujet.

— Mais dans une soirée mondaine, insista-t-elle sans vraiment pouvoir se représenter ce genre d'activité, vous attirerez les regards. Vous ferez des jalouses, j'en suis certaine.

L'acheteuse rosit de plaisir à ces mots. Seulement, le miroir lui renvoyait aussi le reflet de l'employée. Cela suffisait à rabattre un peu sa fierté. Moins de vingt ans, vive, blonde et fraîche, la silhouette fine soulignée par une robe bleu pastel ornée de délicates dentelles et de rubans, celle-là captait tous les regards des hommes. Les plus beaux atours ne pouvaient rien contre les avantages reçus de la nature.

— Et pour la poitrine, j'ai fait comme vous me l'avez demandé : fermée jusqu'au cou. Bien sûr, avec une échancrure sur le corsage, vous seriez encore plus ravissante. Vos formes…

Oui, devait convenir la cliente, la magnifique blonde devant elle affichait moins de poitrine. Quel dommage de ne pouvoir montrer la sienne, pour s'attacher les regards des hommes.

— Dans toutes les soirées, lui confia-t-elle dans un soupir, il faut faire avec la présence de quelques ecclésiastiques.

Sa propre audace la troubla. Une remarque pareille, prononcée en public, lui aurait mérité des regards sévères et des commentaires désobligeants, sinon cruels. On l'aurait accusée d'être une mauvaise chrétienne. Heureusement, personne parmi ses relations ne comptait une petite couturière au nombre de ses accointances. Ses mots ne passeraient pas la porte de ce petit réduit.

— Mais je vous assure, insistait l'employée, avec un aussi joli corsage, vous ajoutez de la prestance à votre allure sans en diminuer l'attrait.

Madame Lesage se contempla encore dans la glace, se fit la réflexion qu'avec une tournure aussi proéminente, elle devrait privilégier les fauteuils « de femme », c'est-à-dire ceux avec les bras et le dossier très évasés, ou alors se placer les fesses tout au bout du siège pour laisser de l'espace aux arceaux et aux multiples épaisseurs de tissu.

— Vous avez bien travaillé, conclut-elle. Pourrez-vous la livrer à la maison ? Je dois faire d'autres courses.

Des « courses », enregistra Phébée, pas des « commissions ». Un mot à chasser, un autre dont il lui faudrait se souvenir.

— Ce sera avec plaisir. Rue Saint-Denis, n'est-ce pas ?

La question demeurait de pure forme. L'employée connaissait l'adresse de toutes les clientes capables de se payer un vêtement ayant nécessité une bonne semaine de travail. Il n'y en avait guère plus de cent dans les quartiers Saint-Jacques et Saint-Louis.

— Oui, au nord de la rue Mignonne. Vous passerez par l'arrière.

La couturière arriva à cacher son dépit. Cette femme lui demandait d'utiliser la porte des domestiques, comme le livreur de charbon ou le garçon boucher, pour qu'on ne la confonde pas avec une invitée. Un jour, se jura-t-elle, elle entrerait dans toutes ces demeures par l'entrée de devant.

Après un dernier regard satisfait, la cliente passa derrière un paravent afin de se changer. Elle en ressortit dans sa jolie robe d'après-midi, débarrassée des savants drapés et surtout du faux-cul, cette parure destinée à donner une dimension grotesque à son postérieur.

— Voici pour vous, souffla-t-elle en tendant sa main gantée.

— Je vous remercie, dit l'autre tout aussi bas, en recevant la pièce de monnaie.

Certaines acheteuses affichaient leur satisfaction en lui donnant ainsi cinq ou, dans le meilleur des cas, dix cents.

La jeune fille acceptait avec des sentiments mitigés. Toute obole, aussi modeste fût-elle, demeurait la bienvenue compte tenu de sa pauvreté. D'un autre côté, elle se faisait l'impression de dépendre de la charité publique.

Une fois la cliente partie, Phébée récupéra la robe derrière le paravent pour la plier soigneusement, l'envelopper de papier de soie et la mettre dans un grand sac. La tournure eut droit à moins de précautions : elle tenait dans la boîte du manufacturier. Ensuite, la couturière passa dans le commerce.

— Madame, dois-je aller livrer ça tout de suite ?

Janvière Marly se tenait derrière le comptoir, une jolie femme de trente-cinq ans, à la taille un peu forte peut-être.

— Tu n'as rien en retard ? Mon mari peut s'en occuper avant de se rendre à l'église, tout à l'heure.

— J'ai du travail devant moi, mais pas de retard.

L'affirmation s'accompagnait d'un sourire à la fois modeste et assuré.

La présence de la jeune couturière en ces lieux visait à attirer la clientèle huppée des rues voisines. Si la très grande majorité de la marchandise vendue dans la boutique venait de grossistes qui répartissaient la confection dans une multitude de petits ateliers ou chez des couturières qui travaillaient à domicile, Les Confections Marly offraient aussi du sur mesure grâce à cette petite perle dénichée par hasard. Un coup d'œil à un patron, ou même à un magazine de mode français ou anglais, et Phébée réalisait un vêtement irréprochable, ajoutant même quelques détails destinés à le rehausser.

La patronne jeta un regard à l'horloge placée sur une tablette.

— Tout de même, si je veux fermer avant une heure, autant remettre cette corvée à Gaston. Il fera un petit détour par la rue Saint-Denis, tout à l'heure. Contente-toi de tout ranger derrière, puis tu pourras aller à la gare.

Évidemment, le cher Gaston ferait la livraison dans une rue adjacente, alors que l'employée, chargée comme un mulet, se rendrait à la gare Dalhousie, rue Notre-Dame. Elle garda néanmoins son sourire et ajouta :

— Vous savez, je pourrais sans mal tenir seule la boutique tout l'après-midi.

— Tu as sans doute raison, tu pourrais recevoir les clientes. Les convenances exigent cependant la fermeture du commerce quand il y a des funérailles dans la famille. Sinon, ça fera jaser. Profite donc de ta demi-journée.

La couturière n'avait pas vraiment les moyens de la générosité de son employeur, car les heures chômées ne seraient pas payées. Elle n'avait néanmoins d'autre choix que d'acquiescer.

— Très bien, je mets tout en ordre et je reviens dans un instant.

Janvière Marly tenait à ce que l'arrière-boutique demeure toujours bien rangée. « Chaque chose à sa place… », répétait-elle sans cesse. C'était une façon de tenir son rang de marchande prospère. Phébée se montrait moins enthousiaste à ce sujet. Après tout, puisque la porte serait verrouillée, personne n'accéderait à cette pièce. À une heure, elle revint à l'avant de la boutique. La propriétaire plaçait justement une affichette dans la vitre de la porte, portant les mots « Fermé pour cause de mortalité ».

— Je vous présente encore une fois mes condoléances, madame.

— Merci. Nous ne nous fréquentions que rarement, mais tout de même, il s'agissait d'une cousine germaine. Tu vois, tout est là.

Au fond de la pièce se trouvait une demi-douzaine de boîtes de carton. Chacune portait déjà le nom de sa destinataire.

— Gaston les a attachées ensemble avec de la ficelle, précisa la bourgeoise. Comme ça, ce sera un peu comme si tu portais deux valises. Cela devrait aller. Voici l'argent.

Des pièces de monnaie passèrent de main à main. Très vite, Phébée fit le compte.

— Vous me donnez un peu trop, je pense.

— Non, le reste est pour ta peine.

— Je vous remercie, madame. Vous êtes très bonne pour moi.

— Et toi, tu es la gentille fille que je n'ai jamais eue, affirma-t-elle avec un sourire attendri. Allez, sauve-toi.

Touchée par ces paroles, la couturière sortit rue Sainte-Catherine, des paquets au bout de chaque bras. Ces vêtements ne pesaient pas bien lourd, mais les cordelettes utilisées pour attacher les boîtes lui sciaient les doigts.

La voie ferrée traversait la campagne de la région montréalaise comme une longue blessure. Des deux côtés de son wagon, Félicité regardait défiler les champs. Avancer ainsi à une vitesse folle, plus de quarante milles à l'heure, lui faisait un peu tourner la tête.

Après avoir traversé un pont pour rejoindre l'île de Montréal, la jeune femme constata combien les habitations se rapprochaient les unes des autres même si les exploitations agricoles dominaient encore le paysage avec, ici et là, des résidences secondaires plus cossues. Des citadins s'y réfugiaient pendant la période la plus chaude de l'été.

Longue-Pointe succéda à Pointe-aux-Trembles. Puis malgré l'habitat encore clairsemé, Maisonneuve lui donna l'impression d'une véritable ville. Elle ne commença à se représenter vraiment la réalité urbaine qu'en traversant Hochelaga. Quand la locomotive s'arrêta à la gare Dalhousie dans un grand nuage de vapeur blanche, la peur lui tordit les tripes. Comment pourrait-elle se débrouiller dans ce fouillis de constructions en brique ou en pierre, parfois hautes de quatre étages?

Hésitante, elle quitta sa banquette de bois, son gros sac de toile pressé contre sa poitrine, après tous les autres passagers de son wagon. Trois marches étroites lui permirent de descendre sur un quai de planches. La très curieuse disposition de la gare ajouta à son trouble. Les rails passaient dans une sorte de tranchée. Au-dessus de sa tête une voûte de pierre permettait aux voitures d'emprunter la rue.

Perdue et effrayée, l'institutrice déchue ne savait que faire d'autre que de suivre les passagers. Après avoir gravi un escalier, elle entra dans un grand édifice de pierre d'un seul étage, au plafond très haut. Elle eut spontanément l'impression de se trouver dans une église. Les grandes fenêtres coiffées d'un demi-cercle ajoutaient à l'illusion. Une église sans bancs ni chœur, où le bruit de dizaines de conversations tenues simultanément empêchait tout recueillement.

— Eh, ma belle, t'arrives d'où avec ton gros sac?

La voix, venue de derrière elle, la fit sursauter. Se retournant, Félicité vit un jeune homme d'une vingtaine d'années s'approcher.

— Allez, insista-t-il, tu me dis d'où tu viens?

Le tutoiement, le sourire chargé d'une ironie moqueuse troublèrent la jeune femme.

— … Saint-Jacques, glissa-t-elle machinalement.

17

Tout de suite, elle regretta la confidence. Venir se cacher en ville pour ensuite se révéler ainsi au premier venu frisait le ridicule. Au moins, elle n'avait pas répondu « Saint-Eugène ».

— Et dans ce sac, tu transportes tous tes trésors, je suppose ?

La jeune femme crispait ses doigts sur la grosse toile, de plus en plus inquiète. Un second garçon s'était joint au premier.

La réponse vint dans un souffle, à peine audible :

— Rien… Il n'y a rien dedans.

— Un gros rien, ricana le garçon, et ce rien, tu le tiens de toutes tes forces. Il doit peser autant que toi. Laisse-moi faire, je vais t'aider à le porter.

La main tendue incita la jeune femme à se tourner à demi pour protéger son bien. Mal lui en prit puisqu'elle se retrouva face au second jeune homme.

— Donne, insista ce dernier. Tu vas pas t'éreinter à porter ça. On va t'aider. T'as pas peur de nous, toujours ?

Des yeux, Félicité chercha de l'aide tout en se cramponnant encore plus fort à son bagage. Tout autour d'elle, des dizaines de personnes vaquaient à leurs affaires sans même s'apercevoir de sa présence.

— Laissez-moi tranquille. Je n'ai pas besoin d'aide.

Sa voix se fit plus aiguë sur les derniers mots, alors qu'une main masculine empoignait le sac. Les larmes semblaient sur le point de couler.

— Vous deux, dégagez ! Elle ne veut pas de vous.

Une toute jeune femme blonde se tenait maintenant près du trio.

— Je t'ai déjà vue, beauté.

— Moi aussi, je t'ai vu. Une fois m'a suffi. Décampe.

À cinq pieds trois pouces, une claque du revers de la main l'aurait envoyée rouler par terre. Phébée, quant à elle, semblait plutôt amusée de la situation. Des yeux, elle défiait les voyous.

— Ferme-la ou sinon…, riposta un des garçons en portant la main à la poche droite de sa veste.

Avant de le voir sortir un couteau ou un coup-de-poing américain, la couturière cria :

— Personne ne va nous aider face à ces voleurs ?

Des badauds s'arrêtèrent, intrigués. Les préposés du Canadien Pacifique affectés au transport des bagages ou à la vente des billets allongèrent le cou pour dévisager les importuns.

— Toi, tu vas nous le payer, gronda celui des deux qui agissait comme chef.

— Oh ! Menacer une fille comme ça… tu parais bien courageux.

Elle toisait l'homme de ses yeux bleus, un petit sourire toujours sur les lèvres. Bien vite, les comparses s'esquivèrent en grommelant des jurons. Alors seulement Félicité s'autorisa à regarder de près cette inconnue, une jeune fille de son âge. Ses cheveux d'un blond doré, un peu ondulés, balayaient ses épaules. Des traits fins, une peau de porcelaine et de grands yeux en faisaient une très jolie personne.

— Ils voulaient me voler, bredouilla la voyageuse.

— Ça, et autre chose peut-être, déclara l'autre.

Comme Félicité fixait sur elle un regard interrogateur, elle expliqua :

— Même sans toutes tes possessions, ils se seraient occupés de toi. Des gars comme eux s'y entendent pour faire travailler une fille.

La nouvelle venue ne saisit pas d'abord, puis à la fois surprise et désemparée elle bafouilla :

— ... Dans de mauvais lieux.

La blonde eut un petit rire amusé, puis rétorqua :

— C'est ça, dans de mauvais lieux. Tu arrives de la campagne ?

— Oui.

L'aveu lui coûtait. Déjà, elle devinait que sa gaucherie et son ignorance des usages de la ville lui vaudraient quelques moqueries.

— Tu es bien habillée, commenta l'autre. Puis ton sac paraît très lourd. D'habitude, les habitantes arrivent les mains vides, et le ventre creux.

Tous les jours, les trains, les navires et les routes déversaient une cargaison de garçons et de filles désireux de trouver un emploi dans la grande agglomération. Tous et toutes faisaient avec un bonheur inégal l'expérience d'un monde nouveau, rempli de dangers.

— Bientôt, il sera deux heures, continua la blonde en regardant la grande horloge accrochée au mur. Tu as mangé, toi ?

— ... Hier.

Le bout de pain et le morceau de fromage avalés la veille chez le bedeau de la paroisse Saint-Jacques paraissaient bien loin. Depuis, elle n'avait pas du tout pensé à se nourrir, tellement sa situation la bouleversait.

— Tu dois crever de faim. Ma patronne ne m'attend pas avant demain, au lever du soleil. Tu as dix cents ?

La question prit Félicité totalement au dépourvu.

— Pour payer un repas, précisa l'autre devant un nouveau silence effaré. Ici personne ne te nourrira pour rien.

— Oui.

— Alors, viens avec moi.

La blonde fit mine de se diriger vers la sortie, l'autre ne bougea pas.

— Écoute, fit-elle en revenant sur ses pas, les deux autres, c'étaient des voyous. Moi, je compte parmi tes amies. Tu t'enracines dans le plancher, ou tu viens manger ?

Arrivée à Montréal depuis moins de dix minutes, Félicité comprenait déjà qu'elle ne se tirerait pas d'affaire toute seule. Après tous les malheurs des derniers mois, le ciel mettait-il enfin un bon ange sur son chemin ? Elle la suivit après un hochement de tête.

Les deux jeunes femmes débouchèrent rue Notre-Dame. L'agitation de cette artère encombrée de véhicules en tous genres, du cabriolet au camion à la plate-forme très basse, parfois tiré par quatre solides chevaux, laissa Félicité interdite.

— Il y a des rails, là…

Leur présence au milieu de la chaussée intriguait fort la voyageuse. Elle imaginait une grosse locomotive écrasant tout sur son passage. Son interlocutrice s'amusa discrètement de son ignorance, puis expliqua :

— Oui, des rails pour les petits chars. Le tramway, si tu préfères. Les gros chars, ce sont les trains. Tu viens de loin ?

— De la région de Joliette, admit-elle après une hésitation.

Bien imprécise, la réponse contenta cependant l'inconnue. Si jamais la nouvelle de sa déchéance venait jusqu'à Montréal, l'autre ne ferait pas le lien. Même après avoir parcouru tous ces milles, la honte et la peur de se voir montrée du doigt minait toujours Félicité.

— Nous allons par là, dit la blonde en désignant l'est. C'est un peu loin. Ton sac n'est pas trop lourd ?

La nouvelle venue crispa ses deux mains sur son fardeau, comme si elle craignait toujours de se le faire ravir.

— Non, ça va.

— Puis tu as un nom ?

— Félicité…

Tout de suite, elle regretta sa réponse. Décidément, elle parvenait mal à cultiver l'anonymat.

— Félicité Dubois, enchaîna-t-elle. Et toi ?

— Phébée Drolet.

— C'est beau. En grec, ton prénom désigne le soleil, ou la lumière. Dans le cas des garçons, on dit Phébus.

L'ancienne institutrice étalait là une toute nouvelle science. Plusieurs semaines auparavant, le curé Sasseville lui avait proposé *Notre-Dame de Paris* parmi d'autres lectures suspectes. Le personnage égoïste de Phébus de Châteaupers l'avait à la fois séduite et révoltée.

— Tu en sais, des choses, répliqua Phébée, moqueuse. On dirait une maîtresse d'école.

Le rouge monta aux joues de la voyageuse. Comme il lui serait facile de se trahir.

— Si nous ne nous pressons pas un peu, ajouta la blonde, je vais mourir de faim.

Le trajet les amena à passer devant l'hôtel de ville. Félicité ouvrit de grands yeux sur cet édifice majestueux, et tout de suite après sur le palais de justice. Sa compagne lui nommait ces endroits. Comme on le ferait avec une enfant, elle lui prit la main pour traverser la place Jacques-Cartier. C'était jour de marché, et des dizaines de charrettes s'alignaient à gauche et à droite, alors que des paysans et paysannes donnaient de la voix pour attirer l'attention des badauds sur la qualité de leurs produits. Parmi les acheteuses, l'institutrice en fuite identifia un certain nombre de domestiques à leur robe noire et, pour certaines, au bonnet blanc cachant une partie de leurs cheveux. Les autres devaient chercher de quoi nourrir leur famille, petite ou grande.

Ensuite, les deux femmes empruntèrent les rues Saint-Paul, Saint-Sulpice et des Commissaires. Vu la longueur du trajet, le sac pesait de plus en plus lourd dans les bras de Félicité. En s'engageant dans la courte rue Callières, elle formula une protestation. Phébée la rassura après avoir jeté un coup d'œil dans sa direction.

— Courage, nous allons là.

Du doigt, elle indiquait un grand édifice de cinq étages, situé au coin de la rue de la Commune, presque aussi imposant que le couvent de Saint-Jacques. Au-dessus de la porte et des fenêtres en façade, de grandes lettres noires de plus de dix-huit pouces de hauteur chacune indiquaient *Joe Beef's Tavern*. Bientôt, elles entrèrent dans une salle enfumée à cause des cigarettes et des pipes rivées à la bouche des quelques clients. Phébée s'approcha du long comptoir couvert de zinc faisant office de bar en disant:

— Viens voir, le spectacle en vaut la peine.

Elle s'arrêta devant une grande ouverture découpée dans le plancher, fermée par une solide grille de bois. Une odeur prenante, avec des effluves d'excréments d'animaux, vint aux narines de Félicité quand elle s'en approcha, puis elle distingua des ombres se mouvant furtivement dans la pénombre.

— Mais... ce sont des ours noirs!

— Il y en a quatre. Quand les serveurs n'arrivent pas à faire cesser une bataille, ils en font monter un. Les esprits se calment bien rapidement.

La nouvelle venue recula d'un pas, comme si elle craignait qu'une bête ne vienne la cueillir d'un coup de patte.

— Alors, mes beautés, voulez-vous descendre ? demanda un serveur en s'approchant.

Un tablier blanc lui battait les jambes. Ses manches retroussées sur des bras noueux et un visage marqué de cicatrices devaient amener les clients à ne pas trop lui chercher noise. Un melon perché sur le sommet de son crâne ajoutait une touche un peu pittoresque au personnage par ailleurs redoutable.

— Non, je vais passer mon tour, dit la blonde. Mais si tu vois les frères Chrétien, enferme-les une nuit avec ces animaux de compagnie.

L'autre connaissait ces tristes personnages. Il perdit son sourire en disant :

— T'es une gentille fille. Comment peux-tu me demander une chose pareille ?

— Ils ont commencé par vouloir voler mon amie à la gare, puis ils se sont montrés un peu trop menaçants à mon endroit.

L'autre hocha la tête avec un air convenu, puis murmura :

— Je leur parlerai.

Son poing droit atterrit dans sa paume gauche. La conversation ne se déroulerait sûrement pas sur le ton de la confidence.

— Si un malheur arrive à mon ancienne voisine de ruelle, je m'occuperai d'eux. Qu'ils en soient responsables ou pas.

— Tes bonnes paroles suffiront à les calmer ?

— Je peux être très convaincant, tu sais.

Phébée le remercia d'un signe de tête, puis poursuivit d'un ton plus léger :

— T'as une place un peu à l'écart pour nous? Nous voulons manger sans devenir le centre d'attraction de ces messieurs.

Ses yeux se portèrent vers les clients un peu intrigués par leur présence.

— Deux jolies filles ensemble, on voit pas ça souvent ici. J'arriverai à calmer les plus entreprenants, ne t'inquiète pas. Venez.

Le serveur les précéda dans la grande salle pour les conduire vers une table placée près d'une fenêtre.

— Tu nous apportes de quoi manger? dit Phébée en prenant place sur une chaise.

— Tout de suite, princesse.

Le mot s'accompagna d'un gros clin d'œil. Alors qu'il s'éloignait, la blonde dit à sa compagne:

— Mets ton gros sac par terre, puis assieds-toi. Tu fais un peu drôle, cramponnée à lui.

— … Le plancher est couvert de sciure de bois.

— Crois-moi, tu aimes mieux voir la sciure que ce qui se trouve dessous. Même s'il y a des crachoirs partout, aucun de ces habitués ne sait viser juste.

Félicité tira une chaise et regarda le sol avant de poser son sac sur une surface à peu près propre. Son nez plissé fit dire à sa compagne en riant:

— Ne fais pas ta bourgeoise. Là, tu ressembles à mes clientes, à la boutique. À cette heure de la journée, personne ne s'est encore vidé l'estomac par terre. En fin de soirée, tu n'en croirais pas tes yeux.

— … C'est un mauvais lieu?

Une nouvelle fois, Félicité avait prononcé ces mots à voix basse. Phébée ne dissimula pas son amusement.

— Je suppose que tu as raison. Si mes pratiques savaient que je viens ici, elles ne m'adresseraient plus jamais la parole.

Elle jeta un regard circulaire vers les clients.

— Regarde ces esseulés. Une fois saouls, ils doivent se procurer un peu d'amour pour le prix d'un repas. C'est pareil partout où l'on vend de la boisson.

Comme ce monde paraissait étrange. La salle contenait peut-être cinquante habitués, les uns isolés, les yeux collés à leur verre de bière, les autres réunis en groupes de trois ou quatre. Ils conspiraient à voix basse. Tous jetaient des regards plus ou moins discrets sur les deux jeunes femmes.

« Si maman me voyait ici », songea Félicité. La pauvre femme imaginerait la totale déchéance de sa fille. Puis tout de suite elle se reprit. Un presbytère s'était révélé plus dangereux pour le salut de son âme que ce grand débit de boisson. Tout de même, elle plaça ses jambes de part et d'autre de son sac, bien résolue à défendre sa propriété.

— Les gars de la gare… Tu as parlé des frères Chrétien, tout à l'heure. Tu les connais ?

— Plus ou moins. La ville n'est pas si grande, on finit par connaître tout le monde. Mieux vaut savoir identifier les bêtes nuisibles, pour s'en tenir loin. Tu sais, tous les hommes qui t'approcheront de cette façon à Montréal voudront quelque chose. Ça peut bien être tes vêtements, ou ce qu'il y a dedans.

Cette précision venait sans doute d'une succession de mauvaises expériences. La nouvelle venue s'inquiéta d'un tableau aussi sombre. Pourtant le dépit s'effaça bien vite du joli visage, comme si Phébée ne pouvait se laisser vraiment submerger par ce mauvais constat.

— Et dans ce gros sac, demanda-t-elle, tu as juste ça ? Des vêtements ?

— Oui.

— Tu en as beaucoup.

Félicité haussa les épaules avant de préciser :

— Je ne possède rien d'autre. Des robes, des chaussures, un manteau d'hiver. C'est toute ma richesse.

De la main, l'autre l'incita à cesser l'énumération, comme si des personnes mal intentionnées pouvaient l'entendre.

— Comme je le disais, c'est beaucoup. Dans une friperie, ces salauds auraient obtenu de quoi se payer bien des repas comme celui qui nous attend. Sors ton dix cents.

Le serveur s'approchait les bras chargés, deux grandes assiettes sur le droit, deux chopes au bout du gauche.

— Nous n'avons rien demandé à boire, remarqua Phébée.

— Un cadeau de la maison, pour mon ancienne voisine. Il fait chaud, et l'eau du fleuve est mauvaise pour la santé.

Elle le remercia et posa sa pièce de monnaie sur la table. Félicité l'imita.

— Bon appétit, dit l'homme en s'éloignant.

Dans les assiettes, une épaisse tranche de bœuf nappée d'une sauce brune, des pommes de terre et un morceau de pain constituaient un repas des plus convenables.

— Tu vois, dans des endroits comme ici, tu peux te nourrir très bien pour une somme raisonnable. Une fois de temps en temps, se remplir l'estomac s'impose, surtout si l'ordinaire à la maison laisse à désirer.

Des ustensiles se trouvaient dans un pot de terre cuite posé au centre de la table. Mieux valait ne pas trop s'arrêter à leur propreté pour manger d'un meilleur appétit. En découpant la viande, Félicité se rendit compte qu'elle était affamée. L'odeur la faisait saliver. Elles mangèrent d'abord en silence. Au moment de prendre une gorgée de bière, Phébée revint à sa préoccupation précédente :

— Ta robe est de bonne qualité. Tu es riche ?

L'institutrice déchue répondit d'abord en secouant ses boucles châtaines de gauche à droite, avala sa bouchée et expliqua :

— Non, pas du tout. Ma mère l'a faite pour moi.

— Elle ne travaille pas mal.

L'appréciation manquait de conviction. Elle poursuivit :

— C'est son métier ?

— Non, elle est femme engagée dans une maison privée.

« Demeure discrète, se rappela l'ancienne institutrice, n'évoque pas le presbytère, même devant une personne affichant sa gentillesse. »

Phébée jugea inutile de s'informer de l'occupation de son père. Elle supposait que si la mère travaillait comme domestique, et que la fille tentait sa chance à Montréal, le pauvre homme ne devait plus être de ce monde.

— Ta robe est bien plus belle que la mienne, enchaîna l'exilée, désireuse de détourner l'attention d'elle.

Comment ne pas apprécier un vêtement arborant dentelles et rubans d'un bleu assorti aux yeux de sa propriétaire ?

— Mais moi, justement, c'est mon métier. Tout à l'heure, j'étais à la gare pour mettre sur le train des vêtements destinés à des bourgeoises habitant entre ici et Trois-Rivières.

Affamées, elles suspendirent la conversation pour continuer leur repas. Félicité grimaça en avalant une gorgée de bière tellement le goût lui paraissait âcre. Après quelques bouchées, elle reprit :

— Dans ton cas, tes parents ?

Phébée fit d'abord un geste de la main, comme pour balayer une poussière, puis choisit de se faire plus explicite.

— Morts… Il y a deux ans, la grippe a été sévère.

Bien sûr, à Montréal comme à Saint-Eugène une mauvaise grippe pouvait se révéler fatale. Le moment de tristesse résignée qui suivit la confidence permit à la châtaine, moins inquiète, d'étudier ces lieux étranges. Elle remarqua des lynx et des rapaces empaillés placés contre les murs de la grande salle.

— Il y a déjà eu un bison dans ce coin-là, précisa la blonde en éclatant de rire devant son étonnement, toute tristesse envolée. La vermine se répandait dans la carcasse. Le patron l'a brûlée dans la cour arrière. Ensuite, tout le quartier a empesté pendant trois jours.

De nouveau, Félicité ressentit une angoisse imprécise. Cet univers paraissait si insolite. L'amusement de sa compagne, son plaisir à évoquer toute l'étrangeté de cet endroit, ajoutait à son malaise. Un peu de la honte ressentie face à ses camarades plus nanties, au couvent, lui revint. À cette époque, elle s'était défendue en devenant une élève incollable. Maintenant, elle se faisait l'impression d'être une petite sotte mal dégrossie.

Heureusement, contrairement aux filles de notables, sa nouvelle amie s'amusait de son ignorance sans jamais la mépriser. En réalité, personne ne pouvait prêter la moindre pensée malicieuse à la jolie blonde. Phébée présentait un visage ouvert, un sourire presque permanent lui mettait de petites fossettes aux joues. Un regard vif, intelligent, ajoutait à son charme.

— Tu sais où coucher ?

Le changement abrupt de sujet prit Félicité au dépourvu.

— Non, pas vraiment. Je dois trouver un travail…

Son exil dans la grande ville tenait de la plus totale improvisation. Soucieuse avant tout de se dérober aux regards accusateurs, elle ne s'était jamais attardée aux aspects pratiques de l'aventure. Avoir un peu d'argent sur elle ne suffisait pas. De toute façon, sans l'arrivée inopinée de cette inconnue, il ne lui en resterait peut-être plus du tout, maintenant.

— T'as de quoi tenir quelque temps ?

Un mouvement hésitant de la tête fit office de réponse.

— En cette saison, ce ne sera pas trop difficile de trouver quelque chose, les ateliers et les manufactures fonctionnent à plein pour remplir les commandes. L'hiver, tout ralentit et bien des personnes se voient réduites au chômage.

Félicité acquiesça à nouveau, sans pourtant vraiment comprendre comment les grands froids pouvaient affecter la production.

— Il y a quelque chose que tu sais faire ? insista sa compagne.

Impossible de répondre « M'occuper d'une classe ». Que pouvait-elle faire d'autre ?

— Non, je n'ai jamais travaillé.

— Pas du tout ? demanda Phébée d'un air étonné.

Cela lui paraissait inimaginable. Dans son univers, tout le monde devait être sur le marché du travail.

— Moi, j'ai commencé à douze ans, précisa-t-elle. Tu n'as pas fréquenté l'école pendant toutes ces années, toujours ?

Cette éventualité aurait fait d'elle une privilégiée, comme les filles des notables de la rue Saint-Denis. Celles-là ne se promenaient jamais seules en ville.

— … Non. J'ai travaillé sur la ferme.

— Tu ne parles pas comme une habitante… Plutôt comme l'une de mes clientes. Je le sais, je mets tellement d'effort à les imiter.

Phébée examina sa compagne, cherchant à donner un sens à des informations contradictoires. En plus de la façon de s'exprimer, les mains fines et la robe bien taillée cadraient mal avec la vie de paysanne. Elle se résolut finalement à ne pas pousser plus loin son interrogatoire pour l'instant. Cette fille lui semblait sympathique, après tout, et toutes deux pourraient se rendre mutuellement service.

— Si tu veux partager ma chambre, cela me permettra de faire des économies. C'est un dollar par semaine.

Félicité ne put cacher sa surprise face à une telle somme.

— Ce n'est pas cher, tu sais. Actuellement je suis seule dans la pièce, ça me coûte un dollar et demi. À deux, la logeuse acceptera un dollar chacune.

L'autre demeura silencieuse. Phébée se fit plus précise :

— Pour cette somme, nous pouvons avoir un peu de gruau le matin, de la soupe le soir, ou un bouilli. Tu ne risques pas d'engraisser. Il faut prévoir quelques repas comme celui-ci tous les mois, pour refaire nos forces.

Comme Félicité ignorait le coût d'une chambre à Montréal, ou encore combien pouvait gagner une ouvrière, elle choisit de s'en remettre à sa charmante guide.

— C'est bien, j'accepte.

— Tu pourras payer, le temps de te trouver du travail et de recevoir tes premiers gages ?

— Si ce n'est pas trop long, oui.

La blonde parut soulagée.

— Je gagne assez bien ma vie comme couturière, précisa-t-elle, mais pas assez pour avoir une personne à ma charge.

— Bien sûr, je comprends.

Le sourire aux lèvres, sa compagne lui tendit la main.

— Alors marché conclu. Je suis certaine que nous allons nous entendre.

Félicité accepta la poignée de main avec un sourire légèrement contraint. Elle devait faire confiance à cette inconnue, sachant très bien maintenant qu'elle ne saurait se débrouiller toute seule dans ce nouveau milieu. D'un autre côté, la dernière année ne l'avait pas habituée à des rencontres heureuses.

Chapitre 2

Tout au long de leurs échanges, les deux jeunes femmes avaient avalé la viande, les pommes de terre, le pain, et même vidé leur chope de bière. Cela avait suffi à rasséréner un peu l'ancienne institutrice. Une fois la question de son logement réglée, et peut-être un peu à cause de l'alcool, elle se sentait un peu plus rassurée, au point de se tordre le cou pour examiner la grande salle en détail.

Deux hommes noirs retinrent longtemps son attention, tellement que Phébée l'avertit :

— Cesse de les examiner comme ça. Tu me gênes un peu, tu sais.

— Je n'en ai jamais vu. Bien sûr j'ai lu des choses…

— Tu en verras souvent à Montréal. Des Chinois aussi.

La ville comptait plus de cent cinquante mille habitants. Un nombre si impressionnant de gens lui réserverait sa part de surprises.

— Ce sont des chrétiens ?

— Oui, et bien meilleurs que ceux de la gare, crois-moi. Des protestants.

Le souvenir des deux malandrins au patronyme évocateur, des catholiques puisqu'ils parlaient français comme elle, troubla Félicité. Elle ignorait encore à quel point la ville ébranlerait ses certitudes.

— Dans le cas des Chinois, continua sa compagne, ce sont sans doute les païens dont parle le petit catéchisme.

Félicité demanda encore, après une courte réflexion :

— Nous sommes en plein après-midi. Pourquoi ces hommes ne sont-ils pas au travail ?

— La plupart sont des marins. Ils profitent un peu de l'escale, avant de repartir pour le bout du monde. Tu sais, les quais sont environ à soixante pieds.

Trop préoccupée par son propre sort à son arrivée, elle n'avait même pas remarqué les mâtures dépassant au-dessus des toits.

— Les autres sont des débardeurs. Entre le déchargement de deux navires, il leur faut tuer le temps. Cet endroit en vaut un autre.

En raison des prix de la nourriture et des chambres à l'étage, des rencontres possibles et des excentricités du propriétaire, l'établissement attirait une plus grande clientèle que les commerces du même genre.

L'ébahissement de Félicité atteignit son comble alors que se présenta un personnage très grand, le visage orné d'une épaisse moustache et d'un bouc au menton. Sur son épaule, un petit singe nerveux se cramponnait de son mieux. L'animal tournait la tête en tous sens, comme s'il pressentait une menace. Bouche bée, l'institutrice déchue ne put que murmurer : « Je n'en ai jamais vu. »

— Voilà le patron, Charles McKiernan. Joe Beef, c'était son surnom dans l'armée.

Conspué par les uns, admiré par les autres, le personnage jouissait d'une notoriété qui dépassait largement les frontières de Montréal. Sa clientèle de marins participait de beaucoup à ce que cette célébrité se propage dans de nombreuses villes américaines, puisque ceux-ci naviguaient de port en port.

— Comme tu acceptes de partager ma chambre, enchaîna Phébée, allons à la maison pour déposer ton sac.

Après, si tu veux, nous marcherons un peu dans la rue Sainte-Catherine.

L'autre acquiesça, heureuse de quitter ces lieux étranges. Après qu'elle eut récupéré son sac sous la table, les regards sur elle lui parurent plus insistants. Cette fois pourtant, sa silhouette retenait plus l'attention que son bagage. Son guide choisit de sortir par la porte donnant sur la rue de la Commune.

— Tu vois, nous sommes bien dans le port. Là, il y a le bassin du Roi, et là le bassin Elgin.

Du doigt, la blonde désignait la gauche. La forêt de mâts impressionna sa compagne. Même si la plupart des navires amarrés aux quais Russel et Albert comptaient une ou plusieurs cheminées qui attestaient de la présence à bord d'une machine à vapeur, des voiles permettaient d'économiser le combustible.

— Ils viennent de partout dans le monde, expliqua Phébée. Dans le lot, certains arrivent d'Afrique, d'autres du Japon.

Cette dernière éventualité était peu probable, mais l'ancienne maîtresse d'école jugea préférable de taire sa connaissance de la géographie. La peur l'incitait à presser des deux mains son sac sur sa poitrine.

— On dirait que tu caches un trésor. Donne, nous le porterons à deux. Nous allons par là.

Après une hésitation, Félicité accepta de partager son fardeau.

Le bagage se trouvait entre elles, chacune le tenant d'une main. Phébée décida de suivre la rue des Commissaires pour que sa compagne admire les navires de toutes tailles.

Un rail parcourait le port afin de faciliter le transport des marchandises. Si l'anglais dominait les conversations des marins, certains accents témoignaient d'une origine plus exotique.

— Là, c'est le marché Bonsecours, indiqua Phébée en longeant un très long bâtiment de pierre. On peut y acheter des denrées. Surtout, lors des campagnes électorales, les candidats y tiennent des assemblées contradictoires. Si tu voyais le spectacle… Meilleur que le théâtre.

N'ayant vu aucune réunion politique et seulement quelques saynètes à l'école, Félicité s'abstint de tout commentaire. Un peu plus loin, son guide demanda :

— Tu dois te retrouver, maintenant. Tu es arrivée près d'ici, au début de l'après-midi.

Devant le regard perdu de sa compagne, elle continua :

— Toutes ces bâtisses appartiennent au Canadien Pacifique. Là, ils entassent les marchandises.

Du doigt, elle montrait un entrepôt construit près du fleuve, donnant sur la rue des Commissaires.

— Nous allons monter ici. La *station* est située un peu plus haut.

Un passage très large allait vers le nord. À sa droite, Félicité aperçut de nombreuses voies ferrées parallèles. Des wagons et des locomotives semblaient s'y reposer.

— Et là, tu te reconnais ?

— C'est la gare Dalhousie.

La jeune femme se dit qu'elle ferait bien de se trouver un plan de la ville, sinon elle s'exposait à se perdre dans ce lacis de rues et de ruelles. Arrivées au coin Notre-Dame, elles prirent vers l'ouest, refaisant en partie le trajet parcouru quelque trois heures plus tôt, avant de se diriger vers le nord. Avec le bagage entre elles, les deux femmes occupaient toute la largeur du trottoir. Les passants venant en sens inverse, ou désireux de les dépasser, devaient descendre sur la chaussée. Moins jolies, elles se seraient attiré des paroles peu amènes. À la place, les hommes les saluaient en touchant le rebord de leur chapeau, les femmes en poussant des soupirs excédés.

— Comme il y a du monde, murmura la campagnarde.

— Il passe cinq heures, les gens commencent à quitter leur travail.

— Si tôt ?

— Ce sont des bourgeois.

À Saint-Jacques, la journée commençait aux premières lueurs du soleil pour se terminer quand il se cachait à l'horizon. La plupart de ces employés portaient une veste et un melon, signes évidents de leur aisance. Leur vie était réglée sur un autre horaire.

— Nous approchons de la rue Saint-Denis, ajouta encore Phébée pour se faire plus explicite. Ici, comme dans Saint-Hubert, habite du beau monde. Ces messieurs se trouveront dans leur grand logis avant six heures.

Si un certain dépit marquait sa voix, la blonde répondait par un beau sourire à toutes les salutations de ces étrangers. Sa robe bleue révélait une silhouette parfaite. L'élégance du vêtement pouvait inciter à croire qu'elle jouissait de certains moyens, mais l'absence de chapeau et de gants trahissait sa réelle condition. Seules les ouvrières et les vendeuses allaient ainsi.

— Tu vois, après cette rue, c'est le quartier Saint-Louis à gauche, Saint-Jacques à droite, et là, c'est le carré Viger. Nous viendrons y écouter de la musique, dimanche prochain.

Le grand espace vert était planté d'arbres majestueux. Un kiosque en occupait le centre. Au-dessus de la buvette, une scène octogonale, couverte d'un toit, pouvait recevoir un orchestre de bonne dimension.

Dans les minutes suivantes, Phébée se tut, sans doute un peu fatiguée par la longue marche. Félicité constatait qu'en montant la pente douce de la rue Saint-Denis, elle s'élevait dans l'échelle sociale de la ville. Les maisons de brique, parfois de bois, cédaient leur place à des édifices dotés de façades de pierres grises.

Puis en arrivant à la rue Dorchester, elles allèrent vers l'est pour passer devant l'étroite rue Notre-Dame-de-Lourdes. Quelques dizaines de pieds les avaient menées vers un autre univers social. Là, les demeures prenaient la forme de rectangles de deux étages, et étaient construites en bordure immédiate du trottoir. Pas un brin d'herbe ne pouvait y pousser. Ce n'était pourtant pas faute d'engrais. Tout le côté gauche de la petite artère était flanqué des écuries des maisons huppées de la rue Saint-Denis.

Phébée suivit le regard que sa compagne promenait sur ce décor déprimant, grimaçant un peu de désillusion.

— Tu vois, nous nous trouvons du mauvais côté de la rue Saint-Denis. Finis les messieurs en jaquette et les dames avec un faux-cul de dix-huit pouces sur les fesses. Au moins cette mauvaise rue porte un nom. Je ne peux même pas en dire autant de l'endroit où je t'emmène.

Une allée étroite s'ouvrait moins de cinquante pieds plus loin. Des maisons ne payant pas de mine la bordaient des deux côtés. Plusieurs se trouvaient aménagées dans les anciennes écuries des habitants de la rue Berri. Ces derniers trouvaient un complément de revenu appréciable en louant ces masures. Phébée s'arrêta finalement devant une très modeste maison. Pas très large, la devanture était percée de deux fenêtres, de part et d'autre de la porte.

— Voilà notre logis à toutes les deux. Tu peux te sauver en courant, si ce n'est pas assez bien pour toi...

— Non, ça ira, l'assura-t-elle d'un ton qui manquait pourtant de conviction.

Elles suivirent un couloir étroit percé de quelques portes, toutes fermées à cette heure de la journée.

— La bourgeoise couche là, souffla la jeune fille en désignant une pièce sur la droite. Ses enfants de l'autre côté.

Sur les murs, le papier peint semblait atteint de la lèpre. Des déchirures laissaient voir le lambris de bois et de plâtre. Ce passage débouchait dans une grande pièce faisant toute la largeur de la maison. Elle servait à la fois de cuisine et de salle à manger. Là, les murs restaient nus. Les planches rugueuses portaient des traces de blanchiment, mais le gris du bois dominait.

Phébée déclara d'une voix enjouée :

— Madame Paquin, j'ai enfin trouvé une amie pour partager ma chambre.

La grosse femme leva le nez de son bac à lessive. Les manches relevées jusqu'au-dessus des coudes, elle frottait avec énergie un vêtement savonneux sur une planche à laver.

— Qu'est-ce qu'elle a dans son sac ? Elle a vidé une maison ?

— Voyons, ne dites pas des choses comme ça d'une bonne jeune fille. Ce sont ses affaires.

— Elle travaille où, ta trouvaille ?

Agacée que l'on parle d'elle en ignorant sa présence, Félicité voulut prendre part à la conversation. Sa nouvelle compagne ne lui en laissa pas le temps.

— Elle vient de descendre du train. Elle n'a pas encore d'emploi. Elle va commencer à chercher demain.

— Chômeuse, et plus de vêtements dans son sac que dans ma garde-robe ! commenta la dame aux formes généreuses avec aigreur.

— Bon ! On ne va pas discuter de son trousseau pendant des heures, coupa Phébée. On fait comme on avait déjà dit, madame Paquin : une piastre pour moi, une piastre pour elle, avec les déjeuners et les soupers.

— J'y ai repensé. Manger coûte de plus en plus cher. J'arriverai pas.

La blonde perdit tout à fait son sourire engageant avant de rétorquer :

— C'était entendu. Si c'est comme ça, je m'en vais dimanche.

L'autre plissa les yeux, supputant ses chances d'obtenir plus d'argent avec une autre locataire que celle-là. À la fin, elle céda.

— C'est bon, j'veux bien essayer une couple de semaines. J'verrai si j'arrive. J'fais pas la charité, moi.

Elle tourna la tête pour fixer la nouvelle locataire dans les yeux. Son visage rappelait celui de la mère du curé Sasseville. Ce constat ajouta au trouble de Félicité.

— Une piastre par semaine, répéta-t-elle, payable à l'avance. Tu manges ce que je mets sur la table sans faire de remarque, ou tu t'en passes. Pas de gars dans la maison pour venir te voir ; même pas à trois cents pieds de la maison.

— Oui madame, ça me convient.

— Et tu paies tout de suite.

Félicité hocha la tête, puis s'inquiéta de n'avoir que de la menue monnaie dans sa poche.

— Quand je viderai mon sac, je retrouverai mon argent.

La logeuse posa sur elle un regard soupçonneux.

— Une piastre, c'est pour la semaine commençant dimanche, intervint la blonde. Nous sommes vendredi. Combien pour les deux nuits qui restent ?

— Quarante cents tout de suite. La piastre avant la messe, dimanche.

— Trop cher, rétorqua la couturière. Trente cents.

— Trente-cinq, et là tu te tais et tu montes tout de suite. Si je m'énerve, vous coucherez toutes les deux sur un banc du carré Viger ce soir.

— Entendu. Viens, Félicité.

Alors que les deux amies quittaient la pièce, la bonne femme précisa encore :

— Phébée, ta bonne fille sent un peu la bière.

Si Félicité rougit de se voir rappeler son passage dans un débit de boisson, sa compagne réprima un sourire.

Elles montèrent un escalier très raide et étroit. Phébée prit la clé au bout de la cordelette entourant son cou. Elle dut se plier en deux pour la glisser dans le cadenas placé sur la porte de sa chambre.

— C'est une pièce aveugle, précisa encore la blonde. Ça veut dire pas de fenêtre. Les chambres donnant sur la rue ou à l'arrière en ont une, mais pas la mienne, ni celle de la fille d'en face. Comme ça, c'est moins cher.

Cela, elle ne le révélait qu'une fois la transaction conclue, s'avisa Félicité. Cette caractéristique architecturale les condamnait à la plus grande obscurité dès midi. Si elles laissaient la porte ouverte, la lumière venue du corridor leur permettait de voir assez bien dans la pièce de dix pieds sur dix pieds pour se vêtir ou se dévêtir, mais à peine pour lire. Comme personne ne changeait ses vêtements la porte ouverte avec la présence de si nombreux voisins, des bougies à demi consumées se trouvaient posées sur un tabouret branlant.

— En face, c'est une fille ? demanda Félicité.

— Oui. Les quatre autres sont habitées par des gars.

Les maisons de chambres recevaient habituellement des personnes de l'un ou l'autre sexe. Le propriétaire de cette maison ne s'encombrait pas de scrupules pour accroître son profit. Devant la mine surprise de son interlocutrice, Phébée s'empressa d'ajouter :

— T'en fais pas, ils sont bien. Jamais un geste déplacé. Leurs yeux parlent pour eux, cependant. Tu vois ce que je veux dire ?

L'ancienne institutrice opina. Elle voyait très bien, la dernière année lui ayant permis d'éprouver tout le désagrément de ce langage muet. Après avoir fait un tour sur elle-même, Félicité comprit qu'elles seraient contraintes de partager le même lit.

— Tu sais, lui confia sa nouvelle amie, pour un dollar par semaine, si tu tiens compte des deux repas par jour, tu ne trouveras pas mieux.

L'ancienne maîtresse d'école approuva de la tête en s'efforçant de sourire. Elle ne put s'empêcher de repenser au petit logement au-dessus de l'école numéro 3. Aujourd'hui, tout cet espace semblait d'un luxe inouï, en comparaison.

— Je comprends, mais je n'ai pas l'habitude. À la maison, j'étais seule.

Au couvent elle avait logé dans des dortoirs. Si les couchettes se trouvaient bien proches les unes des autres, au moins aucune écolière ne devait partager la sienne. En plus, des voisins logeaient à quelques pieds. Cette promiscuité la déroutait.

— C'est drôle, dit Phébée, moi aussi j'étais fille unique.

Que deux enfants élevés seuls se retrouvent ensemble, dans ce monde de familles nombreuses, tenait d'un hasard bien improbable.

— Ce sera comme avoir une sœur, continua la couturière.

Ces mots touchèrent sa compagne, qui la gratifia d'un sourire timide.

— Tu as raison. Tu as quel âge?

— Dix-sept ans, dix-huit dans quatre mois.

— Moi, dix-huit ans en juillet. Je suis donc l'aînée.

L'autre s'avança pour lui poser un baiser sur la joue. Un peu rougissante, Félicité le lui rendit puis demanda, pour se donner une contenance:

— Où vais-je mettre mes choses?

— Si t'as pas trop de robes, elles iront avec les miennes dans ce petit placard. Comme il est grand comme ça – des mains, elle indiquait une largeur de deux pieds –, quand l'une de nous achètera un nouveau vêtement, il faudra en vendre un vieux.

Elle ouvrit une porte étroite pour lui montrer la petitesse de l'espace de rangement.

— Pour ce qui ne logera pas là-dedans, il y a ce vieux coffre. Il me sert aussi de siège. Si nécessaire, nous en dénicherons un autre. Tu pourras ranger tout à l'heure. Mieux vaut donner son dû à notre geôlier…

La couturière s'interrompit, se troubla un peu en disant:

— Un gardien de prison, ça se dit bien comme ça?

— Oui, c'est le bon mot.

L'autre remercia d'un sourire, puis enchaîna:

— Si on ne donne pas au geôlier son argent tout de suite, elle va s'égosiller au point de déranger tout le voisinage.

La jeune femme s'arrêta, puis ajouta pour rassurer un peu sa nouvelle amie:

— Vénérance a bon cœur, au fond, mais il faut aller tout au fond pour le trouver.

Félicité ne semblait pas s'apprêter à ouvrir son sac.

— Si tu veux te retourner…, demanda-t-elle, un peu intimidée.

L'autre lui jeta un regard intrigué, puis son visage s'éclaira.

— Ah, toi aussi, tu caches ça là, devina-t-elle en pointant l'une de ses cuisses. Attends.

Phébée craqua une allumette pour allumer une bougie, ferma la porte et poussa un coin de bois sous celle-ci.

— Comme ça, personne ne peut ouvrir. Ça marche, un voisin a déjà essayé sans succès.

Pour rassurer sa nouvelle amie, elle renchérit :

— T'en fais pas, Vénérance l'a mis dehors en pleine nuit. Elle a lancé ses affaires par la fenêtre. Pour ça, on peut compter sur elle. Bon, si tu veux, je range tes robes pendant que tu retrouves ton porte-monnaie.

Ayant reçu l'autorisation d'un signe de tête, elle se pencha sur le bagage. Sa compagne s'assit pour relever sa robe jusqu'au-dessus de ses genoux et retrouver la petite liasse enfouie sous son bas.

— Elle sera un peu fripée, dit Phébée en récupérant la robe bleue dans le sac, l'autre aussi. Un coup de fer et ça ne paraîtra plus.

Les robes allèrent dans le petit placard, puis ce fut le manteau d'hiver.

— Moi, je mets mes économies dans mon pantalon, commenta encore la couturière. Même en plaçant un cadenas sur la porte, je préfère laisser le moins de choses possible ici, quand je ne suis pas là. Un coup d'épaule, et un voleur se retrouverait dans la pièce.

— Il faut toujours se méfier ?

— Toujours, et de tout le monde, sauf de moi, dit-elle en riant.

Elles sortirent après avoir soufflé la bougie. La blonde remit son cadenas à sa place.

— J'ai une seconde clé. Je te la donnerai tout à l'heure.

Il faudrait un certain temps avant que Félicité ne descende cet escalier trop raide sans craindre de le faire tête première. Dans la cuisine, madame Paquin se penchait toujours sur sa planche à laver.

— Voilà l'argent, dit la nouvelle venue en tendant la main.

— Pose ça sur la table. Là tu vois, j'suis occupée.

Après un silence embarrassé, la jeune femme demanda :

— Et pour… Où dois-je aller…

Quels mots devait-elle utiliser ? « Latrines » figurait-il au vocabulaire de son interlocutrice ? La logeuse fronça les sourcils, incertaine. Finalement, ses années de couvent laissaient encore à Félicité une forte empreinte dans son esprit, malgré toutes les mésaventures de l'année écoulée. À la moindre allusion à des fonctions naturelles, elle perdait ses mots.

— Les bécosses ? demanda Phébée dans son dos. Tu sors par là. Tu ne peux pas te tromper, va vers la puanteur.

Elle se retrouva dans une cour encombrée de bouts de bois, de boîtes de conserve rouillées et de débris de verre. Dans ce dépotoir privé, des planches posées sur le sol permettaient d'atteindre une petite construction sommaire sans trop souiller ses chaussures ou le bas de sa robe.

Faire glisser le pantalon de toile prit un instant. Pourrait-elle un jour faire abstraction de la propreté douteuse de la lunette et de l'odeur écœurante ?

— Ça, c'est la grande ville, dit-elle pour elle-même.

Elle se découvrait un humour cynique, dans ce nouvel univers.

Félicité trouva Phébée assise à la table dans la salle à manger de la cuisine. Elle discutait de la venue prochaine de l'été avec la logeuse.

— Une belle expérience, ton voyage au fond de la cour, n'est-ce pas ? s'enquit son amie.

Vénérance le prit comme une attaque personnelle.

— Tu sais comment ça coûte, faire nettoyer tout ça ? maugréa la mégère.

— Non, pas du tout.

— Prends une grosse brassée de dentelles et de rubans, comme ceux que tu couds tous les jours pour tes bourgeoises. Et t'en auras même pas assez.

Les deux femmes n'abordaient pas le sujet des installations sanitaires pour la première fois. Visiblement, l'une et l'autre campaient sur leur position. À trop insister, la locataire se ferait dire d'aller vivre ailleurs. Pourtant, défiante, Phébée ajouta encore en se levant :

— Bon, je vais aux bécosses aussi, au risque d'attraper la crève.

Avant de passer la porte, elle précisa à l'intention de son amie :

— Ensuite nous irons prendre l'air. Nous en aurons besoin, après ça.

Félicité songea à remonter dans la chambre pour ne pas demeurer en tête-à-tête avec une… geôlière ? Elle s'amusait du désir de sa nouvelle amie de trouver le mot juste. Encore privée de clé, elle ne pouvait cependant pas s'esquiver. Elle prit la chaise laissée libre puis risqua, après un silence :

— Ça doit représenter un imposant travail, avoir autant de pensionnaires.

— J'gagne ma vie, comme tout le monde.

— Oui, bien sûr.

La mégère n'affichait aucun penchant pour les conversations destinées à passer le temps. D'un autre côté, connaître les personnes sous son toit lui semblait impératif.

— Je veux savoir… Tu viens d'où ?

— … de Saint-Alexis.

Elle aurait dû préparer son histoire à l'avance, se reprocha-t-elle en craignant de s'emmêler dans ses mensonges.

— C'est en haut, ça ?

— Dans la région de Joliette.

— C'est ce que je dis, en haut.

— … Oui.

Les territoires au nord et à l'ouest de Montréal se trouvaient désignés de cette façon imprécise depuis toujours.

— Tu veux travailler où ?

— Je ne sais pas. Je prendrai ce qui se présentera.

Vénérance l'observa. La robe plus que convenable, le langage soigné, les manières réservées : elle aurait du mal à affronter les dures réalités des emplois urbains. Le retour de Phébée mit fin à l'échange. Les jeunes femmes allaient sortir quand la ménagère demanda encore :

— La petite, tu m'as jamais dit ton nom.

— Félicité Dubois.

L'autre secoua la tête, comme pour afficher à nouveau son scepticisme à l'égard de toutes les aspirations de sa nouvelle locataire. Cette gamine s'exprimait trop bien, portait de trop beaux vêtements pour accepter le premier emploi qu'elle trouverait.

Sans se concerter, elles marchèrent vers la rue Dorchester, cette importante artère où s'élevaient des maisons de quatre ou cinq étages. La plupart des rez-de-chaussée abritaient des commerces grands à faire pâlir d'envie le marchand général de Saint-Jacques. Ils recevaient encore des clients en cette fin d'après-midi.

L'état des bécosses chicotait Phébée. Chacune de ses visites là-dedans risquait de ruiner l'une de ses tenues pour toujours. Elle précisa pour son amie:

— Tu sais, dans Saint-Louis et Saint-Jacques, les gens des rues bourgeoises ont des égouts, des toilettes…

Ces concepts demeuraient étrangers à la petite châtaine. Un pli au milieu de son front trahit son ignorance. Fière d'en connaître plus long que son amie sur ce sujet, la blonde s'engagea donc dans une description des derniers progrès dans la science des *water closets* et du tout-à-l'égout. Au contact de ses clientes des beaux quartiers, elle ressentait comme une indignité personnelle ses misérables conditions d'existence. Entre autres, vivre en permanence dans une odeur soutenue d'excréments, devoir se trousser quotidiennement dans le petit cabinet en retenant son souffle, la révoltait plus que tout. Elle aspirait au beau, au propre, au parfumé, et elle avait hâte de trouver un moyen de l'obtenir.

De son côté, Félicité en était encore à l'expression de son incrédulité.

— Comme un grand bol de porcelaine? Tu es certaine?

Un matériau aussi noble, avec lequel on faisait la plus belle vaisselle, pouvait-il servir à «ça»? L'innovation ne s'était pas encore manifestée dans les maisons les plus cossues de la paroisse natale de l'ancienne maîtresse d'école. Dans le cas contraire, une telle avancée aurait été longuement discutée sur le parvis de l'église, et toute la population aurait voulu voir de ses propres yeux.

— Je t'assure, ma patronne en a une. En parlant d'elle, viens, je vais te montrer où je travaille. Ce n'est pas très loin.

Elles remontèrent vers le nord par la rue Saint-Denis. Félicité contemplait les grandes maisons bourgeoises, parfois plus grandes que le presbytère de l'abbé Merlot.

— Qui sont ces gens ? demanda l'ancienne institutrice.

— Ceux qui vivent ici ? Des médecins, des avocats, des propriétaires d'usine.

— Il doit donc s'agir d'Anglais.

Elle savait au moins ça : dans la province de Québec, les plus nantis ne parlaient pas la même langue qu'elle.

— Dans ce quartier, ce sont des Canadiens français. Les Anglais habitent surtout de l'autre côté de la rue Saint-Laurent, par là.

De la main, elle désignait l'ouest. Arrivées à l'intersection de la rue Sainte-Catherine, elles s'engagèrent vers l'est et s'arrêtèrent après une centaine de pas. Félicité tournait la tête pour voir les gens par dizaines, non, par centaines, les commerces achalandés, le grand nombre de véhicules dans les rues. Enfin, réalisait-elle avec grand bonheur, dans cette foule, elle jouirait de l'anonymat tant recherché.

Des hommes se retournaient au passage du duo féminin, plusieurs saluaient d'un léger mouvement de la tête, ou même en levant leur chapeau. Ces attentions, pensait la châtaine, allaient toutes à sa si jolie compagne. Inutile de s'en troubler.

— Juste en face, tu vois, c'est la boutique où je travaille : Les Confections Marly. C'est le nom de la patronne. Enfin, de son mari, mais elle s'occupe de tout. Je vais te montrer.

Phébée la prit par la main. Une calèche leur bloqua d'abord le chemin, suivie de deux charrettes. Au milieu de la chaussée, elles attendirent ensuite le passage d'un tramway. Pour le faire avancer, un cheval poussif allait au pas tandis que les rails permettaient un roulement en douceur. La plupart des passagers portaient une veste et un chapeau. Il s'agissait surtout de commis, d'employés de bureau ainsi que de cols blancs. Ce moyen de transport demeurait encore hors de prix pour la majorité des travailleurs manuels. Ils dévisagèrent sans vergogne les deux femmes par les grandes fenêtres de la voiture.

Sur le trottoir du côté nord de la rue, les amies s'arrêtèrent devant la petite vitrine du commerce. Deux jolies robes d'été pendaient à des cintres alors que des gants, des chapeaux et des mouchoirs se trouvaient sur des présentoirs.

— Celle-là m'a donné du mal, dit Phébée en montrant l'une des robes confectionnée dans un tissu bleu ciel. Fixer tous ces petits brillants sur le corsage prend des heures.

Cette tenue attirerait les regards sur sa propriétaire, se dit l'ancienne maîtresse d'école. Elle s'amusa en imaginant un paon.

— Tu as cousu tous les vêtements qui se trouvent dans cette boutique?

— Bien sûr que non. La plupart viennent d'ateliers. Pour les plus élégants, comme les robes de mariées, je m'en occupe. Puis je fais tous les ajustements, pour celles plus grosses de là ou de là…

De la main, la couturière désigna sa poitrine et ses fesses.

— … ou plus minces. Je fais surtout des vêtements sur mesure. Viens à l'intérieur, la patronne est revenue, déjà.

Félicité suivit, curieuse. Dans le commerce, des étagères chargées de vêtements occupaient tout le mur derrière le comptoir. De l'autre côté de la grande pièce, des robes, des jupons et des peignoirs pendaient à de longues tringles.

— Madame Marly, demanda la couturière à la dame plantureuse de faction, comment s'est déroulée la cérémonie ?

— Tu sais, les funérailles se ressemblent toutes. Ce fut solennel, avec des chants tristes à fendre l'âme. Comme d'habitude, l'encens m'a donné mal à la tête.

La femme paraissait pourtant resplendissante de santé.

— Je vous présente Félicité Dubois, une amie. Je voulais lui montrer où je travaille.

— Je vous offre toute ma sympathie, madame, pour le deuil qui vous afflige.

La marchande ne vit pas la main tendue, l'autre la retira rapidement, mal à l'aise.

— Je vous remercie. Il s'agissait d'une vieille cousine germaine de mon mari, mais je l'aimais tout de même.

Présentée comme cela, la déclaration d'affection devenait bien douteuse. Une cliente passa la porte, toute l'attention de la propriétaire se porta alors sur elle. Phébée en profita pour prendre la main de sa compagne et l'entraîner à l'arrière du commerce.

Là se trouvait une petite pièce éclairée par une fenêtre et donnant sur une cour. Des rouleaux de tissu encombraient des étagères profondes. Pour tout mobilier, on voyait encore une table et une chaise. Dans un coin, il y avait aussi une machine à coudre Singer. Une tablette était occupée par des bobines de fil de diverses couleurs alors que des dentelles, des rubans et des tissus de toutes sortes, de toutes les teintes, occupaient un mur entier.

— Des fois, pour un travail délicat comme celui-ci, dit la couturière en désignant un chemisier élégamment brodé accroché à un cintre contre le mur, je m'assois juste là.

Du plat de la main, Phébée tapa sur la surface de la table. Comme les tailleurs des générations précédentes, elle se retrouvait assise sur ce meuble, les jambes croisées.

— À cette hauteur, plus près de la fenêtre, la lumière est meilleure. Ça me permet de bien soigner les détails. Regarde cette pièce, là. Je n'ai rien fait de mieux au cours de la dernière année.

Félicité avait pris la petite robe en satin pour la contempler de près. Toute blanche, elle ruisselait de dentelles.

— On dirait un vêtement de première communion, mais c'est trop petit. Cela ferait à un enfant de deux ans, je crois.

— Ou même trois, après une longue maladie. Ce n'est pas pour un baptême, mais pour des funérailles. Quand une bourgeoise de la rue Saint-Denis perd un rejeton, elle veut le voir comme un ange du paradis. Je prépare donc des vêtements de ce genre. Les plus riches les enterrent avec le cadavre. Les plus pauvres les récupèrent pour les réutiliser au prochain décès dans la famille, ou chez des voisins. L'une de mes créations a servi à une demi-douzaine d'enfants.

Du bout des doigts, pensive, Phébée caressa le tissu mousseux.

— Tu crois ça, toi, que les petits emportés par la maladie deviennent des anges ?

L'esprit de Félicité voyagea très vite vers Saint-Eugène, vers son petit voisin disparu, puis revint dans le minuscule atelier.

— … Si ce n'était pas pour cela, pourquoi Jésus les ramènerait-il à lui ?

— Au rythme où on les enterre, chuchota son amie, il a besoin de beaucoup de compagnie.

Le ton de la voix trahissait sa sensibilité. La blonde ne pouvait toutefois s'attrister bien longtemps. Son visage était fait pour porter un sourire.

— Viens, dit-elle en prenant sa compagne par le bras. Je vais te montrer ta nouvelle église paroissiale, puis nous irons à la soupe. Vénérance met la table à huit heures pendant l'été, à sept pendant l'hiver. Si nous ne sommes pas là, nous passerons sous la table. Dans ce cas, il faudra attendre demain matin pour avaler un peu de gruau.

— Nous venons de dîner…

— Mange chaque fois que t'en as l'occasion. Tu vas voir, on saute souvent des repas, dans cette ville.

Elle poussa son amie vers la sortie. Toutes deux saluèrent d'un signe de tête la propriétaire des lieux, occupée avec des clientes. Dehors, elles revinrent sur leurs pas dans la rue Sainte-Catherine, jusqu'au coin de Saint-Denis. Félicité reconnut un couvent de pierres grises construit à l'intersection, et juste après, vers le nord, une grande église.

— Nous viendrons ici après-demain, pour la messe. Tu vas voir tout le beau monde, avec des vêtements que ni toi ni moi ne pourrons jamais nous payer au cours de notre vie.

Déjà, la magnificence du temple laissait la campagnarde bouche bée. Le clocher unique s'élevait bien haut, à trois cents pieds en fait. Au-dessus des portes centrales imposantes construites en ogive se trouvait une grande rosace, véritable fleur de pierre.

— Nous sommes dans quelle paroisse, ici ?

— Saint-Jacques, dans le quartier Saint-Jacques, dit l'autre en riant. On ne risque pas de se tromper.

Ce curieux hasard troubla la nouvelle venue. Elle se retrouvait dans une paroisse portant le même nom que celle de sa naissance. Était-ce un bon ou un mauvais présage ? Après avoir contemplé la construction de Victor Bourgeau, la blonde entraîna sa compagne un peu plus loin vers le nord, pour lui montrer les demeures les plus cossues. Puis elle tourna les talons en disant :

— Là, c'est vrai, nous risquons de passer sous la table.

Félicité lui emboîta le pas sans discuter. Depuis un moment, la fatigue et les émotions de la journée commençaient à lui peser.

Chapitre 3

Même un vendredi en fin d'après-midi, une vingtaine de fidèles se trouvaient agenouillés dans l'église Saint-Jacques. Mis à part deux vieillards, il s'agissait de femmes. Le dernier arrivé paraissait âgé de trente ans environ. Il avança jusqu'au bénitier, y trempa le bout des doigts et fit un signe de croix. Il s'installa ensuite dans la première rangée de bancs, les yeux mi-clos dans une attitude recueillie. Crépin Dallet commença sa dizaine de *Je vous salue, Marie* quotidienne. La statue de plâtre devant lui se tenait les bras et les mains ouverts, comme pour l'accueillir dans une étreinte.

Cette pensée en entraînant une autre dans son esprit, Phébée se substitua à la madone. La robe qu'elle portait au déjeuner, d'un bleu tendre, ajoutait à la confusion. Au lieu du voile, des boucles blondes touchaient les épaules.

— Sainte Marie, mère de Dieu, priez pour nous pauvres pécheurs, récita le paroissien en haussant un peu la voix.

La litanie lui permit de réprimer ses pensées coupables. L'homme égrena les derniers *Je vous salue, Marie*, puis après un signe de la croix appliqué, il sortit. En mettant le pied rue Saint-Denis, il reconnut la silhouette familière. L'objet de ses désirs marchait avec une autre jeune femme, mince aussi, aux cheveux châtains. « Probablement une collègue, une couturière », pensa-t-il.

D'un pas rapide, Crépin se dirigea vers la ruelle Berri, pressé de se présenter avant les autres pour la toilette sommaire. Le savon de Marseille aurait peut-être raison de l'odeur de la manufacture qui lui collait à la peau.

Quand les jeunes femmes passèrent la porte de la maison de la ruelle Berri, une odeur de légumes bouillis s'imposa à leurs narines. Déjà, cinq autres convives prenaient place autour de la table, quatre hommes et une femme. Crépin les avait dépassées sans qu'elles ne le remarquent.

Avant de s'asseoir avec sa nouvelle amie, Phébée fit les présentations. Félicité serra les mains de façon un peu empruntée. Si, auparavant, une quelconque présence masculine la déconcertait, voilà qu'elle passerait ses nuits à proximité de tous ceux-là. La situation l'impressionnait assez pour lui faire oublier tout de suite les patronymes.

Elle retint toutefois que l'un d'entre eux travaillait aux ateliers du Canadien Pacifique, un autre dans une manufacture de savon. Sans se ressembler vraiment quant aux traits du visage, les deux autres paraissaient être des frères. Ils s'occupaient d'entretenir les machines dans des usines : celles de la MacDonald Tobacco pour le premier, celles d'une manufacture de cotonnade pour le second. Le visage glabre, ils portaient une veste et un pantalon de grosse toile, une chemise d'une propreté passable. Même leurs timbres de voix se confondaient à son oreille. Pourtant, leurs patronymes différaient.

Sans doute moins impressionnée par la jeune femme assise à sa gauche, elle se rappela sans mal son nom et sa fonction : Hélidia Chambron travaillait dans une filature située non loin, vers l'est.

— Ma nouvelle amie se cherche un emploi, lança Phébée à la ronde. Savez-vous si on embauche chez vos patrons ?

Cette dernière s'était assise à côté du garçon le plus séduisant de la petite communauté, l'employé de la compagnie de chemin de fer. En vertu de la même logique étrange, Hélidia, moins attrayante que ses voisines sur le banc, se trouvait près de celui paraissant le plus déprimé et le plus chenu, le commis comptable employé dans une manufacture de savon. Félicité se souciait bien peu du physique de ses nouveaux voisins. Elle remarqua tout de même que personne ne répondait à la question de son amie : cherchait-on à embaucher ?

Puis la maîtresse de maison imposa le silence à tous en venant déposer le contenu d'une louche dans les bols des filles, des légumes baignant dans un bouillon de bœuf un peu gras. Les morceaux de viande étaient réservés aux hommes, en raison de leur gabarit plus imposant et de leur travail plus exigeant physiquement. En contrepartie, ils versaient aussi à la logeuse une pension plus élevée.

Puis quelqu'un se souvint de l'interrogation adressée à tous, celui qui offrait la plus forte carrure.

— Dans les ateliers ferroviaires, commença-t-il, un sourire amusé sur les lèvres, les demoiselles sont rares…

Il s'agissait de John Muir. Si son français se montrait impeccable, châtié même, un petit accent anglais teintait son discours. En le présentant, Phébée avait précisé : « Son père était irlandais et sa mère, canadienne-française. » Qu'il soit catholique rassurait la nouvelle venue.

— C'est peut-être à cause du poids des outils, avança l'un des mécaniciens en accompagnant son explication d'un clin d'œil à Phébée. Regarde, moi-même, à force de porter mon coffre toute la journée, j'ai une épaule plus basse que l'autre.

Félicité se souvint alors de son nom : Mainville Naud, employé à la Dominion Cotton.

— Ça, c'est parce que t'es fragile, ricana l'autre mécanicien, Charles Demers. Regarde comment c'est bâti, un
homme.

Il se gonfla la poitrine, roula des épaules. Même leur
humour se ressemblait. Phébée fit semblant de les trouver
drôles, mais précisa :

— Évidemment, Félicité ne travaillera pas comme ébéniste ou mécanicienne. Le Canadien Pacifique n'emploie
pas de femmes. Dans la production du fil, des tissus, des
produits du tabac, elles sont nombreuses, non ?

Des yeux, cette fois elle questionnait directement Hélidia
Chambron. « Elle travaille dans une filature », se souvint la
châtaine.

— J'sais pas, fit celle-ci de mauvaise grâce. Au moulin,
ça va, ça vient. Des filles disparaissent, d'autres arrivent
toutes les semaines. On dirait que la plupart ne savent pas
travailler.

Le ton contenait un peu d'impatience, comme si le sort
de cette nouvelle venue, ou même celui de l'humanité tout
entière la laissait totalement indifférente.

— C'est à cause des mauvais salaires, remarqua Charles
Demers.

« Machiniste à la MacDonald Tobacco », se remémora
Félicité. Avant d'ouvrir la bouche, elle s'assurerait de savoir
qui était qui.

— Les employées croient trouver mieux en changeant
d'endroit, continua-t-il, mais c'est partout pareil.

— Tu n'es pas bien encourageant pour mon amie,
Charles…

Les gens se tutoyaient, se désignaient par leurs prénoms.
Félicité ferait de même.

— Mais dans ma *shop*, c'est pas pire qu'ailleurs, conclut
le garçon. Tu peux bien venir voir.

— Et si tu es debout à sept heures demain matin, dit Mainville à son tour, viens avec moi, je te présenterai au contremaître de la salle de tissage.

D'un sourire timide et d'une inclinaison de la tête, Félicité accepta l'offre. Puis elle se résolut à desserrer les lèvres, malgré sa timidité :

— Merci, je serai là. Si nécessaire, je passerai ensuite à la…

— Macdonald Tobacco, dit Charles. C'est tout près de l'usine de coton. Pour trouver, tu renifles un bon coup, et tu suis l'odeur de pisse.

— Nous mangeons, ronchonna le petit homme assis à un des bouts de la table.

— Et puis ? Si le tabac sent ça, c'est pas ma faute ! Ça a la même couleur, en plus.

Le ton abrasif de ces deux-là sous-entendait qu'ils ne se vouaient pas une grande affection. L'attention de la châtaine se porta discrètement sur Crépin Dallet, l'employé de la savonnerie. Il paraissait un peu plus âgé que les autres… « Non, pas vraiment, se corrigea-t-elle. L'Irlandais est le plus vieux, sans doute, mais il paraît tellement mieux. » Assis à une extrémité de la table, le commis semblait se donner des allures de chef de famille. Dans ce groupe, lui seul se trouvait vêtu d'une veste et d'une cravate. Il ne travaillait pas de ses mains, contrairement aux autres.

Un peu pour prévenir des échanges plus acerbes encore, un peu parce que le sujet l'intriguait fort, Charles Demers reprit la parole :

— D'après des gars de la *machine shop*, le grand boss, celui qui possède la *shop*, embaucherait une dizaine de domestiques. Tu pourrais essayer là.

— Faire la bonne, c'est pire que la manufacture, s'opposa Phébée.

Le ton ne tolérait pas la réplique. Peut-être disait-elle vrai, mais Félicité se demanda si elle ne craignait pas plutôt de perdre la compagne avec qui elle partagerait son lit. Près du comptoir où elle faisait la cuisine, la logeuse fit entendre une toux brève. Ce rappel à l'ordre amena les convives à faire honneur au bouillon. Tout ce temps, un pli marqua le front d'Hélidia. Puis elle finit par dire :

— Dix domestiques, ça s'peut pas. Faudrait une maison aussi grande qu'ici pour les loger.

— T'es jamais allée marcher près du mont Royal ? reprit Charles.

Son interlocutrice fit non de la tête.

— Les maisons de ces gens-là sont dix fois grandes comme la nôtre. Le bonhomme Macdonald doit rester des jours sans croiser sa femme dans les couloirs.

L'ouvrière garda les yeux fixés sur ce garçon, puis se reconcentra sur son bol. « Elle voudrait qu'il l'invite pour une promenade dans cette direction », songea Félicité. Cette maison, c'était comme une soirée « à clencher » permanente, chacun désirait trouver le bon parti. La proximité de ces jeunes hommes la troubla plus encore.

— Je me promène souvent plus à l'ouest, rue Sherbrooke, dit John. Mon patron, William Van Horne, possède un immense château au coin de la rue Stanley. Une véritable armée pourrait y loger.

L'employé du Canadien Pacifique évoqua ensuite l'autre demeure du baron des chemins de fer, à Saint Andrews, au Nouveau-Brunswick. Depuis le début de ces conversations, la logeuse s'occupait à faire la vaisselle d'une première tablée. Après s'être essuyé les mains, elle posa une théière au milieu de la table en disant :

— Vous vous servez. Moi, j'ai pas le temps.

La précision valait pour la nouvelle venue, les autres connaissaient déjà ces règles.

— Oui bien sûr, chère madame, répondit le commis comptable avec empressement.

Il semblait vouloir lui faire plaisir, comme un enfant devant une mère acariâtre. Ce comportement lui valait parfois de petits avantages. La mégère appréciait médiocrement l'attitude de ses pensionnaires, mais elle faisait exception pour celui-là. Il faisait tellement « comme il faut », puis c'était un si bon chrétien. Il la changeait de tous les autres. Elle lui adressa un sourire reconnaissant, puis sortit par la porte donnant sur la cour arrière. Après quinze heures de corvées continuelles, sa journée ne s'achevait même pas.

— Mademoiselle Chambron, commença Crépin en se tournant à demi, voulez-vous du thé ?

Elle se trouvait immédiatement à sa droite. Après un signe de tête affirmatif, l'homme lui versa sa boisson chaude. Il allait se lever pour continuer du côté de la table où se trouvaient les trois femmes quand Charles l'arrêta :

— Laisse, je m'en charge. Moi aussi, je sais vivre.

Le commis comptable lui adressa un regard mauvais, mais à la fin il céda. Toutefois, il prit la précaution d'emplir sa tasse.

— Continuez, je vous prie.

« Lui vouvoie les autres », remarqua Félicité. Les hommes de la maison ne paraissaient pas enclins à lui rendre la pareille. Le mécanicien de la Macdonald Tobacco se trouva bientôt derrière elle, à demi penché.

— Tu en veux ?

La familiarité de celui-là lui parut plus agréable que l'obséquiosité de l'autre. Elle le regarda, dit « oui » d'un mouvement de la tête. Après avoir balayé la grande pièce d'un regard circulaire pour être certaine de ne pas être entendue par un membre de la famille Paquin, elle glissa à l'oreille de sa nouvelle amie :

— Où sont ses enfants ? Tu m'as dit qu'elle en avait trois.

— Deux garçons et une fille. Ils mangent vers six heures et demie, puis ils s'enferment dans leur chambre quand nous sommes ici. Le matin, c'est le contraire, ils déjeunent après nous. Tu les croiseras sans doute demain.

— Et son mari ?

Charles versait maintenant du thé à Phébée. Puis il tendit la grande théière à John Muir. Mainville et lui se serviraient eux-mêmes. Toujours derrière les filles, Charles déclara sur le ton de la confidence :

— Celui-là, il a deux métiers…

Ménageant ses effets, il demeura silencieux un instant avant de laisser tomber :

— Le jour, il ramasse du crottin de cheval dans les rues. Le soir, il vide des bières dans une taverne de la rue Mignonne.

Crépin se racla la gorge pour ensuite déclarer le plus sérieusement du monde :

— Affirmer des choses pareilles, c'est manquer à la charité chrétienne.

De son bout de la table, le commis aux livres de chez Barsalou se donnait des airs de censeur.

— Cher monsieur Dallet, riposta le mécanicien de la Macdonald Tobacco d'un ton faussement courtois, le jour où je voudrai parler religion pendant le repas, j'irai souper au presbytère.

Placée juste devant l'un des protagonistes, Félicité avala un peu de sa boisson chaude. Si ces deux-là exprimaient leur inimitié de la même manière à chaque repas, ils en viendraient aux coups avant longtemps.

— J'espère que tu n'attends pas un dessert, dit Phébée en se penchant sur elle. Ici, tu n'en auras pas, sauf le dimanche au souper.

— Je peux m'en passer.

Même débarrassé de la théière, Charles demeurait debout derrière les jeunes femmes. Il appréciait du regard la jolie silhouette de sa nouvelle voisine. La pauvreté de l'alimentation offerte par Vénérance ne risquait guère de la gâcher avec un embonpoint disgracieux. Pourtant, Hélidia affichait quelques livres en trop. Sa chambre devait receler des petits trésors de gourmandise.

Il regagna sa place quand la logeuse revint de son expédition au fond de la cour. Les bras croisés sur son ample poitrine, elle se campa près de l'évier. Sous son regard impatient, les pensionnaires s'empressèrent d'avaler leur boisson chaude en silence. Mainville, le machiniste de la Dominion Cotton, se leva le premier pour dire à l'homme assis à sa gauche :

— John, tu viens te promener ?

L'ébéniste du Canadien Pacifique donna son assentiment d'un signe de la tête tout en quittant sa place. De son poste d'observation, Vénérance jeta sur eux un regard réprobateur. Ces promenades conduisaient souvent à une taverne voisine. « Mais ça m'regarde pas, c'est pas mon argent », se raisonna-t-elle. Son avoir à elle, un autre s'occupait de le boire.

La logeuse sortit de son immobilité pour aller emplir sa bouilloire de fonte dans le tonneau d'eau de pluie placé dans la cour, près de la maison.

— Ça, c'est notre signal, expliqua Mainville à la nouvelle pensionnaire. Elle veut plus nous voir dans sa cuisine avant six heures, demain matin.

Un peu en coup de vent, Hélidia s'empressa de se diriger vers le couloir. Elle fut la première à s'engager dans l'escalier après un «Bonsoir» murmuré. Aucune invitation à aller marcher en ville ne viendrait, elle préférait ne pas se planter là à en attendre une. Mainville se tenait déjà près de la porte quand les deux amies s'apprêtèrent à monter aussi. Il consulta John Muir du regard, puis il demanda :

— Chères demoiselles, aimeriez-vous venir avec nous au carré Viger ?

— Moi, je vais tout de suite au lit, s'empressa de dire Félicité. Il passe neuf heures, ma journée a été éreintante.

Surtout, elle n'avait pas fermé l'œil de toute la nuit précédente, et même de celle avant le cruel «procès». Littéralement, elle tombait de sommeil. Le mécanicien interrogea la blonde des yeux.

— Moi, je vais aller la border.

Pour éviter toute insistance, elle saisit le bras de son amie et s'engagea dans les marches.

— Bon, Charles, tu fais pitié, poursuivit Mainville. On te laissera pas tout seul dans ta chambre. Viens avec nous.

Le trio quitta les lieux. Depuis l'entrée de la cuisine, le commis comptable surveillait la scène. De sa solitude aussi, personne ne se souciait. Rester derrière pour profiter de la présence de la logeuse s'avérait impossible. Déjà, Vénérance ajoutait une bûche de bois dans le poêle pour faire chauffer le contenu de sa bouilloire. Dans un instant elle ferait la vaisselle pour une cinquième fois dans la journée.

— Je vous souhaite une bonne soirée, madame Paquin, dit finalement Crépin en quittant la cuisine quand les autres furent sortis.

— De même pour vous, monsieur Dallet, répondit-elle pendant qu'elle débarrassait la table.

Le pas d'Hélidia était lourd, lassé. À l'étage, elle chercha une clé dans sa poche, ouvrit le cadenas de la porte de sa chambre. Après avoir refermé, elle se trouva dans une obscurité totale. Elle aussi occupait une pièce sans fenêtre. Cet espace, elle le connaissait par cœur, si bien qu'elle se dirigea sans hésiter vers son lit pour s'y laisser choir.

— Bon, maintenant y vont en avoir deux pour tourner autour, maugréa-t-elle.

Depuis un an, depuis son arrivée en fait, tous les hommes de la maison n'avaient d'yeux que pour Phébée. Qu'aucun d'entre eux n'intéresse la blonde n'y changeait rien. Elle les éblouissait. Et dans cette lumière, une personne aussi quelconque que l'ouvrière devenait invisible.

— Y m'invitent jamais à marcher, se plaignit-elle encore à voix basse.

La généralisation était exagérée. Les invitations étaient venues. Bien sûr, on ne s'adressait pas à elle d'abord, la blonde recevait plus que sa part de l'attention, mais pas toute. Si elles se faisaient moins nombreuses, cela tenait surtout au mauvais accueil.

Hélidia trouvait normal qu'on la compte pour rien. Si l'on s'adressait à elle, dans ses bons jours elle y voyait de la condescendance, dans ses mauvais, de la pitié. Cela entraînait presque toujours un refus. À force de se heurter à un faciès si rébarbatif, ses voisins préféraient le plus souvent l'ignorer.

Dans le couloir, les bruits de pas légers lui parvinrent, puis des mots prononcés tout bas. Des voix de femmes aussi : les deux autres préféraient se coucher tout de suite. Le visage, la silhouette de la nouvelle lui revinrent à l'esprit. Déjà la maison logeait une Phébée, maintenant s'ajoutait une Félicité. Même les prénoms trop originaux lui paraissaient être une attaque personnelle.

— C'est sûr, elle aussi va les avoir accrochés aux fesses. Est pas aussi belle que l'autre, mais quand même…

À côté de la blonde, tout le monde pâlissait un peu. Cette châtaine attirerait toutefois les hommes. Le charme des autres ne lui échappait jamais.

— Une p'tite crisse de faiseuse.

Sa réserve, sa timidité, ses jolies phrases, c'était de la prétention, une autre façon d'accaparer toute l'attention. Dans le noir, Hélidia roula sur elle-même pour s'approcher du bord du lit, elle tendit une main vers la boîte de bois placée tout près, pour mettre une bougie. Le pot se trouvait bien là. L'instant d'après, elle enfournait une poignée de bonbons durs.

Dans le couloir, d'autres pas, une autre personne solitaire. Crépin ouvrit sa porte, retrouva sa chambre confortable, bien éclairée grâce à la fenêtre donnant sur la rue. Ses yeux se portèrent sur la grande croix noire pendue au mur, sur le prie-Dieu placé dans un coin.

Trop préoccupé, il ne pourrait pas se concentrer sur ses dévotions. « D'où vient cette Félicité ? » Ses traits réguliers, ses yeux gris, ses manières distinguées : elle aussi meublerait ses rêves éveillés. Si l'autre ne l'entraînait pas dans son sillage de péché… peut-être serait-ce possible.

La chambre des jeunes femmes se trouvait immédiatement à côté de la sienne. Le commis comptable plaça sa chaise tout près du mur ; une fois assis il s'inclina pour y poser l'oreille. En retenant un peu sa respiration pour émettre le moins de bruit possible, il attendit. Le bruissement de deux voix lui parvenait, à peine perceptible.

❀

Une fois dans la chambre, tout de suite après souper, Félicité nota :

— Tu aurais pu aller avec ce gars, Charles, tu sais.

— Au cours de la dernière année, j'ai eu au moins cent fois l'occasion de l'accompagner. Crois-moi, je ne manque pas grand-chose. Autant dormir moi aussi.

À la lumière de la bougie, la nouvelle pensionnaire se sentit intimidée de voir sa compagne commencer à se dévêtir. Elle avait posé une chemise de nuit de coton sur le lit.

— Fais pas cette tête-là, nous sommes entre filles, commenta Phébée.

— Je n'ai pas l'habitude.

Ni le pensionnat ni les événements de la dernière année n'avaient altéré sa pudeur. Au fond, elle restait une couventine timide.

— Je ne l'avais pas non plus. Je me suis habituée. Il y a deux ans, j'ai dû m'y faire, car je dormais avec trois autres filles dans un espace plus petit qu'ici. Imagine !

Justement, pareille promiscuité semblait inconcevable à Félicité. Elle serait morte de honte. Après cette allusion à son passé, sa nouvelle amie changea abruptement de sujet :

— Tiens, regarde ce que je te disais.

Son pantalon de coutil à la main, elle lui montrait une poche finement cousue à l'intérieur de la cuisse. Quelques billets s'y trouvaient.

— Les banques ne veulent pas des dépôts de filles comme nous. Nos petites piastres n'entrent pas dans leurs gros coffres pleins de millions. Alors ça, c'est ce que nous avons de plus sûr... Si personne ne vient nous déculotter.

L'allusion à une situation de ce genre, consentie ou forcée, embarrassa sa compagne.

— Si tu veux, continua Phébée, je t'en ferai une aussi. C'est plus sûr que les bas, qui ont tendance à descendre sur les mollets.

Félicité accepta avant de ranger le reste de ses affaires. Puis, face au mur, elle se changea pour la nuit. Quand elle eut enfilé sa longue chemise blanche, son amie expliqua encore :

— Dans le coin là-bas, tu vois, il y a un pot. En pleine nuit, c'est beaucoup plus pratique que de se rendre au fond de la cour. À la noirceur, on risque de mettre les pieds… au mauvais endroit.

Décidément, réduite à partager une si grande intimité, l'institutrice déchue n'avait d'autre choix que de mettre sa timidité de côté. Lorsqu'elle se glissa sous le drap, sa compagne souffla la bougie.

— Comme il fait noir ! s'exclama-t-elle.

L'absence de fenêtre les privait du moindre petit rayon de lune.

— Le pire, tu sais, admit la couturière, ce n'est pas la noirceur. On s'y fait, mais des fois, on a l'impression de manquer d'air.

— Les chambres donnant sur la rue sont peut-être mieux…

— Oui, mais Vénérance nous demanderait sans doute quatre dollars… deux chacune. Remarque, ça le vaut. Les pièces sont plus grandes et les meubles, de meilleure qualité.

— Ces hommes doivent recevoir un bon salaire…

Phébée sourit dans l'obscurité avant de demander :

— Dis donc, tu te cherches un bon parti ?

L'allusion peina Félicité. Pour elle, aucun bon parti n'existait plus. Aucun homme digne de ce nom ne se contenterait des restes d'un autre, d'un curé de surcroît. Sasseville lui avait volé son avenir.

— Non, ce n'est pas ça, glissa-t-elle, heureuse que l'obscurité dissimule ses traits.

Pire encore, se confier relevait de la plus totale impossibilité. Aucune personne au courant de cette histoire ne tolérerait plus sa présence. Phébée lui offrait son amitié, car elle ignorait tout. L'autre ne perçut pas son désarroi. Au contraire, elle se mit en tête d'évoquer leurs voisins :

— Tous les employés des chemins de fer, ceux du Canadien Pacifique comme du Grand Tronc, font de bons salaires, sans jamais connaître le chômage. John ne laisse pas tout dans les tavernes, il doit faire des économies chaque semaine. Ce serait le plus intéressant, mais ce n'est pas un *marieux*. Les deux autres se tirent aussi très bien d'affaire. Quand ils se marieront, la vie de leur famille sera endurable…

La conclusion n'avait rien d'encourageant. Après une pause, la blonde demanda en ricanant :

— Les imagines-tu avec une petite fortune dans leurs sous-vêtements ?

— Ça ferait une trop grosse bosse.

Un fou rire suivit cette énormité. Un peu gênée de son audace, Félicité préféra changer tout à fait de sujet.

— Sans réveil et dans l'obscurité, comment fera-t-on pour se lever à l'heure, demain matin ?

— John a un cadran. Il frappe toujours sur la porte en se levant.

— C'est curieux… Pour un Anglais, il parle français sans accent.

— C'est un Irlandais. Ne te trompe pas devant lui, il peut se montrer très susceptible sur cette question. Sa mère était canadienne-française, comme toi et moi.

Il restait un autre homme, dans leur voisinage immédiat. Celui-là aussi suscitait la curiosité de la nouvelle pensionnaire.

— Et l'autre, celui avec la cravate au cou ?

— Crépin Dallet ? Un prétentieux… Je n'aime pas son regard.

— Il doit être riche… Commis comptable ! Que fait-il ici ?

— Riche, je ne crois pas. Il vit mieux que tous les autres sans se salir les mains. Il occupe la meilleure chambre, et je ne serais pas surprise si Vénérance lui préparait de petites collations.

Après une pause, Félicité remarqua dans un souffle :

— Moi, ce ne sont pas ses yeux qui me dérangent, mais son odeur. Je me trompe, ou il pue ?

— Tu as raison. Ce n'est pas vraiment sa faute, il travaille dans une savonnerie.

— Je ne comprends pas… Comment le savon peut-il causer ce… relent ?

Phébée tourna la tête sur le côté, chercha en vain le profil de sa compagne. Même plusieurs minutes après avoir éteint la chandelle, impossible de rien distinguer.

— Ce mot ?…

— Quel mot ?

— Le dernier que tu as dit.

— Relent ?

La tournure de la conversation prenait Félicité par surprise. Elle attendit un peu.

— Je ne sais pas ce que ça veut dire, admit enfin la couturière.

— L'odeur…

— Je suis si ignorante.

La tristesse de son amie toucha l'ancienne institutrice. Une semaine plus tôt, ses élèves trouvaient inutiles la plupart des sujets abordés en classe. Maintenant, cette travailleuse s'efforçait visiblement d'améliorer son langage.

— Voyons, ne dis pas ça. Depuis que je t'ai rencontrée, tu n'arrêtes pas de m'apprendre des choses.

— Dans un mois, tu connaîtras la ville aussi bien que moi. De mon côté, je serai toujours inquiète de faire des fautes. Tu sais, pour trouver un bon parti…

Félicité comprit. Si jolie, dans de si belles robes, son amie cherchait le prince qui la tirerait de cette chambre sans fenêtre, de ces latrines répugnantes. Comment la rassurer ? Changer de sujet lui parut plus simple.

— Quand tu ne sauras pas pour un mot, tu me demanderas. Mais tu n'as pas répondu. Comment le fait de travailler dans une savonnerie peut-il être la cause d'une odeur pareille ?

— Un relent, ricana l'autre. Tu ne sais vraiment pas ? L'un des ingrédients de la recette de tout bon savon parfumé, ce sont les carcasses d'animaux.

Elles se turent, étendues sur le dos, les yeux ouverts sur le noir. Grâce à cette présence près d'elle, Félicité se sentait plus rassurée qu'elle ne l'avait été depuis le précédent septembre.

— Bonne nuit, chuchota Phébée en se tournant sur le côté, face au mur.

— Bonne nuit.

Le sommeil se saisit tout de suite de la jeune fille.

Si toutes les tavernes se ressemblaient, une seule procurait à ses clients une ménagerie composée d'animaux vivants ou empaillés : celle de Joe Beef. Ailleurs, y compris dans celle de la rue Mignonne, seules la bière et une nourriture consistante maintenaient l'achalandage.

— Notre logeur est tout de même un homme très fiable ! se moqua Mainville. Je ne me souviens pas d'être venu ici sans l'apercevoir dans un coin.

Avec Charles et John, il prit place à une longue table où se trouvait déjà une demi-douzaine de consommateurs. Les hommes échangèrent des saluts de la tête. Dans cette clientèle d'habitués, personne n'était totalement inconnu de ses voisins. Cela ne signifiait pas pour autant qu'on se mêlait de leur conversation.

— Vénérance ne connaît pas sa chance, ricana Charles. Avoir un homme si prévisible, c'est rassurant.

Le trio contemplait un homme bedonnant, les cheveux et la barbe gris, en broussaille, déjà ivre et une chope à la main. Le regard vide, Paquin ne réagit pas à leur arrivée. Il devait se trouver là depuis la fin de son quart de travail, deux heures plus tôt.

— À son arrivée à la maison, sa douce va bien le recevoir, ironisa Charles. À tout régenter dans la maison, elle doit pas être facile à vivre dans la chambre à coucher.

Après avoir commandé des pintes d'ale au serveur, il reprit :

— Me trouver une femme aussi acariâtre, je prendrais le premier train pour les États. Tenez, j'irais en Californie. Paraît qu'il fait chaud là-bas, et c'est assez loin pour se faire oublier.

— Pour lui faire trois enfants, se gaussa Mainville, il a dû la prendre pendant son sommeil. Moi, j'aimerais mieux la compagnie des ours de la ménagerie du Mont-Royal.

Entre eux, les deux mécaniciens aimaient bien dresser le pire portrait de la vie conjugale. Cela leur permettait de croire encore aux avantages de leur existence de célibataire.

— S'ils sont ensemble, remarqua John Muir, tu ne penses pas qu'ils doivent s'entendre plutôt bien ? Je suppose qu'ils se méritent l'un l'autre.

De grands bocs d'étain atterrirent sur la table avec fracas, répandant un peu de leur contenu. La grande salle se trouvait pleine, les serveurs avaient du mal à accorder leur cadence à celle des gosiers assoiffés. Le mécanicien de la Macdonald Tobacco, Charles Demers, sortit une petite bourse de sa poche, pour payer. Ses compagnons considéreraient l'obligation d'offrir les deux prochaines tournées comme une dette d'honneur.

— Mais toi, John, l'apostropha Mainville, tu dois approcher de tes trente ans, si tu ne les dépasses pas. T'en as pas assez de vivre seul dans ta petite chambre ? Les chemins de fer, ça paie pas mal, à ce qu'il paraît. Puis toi et la belle Phébée, vous vous entendez bien… On te voit souvent marcher seul avec elle, le soir.

— Tiens tiens, ricana son interlocuteur, tu ne serais pas jaloux ?

— Évidemment, je suis jaloux, répondit le mécanicien avec une sincérité mêlée de colère. Elle sait même pas que j'existe. Des beautés comme ça s'intéressent pas aux gars qui ont de la graisse de machine sous les ongles.

Le dépit amena l'ouvrier à saisir sa chope pour en engloutir la moitié à longues lampées. Charles prit le relais de son compagnon pour insister :

— De ton côté, John, à faire le sculpteur au Canadien Pacifique, tes mains sont propres. Puis tu parais être dans ses bonnes grâces. Vous n'avez pas le projet de vous mettre en ménage ?

— Phébée est une amie, sans plus.

Les deux mécaniciens se consultèrent du regard. L'amitié entre hommes et femmes leur paraissait une notion étrange et inconcevable.

— Et vous autres, riposta Muir, vous êtes aussi en âge de vous marier. Aucune belle n'a attiré votre attention ? Hélidia doit rêver de l'un de vous, je parie…

— Hélidia ?

Ils s'entre-regardèrent, un peu dépités.

— Ce n'est pas une mauvaise fille, commença Charles.

— Mais en comparaison de Phébée…, renchérit Mainville.

— Bon, elle est peut-être moins attirante que Phébée, mais elle ferait à l'un de vous une bonne épouse chrétienne. Puis elle est bâtie pour une famille nombreuse…

Avec un sourire chargé d'ironie, John fit signe au serveur d'amener de nouvelles chopes.

— Non, pas Hélidia, dit Mainville après un silence. Elle a une face de bouledogue. Par exemple la nouvelle… je m'en contenterais.

— Elle serait certainement heureuse de t'entendre la vanter dans ces mots-là, dit l'ébéniste, maintenant franchement amusé.

— Tu me comprends, insista le mécanicien de la Dominion Cotton. C'est pas Phébée, mais c'est un beau brin de fille.

— Et je gage que ses tétons entrent tout juste dans mes mains, le taquina Charles.

Aux yeux de celui-là aussi, la nouvelle voisine représentait un pis-aller très acceptable, si la blonde les regardait de haut. Si Félicité souhaitait se faire un cavalier, les candidats se trouvaient tout près.

— Elle a même un cylindre parfait pour mon piston, blagua Mainville en faisant aller et venir son index droit dans son poing gauche fermé.

— Ouais, nous autres les mécaniciens, on connaît ça les gros pistons dans les cylindres ben *tight*.

Félicité fit l'objet de quelques autres commentaires que l'alcool rendait de plus en plus explicites. À la fin, aucune partie de son anatomie n'avait échappé à la nomenclature, alors que John Muir était resté silencieux.

Sorti de sa stupeur alcoolique, Oscar Paquin partit le premier en titubant un peu. Les autres lui emboîtèrent le pas un peu plus tard, à peine plus solides.

Des « toc toc » légers se firent entendre. La jolie blonde leva la tête, murmura un « Merci, John » que leur voisin n'entendit certainement pas, puis elle se retourna pour poser les deux pieds sur le sol un peu froid.

— Lève-toi, fit-elle en poussant doucement sa compagne. C'est l'heure.

Le bruit d'une allumette que l'on craque suivit, puis la flamme de la bougie jeta une lumière jaunâtre dans la pièce. Félicité quitta le confort du matelas, désireuse de se vêtir en même temps que son amie pour amoindrir son malaise. Près de la garde-robe, Phébée demanda :

— Tu mets la bleue ou la grise ? Certainement pas celle de laine.

— La bleue.

— Tu sais, pour le travail en usine, les deux sont trop bien. Tu vas les gâcher en trois jours.

Son vieux costume de couventine était resté à l'école de Saint-Eugène. Il ne convenait plus du tout. Puis accoutrée comme cela pour travailler, elle se serait couverte de ridicule.

— Je n'ai rien d'autre, dit-elle en s'habillant en vitesse.

— Avec ça sur le dos, tu ressembles à une vendeuse de grand magasin, ou à une employée de bureau. Tu parles anglais ?

— Pas vraiment.

— Dommage, tu te présentes bien, tu pourrais certainement gagner ta vie sans t'esquinter les membres. Il faudra te trouver une tenue plus grossière chez un regrattier.

Le commerce des vêtements de seconde, ou de troisième main, demeurait très florissant.

— Mais toi, tu sembles toujours parfaitement vêtue.

— Je couds mes vêtements, la patronne me fournit le tissu au prix du gros. Pour une couturière, une robe bien confectionnée, c'est comme une belle affiche sur une devanture de magasin, ou alors une carte professionnelle, comme en ont des gens importants.

Tout en parlant, accroupie, Phébée fouillait dans son coffre. Elle se releva en disant :

— Je savais que j'en avais une autre.

Elle attacha une petite clé à une cordelette de soie et la tendit à Félicité.

— Tiens, tu seras certainement de retour avant moi aujourd'hui. Maintenant, allons faire un brin de toilette.

Dans le corridor, Hélidia leur présenta un visage maussade et garda le silence devant leur « Bonjour » enjoué.

Dans la pièce du rez-de-chaussée où se dirigèrent les deux amies, sur une table on avait posé trois brocs et autant de cuvettes de faïence. Charles en utilisait une, Hélidia se précipita pour profiter d'une autre.

— Bonjour, les princesses, dit le mécanicien en s'essuyant le visage avec une serviette de toile. Je termine tout juste.

Les bières de la veille ne pesaient pas sur son humeur. Elles répondirent avec une gaieté égale à la sienne.

— Félicité, tu as pu dormir avec celle-là ? demanda-t-il en pointant Phébée.

— Sans mal. Elle ne ronfle même pas.

Puis en s'adressant à son amie, elle continua :

— Vas-y, moi, je dois me rendre là-bas.

Elle parlait de la cabane au fond de la cour. Attendre que Mainville sorte du petit réduit la gêna un peu, mais cette promiscuité lui deviendrait bientôt familière. Après tout, ils seraient sept tous les matins à vouloir se débarbouiller les mains et le visage, et passer à la bécosse.

À table, tout le monde se retrouva à la même place que lors du souper de la veille, devant une assiette de gruau et une demi-tasse de thé. Les plus gourmands ajouteraient une tranche de pain tartinée de graisse de rôti. À six heures trente, ils étaient tous prêts à se diriger vers leur emploi respectif.

Ils se trouvaient encore dans le couloir, quand les trois enfants Paquin sortirent de leurs chambres. Les deux garçons, âgés de neuf et dix ans, se précipitèrent pour faire leur toilette. Une petite fille de six ou sept ans les suivait.

— Bonjour, fit Félicité avec chaleur en se penchant vers elle.

La gamine leva des yeux curieux, mais se garda de répondre.

— Je parie que tu es en première année.

— Oui. Je serai bientôt en vacances.

— Tu as raison. Dans un peu plus d'une semaine.

La fillette portait une jolie robe et des chaussures de qualité. Vint à l'esprit de l'institutrice qu'en ce même jour, la plupart des écoliers de Saint-Eugène se promenaient nu-pieds. Ernestine prendrait-elle la relève dans sa classe le lundi suivant? Sentant le chagrin monter en elle, elle se répéta d'oublier son ancienne existence, et les personnes qui la peuplaient.

— Quelle congrégation religieuse s'occupe de ton école?

Phébée et Mainville se tenaient au bout du couloir. La première toussa un peu pour attirer l'attention de son amie.

— Nous devons y aller, dit-elle.

— Oui, oui, j'arrive.

Puis elle reporta son attention sur la petite Paquin.

— Nous parlerons de la classe une prochaine fois.

Alors qu'elle se dirigeait enfin vers la porte avant, un gros homme ébouriffé sortit de l'une des chambres. S'il portait un pantalon, la chemise faisait défaut. Un sous-vêtement grisâtre et déboutonné dévoilait sa poitrine.

— Bonjour, monsieur?... fit Félicité.

L'autre ne se donna pas la peine de lui répondre et fit comme si elle n'existait pas. La jeune femme se colla au mur pour le laisser passer. Cette précaution ne suffit pas à éviter un long contact avec son corps. L'odeur rance, faite de sueur, de crasse et de bière mal digérée lui leva le cœur.

Chapitre 4

Ses compagnons l'attendaient dehors. Ils se mirent en route avec elle, pour rejoindre la rue Berri et se diriger vers le nord.

— La manufacture se trouve loin d'ici ? s'inquiéta Félicité.

— Quinze ou vingt minutes en allant d'un bon pas, lui répondit Mainville.

La jeune femme aurait du mal à prendre le rythme de ses grandes enjambées. Des maisons cossues bordaient chacun des côtés de la rue Berri. Aucun de leurs habitants ne devait souffrir de pénurie.

— Je te regardais avec la petite Fernande, remarqua Phébée. Tu as l'air d'aimer les enfants. Serais-tu pressée de fonder une famille ?

— Elle s'appelle Fernande ? Je lui trouvais juste un air gentil.

— Dans trente ans, ce sera une redoutable Vénérance, je suppose. Bon, moi je vous laisse ici.

Ils avaient atteint le coin de la rue Sainte-Catherine. La blonde posa les lèvres sur la joue de son amie.

— Je rentre à sept heures environ, parfois plus tard si des clientes s'attardent. J'espère que tu pourras te repérer dans la ville. Bonne chance !

— Et mon bec, à moi ? la taquina le machiniste alors qu'elle s'éloignait.

— Demande à Charles quand tu le verras, cria-t-elle sans se retourner.

— J'ai essayé. Sa barbe me pique trop.

Un sourire sur les lèvres, il la regarda s'éloigner puis revint à la réalité :

— Bon, allons-y, dit Mainville. Les *boss* aiment pas les retards, tu vas te rendre compte de ça.

Ils allèrent jusqu'à la rue Ontario, puis s'engagèrent vers l'est.

— La connais-tu depuis longtemps ? s'enquit Mainville un peu plus tard.

— Nous nous sommes rencontrées hier à la gare, répondit Félicité d'une voix timide.

— Ah oui ? Vous semblez être devenues les meilleures amies du monde, seulement après quelques heures.

— À ton avis, combien de temps faut-il pour apprécier Phébée ?

Son compagnon prit un air rêveur.

— Une fraction de seconde, admit-il. Elle est si jolie, puis elle a toujours le sourire aux lèvres.

— Elle te plaît ? osa-t-elle demander.

— Les seuls hommes de Montréal qui ne s'intéressent pas à Phébée sont ceux qui ne l'ont jamais vue. Tous les autres en sont fous.

La réponse s'accompagna d'un visage si morose que Félicité regretta sa question indiscrète.

— Mais nous sommes tous des idiots, à la pension, continua-t-il. Nous perdons notre temps à rêver à elle. Jamais elle ne s'intéressera à des gars comme nous.

— Pourquoi ça ?

Depuis la conversation de la veille, dans la chambre, la jeune femme comprenait pourtant très bien la situation.

— Avec nos seuls gages comme richesse ? Belle comme ça, elle s'attend à remporter le gros lot.

Dépité, il reprenait les même arguments. Au coin de la rue D'Iberville, ils arrivèrent devant le grand édifice de brique de la Dominion Cotton. Des dizaines de travailleuses se pressaient devant les portes. Les plus jeunes devaient avoir dix ou douze ans. Certaines tenaient leur mère ou une grande sœur par la main. Parmi tout ce monde, on comptait à peine une dizaine d'hommes.

— Suis-moi, je vais te présenter au *foreman* Grondin. Après, je devrai me trouver devant mon établi.

Ils passèrent les portes au milieu des autres employés. Félicité lui emboîta le pas jusque dans une salle immense où des métiers à tisser s'alignaient sur plusieurs rangs. Devant certains d'entre eux, des travailleuses s'affairaient déjà. Des courroies de cuir reliaient chaque appareil à un arbre de transmission placé près du plafond. Tournant sur eux-mêmes, ils produisaient un bruit assourdissant. Au milieu du tintamarre, un homme se tenait debout, droit comme un mât, le menton haut. Mainville la conduisit vers lui.

— Onil, cette fille se cherche une job.

— T'es pas au travail, toi ? demanda l'autre de manière arrogante.

Vouloir se montrer serviable envers sa nouvelle voisine n'améliorerait pas ses relations avec cette brute. Le machiniste se raidit, arrivant avec peine à se priver de lui dire de se mêler de ses affaires. Les mécaniciens avaient leur propre chef de service, son horaire ne concernait pas celui-là.

— J'y serai dans une minute. Voilà une fille qui veut travailler ici.

— C'est une parente à toi ?

— Nous habitons la même maison de chambres.

Pareille recommandation ne vaudrait à personne un traitement de faveur. Dans ces circonstances, un petit mensonge aurait été utile, mais cela ne traversa pas l'esprit de

Mainville qui, sans s'attarder, regagna son poste dans l'atelier de réparation.

— Comme ça, tu cherches du travail ? dit le contremaître en l'examinant de la tête aux pieds.

Le bruit ambiant força Félicité à deviner ses paroles.

— Avez-vous besoin de quelqu'un ?

L'autre plaça sa main en cornet sur son oreille. Le vacarme s'accroissait, au fur et à mesure de la mise en marche de nouvelles machines. Bientôt, elles seraient des centaines à fonctionner de concert. La jeune femme répéta sa question en hurlant.

— Tu connais ça, le tissage ?

— Non, mais je peux apprendre.

Le contremaître la toisa, puis esquissa une grimace un peu dépitée.

— C'est pas pour toi, ce travail. Cherche dans un magasin de guenilles, ou même dans un bureau. Tu *tofferas* pas une semaine, ici.

La quémandeuse sentait en permanence la présence du petit rouleau de billets de banque sous son bas, juste en haut du genou. Les aumônes réunies de sa mère et du curé Merlot ne dureraient pas éternellement. Puis elle rêvait de ne pas les utiliser pour les remettre un jour à ses bienfaiteurs.

— Je peux apprendre, insista-t-elle.

Les yeux de son vis-à-vis la soumirent à un nouvel examen appuyé. Son regard n'analysait pas seulement sa force de travail.

— Alors, viens lundi, à sept heures. Nous verrons bien.

Il lui tourna le dos pour se diriger vers un métier à tisser dont les claquements paraissaient irréguliers. Finalement, elle l'avait obtenu, cet emploi. Toutefois, ce nouveau développement l'effrayait au lieu de la réjouir.

Des travailleuses tournaient la tête vers elle, intriguées de la voir plantée là dans sa jolie robe. Elle quitta les lieux, un peu honteuse devant tous ces regards.

Il n'était même pas huit heures quand elle se retrouva sur le trottoir de la rue Sainte-Catherine. Impossible de passer une journée entière enfermée dans sa petite chambre sans fenêtres. Puis l'image des métiers à tisser avec le son de leurs pièces de métal frappant les unes contre les autres sans discontinuer la hantait.

Cet homme, ce contremaître arrogant pouvait-il avoir raison? Rien ne l'avait préparée à effectuer une tâche aussi difficile. Ces ouvrières étaient rompues au travail de la terre, ou alors en ville elles se rendaient utiles à leurs parents depuis l'enfance. Que ferait une couventine dans un environnement semblable?

«Il y a quatre mois, je me trouvais à l'article de la mort», pensa-t-elle. Faire la classe l'avait presque conduite à la tombe. Cela témoignait de sa faiblesse physique. Bientôt, elle serait sans ressources. Cette pensée la taraudait sans cesse. Une angoisse proche du désespoir lui donna la motivation nécessaire pour poursuivre sa quête: trouver une façon de gagner sa vie.

En revenant vers l'ouest, une réalité s'imposa à elle: la plupart des affiches commerciales se trouvaient rédigées en anglais. Cela mit à mal ses espérances. Elle n'osa pas, en usant de mauvais prétextes, entrer dans les premiers établissements: celui-ci était trop petit, celui-là mal éclairé. Une épicerie lui parut finalement le meilleur endroit où amorcer sa recherche.

Le tintement d'une clochette retentit lorsqu'elle poussa la porte. Les magasins généraux de campagne vendaient de tout, sauf des produits alimentaires. Ici, il n'y avait que cela. Derrière le long comptoir, des centaines de boîtes de conserve s'alignaient sur des tablettes. Sur les étiquettes elle reconnut des pêches, des poires et d'autres produits tout aussi exotiques. Le sol s'encombrait de sacs de riz, de farine, de fèves, de pois, de sucre blanc et brun. Puis de grands pots de verre offraient à la convoitise des enfants un assortiment de bonbons.

— Chère madame, que puis-je vous vendre de si bon matin ? demanda le propriétaire en la détaillant de la tête aux pieds.

— Rien, monsieur. Je me cherche un emploi.

— Dans un commerce comme le mien, vous croyez que je peux avoir une vendeuse ? Je mangerais tous mes profits.

Le dépit dans la voix témoignait de la véracité de l'affirmation.

— Alors je m'excuse de vous avoir dérangé, monsieur.

La jeune femme parut si déçue qu'il jugea bon de se justifier :

— Une entreprise comme la mienne devient rentable si les membres de la famille suffisent à la faire fonctionner. Il faut chercher dans de plus grands établissements.

En hochant la tête, Félicité retraita vers la porte à petits pas, comme si elle craignait de gêner davantage, puis pesta en silence contre le son trop joyeux de la clochette. Dehors, un peu désemparée, elle regarda tout autour pour considérer d'autres affiches très colorées, d'autres vitrines. Sous le soleil, avec les réclames criardes, les auvents vert et blanc tendus au-dessus du trottoir, la rue prenait une allure plutôt gaie. Son humeur s'accordait mal avec ce décor.

Un magasin de vêtements pour femmes attira son attention. À l'intérieur, en plus d'une dame d'âge mûr, deux vendeuses s'affairaient devant les étals. Félicité se planta devant la première pour dire :

— Bonjour, madame, je cherche un emploi.

— Parlez-vous anglais ?

— … Non, mais je peux apprendre.

— Revenez quand vous saurez. Nous verrons alors.

Rougissante, la quémandeuse recula vers la porte en bredouillant un « Très bien, je reviendrai » sans conviction. Encore cette fois, son air penaud lui valut une explication supplémentaire :

— Vous avez une certaine élégance, dit la marchande, vous vous exprimez bien. Ça change rien, l'anglais est nécessaire, ici.

— Je vous remercie. Je m'excuse de vous avoir importunée.

Lorsqu'elle sortit, le temps lui parut moins radieux et les auvents, moins pimpants. Après quarante refus pour divers motifs, parmi lesquels dominait sa méconnaissance de l'anglais, ils lui parurent plutôt sinistres.

— Même là où tous les clients parlent français, les propriétaires demandent de connaître l'anglais, maugréa Phébée quand son amie lui eut raconté ses démarches de la journée.

— Je me demande si je pourrai me faire au travail d'usine. Rien que le bruit est insupportable. Alors passer plus de dix heures devant une machine à tisser…

Elles se trouvaient assises sur le pied du lit. Comme la chambre ne comptait aucun véritable siège, leurs conciliabules se tiendraient toujours là.

— C'est comme toute chose, tu apprendras. Toutes les filles de la rue où je suis née se sont retrouvées dans le textile ou le vêtement. Presque toutes étaient plus petites que toi, et bien plus jeunes.

— Si je m'essayais dans la couture ?

— Ma pauvre fille, c'est pire que les usines. La production ordinaire se fait à la maison pour des salaires de misère. Tu ne pourrais même pas payer cette chambre et ta nourriture.

— Mais toi, tu arrives à te débrouiller. Je ne le pourrais pas aussi ?

Phébée portait une jolie robe d'une teinte verte ce jour-là, taillée dans une cotonnade très fine.

— Moi, c'est comme un don, tu sais. Je dois être née avec un dé à coudre au bout de mon doigt, dit-elle en agitant son index droit.

Chez une autre, Félicité aurait soupçonné une bonne dose de prétention. Son amie évoquait la chose d'une voix modeste. Puis elle se rappela la robe mortuaire. Un travail comme celui-là tenait de l'œuvre d'art. Son amie était bien rétribuée grâce à une compétence rare.

— Mais sérieusement, que faisais-tu jusqu'à maintenant ? interrogea la blonde. Tu ne peux pas être restée inactive jusqu'à dix-huit ans. Seuls les gens très riches peuvent se payer le luxe de garder des enfants en bonne santé à la maison…

— C'est une longue histoire, répondit l'autre en rougissant.

— À la bonne heure ! Nous avons une longue soirée devant nous, tu pourras me raconter.

La blonde se leva puis tendit la main pour aider son amie à se mettre debout.

— Mais avant d'entendre ta confession, nous devons procéder à une grande toilette. Les samedis soirs servent à ça, sinon les bourgeoises de l'église Saint-Jacques plisse-raient le nez au-dessus de leur missel le dimanche matin, à cause de notre odeur.

— Avec un petit broc et un grand plat ?

— Non, Vénérance a une grande cuve de tôle.

La logeuse la remplissait du contenu de deux bouilloires. Comme de raison, l'eau n'était pas changée après chaque utilisation. L'ancienne couventine demeurait familière avec cet usage. Dans cette maison, elles seraient trois à se succé-der, pas quarante.

— Et les hommes…

Phébée la poussa vers la porte en riant, comme si son amie avait suggéré qu'ils feraient la queue eux aussi.

— Crois-moi, ce sont eux les chanceux, dans cette affaire ! Ils vont dans un bain public.

Une heure plus tard, les trois jeunes filles de l'étage tiraient à la courte paille l'ordre dans lequel se ferait le grand nettoyage. La dernière se contenterait d'une eau froide à la propreté douteuse. Le sort désigna Hélidia. Cette malchance alimenterait sa mauvaise humeur pour toute la semaine à venir…

Bonne chrétienne, Vénérance économisait le prix d'un petit-déjeuner et l'effort de le préparer afin de permettre à tous ses locataires d'aller communier.

La journée de congé permit aux deux jeunes femmes de presque faire la grasse matinée. Des coups à la porte se firent entendre un peu après huit heures, mais étendues sur le dos, elles savouraient leur bien-être, les yeux ouverts sur l'obscurité. Félicité s'habituait bien à cette présence près d'elle, après ses mois de solitude à l'école de Saint-Eugène.

« Je suppose que c'est vraiment comme ça, avoir une sœur », songea-t-elle.

Cette pensée fit naître un sentiment nouveau, bienfaisant, comme elle n'en avait jamais ressenti au couvent. Là-bas, instruite grâce à la générosité de l'abbé Merlot et des religieuses, sa condition de pauvresse lui faisait honte. Le mépris qu'elle lisait dans les yeux des autres s'y trouvait-il vraiment ? Qu'importe, elle le ressentait comme une brûlure. Dans cette pension, dans toutes les maisons de la ruelle en fait, personne n'était vraiment mieux nanti. On ne pourrait la blesser à ce sujet. Puis il y avait eu cette rencontre inespérée, à la gare, une meilleure amie tombée du ciel, en quelque sorte.

— Dans notre trou, nota Phébée, on réalise mal que dehors le soleil doit être déjà haut.

— J'ai du mal à me faire au manque de lumière du jour, même si le reste de notre aménagement me satisfait.

— Chez les sœurs, ce n'était pas mieux ?

La veille, l'exilée avait raconté une nouvelle version de son histoire, plus près de la réalité. La mort de son père, les portes du couvent s'ouvrant à elle grâce à de bonnes âmes charitables, la nécessité de travailler pour ne pas être à charge d'une mère servante. Sa terreur à l'idée de commencer dès le lendemain à la manufacture cadrait mal avec une enfance passée à la ferme. Les yeux de Phébée exprimaient un scepticisme croissant. Pour garder son affection, Félicité devait lui faire confiance.

Aussi son passage au pensionnat de Saint-Jacques – elle était allée jusqu'à donner le nom de sa paroisse – ne faisait plus mystère pour la jolie blonde, bien qu'elle ait gommé du récit son année d'enseignement et toutes les mésaventures en ayant résulté. Si l'on pouvait mourir de honte, pour cette petite châtaine ce serait à l'évocation du grand lit du curé Sasseville.

— Non, sauf qu'il y avait des fenêtres, répondit-elle enfin à la question posée.

— Tu couchais seule, certainement.

— Ah, pour ça oui ! Personne ne me tenait au chaud.

Sa compagne s'amusa de la plaisanterie. Au cours de la nuit, elles avaient poussé la couverture au pied du lit afin de se rafraîchir un peu. En juillet et en août, la chambre close deviendrait une étuve.

Phébée se tourna à demi. L'obscurité ne l'empêcha pas de trouver la petite boîte d'allumettes posée sur le tabouret près du lit, d'en craquer une pour faire un peu de lumière.

— La nourriture devait sûrement être meilleure qu'ici, dit-elle en se levant.

— Non, pas vraiment. Je suis habituée au gruau le matin, au bouilli un peu trop clair le soir. Toutefois, nous avions un peu de pain et du beurre le midi.

Dos à dos, elles enfilèrent le pantalon de toile, passèrent la chemise de nuit au-dessus de leur tête puis revêtirent une camisole. Déjà, Félicité était moins intimidée par le rituel. En ce dimanche, Phébée sortit une jolie robe au motif fleuri, bleu et blanc, le col orné de dentelles. Sa garde-robe se comparait aisément à celle d'une jeune femme de bonne condition. De la tablette en haut de la garde-robe, elle tira un chapeau de paille.

— Tu as de quoi te mettre sur la tête ?

— Non. Mon seul chapeau ne payait pas de mine, je l'ai laissé là-bas.

— Tu ne peux pas entrer à l'église comme ça.

Les bons prêtres catholiques jugeaient que les cheveux féminins attisaient la concupiscence des hommes et les distrayaient de leurs dévotions. En conséquence, les filles d'Ève devaient les couvrir dans l'église. La preuve restait toutefois à faire qu'elles se trouvaient moins séduisantes une fois coiffées. Ce n'était certainement pas le cas de Phébée.

— Attends un peu, fit la blonde, j'ai un grand mouchoir, une jolie pièce de soie abandonnée au magasin par une bourgeoise à cause d'une toute petite déchirure dans un coin.

Assise sur ses talons, elle fouilla dans son coffre puis en sortit une pièce de tissu qu'elle montra à son amie.

— Tu vois, il cache bien les cheveux. Puis sa couleur ira tout à fait avec le bleu de ta robe. Bon, tu n'as pas de gants non plus. Alors…

Son amie dénicha cette fois dans ses affaires une paire de gants de dentelle blanche réparée avec habileté. La nouvelle venue se dit qu'il lui faudrait sous peu sortir quelques dollars de sa cachette afin de compléter sa garde-robe. Dépendre ainsi de la gentillesse d'une autre devenait gênant.

— Bien sûr, ce n'est pas obligatoire, mais dans une paroisse comme Saint-Jacques, seules les domestiques vont à la messe les mains nues.

Même chez les travailleuses, la tenue vestimentaire indiquait leur rang dans une certaine forme implicite de hiérarchie. Au sommet de celle-ci, à titre de couturière douée, Phébée n'entendait pas céder sa place.

— Bon, allons faire un brin de toilette maintenant. L'eau ne sera pas trop sale, les hommes se dirigent vers l'église à la dernière minute.

La généralisation de Phébée ne s'appliquait pas à Crépin Dallet. Dans la pièce attenante à la cuisine, il se frottait les mains avec un gros savon jaunâtre.

— Bonjour, mesdemoiselles. J'ai presque fini.

Lorsqu'il s'essuya avec une serviette de toile, la blonde plissa le nez sur l'eau souillée de résidus de savon et de poils de barbe.

— Attendez, mademoiselle Drolet, je vais jeter ça derrière. Je reviens dans un instant. Il en reste dans le broc.

— Jeter de l'eau ! Madame Paquin ne sera pas contente, déclara la couturière.

Puis elle ajouta en imitant l'accent rocailleux de la logeuse :

— L'eau, personne m'la donne, sauf le ciel. Avec les bains des demoiselles, hier, le baril est vide ! Il mouille même pas assez pour en couvrir le fond.

Des hommes passaient régulièrement dans les rues avec de grandes barriques de quatre ou cinq pieds de diamètre pour vendre des provisions d'eau. Dans la ruelle Berri, personne ne devait la gaspiller. Le commis ne s'amusa pas de l'imitation, mais il revint bien vite avec la cuvette à peu près rincée.

— Voilà pour vous, dit-il en la remettant à sa place.

— Merci, monsieur Dallet, répondit Phébée. Vous êtes un véritable gentleman.

La pointe d'ironie lui échappa totalement. Il resta planté là, les yeux fixés sur elle. À la fin, la jolie femme précisa :

— Pour faire ma toilette, je préfère un peu d'intimité.

— … Euh, oui, bien sûr.

Plus pâle de teint, l'homme aurait quitté les lieux les joues un peu roses. Silencieuse jusque-là, Félicité confia à voix basse :

— Je croyais qu'il ne partirait jamais. Tu as un véritable admirateur. Je doute qu'il ait même remarqué ma présence.

— Il colle comme un papier tue-mouche, souffla l'autre en versant un peu d'eau dans sa cuvette.

Sa compagne fit la même chose avant de mouiller une pièce de toile pour se débarbouiller le visage. Quand elles sortirent ensemble de la pièce, Crépin se tenait bien droit près de la porte, comme une sentinelle. «M'a-t-il entendue ?», se demanda Félicité.

— Vous voudrez bien que je marche à vos côtés vers l'église, mesdemoiselles ? suggéra-t-il.

— Nous n'avons pas besoin d'escorte, dit Phébée avec humour, mais comme nous allons dans la même direction, pourquoi pas.

Seule une bonne dose d'optimisme permettait de considérer la réponse comme un véritable acquiescement. Le sourire du commis ressembla à une grimace. Une fois dehors, Phébée prit son amie par le bras et fit en sorte que toutes les deux marchent au milieu du trottoir pour ne laisser à personne la possibilité de se mettre à droite ou à gauche.

À la remorque de ses voisines, Crépin fixait les tailles fines et l'ondulation des hanches. Finalement, son poste d'observation ne fut pas sans lui plaire. D'autant plus qu'en allongeant le pas – ne réalisait-il pas que c'était pour le distancer ? –, elles révélaient de fines chevilles recouvertes d'un bas bleu.

À ce rythme forcé, ils arrivèrent bien vite à l'église Saint-Jacques. De nombreux notables se tenaient sur le parvis, les uns coiffés de melons, les autres de chapeaux mous. Les discussions des professionnels portaient sur la politique, celles des marchands sur l'état des affaires. Les femmes formaient de petits groupes, faisaient semblant de s'intéresser aux échanges, alors que toute leur esprit allait aux toilettes de leurs voisines. Les ouvrières ou les domestiques n'avaient aucune place dans ces conciliabules.

— Entrons tout de suite, suggéra Phébée, qui ne pouvait plus endurer Crépin sur leurs talons.

Avant qu'elle ne puisse tremper le de l'index dans l'eau bénite, Crépin la devança, puis lui tendit le bout de ses doigts humides. La jolie blonde ne pouvait refuser de les toucher pour récolter un peu du liquide bénit. Au moins, ses gants empêchaient sa peau d'entrer en contact avec la sienne. Tous les deux tracèrent ensuite un signe de croix.

La messe ne commencerait pas avant une bonne vingtaine de minutes. Si être à l'intérieur du temple ne détacha pas l'admirateur de leurs jupes, au moins il ne chercherait pas à leur adresser la parole dans le temple. Agacée par la ténacité de son voisin, Phébée entraîna son amie dans un coin en se cramponnant à son bras. « Il n'osera pas nous suivre, tout de même ! », pensa-t-elle. Pourtant, il parut hésiter un instant, puis tourna plutôt les talons pour se mettre en file devant le confessionnal.

— Il a bien besoin de l'absolution, celui-là, ragea-t-elle.

Pas très grand, maigre comme les saints ascétiques représentés sur les peintures d'église, Crépin n'avait pas un physique avantageux et son intérêt pour une jeune beauté était plutôt présomptueux. Félicité comprenait l'agacement de son amie. Elle préféra aborder un autre sujet.

— Je devrais y aller, moi aussi.

Ses yeux fixaient la grande boîte de bois sculptée, placée contre le mur de l'église. Sa dernière confession datait de plus de deux semaines, elle avait suivi ses ébats avec Sasseville. Le prêtre vêtu d'une chemise de nuit, l'étole autour du cou, lui revint à la mémoire. Une honte immense l'envahit, lui donnant envie de s'enfoncer dans le plancher, pour ne plus jamais reparaître. « Aucune de ces absolutions n'avait une réelle valeur, conclut-elle, effarée. Elles devaient même confiner au sacrilège. » Toutes les communions depuis l'hiver précédent ajoutaient à ses fautes, puisqu'elle s'était approchée de la sainte table en état de péché mortel. Un décès soudain, et elle brûlerait en enfer pour l'éternité.

Son trouble échappa heureusement à sa compagne.

— Moi, je me confesse rarement ici, dit cette dernière. Je préfère aller à Notre-Dame-de-Lourdes.

— Ah oui ? Où ça ?

— Tu as vu cette magnifique chapelle, nous sommes passées devant, rue Sainte-Catherine. C'est à deux pas d'ici.

L'autre répondit oui de la tête. Cette grande « chapelle » luxueuse arborait plus de motifs architecturaux que la plupart des églises paroissiales de campagne.

— Mais pourquoi là-bas, et pas ici ?

— Les prêtres sont plus… compréhensifs. Ici, le curé exige que l'on multiplie les détails pendant les confessions.

Donc, son amie aussi était soumise à de nombreuses questions quand il lui fallait avouer ses fautes. Tous les ecclésiastiques partageaient-ils la même curiosité, quand une jeune femme évoquait les émois de la chair ? Sasseville s'y complaisait certainement, mais jamais l'abbé Merlot ne l'avait mise mal à l'aise.

— Puis là-bas, ils ne me connaissent pas, ajouta la blonde.

Le curé d'une paroisse apprenait à reconnaître ses ouailles au seul timbre de la voix. S'adresser à un inconnu se révélait certes moins intimidant.

— Alors je vais faire comme toi, convint Félicité.

Phébée tenait-elle aussi à préserver un jardin secret, des histoires susceptibles d'attirer des jugements sévères ? À ce moment, une toux brève leur parvint. Elles se retournèrent pour apercevoir un zouave pontifical vêtu d'un uniforme gris. Il mettait un doigt en travers de ses lèvres pour leur signifier de faire silence.

Les deux jeunes femmes se turent, portant machinalement leur attention sur le confessionnal. Le rideau grenat s'écarta un peu pour laisser sortir une paroissienne pas très grande et robuste. La robe noire et la coiffe blanche sur la tête l'identifiaient comme domestique. Elle marcha dans leur direction. Intimidée par l'endroit, l'inconnue se retint de faire la bise à Phébée. Leurs mains se joignirent toutefois discrètement.

— Voici Pélagie Robichaud, fit la blonde, se chargeant des présentations à l'intention de son amie. Nous sommes de vieilles connaissances.

— Nous habitions la même rue, quand nous étions enfants, précisa la nouvelle venue.

Son accent étonna Félicité. Les traits de son visage exprimèrent une surprise si évidente que la blonde précisa :

— Ses parents sont venus du Nouveau-Brunswick. Nous allions à l'école ensemble toutes petites, avant de partager une chambre il n'y a pas si longtemps.

En quelques mots, Phébée donna le nom de Félicité, la décrivit comme une « voisine très, très proche », évoqua les circonstances de leur rencontre récente. C'en fut trop pour le zouave. Les sourcils froncés, il s'avança pour dire, un peu menaçant :

— C'est la maison du bon Dieu, ici. Allez papoter dehors.

Les trois jeunes femmes réprimèrent un sourire mais ensuite, les yeux baissés, elles n'osèrent plus reprendre le fil de la conversation.

Dans la file d'attente, Crépin Dallet eut le temps de se livrer à un examen de conscience sommaire. Il s'agissait de réviser les dix commandements. « Un seul Dieu tu adoreras », commença-t-il. Celui-là ne faisait pas problème, ainsi que les deux suivants : le commis comptable avait une sainte horreur du blasphème et des blasphémateurs, et comme il visitait l'église quotidiennement, le respect du rendez-vous dominical allait de soi.

La suite se révéla plus troublante. Honorer son père et sa mère... Depuis son enfance, il considérait leur piété comme bien faible. Ce jugement constituait-il une faute, un accroc à son devoir filial ? Il passa au commandement suivant : « Tu ne tueras point ». L'envie de faire disparaître tous les mécréants croisés sur son chemin constituait-elle une faute ? Sa colère servait la plus grande gloire de Dieu, elle était juste : cela ne pouvait être un péché mortel. Véniel, peut-être, admit-il après une hésitation. Quant au respect du bien d'autrui, cela prenait chez lui la forme d'une vertu cardinale : monsieur Barsalou ne comptait sur aucun employé plus honnête. Puis ses quelques mensonges n'en étaient pas vraiment, puisqu'ils servaient toujours à présenter l'image d'un parfait catholique. Faire de soi un exemple à suivre valait bien de petites entorses à la vérité.

Cette bonne opinion de lui-même ne conduisit guère Crépin à réfléchir au vilain péché d'orgueil. Il aurait même été surpris d'entendre un directeur de conscience l'orienter dans cette direction. Toutefois, ce matin-là, deux commandements le troublaient plus que d'habitude :

6. *Luxurieux point ne sera, de corps ni de consentement.*

9. *L'œuvre de chair ne désirera, qu'en mariage seulement.*

Dieu, à travers ces commandements, condamnait les pensées et les actions licencieuses. « Est-on vraiment responsable de la direction de son regard, des images dans son esprit ? », se demanda-t-il. Une paroissienne sortit du petit réduit, mettant un terme à cet examen. Il s'installa derrière le rideau grenat, à genoux.

— Ô Dieu dont la bonté et la puissance sont infinies...

Ses mots venaient dans un souffle. Crépin répéta la prière une nouvelle fois, puis le guichet s'ouvrit dans un glissement. Le prêtre aperçut la silhouette d'un homme à travers le grillage. S'il en distinguait mal les traits, son odorat ne le trompait pas. Une vague odeur de pourriture accompagnait sans cesse ce paroissien pieux, comme un rappel constant du sort final de la dépouille charnelle des Hommes.

— Au nom du Père, du Fils et du Saint-Esprit, *Amen*. Il y a cinq jours que je me suis confessé et j'ai fait ma pénitence…

Une hésitation interrompit le monologue.

— Je vous écoute, mon fils. Quelles sont vos fautes ?

Le vicaire les devinait sans mal. Un seul péché rendait ce paroissien mal à l'aise, lui d'habitude si disert.

— Ce matin, en venant à la messe, j'ai regardé avec concupiscence deux jeunes femmes…

— Deux ? répondit le confesseur, étonné.

— Oui. Elle partage maintenant sa chambre avec une autre personne de son âge…

Phébée était devenue, au fil des mois, son habituel sujet de conversation avec le prêtre.

— Et dans cette chambre, il y a un seul lit ?

— En autant que je le sache, oui, mon père.

L'imaginaire de l'ecclésiastique s'emballa, joua une petite saynète mettant en scène Phébée Drolet. Certaines ouailles savaient imprimer une image impérissable sur la rétine.

— Et l'autre, elle ressemble à la première ?

— Elle est jolie aussi, mais pas autant que Phébée, c'est certain.

En disant cela, le pénitent songea qu'il s'en contenterait bien.

— Est-ce tout, mon fils ?

— … J'ai vu leurs chevilles.

— Mais encore ?

— Je mets parfois l'oreille contre le mur pour entendre ce qui se passe dans la pièce à côté.

Le prêtre dut encore combattre les fantasmes qui envahissaient son esprit.

— Parvenez-vous à entendre quelque chose ?

— Pas vraiment… Des murmures incompréhensibles.

Le confesseur fut déçu. Il évoqua certains péchés afin d'amener le pénitent à admettre d'autres fautes que l'impureté. La conscience de Dallet semblait toutefois exempte de tout autre comportement coupable. Mettant fin à la rencontre, l'ecclésiastique recommanda :

— Mon fils, invoquez notre Mère céleste lorsque ces pensées malpropres vous assaillent.

Crépin ne trouva pas le courage d'admettre que même Marie l'attirait, du moins sa représentation en plâtre dans l'église.

— Je le ferai, monsieur le curé.

— Vous direz trois chapelets en guise de pénitence.

Lors de la bénédiction, le paroissien répéta trois fois : «Aie pitié, Seigneur, du pécheur que je suis.» Le panneau se referma avec un bruit sec. Crépin récita encore :

— Mon Dieu, j'ai un extrême regret de vous avoir offensé parce que vous êtes infiniment bon, infiniment aimable, et que le péché vous déplaît…

Lorsqu'il quitta le petit réduit, les yeux du pauvre homme se posèrent sur la femme responsable de ses pensées coupables. Voir Félicité toujours à ses côtés, séduisante aussi, lui confirma qu'il devrait l'ajouter à sa courte liste de tentations. Il eut le bon sens de chercher un endroit à l'arrière du temple d'où il ne les verrait pas, sinon son âme ne demeurerait pas toute propre jusqu'à la communion. Heureusement, la configuration des lieux offrait suffisamment d'angles et de zones d'ombre pour y arriver.

Chapitre 5

Suivre la messe debout à l'arrière de l'église ne posait aucune difficulté à des jeunes femmes n'ayant pas encore vingt ans. Tout au long de la cérémonie, Félicité contempla son nouvel environnement religieux. Le temple, vieux d'un peu plus de vingt ans, était sans nul doute le plus grand et le plus richement décoré qu'elle ait jamais vu. Les peintures, le chemin de croix, la statuaire, le grand autel situé au bout de la nef en ogive, tout cela témoignait de l'opulence de cette paroisse.

Les gens aussi attiraient son attention. De nombreux hommes, certains gras et mous à cause d'une nourriture trop abondante et d'un travail qui n'exigeait pas assez d'efforts physiques, portaient une veste ou un froc élégant. La plupart offraient aussi aux regards un col de celluloïd aux coins cassés et une cravate le plus souvent en soie. Ces messieurs cédaient toutefois en élégance à leurs épouses. Les robes de toutes les teintes étaient enjolivées par les rubans, les dentelles et les drapés. Les corsets enserraient des tailles fines ou fortes et mettaient les seins en valeur. Puis les chapeaux s'encombraient de plumes, de boucles et même de fruits de cire ou de tissu calquant assez bien la réalité.

À la communion, les trois jeunes femmes se regardèrent l'une l'autre, un peu mal à l'aise. En restant à leur place, elles admettaient avoir certaines fautes sur la conscience. Le sentiment d'inconfort s'accrut encore lorsque la quasi-totalité des femmes et la grande majorité des hommes se rendirent finalement vers la sainte table.

Crépin Dallet sortit de son coin d'ombre pour se diriger vers l'avant du temple avec les autres. À son retour, son regard fixé sur celui de Phébée amena celle-ci à baisser la tête. Avec ses yeux inquisiteurs, il la faisait se sentir coupable.

Comme le trio se tenait près de la porte, il se précipita sur le parvis dès les premiers mots du *Ite, missa est*. Une foule les rejoignit bientôt, les amies se retrouvèrent chassées sur le trottoir du côté opposé de la rue. La blonde demanda à son ancienne voisine :

— Ta patronne prépare elle-même le repas aujourd'hui, pour te laisser venir à la grand-messe ?

— La patronne, le patron et les rejetons sont allés visiter la parenté pour quelques jours. Je reste seule à la maison, je peux choisir l'heure à laquelle je me rends à l'église.

— Isolée dans une grande maison, tu ne crains pas les voleurs ?

La domestique secoua la tête de droite à gauche avant de dire :

— Un peu, mais au moins j'ai la paix pendant leur absence. J'ai moins peur des voleurs que de lui.

À cette allusion, les yeux de la domestique trahissaient sa haine.

— Il ne s'est pas calmé depuis que tu en as parlé à un prêtre ?

— Penses-tu ! D'abord, le maudit corbeau se montrait accusateur : « C'est sûrement de votre faute, ce qui se passe », il a commencé.

Entendre désigner un ecclésiastique de cette façon entraîna un mouvement de recul chez Félicité. Son éducation ne lui permettait guère d'en parler autrement qu'avec respect. Puis l'image de Sasseville lui vint à l'esprit. Ce souvenir la rendit solidaire de l'Acadienne.

— Comme si j'avais envie d'exciter ce gros cochon. Je dois faire de grands détours, dans la maison. Si je m'approche trop, je me retrouve avec sa main sur les fesses.

— Quelle misère, sympathisa Phébée. Dans la maison où se trouvent sa femme et ses enfants…

« Ça n'arrive pas que dans les presbytères », nota l'ancienne maîtresse d'école. Existait-il un seul endroit où se réfugier pour éviter ce harcèlement ? La réponse à sa question se trouvait devant ses yeux : un couvent se dressait tout près de l'église. Son regard tomba ensuite sur Crépin Dallet. Le commis comptable s'était posté sur le trottoir de la rue Saint-Denis, là où elles passeraient nécessairement pour rentrer à la maison.

— La présence de sa bourgeoise ne le gêne pas du tout, s'offusqua Pélagie. Le curé n'a sans doute jamais abordé le sujet avec ce paroissien assez généreux pour donner une piastre à la quête tous les dimanches. Il s'en vante devant la visite !

La jeune bonne marqua une pause, puis reprit :

— Si sa femme se plaignait, il bougerait peut-être, mais pas pour l'employée de maison.

— Elle ne voit rien ? Ou alors elle accepte la situation…

Pélagie haussa les épaules, puis confia :

— Elle préfère rien voir, je suppose. Quand il est après moi, ce gros vicieux doit lui sacrer patience.

Ou peut-être terminait-il avec sa légitime ce qu'il avait commencé avec la bonne.

— Que vas-tu faire ?

La voix de Phébée témoignait d'une réelle compassion pour son amie. Si elle subissait le perpétuel regard de son voisin de chambre, au moins gardait-il ses mains pour lui.

— J'm'en vas à l'Hôtel-Dieu. Les religieuses cherchent des femmes pour entretenir la place. Pas soigner les malades, mais faire l'ordinaire.

— Elles n'ont pas la réputation de donner de gros gages.

— Avec un lit et les repas, je me débrouillerai bien.

La plupart des domestiques ne recevaient guère mieux que cela, en plus d'un uniforme neuf une fois l'an. Son employeur laissait plus dans l'assiette de la quête dominicale que dans les mains de sa domestique.

— Bon, je vous laisse, conclut Pélagie. Cet hôpital est en pleine campagne, ce sera long pour s'y rendre.

Phébée eut droit à des bises sur les joues et son amie, à un au revoir plus retenu. Puis la jeune Acadienne s'engagea vers le nord dans la rue Saint-Denis.

— J'ai bien compris ce qu'elle disait? demanda Félicité. Son patron…

— Il a les mains longues. Ce n'est pas rare, tu sais. Dans ton couvent tu étais à l'abri, mais maintenant, il faudra que tu protèges sans cesse tes arrières.

Félicité ne connaissait que trop bien cette situation : personne, chez toutes ces jeunes femmes de la ville, ne devait avoir eu affaire à un satyre plus déterminé à parvenir à ses fins que l'abbé Sasseville.

— Comme nous ne trouverons rien à manger à la maison, enchaîna Phébée, autant aller acheter quelque chose à un vendeur ambulant près du carré Viger.

— Ça, c'est à condition que ton garde du corps nous laisse passer…

La blonde suivit le regard de son amie pour découvrir Dallet toujours de faction au coin de la rue Sainte-Catherine. Sans discrétion, il les surveillait.

— Quelle plaie, celui-là. Cela dure depuis un an, mais le retour de l'été en fait une vraie tache. Viens, au moins le détour nous mettra en appétit.

Elle présuma que le petit homme n'oserait pas les suivre. Bras dessus, bras dessous, les jeunes femmes s'engagèrent dans un long détour. Lui tournant le dos, elles remontèrent la rue Saint-Denis en direction nord. Tout en marchant, Phébée attira l'attention de sa compagne sur le grand cabinet de lecture des Sulpiciens, puis sur les maisons les plus majestueuses des notables. Devant celle où travaillait Pélagie, elle réitéra le dégoût que lui inspiraient les situations que les domestiques devaient supporter.

Une fois arrivées rue Sherbrooke, elles prirent à gauche. Si loin vers le nord, Montréal se donnait des airs de campagne. Les maisons se faisaient moins rapprochées, de grandes institutions occupaient de vastes terrains bordés d'arbres.

— Regarde là, dit la blonde en pointant le doigt vers la droite. C'est le couvent des sœurs du Bon-Pasteur. Elles en possèdent un autre au coin de la rue Saint-Constant, à moins de mille pieds de distance. Là, c'est le Mont-Saint-Louis, une école de garçons.

— Il y a des élèves pour remplir tous ces endroits?

La remarque tira un rire moqueur à son amie.

— Mais c'est la grande ville, ici! Tout à l'heure, nous étions dans le quartier Saint-Jacques, là où les belles maisons ne manquent pas. Ici nous sommes dans Saint-Louis, un endroit tout aussi prospère. Ne t'inquiète pas pour eux: les bourgeois peuvent garder longtemps leurs enfants à l'école. Parmi eux, tu ne trouveras pas beaucoup de monde sachant à peine écrire comme moi.

Le ton amer des derniers mots n'échappa pas à Félicité.

— Si tu veux apprendre, je t'aiderai, tu sais. Ça me fera plaisir de te montrer ce que je sais.

L'autre accrocha son bras au sien pour exprimer sa reconnaissance. L'éducation représentait un atout de taille dans la grande quête de toute femme : se trouver un bon parti. Phébée tentait de remédier à ses lacunes tant bien que mal en prenant comme modèle ses clientes de tous les jours. Par mimétisme, elle parvenait à s'exprimer très convenablement. Cependant, l'irruption d'un mot appris dans une ruelle ou une tournure de phrase fautive risquaient à tout moment de trahir ses origines.

Dépité, Crépin décida finalement de retourner à la maison de chambres. Il vit Hélidia sortir de l'église. Un chemin de croix particulièrement pieux l'avait retenue jusque-là. Son visage disgracieux lui épargnait les attentions réitérées du commis comptable. Toutefois, dans une circonstance semblable, la simple politesse lui interdisait de l'ignorer.

— Mademoiselle Chambron, commença-t-il quand elle fut à sa hauteur, puis-je vous raccompagner à la maison ?

— … Bien sûr, monsieur Dallet.

Son visage dénotait une certaine surprise. Pourquoi n'offrait-il pas plutôt de raccompagner l'une ou l'autre de ses voisines, sinon les deux ? Ses regards insistants sur elles ne lui échappaient pas. En comparaison de Phébée, le laideron de la maison n'existait même pas.

— Vous n'allez pas dîner ? demanda-t-elle plutôt que de laisser libre cours à sa morosité.

— Les établissements convenables sont fermés le dimanche. Je préfère jeûner plutôt que d'encourager des impies.

Dans une ville peuplée d'une forte minorité de protestants et d'un nombre appréciable de païens, le respect du jour du Seigneur s'avérait sans cesse écorché. Pire encore, des catholiques risquaient le salut de leur âme pour réaliser eux aussi quelques profits le premier jour de la semaine.

— Et puis vous savez, continua-t-il, se contenter d'un seul repas le dimanche représente une bonne façon de se mortifier. Un estomac léger rend plus disponible à la prière, il me semble.

Sa compagne se sentit tout de suite mauvaise chrétienne.

— Je n'ai pas votre force. Tous les samedis, en revenant du travail, je fais des provisions. Déjà, sans le déjeuner, je me sens plus faible. Alors sauter aussi le dîner serait au-dessus de mes forces.

— Oh! Vous n'avez aucune raison de vous justifier. Dieu exige de chacun en fonction de ses capacités. Puis votre travail est plus exigeant que le mien.

— C'est vrai que je suis toujours debout…

Pour Hélidia, rester assis toute la journée, par exemple devant des livres de comptes, représentait un accomplissement proche du paradis. Elle passait la sienne devant une *mule-jenny*, une machine produisant du fil de trame.

— Vous savez, ajouta son compagnon, je suis convaincu que le Créateur vous regarde avec bienveillance, car vous accomplissez chrétiennement un dur travail.

Décidément, lorsqu'il avait tout frais en tête le prêche dominical, son voisin devenait bien pompeux, pensa Hélidia. Aussi relança-t-elle la conversation avec hésitation :

— Retournerez-vous à l'église pour les vêpres?

— Je ne crois pas. Je profite si peu du grand air pendant la semaine, alors je ferai sans doute une longue promenade.

Sa compagne espéra en vain qu'il l'invite à se joindre à lui. Quant à y aller seule, le goût lui en était passé deux ou trois ans plus tôt, car la vue de tous ces couples dans les parcs la rendait malade de jalousie.

C'est avec l'estomac dans les talons que les deux amies arrivèrent au carré Viger, après avoir marché plus d'une heure. Phébée s'approcha de la demi-douzaine de vendeurs réunis près du coin des rues Craig et Saint-Hubert tout en précisant à mi-voix :

— Ce n'est pas vraiment meilleur dans la buvette du parc, là-bas, et les prix sont plus élevés.

À leur approche, ces marchands ambulants vantèrent en chœur leurs produits. La blonde se dirigea directement vers un homme d'une cinquantaine d'années.

— Bonjour, monsieur Hébert ! Comment va votre femme ? s'enquit-elle.

— Assez bien pour continuer à cuisiner, répondit l'autre en lui jetant un regard appréciateur. Toi, la petite, visiblement la vie te réussit. Si c'était possible, je dirais que t'as embelli depuis la dernière fois que je t'ai vue.

— Si vous pensez à me conter fleurette aujourd'hui, c'est que vous allez bien aussi. Vous saluerez votre compagne pour moi.

— Tiens, si tu me fais la bise, je la lui passerai pour toi en arrivant à la maison.

Du doigt, il tapota sa joue mal rasée tendue vers elle. Son interlocutrice ne se formalisa pas du geste, mais elle n'entendait pas céder à l'invitation.

— Vous avez des petits pâtés pas trop secs, cuisinés avec de la viande fraîche ?

Le vendeur se pencha vers un contenant de fer-blanc monté sur des roulettes tout en commentant :

— Là tu me fais de la peine, la p'tite. J'suis pas comme ces chenapans-là. Eux autres font passer de la viande de cheval mort d'épuisement pour du bœuf.

Ses yeux se portaient sur ses compétiteurs, installés tout près.

— Je respecte trop mes pratiques pour faire ça, se défendit-il en tendant deux pâtés enveloppés dans une page d'un vieux journal. Ce sera six sous.

— Là, je vous aimerai moins si vous augmentez les prix comme ça.

Il s'ensuivit une négociation amusée, puis à la fin quatre sous changèrent de main, accompagnés d'un :

— C'est bien parce que c'est toi ! Là, j'vends à perte.

— Mais au ciel, ça vous sera rendu au centuple.

— Au ciel, ma belle, j'aurai plus faim, conclut-il en lui adressant un clin d'œil avant de se tourner vers d'autres clients.

Les deux jeunes femmes profitèrent de l'ombre d'un érable pour manger debout leur dîner sommaire. Entre deux bouchées, Félicité taquina sa compagne gentiment :

— Lui aussi habitait ta rue, je suppose, comme tous les gens de cette ville ?

Déjà, Phébée lui avait présenté plusieurs personnes comme d'anciens voisins.

— Non, mais dans une rue voisine. Je les connais, lui et sa femme. J'achète de lui plutôt que des autres, car jamais il ne me vendrait de la viande pourrie.

Ce mot n'aurait pas dû être prononcé. Ensuite, la châtaine trouva un goût étrange au petit pâté.

— Ça te dit d'entendre un orchestre ? proposa la blonde en cherchant une poubelle pour jeter le papier d'emballage. Tous les dimanches après-midi, il y en a un qui joue un peu plus loin, dans le parc.

Enchantée de la proposition, Félicité la suivit. Jusque-là, elle avait entendu l'organiste de sa paroisse natale et celui de la nouvelle, des religieuses et des élèves s'exécutant sur le vieux piano du couvent. D'orchestre, jamais.

L'enthousiasme des musiciens ne compensait pas tout à fait la modestie de leur talent, mais les fausses notes ne gâchèrent pas le plaisir des deux jeunes femmes. Pendant une bonne heure, elles parcoururent les allées du parc sans jamais trop s'éloigner de l'orchestre.

À l'ombre des grands arbres, il devenait possible d'ignorer l'agitation de la ville. D'autres badauds, des couples pour la plupart, se livraient aussi à une marche digestive. Des hommes levaient leur chapeau pour saluer les deux jeunes femmes, les plus discrets se contentaient d'un sourire et d'un salut de la tête. Leurs compagnes prenaient invariablement un air crispé, même quand il s'agissait de clientes de Phébée.

Puis lassée d'être debout, la blonde entraîna Félicité vers les bancs installés près du kiosque où jouait l'orchestre, même si toutes les places s'avéraient occupées. La jeune femme comptait sur les excellents cours de bienséance offerts dans les institutions d'enseignement montréalaises pour en arriver à ses fins. Se promenant avec une lenteur calculée, elle attendait une offre généreuse. Après avoir repoussé d'un sourire celle de deux hommes âgés, elle dévisagea un jeune homme assis sur un banc de bois avec une grosse dame.

— Mesdemoiselles, puis-je vous céder ma place ? se décida-t-il enfin à leur demander en se levant.

— Comme vous êtes aimable, monsieur, répondit Phébée sur un ton des plus mielleux.

Félicité se contenta d'un sourire timide en guise de remerciement. Un instant plus tard, elle se serrait un peu contre son amie pour ne pas s'asseoir sur les plis de la robe de l'autre occupante du siège.

— Je m'appelle Jules Abel, commença le garçon en tendant la main à l'une et à l'autre.

Le rose monta aux joues de l'ancienne maîtresse d'école. Cette présentation lui rappelait la soirée « à clencher » de Saint-Eugène, sauf qu'aucun maître de cérémonie ne venait rendre les choses plus faciles. Dans ce parc, le jeune homme devait s'en remettre à sa seule initiative.

— Et moi, Phébée Drolet. Voici mon amie, Félicité Dubois.

En tenant les doigts féminins dans sa paume, le jeune homme eut envie d'étaler sa culture.

— Quel joli prénom. Il a une si belle signification.

— Ah ! Ne me parlez pas de lumière vous aussi, se moqua la blonde.

Félicité sourit discrètement. Son amie se rappelait bien leur première conversation.

— Vous profitez de la belle journée, commenta-t-il, moins désireux maintenant d'évoquer sa connaissance de quelques mots de grec.

— Comme tous les gens du quartier, dit Phébée.

En réalité, la chaleur un peu humide commençait même à lui peser. Le pantalon, le jupon et la robe superposés paraissaient exagérés, avec ce temps chaud et humide. Son vis-à-vis, toujours debout près du banc, se penchait un peu vers elle. Il ne pouvait ignorer les quelques cheveux collés à son cou par la sueur, la pellicule humide au-dessus de sa lèvre supérieure. L'envie de poser ses lèvres sur les siennes pour en goûter le sel le tenailla.

— Si vous le permettez, je vais aller chercher des limonades là-bas. Mieux vaut nous désaltérer pour ne pas risquer un coup de chaleur.

— On n'est jamais trop prudent.

Le garçon choisit de considérer le ton moqueur comme un assentiment. Pendant qu'il marchait vers le kiosque, les deux jeunes filles s'entre-regardèrent, puis étouffèrent un fou rire adolescent.

— Ce que vous faites n'est pas bien, intervint la grosse dame à la droite de Félicité.

— Pardon? répondit Phébée, les sourcils un peu froncés.

— Parler ainsi à un inconnu, ce n'est pas bien. Je me demande ce que votre mère penserait, si elle savait.

— Mais elle le sait sûrement, puisqu'elle peut me surveiller du ciel.

Une orpheline laissée à elle-même, se dit la rombière. Sans les directives d'une mère attentive, voilà qu'elle faisait les yeux doux à un jeune homme.

— Comme c'est dommage. Si elle était là, elle vous expliquerait tous les risques de ces rencontres.

— Vos filles ont de la chance de pouvoir compter sur vos conseils avertis.

— … Je n'ai pas d'enfant.

Phébée voyait bien, malgré le gant, que l'enquiquineuse ne portait aucune alliance à son annulaire gauche. Le lourd impératif de Dieu, « croissez et multipliez-vous », lui revint en mémoire. Elle affecta une mine lourde de reproches.

— Je suis toujours fille, continua l'autre, maintenant mal à l'aise.

— Si vous aviez accepté qu'un garçon vous parle dans un parc, aujourd'hui vous donneriez vos précieuses recommandations à vos propres enfants, au lieu d'embêter de parfaites inconnues.

Les paroles assassines étaient formulées avec un sourire ironique. La matrone rougit au point de faire craindre une attaque d'apoplexie. Puis elle se leva pour s'éloigner d'un pas rapide dans un bruissement de jupons, tout en grommelant des mots susceptibles d'écorcher les oreilles de son confesseur.

— La vieille peau, échappa la blonde.

Sans transition aucune, elle retrouva son entrain pour enchaîner :

— Il s'en vient. Tasse-toi un peu pour lui faire de la place.

Toute généreuse qu'elle fût, en certaines circonstances Phébée savait servir ses propres intérêts. Ce garçon ne poserait pas ses fesses à côté de son amie, ni même entre elles, mais à sa droite. Félicité se trouvait d'avance exclue de la conversation, mais cela ne la dérangea guère. Le contraire l'aurait rendue aussi mal à l'aise que lors de la veillée « à clencher ».

— J'ai pensé que vous ne voudriez pas boire au goulot, commença Jules Abel, alors j'ai amené ça.

— Vous venez toujours au parc avec des verres dans votre poche ?

La jeune femme conservait son sourire moqueur, mais elle se déplaçait pour lui faire une petite place à ses côtés.

— La dame de tout à l'heure est partie ? demanda-t-il, soucieux de ne pas commettre un impair.

— Elle s'est soudainement souvenue de ses douze enfants laissés sans soin.

Le ton un peu acide le rendit perplexe. La vie lui avait donné l'habitude de jeunes filles plutôt timides. Celle-là le prenait au dépourvu avec sa vivacité.

— Et ces verres ? insista-t-elle devant son silence un peu trop long.

— Je les ai empruntés au tenancier.

Il avait dû donner dix cents au commerçant en dépôt. À défaut de les récupérer, l'homme en achèterait au moins cinq nouveaux pour ce montant. Les deux jeunes femmes eurent chacune le leur. Lui-même avalerait le reste de la boisson fraîche au goulot.

— Vous travaillez dans les environs ? demanda-t-il après une hésitation.

Pour le laisser se languir un peu, Phébée vida la moitié de son verre tout en le regardant dans les yeux. Puis elle consentit à répondre :

— Je suis couturière dans un commerce de la rue Sainte-Catherine, expliqua-t-elle, Les Confections Marly. Il y a de bonnes chances que j'aie confectionné les plus belles parures des dames qui nous entourent.

Présomptueuse, la remarque visait à faire valoir un métier qui n'inspirait généralement pas un grand respect aux bourgeois.

— Et mademoiselle votre amie ?

— Elle vient tout juste de quitter le couvent, intervint encore la blonde. Elle se cherche maintenant une position.

Félicité resta muette, trop intimidée pour ouvrir la bouche. Elle avalait la limonade à petites gorgées, appréciant la saveur de citron.

— Et vous, monsieur Abel, que faites-vous dans la vie ?

— Je viens de terminer mes études de pharmacien. Je commencerai un stage chez Robert Gray dans quelques jours. Un stage, c'est comme un apprentissage…

— Je connais.

Même si elle l'avait déjà entendu parfois, Phébée n'aurait su définir ce mot avec exactitude, mais elle tenait à dissimuler son ignorance.

— Il a son officine rue Sainte-Catherine.

— Je sais, un peu avant la rue Saint-Laurent.

Il s'agissait d'un commerce prospère, à en juger par la grande vitrine. Phébée supputa le revenu d'un pharmacien. Il devait dépasser celui de sa patronne. Après tout, lors d'une crise, ou plus simplement en cas d'un revers de fortune dans une famille, on cessait d'acheter de nouveaux vêtements, tandis qu'on s'endettait pour se procurer des remèdes.

— Les études pour devenir pharmacien doivent être longues et difficiles…

La petite flatterie fit son effet. Le visage du garçon s'éclaira un peu au moment de dire :

— Oui, vous avez raison. On a vingt-deux ans et on se trouve encore à l'école.

Lui aussi savait manier les mots pour faire bonne impression. En réalité, comme tous ses futurs collègues, il se lancerait dans la vie avec des études de médecine incomplètes et quelques cours complémentaires sur la préparation des médicaments.

— C'est admirable. Êtes-vous de Montréal, monsieur Abel ?

— Non, de Sainte-Rose. C'est sur l'île Jésus.

— Je sais où se trouve ce village, monsieur Abel.

Elle répétait son patronyme avec une insistance amusée et son vis-à-vis aimait l'entendre dans sa bouche. Après quelques mots encore, le garçon tira une montre de son gousset et s'empressa de se lever en disant :

— Comme c'est dommage. Je dois me presser pour aller à l'entraînement.

— Vous vous entraînez à quoi, si ce n'est pas trop indiscret de vous le demander ?

— Ça ne l'est pas du tout, répondit-il, heureux de révéler cet autre aspect de sa vie. Je suis membre du 65ᵉ Régiment de la milice.

— Oh ! Alors si jamais les *fenians* nous attaquent encore, vous nous défendrez.

L'allusion à l'étrange invasion fomentée par des révolutionnaires irlandais quatorze ans plus tôt témoignait encore une fois de la bonne mémoire de Phébée. Elle évoquait là des confidences de son père, milicien lui aussi. Défendre les frontières du pays avait constitué la grande aventure de sa vie. Depuis 1870, aucun ennemi n'avait menacé la sécurité du dominion du Canada.

— Ce sera mon devoir de le faire, et aussi un honneur. J'espère avoir le plaisir de vous revoir… mesdemoiselles.

Le dernier mot était venu avec suffisamment de retard pour indiquer que le souhait concernait surtout Phébée, de laquelle il n'arrivait pas à détacher le regard.

— La paroisse Saint-Jacques n'est pas assez grande pour que nous ne nous retrouvions pas, si nous en avons envie.

Un peu plus, et elle lui donnait rendez-vous sur le parvis de l'église, le prochain dimanche. Jules s'éloigna après un dernier salut, ses deux verres et la bouteille vide à la main afin de récupérer ses quelques cents de dépôt. Les deux jeunes femmes se regardèrent avant de pouffer de rire de nouveau.

— Quel sans-gêne, commenta Félicité. Il n'a pas arrêté de te dévisager !

— Serais-tu jalouse ?

— Non, je t'assure. Je ne veux pas accorder crédit à la dame de tout à l'heure, mais venir parler ainsi à une parfaite inconnue…

— Ça ne se fait pas à la campagne, n'est-ce pas ? Surtout pas dans le cas des jeunes filles ayant fréquenté si longuement le couvent.

Une pointe de dépit marquait la voix de Phébée, comme si elle venait d'essuyer un reproche. Son amie posa sa main gantée sur la sienne, exerça une légère pression.

— Au bout du compte, malgré mes études, je ne sais pas grand-chose de la vie, tu sais. Mes idées peuvent bien être un peu sottes…

Sa compagne serra sa main pour la réconforter à son tour et retrouva son sourire en disant d'une voix plus amène :

— Si j'avais été la fille de l'un de ceux-là, il aurait dû demander à mon père la permission de venir me voir à la maison. Puis chacune des visites se serait déroulée sous le regard sévère de maman.

Des yeux, elle désignait les messieurs respectables qui se promenaient dans les allées du parc, une épouse accrochée au bras.

— Là où je suis née, les choses ne se passent pas du tout de la même façon. Les filles rencontrent des garçons dans la rue, à l'atelier ou à la manufacture. Parfois même, on fait connaissance avec les parents seulement après la conception du premier enfant.

À la campagne, où les voisins exerçaient une surveillance de tous les instants, ce genre de situation risquait peu d'arriver. L'anonymat de la ville rendait les rencontres bien hasardeuses, estima l'ancienne maîtresse d'école.

— Alors je vous servirai de chaperon, risqua-t-elle, afin de vous garder dans le droit chemin.

Sa compagne perçut la pointe de dérision dans la voix et s'amusa de cette éventualité. Épaule contre épaule, elles réfléchissaient au fait que leur prospérité future dépendrait de la réussite d'un époux. Si Phébée comptait sur ses traits harmonieux pour attirer le meilleur parti, son amie mesurait combien les événements de la dernière année la disqualifiaient complètement dans cette quête. Les hommes tenaient à être les premiers à partager l'intimité de leur femme.

La longue marche de Crépin le mena au carré Viger, dans l'espoir d'y rencontrer les deux jeunes femmes. La chance lui sourit : la jolie silhouette se découpa sous ses yeux. Phébée marchait lentement, avec un déhanchement suggestif. « Elle cherche à attirer l'attention des hommes », jugea-t-il. Toutes les célibataires se livraient au même rituel, accompagnées d'une amie ou d'une parente. Aux yeux de cette grenouille de bénitier, la démarche témoignait de la pire dépravation.

Tout en conservant une bonne distance, l'homme les suivit. Il condamna sans appel cette façon d'inciter ce garçon à lui offrir d'abord une place sur un banc, ensuite un verre de limonade. Sa rancœur s'expliquait en bonne partie par la bonne mine, les vêtements bien coupés et la jeunesse de cet inconnu. Lui n'empestait certainement pas. Sans doute se mettait-il de l'eau parfumée sur les joues après chaque rasage.

L'accès de jalousie prit une nouvelle proportion devant les œillades, les sourires, la conversation animée. Tout cela représentait autant de coups de poignard au cœur. Combien Félicité lui paraissait plus réservée, plus respectable, dans ces circonstances troubles. « Comme elle ferait une compagne acceptable ! », pensa-t-il. Ce constat ne suffisait pas à détourner son attention de la couturière. Ses cheveux blonds, ses jolies robes, son sourire engageant le rendaient fou. Phébée avait une totale emprise sur ses sens.

Le jeune homme se leva enfin et s'attarda dans des salutations interminables.

— Elle doit l'inciter à prévoir une prochaine rencontre, grommela-t-il.

Puis l'inconnu quitta le parc pour rejoindre la rue Bonsecours. Crépin saisit sa chance après un bref échange entre les deux femmes et marcha dans leur direction.

— Quelle bonne surprise ! déclara-t-il avec son meilleur sourire en s'arrêtant devant elles.

L'agacement crispa le visage de Phébée. « Décidément, ce crapaud entend gâcher tout à fait mon dimanche », ronchonna-t-elle intérieurement. Elle continua à voix haute :

— Si je vous connaissais moins bien, monsieur Dallet, je croirais que vous passez votre temps à m'espionner. Bien sûr, pareil comportement serait indigne d'un chrétien d'élite tel que vous.

— … Jamais je ne ferais ça. Comme vous, je profite seulement du beau temps.

Son interlocutrice serra les mâchoires pour réprimer la remarque grinçante lui venant à l'esprit. Ce gars, elle le verrait tous les jours. Mieux valait ne pas s'exposer à subir son hostilité ouverte. Déjà, son regard collant lui gâchait la vie.

— Mais pourquoi ne pas tirer profit de cet heureux hasard, poursuivit-il. Vous et mademoiselle Dubois voudriez peut-être venir avec moi assister aux vêpres ?

Dans sa bouche, avec son sourire hypocrite, cela ressemblait à une invitation indécente. Littéralement, il la déshabillait du regard.

— Quel dommage, répondit-elle sur un ton faussement désappointé. Mon amie doit aller dans les boutiques de la rue Saint-Laurent afin de dénicher des vêtements de travail. J'entends bien la guider dans la ville.

Tout de suite, la blonde se reprocha la confidence. Il risquait de les suivre.

— Mais nous sommes dimanche, objecta-t-il, seuls les commerces des Juifs sont ouverts.

— C'est donc une chance que ces gens soient parmi nous, sinon Félicité en serait quitte pour gâcher ses robes du dimanche au cours des prochains jours, à la manufacture.

— Je vais vous accompagner. Cela vaut mieux, chez ces gens-là.

La répartie glaciale ne tarda pas.

— Croyez-moi, nous n'avons pas besoin d'escorte. Puis ce serait bien étrange, ne trouvez-vous pas, d'accompagner des jeunes femmes pendant qu'elles achètent quelque chose d'aussi personnel que des vêtements ?

Des scènes d'essayage traversèrent l'esprit du petit homme.

— D'ailleurs, reprit Phébée, nous y allons tout de suite. Viens, Félicité.

Le commis, déçu, regarda les deux femmes s'engager dans la rue Craig, vers l'est. Au moins il ne leur emboîta pas le pas. Il se rendrait plutôt à l'église Saint-Jacques, soucieux de faire une nouvelle confession. « Deux fois la même journée ! », se dit-il, dépassé. Vraiment, Phébée le rendait fou.

À cette heure plus tardive de l'après-midi, la chaleur se faisait moins étouffante. La rue Craig abritait divers ateliers, des commerces et des logements ouvriers. Au coin de la rue Herman, Phébée désigna un grand édifice à l'état négligé.

— Voilà le manège militaire. Mon nouvel admirateur doit venir ici avec son régiment de milice pour apprendre à marcher au pas, vêtu de son bel uniforme.

Le ton badin visait à donner le change. Elle s'était donné la peine de faire un détour pour passer là. Peu après, elles atteignaient la rue Saint-Laurent. Là, la ville changeait en quelque sorte d'identité. L'anglais dominait presque entièrement les conversations, mais on pouvait percevoir aussi l'intonation de nombreuses autres langues. Félicité ouvrait de grands yeux ébahis sur les visages au teint foncé, les cheveux et les yeux très noirs, les vêtements bien différents des siens. Impossible pour elle de deviner le pays d'origine de ces citadins, mais leur allure en faisait indiscutablement des étrangers. Les enseignes l'intriguaient tout autant. Les mots, de même que certains alphabets, lui étaient inconnus.

— Ici on trouve de tout, n'importe quel jour de la semaine, commenta son amie.

— Ce sont eux, les Juifs dont parlait Dallet ?

— Nous allons chez un Juif, mais sur ce trottoir, dans ces magasins, il y a des Italiens, des Grecs, des Allemands, et des gens venus de pays dont j'ignore même les noms.

Ce brassage de populations donnait un peu le vertige à l'ancienne institutrice. Que tant de gens s'expriment de manière différente dans une même ville et pratiquent pour la plupart une autre religion que la sienne la laissait perplexe. Si, peu de temps auparavant, elle considérait encore la distance entre Saint-Jacques et Saint-Eugène comme un abîme, elle voisinait maintenant avec des gens venus des pays les plus exotiques.

Sa compagne se déplaçait avec assurance, indifférente aux regards ainsi qu'aux sifflets admiratifs qu'on lui adressait. Après avoir marché un peu vers le nord, elle poussa la porte d'une boutique étroite et obscure. La vitrine portait une inscription en caractères hébraïques. À l'intérieur, une lampe à pétrole brûlait malgré l'heure du jour. Des vêtements de couleurs diverses pendaient aux murs, d'autres remplissaient des boîtes de bois ou s'entassaient parfois sur le plancher.

Félicité ne vit d'abord que l'homme décharné vêtu d'une grande redingote noire et coiffé d'un chapeau de même couleur. Les cheveux et la barbe, pas très propres, étaient d'un gris un peu jaunâtre.

— Mesdemoiselles, mesdemoiselles, entrez voir la marchandise, commença-t-il dans un mauvais anglais. Que cherchez-vous ?

— Nous voulons regarder, rétorqua Phébée en français.

La châtaine balaya des yeux la marchandise en mauvaise condition, découragée.

— Où prend-il tout ça ? murmura-t-elle.

— Souvent à la décharge publique, je suppose. Il passe aussi dans les rues en poussant une petite brouette pour acheter tout ce que les gens veulent vendre.

— Je ne trouverai rien ici. On dirait des haillons.

— Presque neuves, presque neuves, ces robes, répétait le vendeur, comme s'il s'agissait d'une mélopée.

Trouver des vêtements convenables en ces lieux s'apparentait à chercher une aiguille dans une meule de foin. La couturière décrochait un vêtement après l'autre pour le tenir devant sa compagne. Les mots « trop grand », « trop petit » ou « trop abîmé » revenaient sans cesse. Puis il y eut un « peut-être ». Le propriétaire ne s'y trompa pas, aussi s'empressa-t-il d'ajouter :

— Ravissante, ravissante.

Cette opinion demandait une forte dose d'aveuglement volontaire. De toute évidence, la robe d'un brun un peu effacé par endroits avait été neuve de nombreuses années plus tôt.

— Dix cents, dix cents.

Phébée examina l'état du vêtement. Une déchirure près du bas se révéla assez grande pour y passer la main. La jolie blonde le fit pour agiter ses doigts sous le nez du vendeur.

— Non, là-dedans j'aurai l'air d'une pauvresse, protesta Félicité.

— Je sais manier une aiguille. Tu as oublié ?

— Presque neuve. Dix cents, répéta machinalement l'homme.

Celui-là commençait à lui tomber sur les nerfs. La visiteuse lui tourna le dos pour proposer :

— Il faudrait aussi des bas et des foulards.

— … J'ai déjà des bas.

— Garde en bon état les vêtements avec lesquels tu es arrivée, ils peuvent durer encore quelque temps. À la manufacture, ils pourraient se déchirer.

L'angoisse de Félicité face à sa nouvelle vie monta d'un cran.

— Tu as des chaussures ?

— Oui, de vieilles galoches au fond de mon sac.

— J'imagine qu'elles feront l'affaire.

Elles examinèrent un moment les guenilles pêle-mêle dans les caisses. La couturière mit miraculeusement la main sur deux paires de bas à peine percées et deux foulards de toile. Elle montra le tout au marchand, qui annonça :

— Bons choix, bons choix. Quinze cents pour tout.

— Cinq cents, et encore, tu fais une affaire.

Dans cet antre, le tutoiement lui venait naturellement. L'autre prit une mine outrée, porta ses deux mains à la poitrine comme s'il désirait déchirer sa chemise.

— Mes enfants, mes enfants. Manger.

— Dix cents. Rien de plus.

— Mes enfants…

Pour l'empêcher de reprendre ses allusions à sa famille affamée, Phébée posa les vêtements sur une table et chuchota en prenant sa compagne par le bras :

— Viens-t'en. Ce gars-là est un voleur.

À une vitesse surprenante, l'homme se déplaça entre elles et la porte.

— Mademoiselle, mademoiselle. Douze cents.

Baisser si vite son prix indiquait que le vendeur faisait encore largement ses frais. Les yeux de la jolie blonde tombèrent sur un chapeau de paille placé sur une étagère.

— Essaie-le.

— Je serai ridicule à l'usine, avec ça.

— Pas pour l'usine. Tu ne peux pas te promener nu-tête tout l'été.

À la sortie de l'église, le mouchoir de soie était retourné dans le sac de son amie. Bien sûr, elle disait vrai, le soleil de l'après-midi sur son crâne la laissait avec un léger mal de tête. Puis toutes les femmes, au carré Viger, portaient un chapeau.

Félicité examina soigneusement le couvre-chef, puis le plaça sur sa tête.

— Il te va bien, et tu en as besoin.

— Vingt-cinq cents pour tout ça, dit le marchand.

Phébée reprit son marchandage, réussissant à obtenir le tout pour vingt cents. Presque neuf, le chapeau en valait bien dix à lui seul. Quand elles quittèrent les lieux, le pauvre homme pestait contre les trop jolies clientes. Avec un bouton sur le nez, celle-là aurait déboursé un montant plus élevé pour ses achats.

— Une seule robe pour le travail me suffira ? demanda Félicité une fois sur le trottoir.

— C'est de la bonne toile, je la repriserai tout à l'heure. Elle durera tout l'été. En septembre nous en chercherons une plus chaude.

L'ancienne maîtresse d'école commit un péché d'orgueil en songeant combien elle paraîtrait quelconque, accoutrée de cette façon.

Chapitre 6

Pendant tout le reste de leur longue promenade, Félicité n'enleva plus son chapeau. Elle se sentait moins nue de cette façon. Les amies arrivèrent épuisées à la maison de la ruelle Berri. Sauf les jours de pluie, elles se baladeraient ainsi tous les dimanches. S'enfermer dans une chambre sans fenêtre se révélerait trop insupportable, et Vénérance ne paraissait vraiment pas du genre à inviter ses locataires dans le salon familial.

Comme les deux soirs précédents, ils se retrouvèrent à la table de la cuisine. Tous et toutes portaient encore leurs habits du dimanche enfilés pour aller à la messe. De l'extrémité de la table où il se trouvait, Crépin Dallet se donnait des airs de chef de famille. Ses yeux évitaient de se poser directement sur celle qui avait été l'objet de ses désirs toute la journée. Il craignait en particulier de la voir commenter ses agissements en public. Comme Hélidia se glissa cette fois au milieu du banc, Félicité se trouva près de lui.

Madame Paquin s'était mise en frais ce jour-là, un rôti trônait au milieu de la table. Bien sûr, des esprits chagrins auraient pu le trouver bien petit pour le nombre de convives. Un peu de viande valait cependant mieux que pas de viande du tout.

— Monsieur Dallet, commença la mégère, voulez-vous faire le service ? C'est une affaire d'homme, ça.

Sur ces mots elle lui présenta un long couteau. Il accepta, se leva afin de se donner une meilleure vue sur son travail. Ce rôle ajoutait encore à sa suffisance.

Avec les pommes de terre à volonté, chacun se lesta l'estomac jusqu'au lendemain. Le tout fut complété par un gâteau mangeable, que les plus gourmands agrémentèrent d'un peu de mélasse. Même en ce jour du Seigneur, Vénérance se montrait aussi impatiente que d'habitude de les voir sortir de table. Cette fois, elle se planta devant son évier les bras croisés sur la poitrine, les yeux sur ses locataires.

— Je vais marcher un peu, déclara John Muir en se levant. Phébée, tu m'accompagnes?

— Je veux bien, mais pour quelques minutes. Nous avons parcouru des milles, aujourd'hui!

Mainville s'empressa auprès de la personne en face de lui:

— Et toi, Félicité, tu aimerais prendre un peu l'air?

L'idée de se retrouver isolée dans la chambre aveugle ne l'emballait pas. D'un geste de la tête, elle donna son assentiment. Sans se concerter, Charles et Hélidia emboîtèrent le pas aux autres. À la fin, Crépin Dallet se retrouva seul dans la cuisine, avec sa logeuse pressée de faire la vaisselle.

Deux par deux, les locataires de la ruelle Berri prirent vers l'est par la rue Dorchester. Comme il était un peu passé neuf heures, ils se limiteraient à parcourir un grand rectangle pour revenir à leur point de départ.

— Mademoiselle Dubois, commença Mainville, vous êtes parée à commencer au moulin demain matin?

Si le garçon la tutoyait devant les autres, en tête-à-tête la mine réservée de sa compagne le ramenait à un langage plus strict.

— Non, mais je n'ai guère le choix, n'est-ce pas ? Je me suis arrêtée dans de nombreux commerces, aucun ne voulait de moi comme vendeuse.

— Cette job, c'est pas si terrible, vous savez.

Le ton ne paraissait ni convaincu, ni convaincant. Félicité aborda un autre sujet pour combattre sa morosité.

— Phébée et John paraissent bien s'entendre.

— On peut dire ça.

Le ton trahissait une certaine frustration. Il se trouvait avec une jolie femme, et elle amenait la conversation sur un autre homme. Un peu renfrogné, il dit :

— Ils sont pareils.

— … Ils ne se ressemblent pas.

— Paraît qu'elle fait des merveilles avec une aiguille. Lui, c'est avec un ciseau à bois.

— Ah oui ?

Déjà, la nuit tombait sur la ville. Dans la rue Berri, les petites flammes du gaz tremblaient dans les globes des réverbères. La pénombre demeurait suffisante pour lui cacher l'expression de son compagnon.

— Pour aménager l'intérieur des trains, il faut les meilleurs. Certains wagons ont des chambres à coucher, des salons, des salles à manger…

— Je ne savais pas.

Combien de surprises la ville lui réservait-elle encore ? Après quelques jours à Montréal, elle affectait toutefois de ne plus s'étonner de rien.

— Puis il tue le temps en *gossant* des morceaux de bois.

Félicité mit un instant avant de comprendre ce mot. *Gosser*, c'était réaliser de petites sculptures, des œuvres habituellement sans prétention.

— Il fait des statues d'église?

— Les saints et les saintes l'intéressent pas. Il taille des petits bateaux longs comme ça – il indiquait six ou sept pouces entre ses deux index –, des animaux, même des personnes.

Voilà qui piquait la curiosité de la jeune femme. Peut-être descendrait-il certaines de ses pièces dans la cuisine pour les lui montrer, si Phébée le lui demandait. Elle-même savait être trop intimidée pour le faire. Ses yeux se fixèrent sur les deux artisans marchant une dizaine de pas plus loin, le plus souvent dans un parfait silence. À cela même, on devinait la bonne entente entre eux.

Dix pas derrière Mainville et Félicité, un autre couple bien improbable suivait. Pour Charles, devoir marcher près d'Hélidia blessait son amour-propre. Non pas que la chose s'avérât nouvelle, bien au contraire. Par le passé il l'avait systématiquement accompagnée lors de promenades de ce genre. La grande beauté de Phébée la lui rendait inaccessible. Se retrouver avec la seule autre jeune fille de la maison représentait un pis-aller acceptable.

Mais la présence d'une nouvelle locataire plus qu'un peu jolie avait suscité chez lui un vif espoir d'améliorer son sort. Il se désolait de la voir converser avec son voisin, plutôt qu'avec lui. «C'est parce qu'ils seront demain dans la même manufacture», se dit-il pour se rasséréner un peu. Quant à Hélidia, d'instinct, elle devinait les sentiments de son compagnon. Pourtant, elle s'efforça d'engager la conversation:

— J'aimerais bien savoir d'où vient la nouvelle.

— Elle nous l'a dit : du coin de Joliette.

— T'as vu son beau linge ? Des habitantes obligées de venir gagner leur croûte en ville, j'en vois tous les jours à la manufacture. Elles sont pas attriquées comme ça.

Charles ne pouvait que lui donner raison. Lui aussi avait remarqué qu'elle ressemblait davantage à une employée de bureau, à une vendeuse peut-être, mais pas à une paysanne. Son savoir-vivre, fait de délicatesse et de timidité, ne passait pas inaperçu.

— Pis écoute-la parler, regarde comment elle se tient. Elle se donne des airs, comme pour se faire passer pour une fille de professionnel ou de marchand.

— La prends-tu pour une fille du roi d'Angleterre cachée chez Vénérance ?

La dérision agit comme un coup d'épingle sur Hélidia. Elle se renfrogna pendant tout le reste du trajet.

Les locataires revinrent une fois l'obscurité tombée. Crépin Dallet se tenait un peu en retrait près de la fenêtre de sa chambre, pour voir sans être vu. Phébée arriva d'abord avec John.

— Elle s'abaisse, en se tenant avec un simple ouvrier…

Cela lui semblait trop injuste.

Puis il évalua le couple que formaient Félicité et Mainville. Elle méritait mieux qu'un travailleur manuel. Son langage soigné et sa réserve un peu timide témoignaient de sa bonne éducation. Quelle catastrophe la forçait à devenir une fille d'usine dès le lendemain ? Il pressentait là une histoire pas très propre, peut-être sulfureuse.

Seul Charles Demers, accompagné d'Hélidia, ne suscitait guère de jalousie chez lui.

Irrémédiablement, ses pensées revenaient à la blonde. «Attirer l'attention d'un inconnu dans un parc avec son déhanchement, se faire payer à boire…» Le petit homme n'était pas loin de la voir comme la plus concupiscente des courtisanes. Des pensées lascives envahirent son esprit. Que faire, sinon s'en remettre aux conseils de son confesseur pour les tenir en échec? Il alluma le lampion ramené de l'église Notre-Dame, puis s'agenouilla sur son prie-Dieu, le visage enfoui dans les mains.

Malgré la présence rassurante de sa compagne, c'est une Félicité anxieuse et mal reposée qui entendit au matin les coups de John Muir contre la porte. La réalité de la manufacture pouvait-elle être pire que celle affrontée en septembre dernier? Ou son immense solitude des mois d'hiver? Il ne lui restait qu'une seule conviction, finalement: rien ne surpasserait l'horreur de son après-midi sous les yeux du surintendant Ouimet.

Près d'elle, Phébée remua un peu, puis s'assit sur le rebord du lit avant d'allumer la bougie.

— Allez, assez traîné au lit. Un retard au premier jour te vaudrait un renvoi. Remarque, ce serait certainement la même chose le millième jour aussi…

— Voilà qui m'encourage beaucoup.

La blonde se leva tout à fait pour aller ouvrir la porte de la garde-robe. Elle lança la robe achetée la veille sur le lit.

— Ce n'est pas si terrible, voyons. Les petites filles y survivent…

La suite n'eut rien pour encourager son amie:

— Enfin, la plupart du temps, elles survivent…

Le nœud dans l'estomac de Félicité devint encore plus lourd. Elles se vêtirent en silence. Privées de tout miroir, elles se servaient du regard de l'autre pour corriger les imperfections de leur tenue.

— Je le savais, c'est bien ta taille. La teinture s'est un peu effacée à certains endroits, mais le tissu est solide.

De grands cernes plus pâles soulignaient le dessous des bras, et même le creux des reins. La première utilisatrice avait sué un bon coup.

— On ne distingue même plus la déchirure, continua la couturière, à moins de se mettre à genoux pour examiner le bas de ta robe.

— Tu as raison, ton travail est parfait.

L'appréciation de Félicité venant avec mauvaise grâce, son amie entendit secouer sa torpeur.

— Maintenant, aussi bien mettre un foulard tout de suite.

— En cette saison, ce n'est pas nécessaire. Puis près des machines, il fera plus chaud encore.

— Ça n'a rien à voir avec la température de la salle… Je vais te montrer comment le fixer comme il faut ; autrement, ce serait dangereux.

L'autre écarquilla les yeux de surprise et soudain, sa peur revêtit une autre forme. Phébée prit le temps de lui expliquer la situation.

— Tu as vu les grosses courroies de cuir, dans la salle des moulins ? Ça permet à la machine à vapeur de les actionner. Ces courroies tournent à toute vitesse. Si tes cheveux se prennent là-dedans, tu peux carrément perdre ton scalp, comme dans le temps des Sauvages.

Félicité se laissa faire quand son amie entreprit de disposer le foulard sur ses cheveux châtains.

— Les plus chanceuses ne perdent qu'une mèche. Ça fait mal, les garçons les ignorent ensuite si les cheveux ne repoussent pas. Au moins, elles sont vivantes, contrairement à d'autres… Ce que je te dis là est difficile à entendre, mais je ne veux pas qu'il t'arrive quelque chose.

La blonde ramena les deux pointes de la pièce de tissu pour les attacher très serrés sur la nuque.

— Comme ça, aucun cheveu n'ira se prendre dans un mécanisme. On dirait le voile d'une religieuse.

— Certaines perdent la vie ?

— Pas souvent…

La réponse n'eut pas l'effet escompté. Elle en avait trop dit pour se dérober maintenant.

— Près du plafond, il y a de grosses poutres, sur lesquelles s'enroulent les courroies. Si les cheveux d'une fille, ou une pièce de vêtement, s'emmêlent dans ce mécanisme… elle se fait casser le cou.

La panique gagna tout à fait le regard de Félicité. Aussi, Phébée s'empressa d'ajouter :

— Tu vas faire attention, il n'arrivera rien, j'en suis certaine.

Même le voisinage de Tarasine Malenfant et de sa progéniture ne paraissait plus aussi néfaste, maintenant.

— Bon, nous devons nous presser, si nous voulons nous débarbouiller un peu avant de manger.

Jamais plus Félicité ne formulerait à haute voix le moindre commentaire sur l'inélégance de sa mise. Cela comptait si peu, au fond. Elles rejoignirent Hélidia en train de se laver. L'ouvrière se retourna, puis remarqua à mi-voix :

— Tu vas t'ennuyer de tes jolies robes.

Le ton contenait une certaine sympathie, même si les mots blessaient un peu.

— Ce sera mon uniforme six jours par semaine, à compter d'aujourd'hui, dit Félicité avec fatalisme.

La jeune femme subit un nouvel examen en entrant dans la cuisine, mais personne d'autre ne dit mot. Les débuts de sa carrière d'ouvrière du textile suscitaient une certaine commisération. Vénérance eut même la délicatesse de mettre un peu plus de gruau dans son bol.

À six heures trente, tout le monde prit le chemin de son travail. Au coin de la rue Ontario, Phébée glissa à l'oreille de son amie :

— Bon courage, ma belle. Tout se passera bien.

Si les mots ne la rassurèrent pas tout à fait, la marque d'affection lui toucha le cœur.

Dès son entrée dans la Dominion Cotton, Félicité vit bien que l'immense majorité des ouvrières portaient un foulard comme le sien. Ce détail lui avait échappé, lors de sa première visite. Seules quelques-unes, parmi les plus jeunes ou les plus âgées, se coupaient plutôt les cheveux très court comme les hommes, jamais plus de deux pouces.

Le contremaître se tenait au milieu de la grande pièce où s'alignaient les machines. La nouvelle venue porta son attention sur la quantité de courroies reliant chacune d'elles à l'arbre de transmission. Oui, évalua-t-elle, ces gros rubans de cuir pouvaient assurément soulever une jeune femme de terre pour la projeter contre le plafond.

— Monsieur, dit-elle dans le dos de l'homme, je suis là.

Celui-ci ne broncha pas, concentré sur la mise en marche des métiers. Un toussotement bref n'eut pas non plus l'effet escompté.

— Germaine, hurla le contremaître pour couvrir le vacarme croissant, tu crois que les autres vont s'occuper de tes moulins ?

Une grosse femme quitta l'une de ses collègues décharnée pour courir vers son poste de travail. Félicité se souvint alors du nom de l'homme.

— Monsieur Grondin, dit-elle un peu plus fort, cette fois en lui touchant le bras.

— Oh, la nouvelle ! dit-il en lui donnant enfin son attention. Je me demandais si tu allais venir, ce matin. Suis-moi.

À grandes enjambées, Onil Grondin se dirigea vers un coin de la grande salle. Il fit un geste de la main pour faire venir la travailleuse rappelée à l'ordre un instant plus tôt.

— Si t'avais le temps de commérer tout à l'heure, t'as celui de lui montrer comment ça marche. Dans une heure, si elle rapporte pas, vous prendrez la porte.

Sans attendre de réplique, il regagna son poste de surveillance.

— Le gros cochon, articula clairement l'ouvrière.

Le fracas des machines couvrait sa voix. Avec un regard impitoyable, elle jaugea la nouvelle venue, évaluant ses chances de terminer la semaine.

— Là je vais perdre mon temps, grommela-t-elle.

Puis en criant, cette fois assez fort pour être entendue, elle dit :

— Viens avec moi.

Toutes deux se tenaient devant un métier mécanique de six ou sept pieds de large, avec un cadre de fonte et une cascade de fils. Cela ne différait pas tellement des appareils à tisser manuels, observa Félicité, sauf que ces derniers étaient de bois. Au couvent, les religieuses lui avaient montré à s'en servir.

— Tu mets en marche comme ça.

Germaine tira sur un levier afin de faire passer la courroie de cuir sur une grande poulie. C'était l'embrayage. Par un jeu d'engrenages, l'appareil s'ébranla.

— Ça c'est la *warpe*, ça c'est la *weffe*.

Du doigt, elle montra les fils en rangs serrés descendant du châssis pour former une surface plane, puis un autre fil enfermé dans une navette aux deux extrémités pointues. En français, il s'agissait de la chaîne et de la trame de la toile à tisser. Dans toutes les manufactures du Québec naissait une nouvelle langue. On prononçait ces mots dans la langue du patron, mais en les déformant : *warp* et *weft* devenaient *warpe* et *weffe*, pour désigner les fils entrecroisés, la navette devenait une *chatteul*, pour *shuttle*. Il en était de même pour *heddle*, transformé en *aide*.

— Quand tu fais ça, ça lève les *aides*.

Félicité ouvrait de grands yeux, essayant de lire les directives sur les lèvres de son professeur. Le processus n'était pas très compliqué. Un mécanisme soulevait un fil de trame sur deux, dans l'espace ainsi créé la navette traversait la machine à une vitesse folle, allant d'un côté à l'autre sans s'arrêter. Chacun de ses passages laissait un fil de chaîne. Un grand peigne métallique le frappait pour donner un tissu bien serré.

Tout cela, la jeune femme le savait déjà. Les religieuses, des pédagogues autrement plus compétentes que Germaine, le lui avaient expliqué. Par contre, la multitude de clés, de leviers lui était inconnue.

— Tu vois, ça ouvre la *shed*. La *chatteul* a de la place pour passer.

Dans un tintamarre assourdissant, la nouvelle tentait de retenir les gestes, les noms, les directives. L'une d'entre elles se révéla on ne peut plus claire :

— Tu mets un doigt au mauvais endroit, et tu lui dis adieu. Tes cheveux ou un bout de ta robe se prennent là-dedans, et ton amoureux ne te reconnaîtra pas à l'hôpital, ou dans ta tombe.

Ça, elle ne risquait pas de l'oublier. Pour le reste… Germaine s'en doutait aussi.

— Tu penses savoir démarrer un moulin ?

— Oui, je crois.

— Vantarde. On verra dans une minute. Regarde encore.

Germaine se déplaça vers le métier voisin puis refit, cette fois en enchaînant tous ses gestes, deux, trois, quatre…

Une seconde machine se trouva en marche, le vacarme augmenta un peu.

— C'est à toi. Pars celle-là.

Elles se déplacèrent de sept ou huit pieds pour se trouver devant un troisième métier. Félicité resta immobile, les bras pendant le long de son corps.

— Tu attends le Messie ? Ça, c'est à Noël. J'ai dit de la partir.

— Je ne sais pas…

L'autre laissa échapper un long soupir, comme si une pareille ignorance tenait à de la mauvaise volonté. Félicité se dit que si jamais elle se retrouvait un jour devant une classe, elle se montrerait infiniment plus compréhensive avec les élèves les plus obtus. Germaine lui saisit finalement la main droite pour la mettre sur le levier.

— Tu comptes avec moi.

Elles crièrent les chiffres en duo, actionnant le levier, tournant les clés. Une troisième machine s'agita devant elles.

— Maintenant, tu t'occupes de celle-là. Si tu y arrives pas, le bâtard va me mettre dehors… Et toi aussi.

Déjà, Félicité comprenait combien le contremaître aimait montrer son pouvoir en régnant de façon arbitraire sur son personnel. Satisfaire ses attentes ne constituait en rien une promesse de sécurité d'emploi. Cette fois, les doigts un peu tremblants, elle répéta les opérations. Le son de pièces de métal frappées l'une contre l'autre la rassura.

— Ça, c'est tes quatre moulins. Tu t'arranges pour qu'ils s'arrêtent jamais. Autrement, je ne sais pas comment il fait, mais ce cochon s'en apercevra.

— Tous les quatre?

De nouveau, elle montrait un visage désemparé.

— Mais qu'est-ce que t'imagines? T'es pas là pour rêvasser aux garçons. D'abord, tu t'arranges pour que la *weffe* ne se casse pas, et que la bobine dans la *chatteul* soit remplacée très vite quand elle est vide. C'est pas si compliqué. On finit par mesurer le temps en bobines.

Germaine l'entraîna derrière la rangée de machines.

— Tu fais la même chose avec la *warpe*. Ces grosses bobines durent longtemps, mais pas pour toujours. On les change de la même manière. T'en prends une nouvelle, tu fais un nœud, puis ça continue. Quand tu penses en manquer, tu dis au jeune Rivard de t'en amener d'autres.

Du doigt, elle désignait un garçon de treize ou quatorze ans poussant un chariot lourdement chargé de fils.

— Bon, autre chose. Des fois, la *warpe* se brise. Si c'est en haut – de la main, elle désignait les cascades de fils –, tu devras attacher les deux bouts. Plus bas, c'est impossible. Alors tu fais comme ça.

D'un geste vif, elle brisa un fil de trame avec l'ongle de son pouce. Puis elle mit ses mains en porte-voix pour hurler:

— La Souris, bouge ton cul jusqu'ici, et ça presse !

Une petite fille appuyée au mur s'élança dans leur direction. Félicité remarqua la robe en haillons, les cheveux presque ras sur le crâne. Elle se mit à quatre pattes pour se glisser sous le métier. Le mécanisme tournait toujours.

— Là tu mets le frein une minute. Si la petite tient à tous ses morceaux, elle va attendre que tout s'arrête.

D'un geste brusque, elle baissa un levier. Quand le mécanisme se figea, de petits doigts apparurent entre les fils de chaîne.

— Tu le fais, ton nœud ? dit-elle encore à l'employée hésitante. Si tu prends ton temps, le patron perd de l'argent. C'est pas que ça me dérange, mais le bâtard le saura.

Félicité prit l'extrémité du fil tenu par l'enfant, chercha l'autre un instant. Les doigts réapparurent pour le lui donner. Comme elle s'apprêtait à faire un nœud, sa collègue hurla :

— Dans les œillets.

Chercher des yeux la fine tige métallique, enfiler le fil d'une main tremblante et le nouer, cela prit une bonne minute. Germaine relâcha le frein en criant :

— J'te l'répète, il sait quand un moulin est arrêté. Si c'est trop long, tu reçois une amende. Trop de nœuds sur une cotonnade, un bout de travers parce que tu vas pas assez vite, devine ce qui arrive…

— Une amende.

— Voilà, tu commences à comprendre. Après trop d'amendes, dehors. J'sais pas si le grand *boss* donne de l'argent à la quête du dimanche, mais icitte il fait jamais la charité. Tu cours devant et derrière tes moulins, et tu t'arranges pour qu'ils s'arrêtent jamais.

— Mais tous les quatre…

L'autre renifla un bon coup et contempla la nouvelle venue des pieds à la tête. Même la mauvaise robe ne gâchait pas tout à fait la silhouette.

— Tu sais, princesse, moi j'en ai six. Pour ça, j'aurai gagné cinquante cents à la fin de la journée. Pas toi.

Sur ces mots, la grosse dame regagna son poste de travail sans même demander son nom à la nouvelle venue. La gamine toute grise sortit de sous le métier. De ses grands yeux cernés, elle examina l'ancienne maîtresse d'école. Quand Félicité lui adressa son meilleur sourire, elle répondit de la même façon, quelques dents en moins sur le devant.

Félicité devait tendre l'oreille pour déceler le moindre problème, puis courir, courir sans cesse d'une machine à l'autre pour vérifier si tous les fils de chaîne tenaient. Au moins, la rupture d'un fil de trame ou l'épuisement de la bobine arrêtait tout le mécanisme. Cela ne passait pas inaperçu.

Tout alla plutôt bien pendant... quinze bonnes minutes. Puis une navette s'arrêta, et tout le moulin avec elle. Félicité jeta des regards désespérés tout autour d'elle. De son apprentissage récent, rien ne restait. Germaine se penchait sur ses propres appareils. De toute façon, la grosse femme ne l'avait pas aidée de bonne grâce et son attitude n'irait pas en s'améliorant si elle l'appelait maintenant.

La petite fille affectée à nouer des bouts de fils se matérialisa près d'elle. Le surnom de Souris lui convenait bien : ses bas et sa robe étaient gris. Son visage, ses mains et ses cheveux affichaient la même couleur à cause de la poussière accumulée sous les métiers.

— Tu fais comme ça, dit-elle en prenant la grande navette.

Une tige amovible permettait de fixer une bobine. La fillette en plaça une nouvelle tout en montrant à la recrue le détail des opérations.

— Comment t'appelles-tu ? voulut savoir Félicité.

— Victoria.

Quel prénom prétentieux pour cette enfant malingre, au visage émacié, pensa la jeune femme.

— Comme notre reine.

Elle opina alors qu'une toux creuse lui secoua le corps.

— Je te remercie, tu es très gentille.

Puis Félicité reprit sa course entre les quatre métiers. Régulièrement, le contremaître regardait dans sa direction.

Une horloge se trouvait accrochée au mur de la grande salle, mais si loin que Félicité en distinguait mal les aiguilles. Le départ du contremaître signala l'heure du repas. À midi, après cinq heures d'un travail incessant, Félicité se demandait comment elle tiendrait encore plus longtemps. Les travailleuses, l'une après l'autre, actionnèrent le grand levier pour laisser les courroies tourner à vide. L'arrêt des moulins fit baisser le bruit de moitié. Puis elles se rassemblèrent près des grandes fenêtres sur le côté de l'édifice. En l'absence de tout siège, elles prirent place à même le sol.

La dernière embauchée se laissa tomber un peu lourdement.

— Tu vas y arriver, la petite ? commença Germaine en posant sur elle des yeux moqueurs. Tu parais à bout.

— Je suis fatiguée, mais pas à bout. J'y arriverai.

— Eh! T'en fais pas, voulut la rassurer une autre ouvrière assise un peu plus loin. Malgré ses airs de sorcière, est pas méchante. Son mari a quitté la maison, il lui manque un petit quelque chose.

— Très petit, ironisa une autre, d'après la rumeur. À croire qu'il a montré son outil à une femme sur deux, pour toutes les mettre au courant.

La grosse femme devint rouge de colère et serra le poing en rugissant:

— Le tien va prendre le même chemin. Tout le monde dit qu'il couraille.

— En tout cas, il revient à la maison. Il doit aimer ce qu'il y trouve. Le tien habite avec une autre.

L'escarmouche menaçait de durer encore longtemps, et même de s'envenimer, à en juger par la détermination des protagonistes. Les autres travailleuses offraient des mines lassées. Ces querelles ajoutaient à leur fatigue. Toutes sortirent de leur poche un morceau de pain enveloppé dans un bout de tissu ou un vieux papier d'emballage. Les plus chanceuses ajoutaient un peu de fromage ou de jambon.

Le dos contre le mur, les jambes étendues devant elle, Félicité combattait l'envie de dormir. Si elle sombrait, jamais elle ne reprendrait son poste tout à l'heure.

— Avant, tu travaillais où? demanda sa voisine, une robuste brune dans la trentaine.

— … Sur la ferme de mes parents.

Répondre «Au couvent» lui aurait attiré des railleries. Malgré ses mains fragiles et sa bonne diction, ce mensonge paraîtrait plus crédible que la vérité. Personne ne passait de pensionnaire chez les religieuses à une manufacture de l'est de Montréal.

— T'as rien à manger?

— … Je n'y ai pas pensé.

C'était vrai. Que s'était-elle imaginé ? Qu'on la nourrirait ? Au fond, son angoisse devant ce mauvais emploi avait affecté son sens commun.

— Si tu fais très vite, tu peux encore aller chercher un petit quelque chose dans la taverne voisine. Ils ont l'habitude, ils vendent des sandwichs.

Comme Félicité ne bougeait pas, elle poursuivit :

— T'as pas d'argent, c'est ça ?

— … C'est idiot, je n'y ai pas pensé.

Vraiment, quelle sotte elle faisait ! Ses pièces de monnaie étaient restées dans le coffre de la chambre. Aller dans les latrines pour récupérer un billet de banque attirerait l'attention sur elle.

— Tiens, prends ça, proposa sa collègue en divisant son petit pain en deux.

— Non, je ne peux pas accepter. Je serai plus prévoyante demain.

— Fais pas ta timide. Tu me rendras la pareille quand tu pourras.

S'entêter à refuser une offre aussi généreuse vexerait cette bonne femme. Surtout, les cinq dernières heures de travail lui avaient creusé l'appétit.

— Tu es très gentille. Je te revaudrai ça.

L'autre fit un geste de la main comme pour chasser cette idée.

— Dis-moi plutôt ton nom. Moi, c'est Rachel.

— Félicité.

— C'est joli. On dirait un compliment.

Elle pensait au mot « félicitations ». L'autre ne put retenir un réflexe d'institutrice.

— Ça veut dire un grand bonheur.

— Comme celui de te trouver ici aujourd'hui, dit l'autre, sarcastique.

Tout en mâchant une bouchée du morceau de pain un peu trop sec, au goût amer, lui sembla-t-il, elle répondit avec un sourire contraint. Occuper un pareil emploi ressemblait plutôt à une malédiction. La petite Souris s'approcha bientôt.

— Viens ici, Victoria, dit l'ancienne maîtresse d'école en désignant l'espace toujours libre près d'elle. Tu dois être fatiguée, à courir comme ça d'une machine à l'autre.

L'enfant approuva d'un signe de la tête tout en s'asseyant.

— Tu as quel âge, Victoria ?

Félicité retrouvait tout naturellement l'attitude de l'institutrice un premier jour de classe.

— Douze ans, bientôt treize.

Pourtant, elle n'en paraissait pas plus de dix. Un héritage de pauvreté lui donnait ce corps malingre.

— Tu as eu le temps de fréquenter un peu l'école ?

— Un peu. Ça fait longtemps.

— Elle est arrivée ici il y aura bientôt trois ans, lui apprit Rachel.

Ce souvenir n'amena aucun sourire sur le visage de l'enfant. Ce jour-là marquait le début d'une longue existence harassante.

— Tu te souviens un peu de tes lettres ?

— Un peu.

Son laconisme déroutait Félicité, de même que la rareté de ses sourires. Il ne restait plus en elle aucune trace de l'enfant.

— Tiens, tu peux me dire ce que c'est ?

Du bout de l'index, elle traça un « S » dans la poussière. La petite Souris haussa les épaules et fit non de la tête avant de fixer la jeune femme de ses grands yeux.

— Un « S ».

— Moi non plus, je ne savais plus, confia Rachel, un peu gênée.

— Je peux vous rappeler vos lettres pendant les pauses du midi. À une par jour, dans un mois, vous les saurez toutes.

Une quinte de toux secoua Victoria avant qu'elle ne puisse répondre, puis elle se leva bien vite pour courir vers la porte de la grande salle.

— Moi, je veux bien, risqua Rachel, même si ça servira à rien.

— Tu pourrais arriver un jour à lire les journaux.

La travailleuse accueillit cette proposition par un sourire sceptique. La perspective de ce genre de lecture ne lui fournirait pas une bien grande motivation à apprendre.

— Et aussi le livre de messe, les prières.

Son interlocutrice se sentit davantage intéressée par cette possibilité.

— Tu ressembles à une maîtresse d'école.

— J'aurais beaucoup aimé faire la classe. C'était impossible.

C'était la pure vérité. La formuler à haute voix la déprima. Dans cet ensemble hétéroclite d'une soixantaine de femmes, elle devait bien être la seule à avoir caressé ce rêve. Au lieu de s'étendre sur un sujet lui donnant le vague à l'âme, elle reprit :

— Cette petite fille tousse beaucoup, je trouve.

— Regarde sur le sol, sur les machines, même sur ta robe : tu verras une couche de poussière de coton capable de tout encrasser. Écoute.

Juste à ce moment, quelqu'un y alla d'une quinte, puis se racla bruyamment la gorge.

— Dans trois mois, tu tousseras toi aussi, ajouta Rachel avec un air à la fois désolé et résigné. Tu cracheras cette poussière blanche. Elle, à ramper sous les machines, elle en avale plus que sa part.

Près de l'entrée de la grande salle, le contremaître frappa sur le cadre d'une machine avec une petite masse de fer.

— Bon, le voilà qui appelle ses bêtes de somme au travail, commenta Germaine. Il aimerait avoir un fouet, le salaud.

Avec une lenteur calculée, les femmes se levèrent pour regagner leurs machines. Une à une, ces dernières reprirent leur claquement infernal.

Chapitre 7

La fabrique de savon de Joseph Barsalou se dressait au coin des rues Sainte-Catherine et Durham. Haute de quatre étages, cette grande masse rectangulaire en imposait. Le propriétaire, blanchi par l'âge et accaparé par ses très nombreuses affaires, ne se présentait plus aussi souvent dans son confortable bureau surplombant la grande artère commerciale. Ses fils, Hector et Érasme, se chargeaient maintenant des opérations quotidiennes.

Que l'un ou l'autre des Barsalou gère l'entreprise, cela ne changeait rien à la tâche de Crépin Dallet. Il se courbait toute la journée au-dessus du registre de comptes, une plume d'acier à la main, une visière au-dessus des yeux, de grands manchons de serge bleue enfilés pour protéger ses vêtements. Il lui fallait consigner l'achat des matières premières, le versement des salaires de douzaines de personnes, et surtout la vente de plusieurs millions de livres de savon.

Le petit homme sinistre voyait son occupation comme un sacerdoce : contribuer à la purification de la population avec les petits pains de pâte solidifiée permettant de laver tous les corps, et les produits en cristaux, tous les vêtements. Cela ne complétait-il pas le travail des prêtres, voués à laver les âmes avec le sacrement de la confession ?

Ces pensées l'amenaient souvent à poser sa main gauche sur une savonnette de marque Impérial posée sur son bureau, la plus populaire, alors que la droite alignait des colonnes de chiffres. Le fondateur de l'entreprise adorait les chevaux, alors une magnifique tête d'étalon imprimée en creux ornait les pains jaunâtres.

— Ah! Mon brave, fit une voix depuis l'embrasure de la porte, je suis heureux de vous trouver ici. Nous avons un nouvel arrivage, allez aider à en faire la réception, puis payez les livreurs.

Érasme Barsalou le regardait, un peu rieur. Ces mots, «mon brave», rappelaient toute la distance entre lui et le commis.

— … Mais j'ai beaucoup à faire avec ces additions.

— Vous additionnerez un peu plus tard. On ne va pas laisser ça dans la rue, tout de même.

Le fils du patron imposait son autorité un peu grâce à sa moustache, dont il cirait les bouts pour les retrousser, à sa mise recherchée et à sa cravate de soie toujours ornée d'un fer à cheval d'or rehaussé de petits diamants. Surtout, de son corps émanait continuellement l'odeur subtile d'une eau de Cologne de qualité.

Impossible de refuser.

— Tout de suite, monsieur, céda Crépin en se levant.

L'employé se dirigea vers l'escalier. Au rez-de-chaussée, dans l'entrée principale, il passa devant la grande tête de cheval sculptée dans un gigantesque bloc de savon de Marseille avant de traverser l'entrepôt de matières premières. Comme à chaque fois qu'il y passait, la puanteur le frappa en pleine poitrine. Elle s'exhalait des énormes barriques, bien sûr, mais aussi du plancher, des murs, du plafond. Elle s'immisçait dans les interstices et collait aux surfaces planes. Aucun nettoyage ne la chassait complètement.

L'existence de la savonnerie Barsalou reposait sur le mensonge le plus absurde depuis la Création. Le propriétaire clamait avoir mis au point un procédé de fabrication sans odeur. Quiconque, dans un rayon de mille pieds de cet établissement, y allait de la plus légère inspiration, savait cette prétention bien vaine.

Dans la rue, Dallet repéra une dizaine de camions tirés par de robustes chevaux. Ils s'alignaient le long du trottoir, interrompant toute autre circulation.

— Vous avez là les quantités habituelles? demanda-t-il, méfiant comme d'habitude.

Un charretier hilare, la casquette rejetée à l'arrière de la tête, les manches de la chemise retroussées sur des bras musculeux, rétorqua:

— Crépin, laisse ton air constipé. Nous venons toutes les semaines avec vingt-cinq tonneaux de suif et la même quantité de saindoux.

Le premier corps gras venait des bœufs, le second, des porcs. Joseph Barsalou, propriétaire des Abattoirs de Montréal, se vendait à lui-même la matière première. Toute âme vivant près des abattoirs savait que les animaux trouvés morts ici et là dans la région de Montréal fournissaient la matière nécessaire aux industries du savon et des parfums, souvent longtemps après leur décès. Celui des bêtes mortes en bonne santé grâce à l'art des équarrisseurs servait plutôt à la consommation humaine.

— Monsieur Tousignant, vous le savez aussi bien que moi, je dois compter.

— Alors compte, Crépin, compte.

Tous les employés du service d'expédition de la marchandise, une bonne douzaine en tout, devaient s'employer à la réception de la matière première. Ils s'attaquaient d'abord au contenu de la voiture de tête et se mettaient à trois pour faire passer chaque gros tonneau dans un chariot. Un autre employé le poussait ensuite dans l'entrepôt, où des collègues le rangeaient près des murs. Comme deux équipes travaillaient en même temps, trente minutes suffisaient pour décharger le contenu d'un camion, soit cinq barriques. Dix camions occuperaient le commis tout le reste de l'après-midi. Il devrait ensuite faire l'inventaire de la marchandise reçue, en cochant la case « suif » ou « saindoux » sur une grille.

Dallet sortit de sa poche le salaire du contremaître des charretiers. Il se chargerait de distribuer la somme à ses collègues.

— Crépin, dit ce dernier, si tu partais avec tout cet argent, tu te paierais une belle brosse !

Son interlocuteur se contenta de lui décocher un regard exaspéré.

— Voyons, voyons, fais-moi pas d'accroire. Tu te paies jamais de petits plaisirs ? Sous tes airs de curé défroqué, tu dois bien être un homme, toi aussi.

Le commis se raidit, insulté. L'autre arrivait bien mal à réprimer une envie de rire.

— Crépin, je t'aime bien, conclut-il. J'ai déjà hâte de te voir la semaine prochaine.

Dallet tourna les talons sans rien dire. Un arrêt dans l'entrepôt lui permit de vérifier le nombre des tonneaux une dernière fois, puis il monta remettre une copie de la facture des Abattoirs de Montréal au commis payeur.

— Mon pauvre Dallet, tu te trouves toujours collé à la corvée de réception, déclara le gros homme en plissant le nez sous son binocle.

Contrairement à lui, plusieurs hommes vaquaient à proximité de ces barriques sans en conserver l'odeur. Il avait beau ne pas ménager les pains de savon Impérial – on les lui donnait sans compter – et se frotter jusqu'à s'échauffer la peau, impossible de s'en débarrasser. Les cadavres des candidats à la sainteté embaumaient la rose ; lui, vivant, sentait la charogne.

Au milieu des dentelles de Bruges et des rubans de soie, avec aux narines les relents des parfums capiteux des clientes, douze heures de labeur par jour minaient le corps de Phébée. Heureusement, s'occuper des robes de mariage la motivait, en particulier lorsqu'une riche famille en faisait faire une entièrement sur mesure. Dans ces cas-là, la jeune femme rêvait d'avoir sa propre enseigne spécialisée dans ce type de confections. Pourquoi pas « Phébée, créations exclusives » ? fantasmait-elle. Avec un prénom aussi original que le sien, autant ne pas tout gâcher en ajoutant Drolet.

Bien sûr, Janvière Marly répétait qu'elle voyait en elle une parente et ne ménageait pas les petites attentions. Cependant, les gages demeuraient modestes au point de l'obliger à partager une chambre sans fenêtre. Puis au moindre ralentissement des affaires, elle se retrouvait chômeuse. Les clientes l'appréciaient, sa réputation de couturière exceptionnelle pourrait un jour lui permettre de réaliser ses ambitions. Ce projet lui donnait le courage d'accepter de vivre chichement, de partager son lit. Elle souhaitait en arriver éventuellement à louer un appartement de trois pièces, dont l'une serait réservée à la couture et l'autre à l'accueil des clientes.

Assise sur la table afin que le soleil éclaire directement la pièce de tissu ivoire dans ses mains, elle s'attachait à réaliser un drapé irréprochable. Près d'elle, une esquisse lui rappelait l'allure du produit fini. À traits vifs, elle l'avait dessinée sous les yeux de sa cliente.

— Voilà des heures que tu es juchée là-dessus, fit une voix depuis l'embrasure de la porte.

— C'est pour mieux voir…

— Je sais, ce n'est pas un reproche. Mais monsieur le curé serait bien scandalisé de te voir les pattes disposées de cette façon.

Phébée baissa les yeux pour mieux apprécier sa posture en tailleur. Ses jambes croisées et ses genoux un peu relevés révélaient ses bas bleus, ses jupons blancs et son pantalon de baptiste.

— Scandalisé, ou alors tué d'une crise de cœur.

Aussitôt, la jeune femme regretta ses mots. Heureusement, sa patronne ne s'étouffait pas de scrupules.

— C'est un peu pour ça que je ne permettrai pas au jeune homme qui te demande de venir dans cette pièce. Tu peux toutefois sortir quelques minutes sur le trottoir afin d'entendre ce qu'il veut te dire.

L'autorisation s'accompagna d'un sourire complice. Intriguée, la couturière descendit de la table et jeta un coup d'œil au miroir appuyé au mur pour s'assurer que sa robe tombait bien.

— J'ai bien dit quelques minutes, rappela Janvière.

— Bien sûr, madame.

Dans la boutique, Phébée reconnut tout de suite son visiteur.

— Monsieur Abel… quelle surprise !

— Mademoiselle Drolet, je suis heureux de vous revoir.

La présence de la marchande l'amena à demander un peu timidement :

— Puis-je vous parler un instant ?

— Un instant, pas plus. J'ai du travail à terminer.

— Juste une minute, je vous assure.

Elle se dirigea vers la porte en sa compagnie. Le visiteur se retourna pour dire à la propriétaire des lieux :

— Madame Marly, je vous remercie de votre gentillesse. À bientôt, peut-être.

— À bientôt, jeune homme, mais pas trop souvent, tout de même.

Même formulée sur un ton complice, la précision fit rougir le visiteur. Son chapeau toujours à la main, il rejoignit la couturière sur le trottoir.

— Je suis étonnée de vous voir ici, monsieur Abel.

Après une courte pause, elle ajouta avec un sourire ravi :

— Vous n'avez pas mis longtemps à me retrouver. Dire qu'hier midi, j'ignorais tout de votre existence.

— J'avais si hâte de vous revoir…, commença-t-il.

— Ce n'est pas vraiment le bon endroit pour me dire ça… Vous avez entendu ma patronne.

— Dimanche prochain, pourrions-nous nous voir ?

« Après tout, se dit Phébée avec un regain d'optimisme, peut-être n'aurai-je pas à compter sur ma seule aiguille pour assurer mes vieux jours. »

— Pour une jeune fille respectable, passer son dimanche seule avec un homme…

— Évidemment, mademoiselle Dubois nous accompagnera.

Cette présence ferait en sorte de préserver sa bonne réputation.

— Dans ce cas, très bien. Maintenant, je dois vraiment reprendre le travail. Où nous rencontrerons-nous ?

— Pourquoi pas sur le parvis de l'église, après la messe ?

— Voilà un endroit fort convenable. Merci de votre visite, monsieur Abel.

— Tout le plaisir est pour moi, mademoiselle.

Il se demanda une seconde s'il devait tendre la main, mais la jolie blonde ne lui laissa pas le temps de résoudre ce dilemme. En deux pas, elle fut dans le magasin. La propriétaire la gratifia d'un regard à demi sévère, mais ne put réprimer son fou rire bien longtemps.

— Je me demande si j'ai déjà vu un garçon mieux élevé, commenta-t-elle. Du madame par ci…

— Et du mademoiselle par là…, ajouta la jeune femme, rêveuse.

— Tu le connais depuis longtemps ?

Phébée se sentit un peu gênée d'étaler sa vie privée, mais elle répondit tout de même :

— Je l'ai croisé hier au carré Viger.

— Et vingt-quatre heures plus tard, il te relance ici ?

— Je ne l'ai pourtant pas encouragé à le faire.

Janvière ne fut pas dupe de ce regain de vertu.

— Avec ton minois, à moins de te mettre un sac de farine sur la tête, tu les encourages sans dire un mot. N'empêche, sois sur tes gardes. Tout poli qu'il soit, un garçon seul avec une fille…

— Je suis prudente, vous savez, coupa Phébée, un peu mal à l'aise. Une couventine nous suivra partout. Quand je le verrai en tête-à-tête, je porterai une bague ici.

Elle leva sa main gauche pour montrer son annulaire.

La vertu représentait le seul capital d'une jeune femme. Jamais elle ne le dilapiderait.

— Une couventine ? Tu parles de la jeune fille venue ici l'autre jour ?

— Oui. Elle se nomme Félicité.

— Elle m'a semblé bien sage. Maintenant, ouste !

La couturière reprenait sa position sur la table quand Janvière allongea la tête dans l'embrasure de la porte pour demander encore, avec un souci bien maternel :

— Et ce futur fiancé que tu connais depuis hier, il fait quoi dans la vie ?

— Il termine des études en pharmacie. Il fera son stage chez Gray.

— Presque à côté, donc. Tu as de la chance, cet homme ne côtoiera aucune fille de vingt ans pour te faire de la compétition.

Cette fois, la marchande la laissa se consacrer à son travail.

Aucune opération, dans la tâche de Félicité, ne demandait de force physique, ce qui expliquait la présence largement majoritaire des femmes parmi le personnel. Toutefois, passer d'une machine à l'autre, changer les bobines de fil, renouer ceux d'entre eux qui se rompaient, la plupart du temps avec l'aide de Victoria, tout cela devenait épuisant. Surtout, les bobines de ses collègues semblaient durer plus longtemps, les fils, se casser moins souvent. Immobiles pendant de longues minutes, elles fixaient les métiers d'un air las.

Le contremaître devait considérer aussi que son travail laissait à désirer, car il se posta derrière elle au milieu de l'après-midi pour ne jamais relâcher sa surveillance. La présence de ce gros homme dans son dos ajoutait à sa tension. La nervosité faisait trembler ses mains lors de chaque opération, ce qui ralentissait son rythme. Dans ces circonstances, il venait se placer tout près pour évaluer son exécution. Son épaule frôlait la sienne, un bras ou une main touchait sa hanche ou sa taille. Un malaise familier noua bientôt son ventre.

— Plus vite, la nouvelle, plus vite, la pressait-il davantage. Les machines doivent produire.

Le visage de la jeune femme devenait plus rouge sous la pression, ses mains plus maladroites. Les faux mouvements, dans un environnement rempli de mécanismes en action, devenaient dangereux, très dangereux même. Lorsqu'elle récupéra une navette immobilisée, la manche de sa robe toucha la courroie de la machine voisine. Cela suffit à projeter son bras vers le haut et sa main frôla le gros ruban de cuir de la courroie.

L'intense sensation de brûlure lui arracha un cri. Des gouttes de sang apparurent sur la blessure d'un rouge vif.

— T'es pas là pour pleurnicher, la réprimanda le contre-maître toujours près d'elle. Ce moulin ne fonctionne plus.

Au bord des larmes, la jeune femme ignora la douleur et termina le changement de bobine. Pour relancer le mécanisme, elle se pencha sur les clés. Une lourde main claqua sur ses fesses, l'amenant à se redresser vivement.

— Continue de travailler comme ça, et on pourra te garder encore un peu, cria Onil dans son oreille.

— Ne faites pas cela, se rebella l'ouvrière. Jamais.

— Quoi, qu'est-ce que j'ai fait?

— Ça, ne le faites plus.

Les travailleuses affectées aux machines voisines tournaient la tête vers eux, le visage empreint de colère.

— Reprends ton travail, ou alors sacre le camp tout de suite.

Un instant, elle soutint son regard, puis la précarité de sa situation lui enleva toute sa fierté, toute envie de hurler son indignation. Elle actionna la dernière clé et la navette volante reprit son va-et-vient affolant.

Onil Grondin retourna à l'emplacement d'où il surveillait habituellement les travailleuses. Une vieille femme affectée aux machines voisines s'approcha pour demander:

— La petite, tu t'es fait mal?

Félicité leva la main pour lui montrer la brûlure sur la peau. Du sang s'en écoulait toujours.

— T'as un mouchoir?

La jeune femme acquiesça d'un signe de la tête, craignant que l'émotion ne lui casse la voix si elle émettait un son.

— Alors approche, et donne-le-moi.

Avec des doigts noueux à cause de l'arthrite, la travailleuse plaça le morceau de tissu plié en triangle sur la blessure, réussit à faire deux fois le tour de la main avant de nouer les bouts sur le poignet. Elle n'improvisait pas un pansement pour la première fois.

— Vous deux, là-bas, au travail, vociféra le contremaître. On vous paie pas pour jaser.

La femme tourna vers lui un regard chargé de haine.

— Toi, si ça te plaît pas, décampe. Y en a cent dehors qui attendent après ta place.

Elle baissa très vite les yeux, mais avant de regagner son poste, elle eut le temps d'articuler dans l'oreille de sa camarade :

— Le bâtard.

L'instant d'après, elle se penchait sur ses métiers, toute velléité de protestation étouffée.

La dernière heure de travail fut la plus longue et la plus difficile. La douleur irradiait toute sa main et la tête lui tournait lorsqu'elle se penchait sur les mécanismes en mouvement. Puis le bruit du sifflet à vapeur se fit entendre, un son bref. Les plus âgées parvenaient à arrêter leurs machines plus rapidement que les autres. Félicité fut la dernière à actionner tous les leviers, tourner toutes les clés. D'un pas d'automate, elle regagna la sortie. Onil lui lança, alors qu'elle passait devant lui :

— Alors, tu reviendras demain matin ?

L'envie de lui mettre la main au visage pour effacer son sourire satisfait la tenailla, mais elle se redressa plutôt pour afficher une fière attitude.

— Oui, je serai là.

— Tant mieux. Tu commences à me plaire, tu sais.

À la sortie de la manufacture, les ouvrières exténuées s'attardaient pour partager un moment. Plusieurs tournaient les yeux vers elle, hésitant entre la pitié et le respect. Rachel s'approcha, posa sa main sur son avant-bras et demanda :

— Ce cochon s'est mis après toi ?

— Oui...

— Tu connais des hommes employés ici ?

— Seulement Mainville. Je ne le connais pas vraiment, j'habite dans la même maison de chambres que lui.

La tristesse se lisait sur le visage de sa collègue.

— As-tu des frères, un père, un amoureux ?

Félicité faisait non de la tête.

— Pauvre toi, personne pour te défendre...

Après une pause, elle s'excusa, désolée :

— Nous autres, on peut rien faire. Nous devons gagner, sinon...

Pour survivre, toutes demeuraient à la merci de l'humeur d'un contremaître responsable des embauches et des renvois. Tandis que Rachel s'éloignait après un « Bonsoir » murmuré, Mainville Naud sortait à son tour de la manufacture.

— Tu dois être fatiguée, commença-t-il en arrivant près d'elle.

— Je tiens à peine debout.

— Ce sera plus facile demain. Dans une semaine, tu seras habituée.

L'échéance lui parut terriblement lointaine, un peu comme s'il parlait d'une autre vie. Tous ses membres et les muscles de son dos la faisaient déjà souffrir. Elle emboîta le pas au mécanicien pour rentrer à la maison.

— Ta main, demanda-t-il après quelques dizaines de pas dans la rue Ontario. T'es blessée ?

— Rien de grave…

Après une courte pause, elle continua :

— C'est tellement bizarre de ne plus entendre le bruit des machines après toutes ces heures…

Très précisément, une journée de douze heures, moins la courte période pour manger, à midi. Le patron pouvait allonger à sa guise ce temps de travail, si des commandes urgentes se présentaient.

Tous les locataires terminaient à la même heure, aussi arrivaient-ils à peu près en même temps à la maison de la ruelle Berri.

— Ma pauvre amie, tu as l'air morte de fatigue, dit Phébée en pénétrant dans la pièce réservée aux ablutions.

Elle esquissa une caresse dans le dos, puis remarqua, soudainement alarmée, la main de son amie.

— Tu es blessée ?

Pour se laver les mains, Félicité avait détaché le mouchoir, laissant voir la chair à vif.

— Ça ira, je pense.

— Lave ça soigneusement pour ne laisser aucune saleté.

La couturière prit une pièce de toile, la mouilla dans le grand plat de porcelaine pour nettoyer la nuque et le cou de Félicité. La transpiration mêlée à la poussière de coton laissait des traînées s'arrêtant au col de la robe.

Depuis la porte, Crépin Dallet surveillait la scène, un air trouble sur le visage. Quand la blonde l'aperçut, elle cessa ses soins pour commencer sa propre toilette.

— Monte, je vais te rejoindre dans un instant.

La pauvre fille grimpa les marches avec difficulté. Une fois dans la chambre, sans prendre la peine de fermer la porte elle se laissa mollement choir sur le lit. Aussitôt, le sommeil la prit.

— Tu dois venir manger, dit Phébée d'une voix lointaine. Il te faut reprendre des forces.

— Demain, répondit-elle dans un souffle. Là, je veux juste dormir.

— Non, pas question, ça te fera du bien. Tu vas aussi enlever cette robe.

En tirant sur son bras, elle l'amena à s'asseoir, puis à se lever. Ses doigts s'attaquèrent aux petits boutons sur le devant de la robe. Deux mains l'arrêtèrent.

— Je veux bien descendre s'il le faut, mais je suis trop épuisée pour changer de vêtements.

— Ah non, ne viens pas à la table habillée comme ça.

— Pourquoi ? Je travaille avec ces guenilles.

— Alors mets-les seulement au travail. Tu es faite pour porter des habits élégants, dignes de toi.

La répartie toucha la jeune femme. Puis elle en apprécia la justesse : la vie lui imposait un emploi misérable, certes, mais elle ne devait pas laisser son existence réduite à cela. Aussi participa-t-elle à défaire les derniers boutons.

— Dépêche-toi, Vénérance ne tolère pas les retardataires. Elle va donner ta part... notre part aux autres.

Phébée se pressa à enfiler la robe grise de son amie par-dessus sa tête. Elle s'agenouilla ensuite pour lui mettre ses chaussures et l'entraîna dans le corridor.

— Tout de même, vérifie que tous tes boutons soient attachés. Il ne faudrait pas que Crépin soit aveuglé par tes appas.

Les derniers mots s'accompagnèrent d'un grincement. Ils ramenèrent le contremaître envahissant à l'esprit de Félicité. Mieux valait repousser ces pensées désagréables, et encore plus ses appréhensions pour les jours à venir.

— Mais toi, Phébée, demanda-t-elle en descendant, tu as travaillé aussi toutes ces heures, et te voilà aussi fraîche que ce matin.

— La couture, c'est moins exigeant… sauf pour les yeux et le dos. Surtout, j'ai l'habitude, pas toi. Fais-moi confiance, bientôt tu rentreras le soir dans un meilleur état.

Une prédiction aussi optimiste semblait bien irréaliste.

— Comment a été la journée ? lui demanda Hélidia avec sympathie quand elle prit place à table.

— Infernale, mais tout le monde me dit que dans quelques jours je reviendrai de là fraîche comme une fleur.

— Pas à ce point, mais t'auras plus l'impression que des gros chars te sont passés sur le dos.

Cette prédiction paraissait en effet plus réaliste.

— Curieux. Je me sens encore comme ça, certains jours, intervint Charles Demers.

— Dans ton cas, ce n'est pas à cause du travail, mais des arrêts à la taverne, le taquina Phébée en riant.

La conversation porta sur les mauvais souvenirs qu'avait laissés à chacun sa toute première journée de travail. Pour la première fois, Félicité ne se sentait pas comme une parfaite étrangère dans ce milieu. Elle partageait le même enfer quotidien que ses voisins.

La prévision d'Hélidia se révéla juste. À sa sixième journée de travail, Félicité se sentait moins fourbue qu'à la première. Puis la mise en marche et l'arrêt des métiers, le changement des bobines devenaient des opérations machinales. Au rythme de leur remplacement, elle arrivait même à mesurer le temps d'attente avant le dîner. Celui-ci venait à peu près quand elle mettait une dixième bobine dans la machine la plus à gauche. Tout de même, ses membres, son dos, ses doigts, tout lui faisait mal.

Au repas, elle s'asseyait par terre, toujours à côté de Rachel. Toutes les ouvrières se comportaient comme si on leur avait attribué une place.

— Je ne serai pas fâchée d'aller à la messe demain, dit la jeune femme à sa collègue.

— Moi aussi. Je verrai un peu les enfants.

Félicité recevait au compte-gouttes les informations sur la vie de sa compagne. Si elle connaissait l'existence de ses trois enfants, jamais celle-ci n'avait évoqué la présence d'un époux.

— Mais où passent-ils la journée, quand tu es ici ?

— Chez les sœurs grises.

— Ils sont tous en âge d'aller à l'école ?

Compte tenu de la brièveté de la fréquentation scolaire des enfants d'ouvriers, cela aurait signifié des naissances très rapprochées.

— Non. J'les dépose le matin à l'asile, j'les reprends le soir.

— À l'asile ?

— Tu viens vraiment de la campagne, toi. Les sœurs grises reçoivent tous les jours des centaines d'enfants, sans rien demander. Le midi, elles leur donnent un peu à manger.

— C'est une bonne idée.

Cela lui rappelait le couvent de Saint-Jacques, son asile pendant dix longues années.

— Avoir un mari, j'm'en occuperais moi-même.

Félicité opina, ne sachant trop quoi dire. Comment cet homme était-il disparu de la vie de sa collègue ? L'arrivée de Victoria lui procura une heureuse diversion.

— Tu viens apprendre encore une lettre ?

Si l'enfant s'était montrée réticente le premier jour, l'idée avait fait son chemin dans son cerveau. Depuis, elle se présentait de bonne grâce pour sa leçon de quelques minutes. L'ancienne maîtresse d'école se doutait bien que cela tenait plus au désir de recevoir un peu d'attention qu'à celui de savoir lire un jour, mais l'un ou l'autre de ces motifs lui semblait excellent.

— Hier, on en était où ? demanda-t-elle.

— « D ».

— Oui, c'est ça. Te souviens-tu d'un mot commençant par cette lettre ?

— Déjà ?

Victoria avait déjà appris tout cela pendant ses deux ou trois ans de scolarité. L'exercice servait surtout à rafraîchir sa mémoire.

— Oui. « D », tu te souviens, c'est comme ça, ou comme ça.

Du doigt, la jeune femme traçait la lettre en caractère minuscule dans la poussière du plancher, puis en majuscule. Un nouveau signe d'assentiment de son élève l'amena à aller plus loin.

— Ensuite, c'est le « E ». Il s'écrit comme ça.

Les résidus de coton sur les madriers grossiers les transformaient en un immense tableau sur lequel on aurait pu écrire un livre entier. L'enfant s'était accroupie pour mieux voir. Rachel aussi allongeait le cou, de même que deux ou trois autres ouvrières.

— Cette lettre, une voyelle, est la plus compliquée de tout l'alphabet. Quand elle se présente avec un accent, elle se prononce d'une façon différente.

Une petite leçon s'accompagna de nouveaux traits dans la poussière. Toutes ses auditrices avaient maintenant un gros pli au milieu du front.

— Alors tu peux me donner un mot commençant par un « É » ?

— Échelle.

— Oui ! Bravo, tu apprends vite.

Un énorme pied se posa sur la lettre dessinée sur le sol, puis un autre vint se placer tout près. Au-dessus de ces pieds se trouvait le corps massif du contremaître Grondin.

— Décidément, tu te prends pour une maîtresse d'école, la nouvelle.

L'affirmation ne méritait aucune réponse, aussi elle attendit la suite.

— Tu peux bien faire ta princesse quand je t'approche.

Ses yeux se portèrent vers Victoria, toujours accroupie, le regard fixé sur le « É ».

— Toi, la Souris, trouve un trou où te cacher, sinon je t'enferme dans le mien et je jette la clé dans le fleuve.

S'en prendre comme cela à une enfant, devant toutes les autres, c'était montrer l'absence de toute limite à sa méchanceté. Comme la petite, ces femmes se soumettraient. Quand Victoria trouva la force de décamper, il fit le geste de lui donner un coup de pied au passage.

— Curieux, lança une femme d'une voix sourde, j'pense à un mot qui commence par un « C ».

— Et moi, par un « S », risqua une autre.

Ces remarques murmurées, le contremaître ne pouvait les attribuer à une personne en particulier. Ses représailles toucheraient tout le monde.

— Moi, tonna Onil, j'connais des cassées qui chercheront un autre emploi pas plus tard que cet après-midi.

Ses yeux parcoururent le peloton de femmes, pour la plupart assises sur le plancher. Quand un silence complet se fut installé, il ordonna :

— Tout le monde au travail. J'veux voir tous les moulins produire d'ici trois minutes.

— Mais il reste encore du temps, protesta une voix.

— Ici, je décide de l'heure qu'il est. Là, c'est l'heure de bouger vos grosses fesses. Si ça vous plaît pas…

La menace prenait la forme d'une rengaine. Il la répétait peut-être dix fois par jour. Sa main se porta machinalement vers son gousset, là où il plaçait sa montre.

— Trois minutes, dit-il en retournant à son point de surveillance habituel.

Pour le défier, les ouvrières en mirent quatre ou cinq à relancer les machines.

Le temps paraissait s'étirer comme une bande de caout-chouc, toujours plus long. Pourtant, l'après-midi s'acheva enfin. Il était à peine six heures quarante-cinq quand le contremaître actionna le sifflet à vapeur. Le bonhomme devait avoir un rendez-vous en soirée pour libérer si tôt ses employées. Dans la main gauche, il tenait une boîte remplie de petites enveloppes jaunes.

— Achard ! hurla-t-il depuis le milieu de la salle.

Même une fois les machines arrêtées, il conservait son ton enragé. Après les patronymes commençant par un « A », ce fut le tour des « B », puis des « C ». À l'appel de son nom, chaque femme s'approchait pour recevoir une enveloppe. Toutes l'ouvraient sur-le-champ pour prendre possession d'un billet de banque et de nombreuses pièces de monnaie. Une sur trois proférait un juron, certaines crachaient par terre de dépit en constatant l'ampleur des amendes avant de quitter la salle.

— Il en manque le tiers, contesta une « Daniel » avec colère.

— Cochonne moins le travail, ça arrivera pas.

Tremblante de rage, l'ouvrière réussit à refouler les paroles lui venant aux lèvres. Le contremaître passa aux « D » puis aux « E ».

— Hé, tu oublies Félicité ! protesta Rachel.

— Félicité, ça va dans les « F », ça.

— C'est son petit nom. Elle s'appelle Dubois.

— Ah, la nouvelle ! Le comptable a eu du mal à tout calculer. Son enveloppe est à la fin.

Il continua l'appel. Rachel, portant le nom de Tétreault, reçut sa paie parmi les dernières. Elle alla attendre Félicité à la sortie. Puis quand il ne resta qu'une enveloppe, le gros homme la plaça près de ses yeux en disant :

— Je me demande à qui donner celle-là. Je ne comprends pas le nom.

Intimidée, Félicité se planta devant lui, les mains l'une dans l'autre à la hauteur de la ceinture.

— Ah ! Bin oui, c'est Dubois. Tiens.

Elle reçut le salaire de la semaine avec des doigts tremblants. Comme toutes les heures travaillées ne pesaient pas lourd.

— Tu l'ouvres pas ?

Elle déchira le rabat avec son pouce, versa le contenu dans sa paume.

— Trente cents!

«Pour soixante-douze heures de travail», songea-t-elle. Tout juste cinq cents par jour, même pas un pour deux heures.

— Il y a une erreur. Ça, ce sont les gages d'une journée.

— Une erreur, tu dis? J'pense pas.

Ses yeux inspectèrent son corps de haut en bas. La robe difforme et le foulard ne l'avantageaient pas. Ils ne gommaient pourtant pas tout son charme.

— Ça devrait donner un dollar quatre-vingts, précisa Félicité.

— Tiens! En plus de savoir écrire, tu comptes bien. Moi aussi. Tes métiers se sont arrêtés bien souvent…

— Ça, c'était le premier jour.

— Il y avait même du sang sur des pièces de tissu. Tu te ferais une robe avec du coton taché de sang, toi?

— Ça aussi, c'était le premier jour. Même en le coupant au complet, il reste un dollar cinquante.

Pareille injustice la faisait rager. À ce régime, elle s'endetterait plutôt que de gagner.

— Quand tu tardes à attacher un fil de *weffe*, la toile ne vaut plus rien. Quand tu dérègles les machines au point de casser des fils sans arrêt, c'est la même chose. Que veux-tu que l'on fasse du coton où il y a un nœud tous les trois ou quatre pouces?

— Avec ça, je vais mourir de faim.

Le lendemain, Vénérance exigerait son dollar, ou elle la chasserait.

— Bien sûr, si tu te montres plus gentille, je serai gentil aussi.

Il leva sa grosse main pour l'approcher de son sein. Un cri s'étouffa dans la gorge de Félicité, horrifiée.

— Félicité! cria Rachel au loin, Mainville t'attend.

Ils étaient arrivés et repartis ensemble tous les jours. Cette intervention calma un peu les ardeurs du contremaître.

— Souviens-toi de ça, la petite, grommela-t-il tout de même entre ses dents. Tu vas manger si je le veux bien.

Au pas de course, elle rejoignit Rachel qui passa un bras autour de ses épaules pour l'escorter jusque dehors.

— Le cochon, il te lâche plus… Dire qu'avec une grande cicatrice en travers de la face, il te laisserait tranquille.

— Il n'y avait que ça dans l'enveloppe.

La main grande ouverte, la pauvre fille montra les quelques pièces.

Le regard de sa collègue traduisait toute l'empathie dont elle savait faire preuve. Avec difficulté, Félicité parvint à refouler ses sanglots. Après un salut de la tête, elle regagna la rue Ontario en courant. Aucune trace de Mainville. Sans doute se trouvait-il déjà en train de faire sa toilette à la maison.

Chapitre 8

— Tu te rends compte ? Trente cents ! Je ne peux pas vivre avec ça. Ça ne suffit même pas pour manger.

Après le souper, dans l'intimité de la chambre derrière la porte fermée, elle n'essayait même plus de retenir ses pleurs.

— C'est pareil dans toutes les usines. Ils imposent des amendes pour un retard, un blasphème, une remarque… et bien sûr pour tous les défauts, petits et grands, dans le travail.

— Mais ce n'est pas juste. Je suis toujours à l'heure, mon travail est bien fait, je ne dis jamais un mot.

La couturière savait que de jeunes travailleuses finissaient parfois la semaine sans un sou, après la soustraction de toutes les amendes. Son amie n'avait pourtant rien de commun avec une adolescente turbulente.

— Dans ce cas, il t'en veut vraiment. Il s'est passé quelque chose entre vous ?

La réponse vint après une hésitation :

— Non, rien du tout.

Avec un meilleur éclairage que la bougie, Phébée aurait vu rosir les joues de son amie. Pour la seconde fois, elle se trouvait victime des désirs d'un homme. Cela ne pouvait tenir du hasard, elle devait les attirer d'une manière ou d'une autre, même sans le vouloir. L'examen méticuleux de ses moindres comportements la hantait. L'horrible sentiment de honte qui l'accablait deux semaines plus tôt se manifestait encore.

— Ce gars a certainement un motif pour te traiter comme ça. Tu ne sais vraiment pas ?

— … J'enseigne les lettres à une petite. Il n'aime pas ça.

— Voyons, ce n'est pas une raison.

Les pleurs reprirent de plus belle. La couturière tenta de réconforter son amie en la serrant dans ses bras.

Le sommeil gagna bien difficilement Félicité. Heureusement, le lendemain, un dimanche, elle put rester un peu plus longtemps au lit. À l'église, son abattement sembla tenir d'un sincère recueillement. À ses côtés, Phébée montrait plutôt un air satisfait. Jules Abel prenait lui aussi place à l'arrière du temple. Après un bref salut de la tête, ils gardèrent une bonne distance entre eux, afin de montrer leurs qualités chrétiennes. Leur réputation se trouva toutefois un peu écorchée pendant la communion. Comme ils s'abstenaient tous les deux, ne penserait-on pas qu'ils avaient péché ensemble ?

À la sortie sur le parvis, le jeune homme garda son chapeau à la main pour se rendre près des deux jeunes femmes.

— Mademoiselle Drolet, mademoiselle Dubois, je suis enchanté de vous revoir.

— Nous le sommes aussi, répondit Phébée. Couvrez-vous, de grâce. Attraper une insolation à cause de vos trop bonnes manières serait bien triste.

Félicité ne voyait aucun inconvénient à ce que son amie parle pour elle. De toute façon, sa présence constituait un mal nécessaire pour les deux autres. Si d'aventure quelqu'un lui posait la question, elle jurerait que jamais le couple ne s'était trouvé en tête-à-tête. Puis le badinage de ces deux-là viendrait peut-être à bout de ses idées noires.

— Mesdemoiselles, fit Jules en remettant son chapeau de paille du genre canotier, cet homme semble vouloir vous parler.

Les deux femmes se retournèrent pour voir Crépin Dallet les yeux fixés vers elles. Son regard d'inquisiteur les mit mal à l'aise. Heureusement, Hélidia le rejoignit bientôt et son attention se porta sur elle.

— C'est seulement l'un de nos voisins, déclara Phébée. L'autre jour, vous ne m'avez pas confié vos projets. J'admets que je ne vous en ai pas laissé le temps. Que prévoyez-vous pour cet après-midi ?

— Nous pourrions nous rendre au Palais de cristal. La marche pour s'y rendre sera agréable. Nous trouverons de quoi manger sur place, avant de parcourir l'exposition industrielle qui s'y déroule présentement.

— Voilà une bonne idée. Mon amie en profitera pour se familiariser un peu plus avec la ville, et l'édifice à lui seul vaut le détour.

Se déplacer à trois posa un problème pratique : les trottoirs avaient visiblement été conçus pour les couples. Alors, qui devait aller avec qui ?

— Mademoiselle Dubois, commença Jules, vous aimeriez peut-être marcher avec votre amie.

Le ton indiquait qu'il serait toutefois fort déçu d'un arrangement de ce genre.

— Non, intervint Félicité de bonne grâce. Passez les premiers, je vais vous suivre.

— Vous êtes certaine ?

Des yeux, le jeune homme la suppliait de se montrer catégorique.

— Certaine.

La blonde à ses côtés, il se dirigea donc vers la rue Sainte-Catherine, le chaperon en remorque. Sous les yeux de Crépin Dallet, ils s'engagèrent vers l'ouest. Les auvents tendus au-dessus des vitrines des commerces formaient un toit presque ininterrompu qui les protégeait des rayons du soleil.

Félicité en profitait pour contempler les vitrines des commerces. L'habitude d'y placer des produits de consommation pour exciter la convoitise des clients datait de peu, mais tous les commerçants semblaient déjà l'avoir adoptée. Des vêtements, des livres et même des instruments de musique y étaient étalés. Après avoir parcouru cent pieds, elle avait vu sans doute plus de biens matériels qu'il s'en trouvait dans toute sa paroisse natale de Saint-Jacques.

Avec une certaine régularité, Phébée se tournait à demi pour lui signaler un objet, ou un édifice particulièrement digne d'intérêt. La plupart du temps, elle échangeait de petits riens avec son compagnon, ces bouts de conversation n'exprimant en fait que son plaisir d'être là. Au coin de la rue Saint-André, elle s'arrêta devant de grandes fenêtres en enfilade.

— Nous viendrons ici ensemble un bon soir, indiqua-t-elle encore à son amie. C'est le plus important commerce canadien-français de la ville. On y trouve vraiment de tout, et en grande quantité.

Les étals visibles depuis la rue confirmaient ses dires.

— Les frères Dupuis font bien leur possible, risqua Jules, mais comparé aux grands magasins de New York, ce n'est rien.

— Vous êtes allé à New York? interrogea la blonde, un sourire taquin sur les lèvres.

Parler de villes lointaines était une chose, les avoir vues, une autre. Ce garçon ne lui faisait pas l'impression d'être un grand voyageur.

— Non, mais des amis m'en ont parlé.

Cela n'en faisait pas une autorité sur le sujet. Le pauvre garçon se sentit un peu ridicule. Le rose aux joues, il ajouta :

— Puis je lis régulièrement les journaux de là-bas.

Le malaise changea de camp. Toute évocation de la lecture et de l'écriture suscitait chez Phébée un retrait prudent, pour ne pas trahir sa propre ignorance. Si ses traits lui valaient l'attention de « bons partis », elle craignait que la modestie de ses connaissances ne les rebute.

— Continuons notre chemin, dit-elle. Mon repas d'hier soir me semble bien lointain, maintenant.

Toujours en jetant des regards obliques aux vitrines, ils progressèrent vers l'ouest. Passer la rue Saint-Laurent fut comme franchir une frontière. Non seulement l'anglais devenait la langue dominante, presque exclusive, mais les édifices se faisaient plus grands, les devantures plus lourdement décorées et les vitrines plus richement garnies.

À l'intersection de la rue University, Félicité s'arrêta pile, les yeux écarquillés, la bouche entrouverte de surprise.

— C'est ça, le Palais de cristal, l'informa Phébée.

— Je pense que l'église de Sainte-Rose y tiendrait entièrement, précisa Jules.

« Et certainement celle de Saint-Eugène, ou même de Saint-Jacques », songea Félicité. La construction se composait d'un corps principal à lui seul de la taille d'une grande cathédrale, sans clocher toutefois. Le toit prenait la forme d'un demi-cercle. Au centre, et sur les deux côtés de la façade, s'ouvraient de grandes demi-rosaces ainsi que des fenêtres rappelant les édifices religieux les plus majestueux. De chaque côté de cette section centrale s'allongeaient des ailes beaucoup plus basses, aux formes tout en angles et en lignes droites. Leur style architectural si différent faisait penser à des greffons étrangers.

— Il reprend le style du Palais de cristal de Londres, expliqua le garçon, construit pour l'exposition de 1851.

Ses compagnes se gardèrent bien de le contredire, les hommes s'y entendaient sur ces questions. L'ancienne institutrice nota que le soleil faisait briller le sommet de la toiture arrondie.

— On dirait du verre.

— C'est exactement cela : des plaques de verre sur une grande armature de fonte.

Les jeunes gens traversèrent la rue pour se diriger vers de grandes portes d'entrée, aussi impressionnantes que celles de l'église Notre-Dame. Jules extirpa son porte-monnaie de sa poche tout en demandant : *Three tickets, please*. Dans cette section de la ville, le français devenait une langue étrangère très rarement apprise, et même souvent méprisée.

Une fois à l'intérieur, Félicité s'immobilisa, les yeux fixés sur le plafond, très haut au-dessus d'elle. La lumière traversait les parois de verre et ponctuait tout de taches dorées.

— Nous pouvons aller manger tout de suite, déclara le jeune homme, et faire la visite ensuite.

— Si on fait autrement, je finirai par mordre quelqu'un, dit Phébée en prenant son amie par le bras.

Celle-ci se laissa entraîner, les yeux grands ouverts pour ne rien manquer de cette construction si impressionnante. Dans l'une des ailes latérales, tout au fond, se trouvait un petit restaurant. De grandes plantes vertes, même des arbres placés dans des pots, donnaient aux visiteurs l'impression de se trouver dans un jardin. Les murs de verre ajoutaient à l'illusion.

— Nous pouvons prendre cette table un peu à l'écart, suggéra encore le garçon.

Toute petite, elle permettrait tout de même à trois personnes d'y prendre place, sur des chaises de fonte joliment décorées.

— Vous venez ici souvent, monsieur Abel ? voulut savoir la jolie blonde.

— Deux, trois fois dans l'année, tout au plus. Je viens voir l'exposition agricole et industrielle qui se répète tous les mois de septembre. Au moins deux autres événements valent la visite.

— L'exposition agricole ?

— Le mot « industrielle » m'attire surtout, pas les gros bovins et les chevaux de race. Cela permet de voir tout l'équipement qui rendra notre vie plus facile dans dix, vingt ans tout au plus.

Un serveur affublé d'un grand tablier blanc vint porter des menus. Au passage, son regard s'attarda sur la blonde. Jules se gonfla un peu d'orgueil. Oserait-il l'inviter à prendre son bras en revenant vers la rue Saint-Denis ? Ce serait certes un peu audacieux, mais son instinct lui disait que ce serait plus facilement accepté qu'une trop grande réserve.

— C'est en anglais, constata Phébée en regardant la feuille devant elle.

— Je peux vous le traduire, si vous voulez.

— Ce serait gentil.

La langue lui était familière, la façon d'écrire les mots infiniment moins. Jules approcha sa chaise de son amie, plaça le menu sur la table, entre eux, et pointa de son index la première ligne. Son épaule touchait légèrement celle de sa voisine. À son grand plaisir, elle ne se déroba pas.

— Ici, ce sont les soupes.

— Félicité, tu vois bien, de ton côté de la table ? voulut savoir Phébée.

— Non, mais cela n'a pas d'importance. Je peux lire et comprendre ces mots. Le problème, c'est que je ne sais pas les prononcer.

— Si vous le voulez, je commanderai pour nous trois, offrit leur compagnon.

Elles acquiescèrent d'un mouvement de la tête.

— Tout a l'air bon, mais comme je ne suis jamais venue ici…, déclara la blonde.

— Et moi, je ne suis jamais venue dans un restaurant jusqu'à ce jour…, ajouta la châtaine, un peu rougissante.

La confidence n'étonna pas les autres. Bien peu de filles de la campagne pouvaient prétendre connaître ces endroits.

— Dans ce cas, monsieur Abel, le mieux serait de nous guider, glissa Phébée. Que prendrez-vous ?

— D'habitude, le poisson est très bon. Pour commencer, je suggère le bouillon de bœuf.

— Ça m'irait parfaitement.

— À moi aussi, ajouta Félicité.

Jules avait suggéré des plats économiques, sans être les moins coûteux de la liste, épargnant à la fois son portefeuille et sa fierté.

— Que pensez-vous de revenir pour le dessert en après-midi, après la visite ?

— Quelle merveilleuse idée, jugea la couturière.

Même si son avis comptait bien peu, dans les circonstances, Félicité approuva de la tête.

Le Palais de cristal offrait aux industriels une vitrine efficace pour leur réclame. Les trois jeunes gens entrèrent dans une construction en bois pour se retrouver dans la plus parfaite obscurité. Plusieurs visiteurs trahissaient leur présence par le frottement de leurs pieds sur le plancher, leurs respirations bruyantes ou leurs rires nerveux.

Un bruit métallique fit sursauter tout le monde tandis qu'une lumière blanche et intense se répandit dans la pièce. Un « Oh ! » de surprise sortit de toutes les poitrines.

— Voici la dernière merveille de la science, fit en anglais un petit homme debout dans un coin : la lumière électrique. Voyez les lampes au plafond.

À chacun des quatre coins de la pièce était suspendu l'un de ces appareils d'éclairage.

— Ce sont des lampes à arc. Venez par ici pour mieux voir.

Sur une table était posé un autre de ces dispositifs. Les badauds s'approchèrent en troupeau. Les deux jeunes femmes firent bientôt face à un mur d'épaules masculines pressées les unes contre les autres. Phébée tenta de jouer du coude en prononçant :

— *Excuse me, please.*

Deux gaillards vêtus de redingotes noires se tournèrent à demi, résolus à ne rien céder. La lumière artificielle blanchissait les longs cheveux blonds tombant en cascade de sous son chapeau de paille, ses yeux bleus prenaient une nuance étrange. Puis le sourire les attendrit au point où ils s'écartèrent un peu. Son bras accroché à celui de son amie, elle avança jusqu'au bord de la table. Juste à ce moment, le présentateur actionna un autre commutateur. La lampe posée à plat sur la surface de bois s'alluma.

— Vous voyez entre les deux pointes de métal, la ligne brillante créée par le passage de l'électricité ?

Une grosse dame avança la main, curieuse.

— Non, ne touchez surtout pas, la puissance électrique vous tuerait.

Les avancées technologiques, pour dangereuses qu'elles fussent, n'en étaient pas moins captivantes. Afin de prévenir les accidents, le petit homme plaça un globe de verre sur le luminaire.

— Pour produire l'électricité, une machine à vapeur actionne une génératrice. Elle se trouve dehors, un fil conduit le courant jusqu'ici.

Il aurait tout aussi bien pu parler chinois, personne ne comprenait ses explications. Cela ne l'empêchait pas de pérorer comme le chantre d'une nouvelle religion. En vérité, le culte du progrès disputait bel et bien leur primauté aux croyances les mieux établies depuis des siècles.

— Nous avons déjà les lampes au gaz pour éclairer les maisons, les commerces et les rues, lança un incrédule. Pourquoi changer ?

— Mais le gaz doit être transporté dans de petits tubes de cuivre. Un coup de pelle malencontreux dans le sol, et l'alimentation se trouve interrompue. En plus, si vous fermez mal le conduit, votre maison retient ces émanations. Vous risquez l'asphyxie, ou l'explosion à la moindre étincelle.

— Avec votre machine, c'est l'électrocution au premier effleurement, insista l'autre… Non ?

Les innovations amenaient avec elles de nouvelles façons de mourir et contribuaient à la fascination pour le nouveau culte.

— Un globe permet d'éviter tout contact avec l'arc électrique. Puis un fil comme ça, camouflé dans un mur, pose moins de danger qu'un tube fragile.

Il montra un fil de cuivre relié à la lampe. Sa gaine de caoutchouc recouverte de tissu permettait de le prendre avec les mains. Personne n'évoqua les mots « surchauffe » ou « court-circuit », ces gens n'ayant jamais entendu parler des inconvénients qu'une découverte aussi récente comportait.

— Je vous laisse apprécier la qualité de l'éclairage. Dès l'été prochain, tous les réverbères à gaz de la ville d'Ottawa seront remplacés par des lampes comme celles-ci. On pourra lire dans les rues.

Le représentant leur distribua de vieux numéros de journaux pour qu'ils puissent vérifier ses dires. La lumière valait en effet celle du soleil. Sa présentation terminée, il s'installa dans un coin de la pièce pour répondre aux questions. Les gens s'éloignèrent de la table. Cela permit à Jules Abel de se pencher sur la lampe afin de contempler le petit arc tremblant.

— Vous y croyez, vous, à la présence de réverbères électriques dans les rues ? demanda Phébée.

— Il y en a déjà dans de nombreuses villes des États-Unis. Puis les journaux ont évoqué ce projet pour Ottawa.

— Je pourrais certainement coudre plus longtemps, avec une lampe de ce genre.

« Voilà une perspective très peu réjouissante », évalua Félicité. Jusque-là, le coucher du soleil empêchait les gens de travailler plus longtemps. Avec une invention de ce genre dans les manufactures, les patrons iraient jusqu'où, dans les abus ?

— Cette lumière blesse les yeux, vous ne trouvez pas ? dit-elle.

— Je suppose qu'ils mettront des lampes plus petites dans les maisons.

Jules faisait partie des adeptes du culte scientifique, le doute n'atteignait pas son esprit. Ils quittèrent les lieux si impressionnés que le soleil leur parut un peu moins brillant, comme si sa force ne pouvait se comparer à celle de l'électricité.

❁

— Monsieur Dallet, prononça Hélidia, c'est très gentil de votre part de m'avoir invitée à marcher avec vous.

— Mais non, ce n'est rien.

L'homme comprit la portée réelle de ses mots en les disant. Vraiment ce n'était rien, l'attention servait seulement à combler un vide. Chaque fois qu'il tournait sa tête vers la droite, il s'attendait à voir une chevelure blonde et des yeux rieurs. À la place, il trouvait une mine attristée.

Sa compagne resta longuement silencieuse avant de poursuivre :

— Vous vous exprimez si bien, vous connaissez tant de choses, je me sens bien intimidée. Vous êtes allé à l'école longtemps, je pense.

— J'ai terminé le cours supérieur chez les frères des Écoles chrétiennes.

Cela, la jeune femme le savait déjà, mais lui donner l'occasion de chanter ses propres louanges lui ferait certainement plaisir.

— Vous auriez donc pu devenir instituteur.

— J'y ai pensé, vous savez. Je vous assure, les gages sont cependant meilleurs pour un commis. Comme j'avais pris des cours de tenue de livres, cela m'a permis de me trouver… une position.

Bien sûr, à deux dollars par jour, on ne parlait plus d'un simple emploi.

— Après ces années chez les frères, votre piété est si édifiante… Vous n'avez pas pensé à la vie religieuse ?

— … Je suis si imparfait, vous savez. Je ne me sentais pas digne de prononcer mes vœux.

Pour la première fois, il admettait presque toute la vérité. En fait, il avait reçu le verdict du frère directeur du juvénat, qui lui avait refusé l'admission en raison des « imperfections de l'âme » détectées chez lui. Peut-être aurait-il pu être admis dans une autre congrégation, où on le connaissait moins. Toutefois, il soupçonnait que partout les responsables des novices solliciteraient une recommandation auprès de ses anciens professeurs.

— Je suis certaine que l'on peut se sanctifier dans le cadre d'un mariage catholique, dans la mesure où l'épouse partage la foi de son mari.

Hélidia ne pouvait être plus explicite sans se tourner en ridicule. Sa répartie ébranla Dallet plus que de raison. Sans le savoir – ou peut-être le savait-elle, justement, ce qui rendait la situation plus émouvante –, elle touchait du doigt l'imperfection de son âme. Le frère supérieur lui avait donné le même conseil quinze ans plus tôt.

— Je crois que vous avez tout à fait raison, mademoiselle Chambron.

La femme à ses côtés se mordit la lèvre inférieure d'appréhension, certaine qu'à ce moment précis son compagnon avait à l'esprit un visage encadré de cheveux blonds. Pourtant, dans la maison de la ruelle Berri, elle incarnait la seule bonne chrétienne.

Une autre section du Palais de cristal attirait le jeune homme. La compagnie Bell entendait faire connaître ses produits. Devant un technicien affable, ils contemplèrent une petite boîte en noyer avec une ouverture à l'avant.

— Vous souhaitez l'essayer ? dit l'employé.

— … Oui, bien sûr.

L'hésitation de Jules tenait à son souci de ne pas montrer sa totale ignorance du fonctionnement de cet appareil devant ses compagnes.

— Dans ce cas, j'inviterai ces demoiselles à se rendre à l'autre extrémité de l'édifice pour recevoir l'appel. Auparavant, je vous explique. Une sonnerie indique que quelqu'un veut nous parler. En appuyant sur ce bouton, on peut être entendu et écouter par cette ouverture, ici, indiqua-t-il en la pointant. L'autre appareil se trouve là-bas, sous le panneau « Bell Company », précisa-t-il encore à l'intention des jeunes femmes. Je vais avertir mon collègue de votre arrivée.

Phébée et Félicité, intriguées, marchèrent vers l'endroit indiqué. L'employé du téléphone les regarda s'éloigner, manifestement envieux. Il actionna une petite manivelle tout en mettant son oreille près de l'ouverture, puis annonça :

— Ces jolies demoiselles recevront l'appel dans une minute environ.

Il relâcha le bouton pour mettre fin à la communication et céda son siège au visiteur.

— Vous reprenez mes gestes : la manivelle d'abord, puis le bouton.

Le garçon répéta ces opérations simples.

— Écoutez là.

— Oui, il y a quelqu'un ? entendit-il plus ou moins distinctement.

Il fallait bien appuyer l'oreille contre l'appareil pour percevoir adéquatement les sons.

— Mademoiselle Drolet, je suis là, cria presque Jules.

— Inutile de parler si fort, conseilla le technicien, mais assurez-vous de bien orienter votre bouche vers ce trou. Ensuite, vous pouvez entendre la réponse.

Le jeune homme répéta ces quelques mots d'une voix plus douce. À l'autre bout du fil, Phébée suivait les mêmes directives. La conversation se limita à un échange bien laconique, même si chacun était enchanté de se prêter à cette nouvelle expérience.

— Êtes-vous là ?

— Oui, je suis là. Félicité va vous parler.

Puis après un instant :

— Monsieur Abel, m'entendez-vous ?

— Oui, je vous entends.

— Phébée va vous parler.

Ils se rejoignirent après cette brève expérience. L'ancienne institutrice demanda au garçon :

— Mais à quoi ça sert, à la fin ?

L'échange de lettres lui paraissait être un moyen de communication bien plus efficace.

— L'inventeur, Alexander Bell, prévoit qu'un jour on pourra jouer de la musique à un endroit, et les gens l'écouteront ailleurs. Cependant, avant d'en arriver là, il faudra améliorer le son.

Le scepticisme de ses compagnes convainquit le jeune homme que les femmes comprenaient peu de chose aux innovations techniques les plus importantes. Mieux valait s'en tenir à des activités plus conformes à leurs penchants, sinon Phébée garderait un mauvais souvenir de son après-midi.

— De ce côté, il y a l'exposition des œuvres des étudiants de la classe de dessin du Conseil des arts et manufactures. Vous voulez les voir ?

— Quelle bonne idée !

La blonde ne ménageait pas ses efforts pour montrer son appréciation. Pendant une demi-heure, ils passèrent devant des esquisses tracées plus ou moins adroitement avant de s'installer comme prévu à table pour le dessert.

— Si j'avais un peu de temps à moi, glissa Félicité, j'aimerais m'inscrire à une classe de dessin.

Devant un inconnu, elle n'osait évoquer aussi le manque d'argent. La rémunération reçue la veille, oubliée depuis deux heures, lui revint en mémoire.

— Si tu veux, je pourrai te montrer, dit son amie.

— Tu as étudié le dessin ?

Le doute implicite blessa un peu la couturière. D'un ton un peu abrupt, elle affirma :

— Il y a ceux qui dessinent après avoir reçu des leçons, et d'autres qui savent comme ça, affirma-t-elle en claquant des doigts.

La déclaration faisait un peu prétentieuse, les autres hochèrent la tête par convenance. Le serveur arriva avec un grand plateau chargé de la théière, des tasses et des desserts. Quand il eut fini le service, Phébée demanda :

— Vous pouvez m'apporter une feuille de papier ? Un menu fera l'affaire. Puis aussi de quoi dessiner…

— Un crayon ?

— Oui, ou un morceau de fusain ou de pastel. Ce serait mieux encore.

Si elle ne savait pas lire l'anglais, une vie à Montréal et le voisinage de John depuis un an lui permettaient d'aligner les mots sans trop de mal. Quand elle en ignorait un, elle recourait au français. L'employé acquiesça d'un mouvement de la tête en entendant « fusain » et « pastel ».

La conversation reprit. Il fut question de leurs récentes découvertes et des projets de carrière de Jules. Celui-ci s'enthousiasma un peu trop sur sa future réussite, mais il tenait à se présenter comme un bon parti. Le serveur revint avec quelques feuilles de papier et un bout de fusain.

— Un client a laissé cela, il y a une semaine ou deux.

— Je vous remercie. Vous êtes très aimable.

Ces mots et un sourire ravissant le récompensèrent pour sa peine. Après avoir enlevé son gant, Phébée traça de grands traits sur une feuille, la forme d'un visage. Jules se penchait sur son travail, surpris.

— Vous êtes très habile, vraiment. Vous n'avez jamais appris ?

— À la maison, je dessinais sur tous les morceaux de papier disponibles, y compris sur le journal de papa. Quand je manquais de papier, il restait les murs. Dans ces cas-là, ça se terminait mal pour moi.

Elle ajoutait maintenant des ombres à ses traits. À la fin, elle laissa le garçon contempler son œuvre, puis tendit la feuille à son amie.

— C'est vraiment vous, mademoiselle Dubois.

En effet, l'esquisse rendait assez bien les traits et l'expression de Félicité.

— C'est magnifique, déclara Félicité, peu avare de ses compliments. Ça me fera un joli souvenir d'une belle journée.

— Et vous, monsieur Abel, désirez-vous un souvenir aussi ?

L'autre se figea, comme s'il voulait imiter les poses des sujets des peintures officielles. S'il tenait à présenter cette image guindée, elle l'obligerait. Le serveur, intrigué, vint regarder par-dessus l'épaule de la jolie blonde pour donner immédiatement son appréciation. Soigneusement pliée, la feuille alla dans la poche intérieure de Jules. S'il prisait les traits et la silhouette de sa nouvelle amie, désormais il ajouterait sa grande habileté manuelle à la liste de ses qualités.

— Maintenant, annonça Phébée, nous devons rentrer. De votre côté, monsieur Abel, vous avez certainement à faire.

Elle paressait très fière d'avoir produit son petit effet sur ses compagnons.

— Rien de plus agréable qu'être avec vous.

Assez fier de sa réplique, le jeune homme se leva pourtant pour reculer la chaise de la demoiselle. Il eut la même attention pour leur chaperon. Sur le chemin du retour, il trouva finalement le courage d'offrir son bras à sa belle.

— Vous savez, je suis encore capable de me déplacer sans aide.

Le sourire accompagnant la rebuffade l'encouragea à répéter la même initiative à leur prochaine rencontre. Au coin de la rue Saint-Denis, Phébée perdit beaucoup de son assurance en disant :

— Monsieur Abel, nous allons nous quitter ici.

— Mais je peux vous reconduire à votre porte.

— Vous savez, il y a toujours une voisine prête à répandre les pires histoires sur une jeune fille. Inutile de devenir son sujet de conversation en revenant à la maison avec un séduisant jeune homme.

Surtout, elle ne voulait pas lui montrer son misérable logis, dans une ruelle plus misérable encore. Jules avait d'elle une bonne opinion, sa pauvreté la ruinerait peut-être.

— Dans ce cas… Me permettez-vous de vous revoir ?

— Avec plaisir. Maintenant, vous savez où me retrouver, tant que vous ne prenez pas plus d'une minute de mon temps à madame Marly.

— Dimanche prochain, je rendrai visite à mes parents, mais nous pourrions nous voir au carré Viger ce mardi. Il y aura des feux d'artifice.

Il ne voulait pas attendre deux semaines pour la revoir. Phébée se réjouit d'avoir un si fidèle admirateur.

— Nous ne pourrons pas arriver avant neuf heures, précisa-t-elle, ni rentrer trop tard.

— Moi non plus. J'aurai alors commencé mon stage.

— Très bien. Au revoir, monsieur Abel.

Le garçon dissimula sa surprise devant la main tendue. Il la tint un moment dans la sienne.

— Au revoir, mademoiselle.

Il répéta les mêmes mots à l'intention de Félicité, tout en soulevant son chapeau. Il les regarda s'éloigner, perplexe. Pourquoi refusait-elle sa compagnie jusqu'à la porte de son logis ?

Marcile Drousson se mourait certainement d'inquiétude depuis le départ de sa fille vers la grande ville, dix jours auparavant. Au lieu de sortir marcher avec les autres après le souper dominical, Félicité resta assise à la table de la cuisine pour lui donner de ses nouvelles.

— Je m'excuse de vous encombrer de ma présence, madame Paquin, mais écrire à la lueur d'une bougie est difficile, se justifia-t-elle.

La jeune femme pensa aux lampes à arc.

— Ça ne me dérange pas, répondit la ménagère alors qu'elle s'affairait, les mains dans l'eau de vaisselle.

Félicité réussit à faire abstraction de sa présence pour rédiger sa lettre.

> *Chère maman,*
>
> *Je te demande pardon d'avoir tardé à t'écrire, mais j'ai dû d'abord m'installer.*
>
> *Sache que je vais bien. Je me suis trouvé une chambre que je partage avec une couturière. Cette rencontre a été une vraie bénédiction du ciel. Cette amie est devenue comme une sœur.*
>
> *J'ai terminé une première semaine dans une manufacture…*

L'année précédente, la jeune femme envoyait à sa mère des descriptions idylliques de sa situation, pour la rassurer.

Maintenant, la ménagère ne serait plus dupe de pieux mensonges. D'un autre côté, la vérité méritait un peu de maquillage.

Le travail est très difficile, je ne suis pas habituée à fournir un tel effort. J'irai sans doute proposer encore mes services dans les magasins. Je pense qu'être vendeuse me conviendrait mieux. Toutefois, je m'entends bien avec certaines compagnes, à la manufacture…

— Elle fait quoi, ta mère ? demanda Vénérance.

D'un naturel taciturne, la logeuse entendait tout de même en savoir un peu plus sur cette jeune fille si différente de ses autres pensionnaires.

— Ménagère, dans une maison privée.

Une certaine réserve la retint de parler du presbytère. Déjà, elle laissait suffisamment d'indice de sa véritable identité pour qu'on la retrace.

— Ah oui ? Je croyais que tu avais été élevée sur une terre.

Au jeu du détective, Vénérance montrait certaines aptitudes, pour tenter de la prendre en défaut comme ça.

— À la mort de papa, il a fallu la vendre. Maman ne pouvait la cultiver seule avec moi.

La ménagère se garda d'émettre un commentaire sur la faiblesse des filles d'aujourd'hui.

— Bon, je vais retrouver mes enfants. Bonne nuit.

— Bonne nuit, madame Paquin.

En deux lignes, Félicité termina sa lettre. Elle serait adressée au curé, l'enveloppe ne porterait aucune adresse de retour. Lui aussi intéressé par son sort, le saint homme la lirait sans doute à haute voix devant Marcile.

Chapitre 9

La seconde semaine à la Dominion Cotton s'ouvrait sous de meilleurs auspices que la précédente. La tâche demandait toujours un effort incommensurable à Félicité, mais au moins le contremaître se faisait plus discret, se contentant de la dévorer des yeux à distance. En évoquant le nom de Mainville le samedi précédent, Rachel l'avait peut-être un peu refroidi. Le lundi et le mardi se déroulèrent sans accroc.

Si la Saint-Jean-Baptiste s'imposait lentement comme fête nationale des Canadiens français, elle ne revêtait encore aucun caractère officiel. Après une journée de travail de douze heures et un souper trop frugal, les deux amies et tous leurs voisins de l'étage se dirigèrent vers le carré Viger. Elles y arrivèrent un peu après neuf heures. Mieux valait s'éloigner des autres locataires de la ruelle Berri afin non pas de chercher Jules Abel, mais de se laisser découvrir par lui. Cette distinction, en apparence anodine, faisait toute la différence entre une réputation intacte, ou entachée.

Le garçon devait avoir un bon flair, ou s'être placé stratégiquement au coin des rues Dubord et Saint-Denis, car il se manifesta très vite. En arrivant près d'elles, il leur adressa son meilleur sourire.

— Mademoiselle Drolet, comme je suis heureux de vous revoir.

Pour reprendre exactement où ils s'étaient quittés le dimanche précédent, il tendit la main. La blonde l'accepta, se déclara elle aussi heureuse de cette charmante rencontre.

Jules n'avait d'yeux que pour elle, aussi le rappela-t-elle à l'ordre.

— Vous ne dites pas bonsoir à mon amie ?

— Oui, bien sûr, se ressaisit-il. Où avais-je la tête ? Mademoiselle Dubois.

Pour elle, une simple inclinaison du chef suffit. Une fois les formalités accomplies, son chapeau à nouveau sur la tête, il mena ses compagnes dans les allées bordées d'arbres.

— La soirée est bien douce, murmura Phébée.

— Oui, surtout avec vous.

Étonné de sa propre audace, le garçon voulut la faire oublier.

— Je veux dire, le 24 juin, nous n'avons pas entamé les journées les plus chaudes.

— Votre première remarque me plaisait un peu plus, mais je veux bien discuter du climat avec vous.

La pénombre dissimula la rougeur sur ses joues. Son émoi venait plus du plaisir d'entendre ce commentaire que de la gêne de la petite moquerie.

— Le ciel était clair aujourd'hui, poursuivit la blonde, nous ne devrions pas avoir de pluie cette nuit.

Phébée arrivait mal à contenir son fou rire. Derrière le couple, Félicité s'amusait du badinage. Le rôle de chaperon avait un bon côté : elle apprenait à se livrer à un jeu essentiel pour toute jeune femme, celui de la séduction. Comme elle aurait mieux reçu Samuel l'année précédente, après avoir vu son amie alterner entre une gentille taquinerie et les mots chargés de flatterie. Puis elle se reprit : pour elle, il était trop tard.

Sur leur gauche, un tonnerre d'applaudissements retint leur attention.

— … Si nous voulons entendre le discours, mieux vaudrait nous approcher un peu.

— Comme vous voulez, monsieur Abel.

Les politiciens et leurs allocutions intéressaient médiocrement Phébée, sauf en périodes électorales. On s'y insultait dans un langage recherché, avant que quelqu'un dans l'assistance lance un légume ou un œuf pourri vers l'estrade. Cela donnait le coup d'envoi à un échange de projectiles et à des empoignades féroces.

Un homme robuste, aux épaules larges, vêtu d'une redingote noire lui conférant le sérieux d'un croque-mort, prenait place sur la scène à l'étage du kiosque. Ses longs cheveux et sa moustache adoucissaient toutefois son allure.

— C'est Joseph-Adolphe Chapleau, le député de Terrebonne, expliqua le garçon. Il a été premier ministre de la province, et maintenant le voilà ministre à Ottawa.

— Monsieur Abel, commença Phébée, vos intérêts sont très diversifiés.

— Que voulez-vous dire ?

— Déjà je sais que vous faites partie de la milice, et je vous découvre passionné par la politique.

— … Ce n'est pas tout, je suis membre d'un club de raquetteurs, confia le garçon avec un gros clin d'œil.

La main complice de la blonde se posa sur son avant-bras, exerça une pression le temps d'un sourire, puis s'envola.

— Mes très chers amis, commença le politicien, pendant que les nôtres s'engageaient dans la lutte constitutionnelle menant à la rébellion…

Pendant quelques minutes, l'orateur évoqua le premier banquet de la Saint-Jean tenu en 1834, exactement cinquante ans plus tôt, puis la constitution de 1867 qui donnait enfin aux Canadiens français leur juste place dans le pays. Malgré ses indéniables talents d'orateur, la principale qualité de son discours fut sa brièveté.

— Cet homme est devenu important, nota Phébée alors qu'il descendait de scène. Ses parents devaient l'être aussi.

Sa frustration devant les hasards de la naissance se manifestait d'habitude à l'égard des jeunes filles de bonne famille qui fréquentaient la boutique. Ce soir, un politicien trop bien mis titillait son envie tenace.

— Bien au contraire, ses parents vivaient modestement dans le comté de Terrebonne. Un acte charitable lui a permis de faire ses études classiques.

— Comment ça ? On a fait une quête à l'église ?

L'image amusa le jeune homme.

— Pas tout à fait. Au début des années 1850, la propriétaire de la seigneurie Masson s'est engagée à payer les études de deux garçons méritants habitant le territoire. Chapleau était l'un d'eux. Après, il est devenu avocat.

— Qui était l'autre ?

— Louis Riel.

Devant les yeux interrogateurs de sa compagne, le garçon expliqua :

— Il a dirigé la rébellion des Métis quand le Manitoba est entré dans la fédération. C'est curieux, d'ailleurs, car celui-là ne venait pas du tout de la seigneurie de Terrebonne.

L'orchestre sur la scène interprétait maintenant un air joyeux. Si les pieds de plusieurs spectateurs bougeaient en suivant le rythme, personne n'osa entraîner sa partenaire dans une valse. Puis un premier « bang » se fit entendre, une bombe traversa le ciel pour exploser en une gerbe d'étoiles bleues au-dessus de la foule. Un « Ah ! » admiratif s'échappa de toutes les bouches. Félicité mesura alors à quel point la ville pouvait être source d'émerveillements.

Le spectacle dura quelques minutes puis, vers dix heures trente, les spectateurs se déplacèrent en masse pour regagner leur logis. La plupart d'entre eux travailleraient dès sept heures le lendemain matin. Au coin de la rue Dorchester, Phébée tendit la main au garçon en disant :

— Monsieur Abel, nos chemins se séparent ici. Nous sommes presque à la maison.

— Mais je vais vous raccompagner chez vous. À cette heure de la nuit…

— Voyez tout ce monde dans les rues. Nous ne risquons rien à faire les dernières verges sans escorte.

— Où habitez-vous ?

Répondre « Dans un taudis » ne serait pas du meilleur effet.

— Tout près, je vous assure. À côté du couvent des sœurs de la Merci.

Demeurer vague pour ne pas rougir de sa condition. Ses mots pouvaient laisser croire qu'elle vivait dans la respectable rue Saint-Hubert. Jules tenait la main gantée de la jeune femme depuis un moment déjà. Il chuchota :

— Je vous donnerai des nouvelles à mon retour de Sainte-Rose. Si votre patronne me barre le chemin, je serai sur le parvis de l'église à vous attendre le dimanche suivant.

— J'arriverai à me passer de vous tout ce temps, mais ce sera difficile, dit-elle d'un air faussement sérieux. D'ici là, portez-vous bien.

L'ironie de la jeune femme lui plaisait, son humour parvenait à alléger toute situation.

— Vous aussi, portez-vous bien. Mademoiselle Dubois.

Il salua Félicité de la tête, politesse qu'elle lui rendit. Bras dessus, bras dessous, les deux compagnes se dirigèrent vers la ruelle Berri.

— Tu ne veux pas lui montrer où nous habitons, constata Félicité à voix basse.

— Il a fréquenté l'université. À Sainte-Rose, ses parents habitent sans doute une belle maison. Tu imagines son nez plissé s'il mettait le pied sur un chat crevé en face du château de Vénérance ?

Ce genre de mésaventure était on ne peut plus vraisemblable.

— Mon logement figure parmi les quelques aspects de ma vie que je préfère cacher le plus longtemps possible aux bons partis, insista la blonde.

— … Il y en a d'autres ?

Félicité imaginait un secret aussi sombre que le sien.

— Tu ne vas pas te moquer, n'est-ce pas ?

— Bien sûr que non. Tu es ma meilleure amie.

Les pensées de Félicité allèrent vers Ernestine. L'adolescente demeurait la seule autre personne qui pouvait disputer ce titre à la blonde.

— Tu sais, je peux à peine tracer des lettres.

À de nombreux indices, l'ancienne institutrice s'en doutait bien. Sa compagne se montrait tellement honteuse qu'elle voulut la rassurer.

— Mais tu sais tellement de choses. Ta façon de coudre, de dessiner, de parler aussi…

— Pour un artisan comme John, et même un commis comptable comme Crépin – Dieu me préserve de celui-là –, je serais parfaite. Avec Jules, non. Il est allé à l'université, il a fait son cours classique, il doit parler latin comme un curé…

À ses yeux, comme à ceux de toutes ses contemporaines, connaître cette langue représentait l'accomplissement ultime.

— Tu imagines un pharmacien avec une femme sachant à peine écrire « deux pintes » dans une note pour le laitier ?

— Si tu veux, je peux te montrer.

Les deux amies se trouvaient maintenant devant leur domicile. La blonde s'arrêta pour demander :

— Tu ferais ça ?

— Tu es ma sœur d'adoption, non ? J'en serais ravie. Compte tenu de ta façon de dessiner, tu auras certainement la plus belle écriture de la rue.

— Tu me montrerais à écrire, vraiment ?

— Sans jamais te donner de coups de règle sur les doigts, promis. Si tu veux bien, je te demanderai toutefois un service en échange…

— Lequel ?

Félicité hésita un peu, puis osa :

— Deux, en fait. J'aimerais que tu fasses un autre dessin de moi pour l'envoyer à ma mère…

— Dimanche prochain, sans faute, nous irons dans un parc et tu poseras. L'autre condition ?

— Je connais des mots anglais, mais je ne sais pas comment les dire. Si je veux un jour travailler dans un magasin…

— Et moi, je ne sais pas les écrire. Nous ferons une bonne équipe !

L'entente scellée, elles se préparèrent pour la nuit.

Après une seconde semaine à la manufacture, l'enveloppe de Félicité se trouvait à sa place dans la boîte, et elle contenait la somme attendue. Cette fois, la jeune femme attendit Rachel Tétreault dehors. Sa collègue s'était suffisamment inquiétée de son sort pour la tenir au courant de ce développement.

— J'ai tout. Pas une seule amende.

— Et il a pas recommencé à te ?…

— Non.

L'air sceptique, son amie ajouta :

— Ah oui ? C'est pourtant pas le genre à suivre les conseils de son curé. Il doit couver quelque chose. Bon, moi, je dois récupérer les enfants avant de regagner la maison. Bonne journée demain, repose-toi bien.

— Toi aussi, à lundi !

Ces femmes conversaient maintenant volontiers avec elle, et toutes la saluaient au passage. Parfois, elle comparait sa nouvelle situation avec sa solitude de maîtresse d'école. Son entourage se montrait plus rassurant et sa tâche devenait moins lourde, avec l'expérience.

Même Mainville Naud, en rentrant à la maison, s'en aperçut :

— Tu t'y fais ?

— Il semble bien.

Les bras levés, Félicité détacha son foulard en marchant et l'enleva pour libérer ses cheveux châtains. Le geste avait quelque chose de séduisant.

— Je pense même aller faire une promenade ce soir, donc il me reste un peu de force. La journée était belle, mais là-dedans nous n'en avons rien vu.

— … Justement, m'accompagnerais-tu ?

Devant son silence prolongé, le jeune homme précisa, gêné :

— J'ai pas de bonne amie… Phébée peut nous accompagner, si tu veux.

Bien qu'indirecte, l'invitation était claire. La jeune femme chercha longuement ses mots. Ils approchaient de la ruelle Berri quand elle bredouilla :

— Je ne souhaite pas… m'engager avec un garçon. Enfin pas tout de suite.

Dans son esprit, elle se disait plutôt « Jamais ».

— C'est à cause de tes années de couvent, c'est ça ? grommela son compagnon avec colère. Tu te penses supérieure à moi.

Même si Phébée l'assurait de n'avoir jamais répété ses confidences, personne ne paraissait ignorer cet élément de sa biographie. Son langage, sa tenue à table, sa réserve même devenaient des indications sûres pour tous les observateurs. Puis celui-là ne pouvait ignorer les petites leçons données à Victoria.

— Ça n'a rien à voir, insista-t-elle, embarrassée. Je ne veux pas me lier, c'est tout. Je suis trop jeune.

L'argument, très raisonnable, ne suffit pas à convaincre son interlocuteur.

— Un autre gars de la pension t'intéresse, c'est ça ?

Il était bien placé pour savoir que son mode de vie ne lui permettait aucune autre rencontre.

— Non, je ne m'intéresse à personne à la maison, ou ailleurs.

— T'as raison, les autres aussi sont des ouvriers. Sauf Crépin, mais lui finira avec une mouffette.

L'image amena un sourire sur le visage de la jeune femme. Son amusement devint un nouveau sujet de frustration pour son compagnon.

— Tu ne devrais pas te moquer de nous. Après tout, même après le couvent, tu te retrouves ouvrière, à trente cents par jour en plus. Je touche cinq fois plus.

Ils étaient presque rendus. Mainville accéléra le pas pour la distancer. Félicité suivait, malheureuse de cette situation. Pourtant, mis au courant de sa déchéance, cet homme l'aurait abreuvée des pires insultes.

199

En rentrant du travail, le samedi 28 juin, Félicité se trouvait littéralement couverte de transpiration. Des travailleuses avaient évoqué une température de 92 degrés Fahrenheit dans la manufacture. Au moins il serait possible de se défaire de cette pellicule humide dans la cuve de zinc. C'était jour de grand nettoyage. Puisque Vénérance acceptait de faire la lessive de ses pensionnaires contre une rémunération égale à celle du blanchisseur chinois le plus proche, elle entendait lui demander de laver deux de ses robes.

Mais auparavant elle profita d'une heureuse surprise. Dès son entrée dans la maison, Vénérance quitta sa cuisine pour venir lui porter une enveloppe.

— C'est pour toi.

— C'est de maman! fit la jeune femme.

Son ton trahissait toute sa joie d'avoir des nouvelles. Comme destinataire, la missive portait simplement « Mademoiselle Dubois », et l'adresse. Une semaine plus tôt, dans sa propre lettre, Félicité lui avait expliqué s'être présentée sous ce patronyme à tout le monde à Montréal. Marcile non plus n'avait indiqué aucune adresse de retour. La mère et la fille se livraient à une véritable correspondance clandestine.

La jeune femme laissa Phébée et Hélidia faire leur toilette les premières. Adossée au mur du couloir, elle déplia la feuille de papier et laissa les larmes s'alourdir à la commissure de ses yeux en lisant :

> *Ma chère petite,*
> *Avant de recevoir ton mot, je ne vivais plus tellement je m'inquiétais.*

Pendant plusieurs lignes, la ménagère poursuivait dans cette veine, évoquant la torture de savoir son enfant perdue dans la grande ville. Le tout s'encombrait de phrases sibyllines sur le «monstre» responsable de leur séparation. Tous les jours, à chaque minute, elle devait maudire Sasseville.

Je suis si heureuse que tu aies rencontré cette jeune fille, Phébée. Tu la désignes comme ta sœur. Pour moi, ce sera toujours ton ange gardien qui a pris forme humaine.

Oui, la belle blonde paraissait être descendue du ciel. Deux paragraphes encore rendaient compte des nouveaux soucis s'étant ajoutés aux anciens dans l'esprit de Marcile. Elle multipliait les conseils pour soulager les membres endoloris après une journée à la manufacture, rappelait combien ces machines pouvaient se révéler dangereuses.

Félicité passa à son tour dans la cuve de zinc avec un cœur considérablement plus léger.

Le bouilli, le thé, tout cela ajoutait à la chaleur ambiante. En montant dans la chambre après le souper, Félicité mesura à quel point une pièce sans fenêtre pouvait se transformer en four.

— Je me sens un peu coupable, confessa Phébée. Quand je t'ai invitée à vivre avec moi, j'aurais dû te parler des mois d'été. Jamais le moindre courant d'air, ici.

— Tu sais, j'y ai pensé dès le premier jour. Que pouvais-je faire ? Je ne savais même pas que des gens louaient des chambres à des étrangers. Sans toi, je me serais même fait voler dès ma première heure à Montréal, ou bien pire encore.

— Pour ça oui, tu étais vraiment sans ressources… Mais ce n'est pas une raison pour te faire crever de chaleur aujourd'hui.

Elles avaient laissé la porte ouverte dans l'espoir de profiter un peu des fenêtres dans les chambres des hommes. Si personne ne fermait la sienne, un courant d'air se formerait dans le corridor. Phébée aperçut Hélidia dans la pièce située en face. Étendue dans son lit, elle fixait les yeux vers elle, les oreilles visiblement aux aguets pour ne rien perdre de la conversation.

Un gros mot passa les lèvres de la blonde. D'un geste rageur, elle fit claquer la porte.

— C'est agaçant de la voir toujours nous surveiller.

— Elle doit s'ennuyer, toute seule. Elle ne semble avoir aucun ami.

— Ce n'est pas une raison pour m'espionner.

À la lueur vacillante de la bougie, l'atmosphère devint oppressante. Plus tard, étendue par-dessus la couverture dans l'obscurité, Phébée blagua :

— Si jamais la température monte encore d'un degré, je te jure que je lance cette jaquette à l'autre bout de la pièce. J'en serai quitte pour faire mourir le prêtre d'une syncope à ma prochaine confession, ajouta-t-elle en riant.

Cette hypothèse décontenança son amie. Pendant ses années au couvent, elle avait dû garder sa chemise même pour se laver, afin de ne pas voir son propre corps. Reposer nue toute la nuit était certainement un péché, et rester près d'une personne dévêtue aussi.

Le sommeil ne leur vint que tardivement, une bénédiction pour oublier leur inconfort. Ce repos ne dura pas jusqu'au matin. Le bruit lointain et étouffé de roues de fer sur les pavés éveilla Félicité à demi. Puis un grand fracas l'amena à s'asseoir très droite dans son lit.

— Qu'est-ce que c'est ? demanda Phébée, tout près d'elle.

— Je ne sais pas.

Un nouveau roulement sinistre les tira du lit.

— Le tonnerre! s'écria Félicité. Avec cette chaleur, il fallait s'y attendre.

La blonde ouvrit la porte. La lumière des bougies dans les chambres voisines éclairait le couloir. Bien sûr, dans les pièces pourvues de fenêtres, le vacarme avait réveillé les occupants plus tôt. Un autre coup de tonnerre tira bientôt un cri des trois femmes.

— Ce n'est rien, ricana Mainville debout dans l'embrasure de sa porte. Juste une petite ondée qui nous rafraîchira un peu.

Il avait pris le temps d'enfiler son pantalon pour ne pas offusquer ses voisines. Ses bretelles lui retombaient sur les fesses et un long sous-vêtement cachait sa poitrine.

— Pour moi, une ondée de ce genre s'appelle un orage, répondit Phébée.

Un éclair jeta une lumière blanche dans le couloir. Le coup de tonnerre, assourdissant, vint trois secondes plus tard.

— Nous risquons de brûler, s'affola Félicité.

— Voyons, ne t'en fais pas, la rassura John Muir.

L'ébéniste avait succédé à Mainville devant la porte.

— Deux bons paratonnerres se trouvent sur le toit. Le propriétaire ne souhaite certainement pas perdre le revenu de l'appartement en bas, ni celui de toutes ces chambres.

— Le propriétaire?

— Les Paquin louent à un bourgeois, précisa Phébée, un conseiller municipal. En réalité, avec ce que nous leur donnons, ça ne leur coûte sans doute pas un sou pour vivre ici.

Les sept locataires se tenaient maintenant dans le couloir éclairé de manière intermittente par les éclairs. De toute façon, le sommeil ne viendrait pas avant la fin de tout ce vacarme. Puis une voix catastrophée leur parvint d'en bas :

— Doux Jésus, nous sommes inondés !

Vénérance semblait tout à fait désespérée. La curiosité et l'appréhension se conjuguaient pour convaincre chacun de descendre. L'éclairage des luminaires qui brûlaient dans la maison suffisait maintenant pour que chacun puisse descendre l'escalier trop raide en toute sécurité. Au rez-de-chaussée, Félicité tendit le cou pour voir dans les chambres des enfants et dans le salon. Les meubles lui semblèrent de qualité, du papier peint couvrait les murs. Malgré leur condition de locataires, et grâce à un travail incessant, les Paquin profitaient d'un certain confort.

Toute la famille était réunie dans la cuisine, formant une masse compacte devant la fenêtre. Mainville ouvrit la porte afin de voir ce qui les intéressait tant. Une pluie très drue tombait verticalement. Un éclair jeta partout sa lumière aveuglante.

— La cour est inondée, commenta John pour les deux jeunes femmes près de lui, pas la maison. Il y a un bon deux pouces d'eau. Tout sera boueux pendant des jours.

— Nous serons obligés de nager pour aller aux bécosses, déclara Charles Demers d'une voix grinçante. Pendant la petite brasse, mieux vaudra garder la bouche bien fermée.

— C'est dégoûtant ! s'exclama Phébée.

Félicité ne jugea pas utile d'ajouter son commentaire à ceux déjà formulés. La fosse des latrines se trouvait pleine d'eau, et le résultat avait de quoi lever le cœur.

— Moi, je paie un loyer qui comprend un endroit où baisser ma culotte, dit Mainville. Faudra me consentir une réduction, monsieur Paquin.

Le bonhomme se tenait derrière les siens, mal rasé, son pantalon tombant bien bas sur sa taille, comme s'il allait glisser par terre. Pour toute réponse, il jeta un regard las sur le mauvais drôle.

— Nous sommes en pleine nuit, fit observer Vénérance. Demain, je m'arrangerai pour que le propriétaire s'en occupe. J'suis pas plus intéressée que vous à me passer des chiottes. Maintenant, retournez dans vos chambres.

Comme pour leur donner l'exemple, la matrone poussa sa marmaille devant elle et son époux les suivit. Les autres restèrent plantés dans la cuisine. Crépin Dallet se mit de faction près de la fenêtre afin d'avoir une meilleure vue. Hélidia le rejoignit bien vite. Parmi les trois femmes, elle seule avait pris le temps d'enfiler une robe, les deux autres se trouvaient encore en chemise de nuit.

— Même si la logeuse rencontre le propriétaire dès le lever du soleil demain, nous en aurons pour un bout de temps à nous rendre là-bas dans la marde.

— Charles, il y a des femmes dans cette pièce, gronda Crépin. Essayez de vous exprimer comme un gentleman.

— Bon, si ce pisse-vinaigre se met en tête de faire la morale, moi, je retourne me coucher.

— Je te suis, enchaîna Mainville. Des étrons qui flottent, ça devient lassant.

Hélidia Chambron devait partager cet avis, car elle s'esquiva aussi.

— Qui est le propriétaire ? demanda Félicité.

Jusque-là, elle avait cru que les Paquin possédaient cet endroit. La nouvelle information la stupéfiait.

— Martin, je ne sais pas son petit nom. Il siège au conseil municipal, expliqua Phébée. Il possède plusieurs maisons, certaines plus belles que celle-ci, d'autres plus misérables. Lui habite un vrai château.

L'orage semblait s'éloigner, pourtant un bruit assourdissant fit sursauter tout le monde dans la cuisine. Félicité poussa un petit cri en se mettant les mains sur les oreilles. Puis la foudre déchira le ciel et la lumière intense d'un éclair découpa clairement les formes de Phébée, que sa mince chemise de nuit ne suffisait plus à camoufler. La tête tournée vers la porte grande ouverte, Crépin parut se figer.

John Muir vit le masque du désir sur son visage. Il posa un bras sur les épaules de chacune des jeunes femmes, puis proposa :

— Mesdemoiselles, autant regagner nos chambres, maintenant. Demain matin, la messe nous attend.

Elles acceptèrent sans discuter. Il les précéda dans l'escalier. Le commis les suivait, la tête levée pour les regarder, avec la même expression de possédé.

Crépin Dallet ne put fermer l'œil. La beauté du corps de Phébée semblait imprimée sur sa rétine. Le pauvre pénitent répétait en boucle la succession des trois prières que l'on exigeait quotidiennement des membres de la confrérie du Sacré-Cœur :

— *Pater noster, qui es in cælis : sanctificatur Normen Tecum...*
D'une voix à peine audible, il ânonnait :

— *Ave Maria, gratia plena, Dominus tecum... Credo in unum Deum, Patrem omnipotentem...*

Ce recueillement ne suffisait pas à effacer le souvenir du corps gracile, sans le moindre défaut. Suivit l'invocation :

— Doux cœur de mon Jésus, faites que je vous aime toujours de plus en plus.

Au petit matin, prostré sur le prie-Dieu il marmonnait toujours.

Vénérance possédait sans doute un pouvoir de persuasion peu commun. À sept heures, des hommes dépêchés par l'échevin Martin se trouvaient déjà dans la cour arrière, occupés à dégager de la boue les madriers formant un trottoir, pour mettre dessous des morceaux de bois susceptibles de les dégager un peu du sol. Le curage de la fosse attendrait que tout le monde soit à l'église pour la grand-messe. Cela priverait moins longtemps les habitants de la maison d'une installation essentielle, tout en épargnant un peu leurs narines.

— En attendant, compléta Vénérance à l'intention des locataires, vous pouvez y aller. L'eau a baissé depuis la nuit dernière, puis ils ont soulevé un peu la cabane pour la mettre sur des rondins.

— Tout de même, faites attention, les filles, ricana Charles. Tout à l'heure, j'ai eu l'impression que la bécosse allait se mettre à flotter jusque chez le voisin.

Son humour lui valut de nouveaux reproches de Crépin. Félicité s'aventura la première et à son retour, Phébée lut le dégoût sur son visage.

— À te voir, je devine que je vais m'amuser.

Devant la fenêtre, Crépin regarda la jolie blonde se déplacer sur les pièces de bois, les bras levés pour rester en équilibre. Il profita qu'ils soient seuls dans la cuisine pour demander à Félicité :

— Puis-je marcher avec vous jusqu'à l'église, ce matin ? Nous n'avons pas eu la moindre conversation privée depuis votre arrivée parmi nous.

— … Ce sera pour une autre fois, monsieur Dallet, j'en ai peur. Nous souhaitons aller à la chapelle Notre-Dame-de-Lourdes. Phébée me répète depuis deux semaines combien elle est belle.

— C'est vrai, c'est une belle construction. Tout l'intérieur a été décoré par le peintre Napoléon Bourassa. Il vit tout près, rue Saint-Denis.

Depuis le couloir, à deux pas de la cuisine, Hélidia suivait la conversation. Elle feignit d'abord une toux sèche pour signaler sa présence, puis entra.

— Bonjour, mademoiselle Chambron, dit le commis aux livres en se tournant vers elle.

— Bonjour… Les choses sont-elles revenues à la normale ?

Des yeux, la jeune femme désignait la cour arrière.

— Pas tout à fait, mais comparé à la nuit passée…

Phébée revint bientôt dans la maison. Après un échange de salutations, elle se dirigea vers l'escalier en disant à son amie :

— Allons mettre nos chapeaux puis partons, Félicité.

Une fois seule avec Crépin, Hélidia demanda encore :

— Ferons-nous route ensemble, monsieur Dallet ?

— Oui, pourquoi pas, répondit-il en tâchant tant bien que mal de cacher son dépit.

Un peu avant neuf heures, les locataires se mirent en route pour la messe. Les deux jeunes femmes furent les premières à sortir, et tout de suite sur leurs talons le couple équivoque formé par Crépin et Hélidia. Après quelques dizaines de verges dans la rue Dorchester, ils regardèrent leurs voisines emprunter la petite rue Notre-Dame-de-Lourdes.

— Elles s'en vont vers la chapelle, commenta l'ouvrière.

— Semble-t-il. Je ne veux pas médire, mais l'Église n'aime pas que les gens aillent ailleurs que dans leur paroisse.

— Je fréquente aussi cet endroit…

La voix marquait une certaine inquiétude, celle de décevoir. Combien elle tenait à jouer le rôle de la bonne chrétienne devant lui ! Tandis qu'ils s'engageaient dans la rue Saint-Denis, son compagnon voulut la rassurer :

— Comprenez-moi bien, je ne parlais pas d'aller assister à la messe dans une autre église. Parfois je vais moi-même à la cathédrale. L'endroit est si beau, on s'y sent plus près de Dieu.

— Que vouliez-vous dire, alors ? le relança-t-elle.

— Nous le savons, certaines personnes vont se confesser ailleurs que dans leur église paroissiale pour dissimuler leurs turpitudes à leur pasteur.

— Mais ce genre de confession est tout à fait admis par l'Église, n'est-ce pas ?

À l'heure de la mort, pensait-elle, Dieu ne chipoterait certainement pas sur le choix des prêtres à qui les fautes avaient été confiées.

— Vous avez raison. Toutefois, un catholique peut utiliser ce subterfuge pour se soustraire aux recommandations de son curé. Ou peut-être même imaginer que cette ruse permet de taire certaines fautes sans crainte d'être démasqué. Avec un étranger, c'est plus facile de faire une confession incomplète, car il ne peut connaître des péchés de notoriété publique.

Ce long discours constituait une condamnation. Rien n'était affirmé, mais il engageait l'esprit sur tout un ensemble de soupçons malsains.

La chapelle Notre-Dame-de-Lourdes était située rue Sainte-Catherine, à deux jets de pierre de l'église

Saint-Jacques. Pas très grande en comparaison des autres temples de Montréal, elle offrait en façade six fenêtres gothiques et, bien au centre, une magnifique rosace. Au clocher, on avait substitué une statue de la vierge. Le dôme érigé au-dessus du transept constituait toutefois son élément le plus impressionnant.

Une fois à l'intérieur, Félicité s'émerveilla face au riche décor. Les plâtres, les grandes peintures, les fresques au plafond : il lui faudrait revenir ici bien des fois avant d'absorber pleinement toute cette splendeur. Les confessionnaux, au nombre de deux, se trouvaient à l'arrière, comme dans toute autre église catholique.

— Comme je suis une grande pécheresse, j'en aurai peut-être jusqu'au début de la messe, affirma Phébée en prenant place dans l'une des files d'attente.

L'éclat amusé dans ses yeux contredisait cette assertion. Félicité prit l'autre file. Bientôt son visage se recueillit, son esprit se concentra sur un examen de conscience. Ce retour sur sa vie passée la plongeait toujours dans la plus grande perplexité. Les absolutions de l'abbé Sasseville avaient-elles la moindre valeur, aux yeux de Dieu ? Cette question l'angoissait. Peut-être vivait-elle en état de péché mortel depuis des mois. Si c'était le cas, toutes ses communions depuis l'hiver confineraient alors au sacrilège.

Le jour de son départ de Saint-Eugène, elle avait vu l'abbé Sasseville présider la procession de la Fête-Dieu. Tout pécheur qu'il fût, son évêque le laissait en poste. Sa faute ne le rendait pas indigne du sacerdoce, il continuait de jouer son rôle de pasteur. La jeune femme souhaitait croire de toute son âme que le sacrement de pénitence, même reçu dans des circonstances si étranges, gardait toute sa valeur. Sinon, cela la condamnerait à raconter par le détail à un autre prêtre toute cette histoire horrible. Ce serait revivre sa honte, elle ne s'en sentait pas la force.

Une fois dans la petite alcôve fermée par un rideau, sa décision était prise. À genoux, les mains jointes, elle attendit le glissement du panneau de bois. Quand les contours de la tête du prêtre lui apparurent de l'autre côté du grillage, elle commença :

— Pardonnez-moi, mon père, parce que j'ai péché. Je me suis confessée il y a environ un mois...

La jeune femme faisait référence au moment où, pour la dernière fois, Sasseville lui avait donné l'absolution. Elle énuméra une petite liste de péchés véniels bien conformes à ce que l'on attendait d'une personne de son âge, de son sexe et de son éducation. Puis elle murmura :

— Mon père, je voudrais aborder un autre sujet. Je ne pense pas avoir commis de faute, mais je voudrais entendre vos conseils.

— De quoi s'agit-il, ma fille ?

— Je travaille depuis deux semaines dans une manufacture, la Dominion Cotton. Tous les jours, le contremaître me regarde avec... concupiscence.

Qu'une ouvrière connaisse ce mot surprit un peu l'ecclésiastique. Il douta qu'elle sache l'utiliser à bon escient.

— Que voulez-vous dire, ma fille ?

— Quand je travaille, son regard s'arrête... sur des parties honteuses de mon corps.

— Vous êtes certaine de ne pas attirer son attention avec des vêtements aguichants ?

Son accoutrement pour aller au travail lui donna l'envie de repousser ce soupçon avec véhémence. Plutôt, elle rétorqua à voix basse :

— Je vous assure que ce n'est pas le cas, mon père.

— Peut-être votre posture, vos regards, votre attitude représentent-ils des invitations pour un homme, sans que vous le sachiez.

Cette réflexion, Félicité se la faisait aussi, puisqu'elle se retrouvait de nouveau dans cette situation. Pourtant, cela ne lui paraissait pas être le cas. Tout le monde à la pension la considérait comme une couventine. Pourtant, ce curé la questionnait comme une coupable plutôt que de l'accueillir comme une victime. Si au paradis terrestre Ève se révélait comme une redoutable tentatrice, capable d'amener Adam au péché, toutes ses filles jouaient le même rôle pour les descendants du premier homme. L'ouvrière affirma avec un petit sursaut de révolte :

— Non, mon père. Mon attitude demeure en tout temps modeste et chaste, comme me l'ont appris les religieuses au couvent.

La petite châtaine marqua une pose, comme pour laisser son interlocuteur se convaincre de sa bonne éducation.

— Mais il y a plus…

— Que voulez-vous dire, ma fille ?

— Il se tient souvent près de moi, comme s'il voulait me toucher.

— L'a-t-il fait ?

Le ton exprimait un intérêt un peu trouble. Félicité sentit croître son malaise. Après Sasseville, il était le second prêtre à la presser de le renseigner sur des éléments intimes de sa vie. Comme elle avait bien fait de ne rien dire des actions du pasteur de Saint-Eugène ! Dans ce cas, elle le devinait, cet homme aurait exigé des descriptions détaillées de chacune de ses fautes. Les personnes consacrées en venaient-elles toutes à cela en confessant les femmes ?

— Non, monsieur le curé, il ne l'a pas fait. De mon côté, comment puis-je l'inciter à tenir ses distances ?

— ... D'abord, commença-t-il après une hésitation, examinez bien votre tenue pour être certaine de sa modestie. Surveillez votre attitude pour éviter tout ce qui pourrait prêter à mésinterprétation. Présentez toujours un visage recueilli, pieux. Dites votre chapelet durant les pauses, et même tout en travaillant. Votre attitude témoignera de votre vertu et elle exercera sur lui une influence salutaire.

— Je vous remercie, mon père.

Le ton exprimait sa déception. Elle avait déjà eu recours à toutes ces solutions. Onil Grondin ne témoignait d'aucune sensibilité face à l'étalage de la piété.

— Ma fille, continua le prêtre, si vous craignez réellement pour le salut de votre âme, ne retournez plus à cet endroit.

— Mais mon père, c'est le seul emploi que j'ai pu dénicher. Sans lui, je mourrais de faim.

— La mort du corps importe moins que celle de l'âme.

— ... Oui, mon père.

Ce genre de platitudes l'aurait impressionnée un an plus tôt, au terme de son séjour au couvent. Maintenant, comme elles lui paraissaient dénuées de tout réalisme ! Lentement s'insinuait dans son esprit quelque doute à l'égard des discours du clergé. À l'évocation de ce qui devenait une torture, cet ecclésiastique affichait une totale indifférence. À tout le moins, elle ne pouvait recevoir autrement chacune de ses réponses. Comme elle comprenait le dépit de Pélagie Robichaud, une semaine plus tôt ! Dans le confessionnal de l'église Saint-Jacques, le récit de ses difficultés avec son employeur devait avoir été accueilli avec la même insensibilité.

— Et surtout, enchaîna l'ecclésiastique, priez la bonne Sainte Vierge. Demandez-lui son aide, je suis sûr qu'elle vous enseignera la plus grande modestie. Maintenant, en guise de pénitence, vous direz trois dizaines de *Je vous salue, Marie*.

Alors que le prêtre amorçait le geste de la bénir, la pénitente, dont la ferveur s'émoussait, commença machinalement son *Acte de contrition*. Si les hommes d'Église se dérobaient, où trouverait-elle un soutien pour l'aider à surmonter ses difficultés ? Elle eut une pensée émue pour le vieil abbé Merlot. Celui-là se trouvait si loin, maintenant.

Chapitre 10

Un train en partance de la gare Dalhousie se rendait à Sainte-Rose, dans l'île Jésus. Jules préférait le confort d'un wagon de deuxième classe, car la locomotive s'arrêtait dans tous les villages sur son chemin, afin de laisser monter et descendre des passagers, et d'embarquer diverses marchandises.

Le stagiaire arriva à destination un peu après la fin de la messe. Fils d'un notable de la paroisse, tout le monde le connaissait. Sur la distance d'un demi-mille séparant la gare du magasin général de son père, une quinzaine de personnes le saluèrent au passage et les plus familiers s'informèrent de ses études. Dans ce cas, il sentait un peu de dérision chez ses interlocuteurs. La grande majorité des garçons quittaient l'école à onze ou douze ans. S'y trouver encore au début de la vingtaine éveillait les soupçons de ces bonnes gens.

Un peu après midi, la famille Abel se réunit à table. Les parents occupaient chacune des extrémités de celle-ci, un garçon et une fille prenaient place d'un côté, le jeune homme de l'autre.

— T'es pas venu la semaine dernière, ni même la semaine d'avant, dit la mère, une rousse plutôt plantureuse.

Formulant la remarque pour la seconde fois, elle s'attendait à une réponse plus complète qu'à la première.

— Maintenant que les cours sont terminés, je devais me trouver une place pour faire mon stage.

— Voyons, dis pas n'importe quoi. Le dimanche, les pharmacies sont fermées. Puis ta place, tu l'as depuis un mois, chez cet Anglais.

La religion de son futur employeur avait déjà fait l'objet d'une longue interrogation. Le bon sens du père, qui répétait «Il va pas se confesser à ce gars-là, il va apprendre son métier, et les Anglais sont bons en affaires», ne suffisait pas à la matrone. Elle n'avait considéré le sujet clos qu'en apprenant que Robert Gray était catholique.

Absalon tenta de négocier un peu de liberté pour son fils.

— Tu sais bien, à son âge, les beaux yeux de quelqu'un peuvent le retenir en ville.

— Il est trop jeune pour ça! Il vient de sortir de l'école.

C'était là l'inconvénient d'étudier trop longtemps. Il dépendait encore de l'allocation reçue de ses parents, cela autorisait sa mère à le traiter comme un enfant.

— Il se rase depuis des années. Il a commencé au séminaire.

Des yeux, Jules remercia son père. Si Léonie devait se plier à l'évidence d'une certaine maturité physique, cela ne la conduisait pas à lui reconnaître plus d'autonomie.

— Puis s'il y avait des beaux yeux, comme tu dis, nous le saurions.

Lassé de se voir traité comme un enfant, le jeune homme admit:

— J'ai rencontré une fille. Elle s'appelle Phébée.

— Une fille…

L'incrédulité fit très vite place à l'inquiétude dans l'esprit de cette femme.

— Ce nom-là…

— Phébée.

Le répéter ne l'ennuyait pas. Sa sonorité lui plaisait de plus en plus.

— C'est pas un nom catholique, ça. Je connais pas de sainte Phébée.

— Elle s'appelle Drolet. Une vraie Canadienne française, je t'assure. Donc catholique.

— Alors ils ont pris ça où, ses parents? On n'a pas idée d'appeler quelqu'un comme ça.

— C'est grec.

La réponse laissa la matrone bouche bée. On courait des risques à laisser un garçon étudier en ville, le curé de la paroisse le lui avait bien dit. La nécessité de servir le plat principal lui permit de calmer un peu son juste courroux. En se rassoyant, elle poussa un peu plus loin l'enquête.

— Ses parents, ils font quoi?

— Ça je ne sais pas.

À nouveau, son esprit fit l'inventaire de tous les malheurs susceptibles d'arriver à un garçon naïf dans sa quête amoureuse. À son grand étonnement, la liste demeurait bien courte. L'entreprise paraissait plus risquée pour une jeune femme.

— Tu sais au moins ce qu'elle fait, cette…

Mieux valait feindre de ne plus se souvenir du prénom plutôt que de le prononcer encore.

— Phébée. Elle est couturière.

— Une petite ouvrière. Tout de même, tu peux trouver mieux que ça.

Jules rougit. Désireux de vivre tous ses dimanches dans la plus grande quiétude, Absalon décida de prévenir les éclats de voix. Sa Léonie était certes une excellente épouse et une excellente mère, mais parfois elle dépassait un peu les bornes.

— Ton nouveau patron, ça lui rapporte, son affaire?

— Il possède une grosse pharmacie, très bien placée. Si je fais autant que lui un jour, je ne me plaindrai pas.

Après avoir décrit dans le détail l'officine de Robert Gray, la conversation porta sur les miracles de la téléphonie, puis sur les progrès du Parti libéral. Le jeune homme montrait tellement d'enthousiasme pour ces sujets que la mère n'osa ni pousser plus loin son enquête, ni l'inciter à la prudence. À trois heures, après l'échange de bises sonores, il allait reprendre le train.

— Je te reconduis. Marcher un peu me fera du bien.

Surtout, cela fournirait l'occasion de parler « d'homme à homme ». Quand ils furent assez loin pour échapper aux oreilles indiscrètes, le marchand demanda :

— Cette fille, elle te plaît ?

— Elle est blonde, très belle.

Cela compta pour un « oui » appuyé.

— Elle a un vrai travail ?

— Couturière. J'ai même rencontré sa patronne.

Absalon regarda son fils à la dérobée, jugeant convenable de compléter un peu son éducation.

— Tu sais, des fois, y en a qui en veulent seulement à la bourse des hommes.

Cette façon d'évoquer les « filles tombées », et le choix des mots surtout, amusèrent Jules.

— Oui, je sais. Mais pas elle. Tiens, elle a fait ça.

Il tira une feuille soigneusement pliée de la poche intérieure de sa veste, la tendit à son père. Le marchand s'arrêta pour contempler le dessin fait le dimanche précédent au Palais de cristal, et le comparer au modèle.

— C'est bien toi.

Le bonhomme paraissait rassuré, comme si savoir esquisser un visage avec talent prémunissait contre les tares morales. Ils se remirent en marche.

— Ta mère veut juste ton bien, tu sais…

— Je sais.

— Parfois ça l'amène à voir des dangers partout. Comme si être couturière était un péché.

Il réfléchit un peu avant de murmurer d'un ton humoristique quoiqu'un peu acide :

— À soir en me couchant, je vais lui rappeler que le premier jour que je l'ai vue, sur la ferme de son père à Sainte-Thérèse, elle portait une robe pleine de trous, elle se promenait nu-pieds et elle avait de la bouse de vache entre les orteils.

Jules pouffa de rire. Ils se turent jusque sur le quai de la gare. En serrant la main à son père, le jeune homme précisa :

— Phébée porte de très jolies robes, et de bonnes chaussures.

— Ça la rassurera pas. Bon, v'là ton train.

Le violent orage de la veille paraissait avoir tout nettoyé et déjà, une demi-journée de soleil avait fait disparaître les traces d'humidité sur les bancs du carré Viger. Cet endroit devenait en quelque sorte le jardin des deux jeunes femmes, pour pallier leur manque d'espace et de lumière.

— Tu vas te moquer de moi, mais ce garçon me manque, admit Phébée.

Elle en était à tracer un second portrait de son amie, le premier pour sa mère et celui-là, pour elle-même.

— Tu parles de Jules Abel ?

— Qui d'autre ? Depuis des semaines, je n'ai rencontré personne, à part lui.

Félicité posait, assise au bout du banc. L'artiste ne lui demandait pas une immobilité totale, encore moins le silence.

— Tu fais de si nombreuses promenades avec John Muir. N'y a-t-il pas quelque chose entre vous?

La couturière rit de bon cœur devant la question.

— C'est un bon ami, rien de plus. Je t'assure.

— Et Jules, tu l'aimes?

Des passants se penchaient de temps à autre sur l'épaule de la jeune femme afin de juger de son travail. Certains la complimentaient ou exprimaient leur appréciation d'un mouvement de la tête.

— Comment veux-tu que je le sache? Je ne l'ai jamais vu en tête-à-tête, et nous n'avons pas eu une seule vraie conversation. Il semble gentil, pas du genre à vouloir me coincer dans un coin sombre pour disparaître ensuite.

— Ce genre de chose t'est arrivé? demanda son amie en baissant la voix.

Phébée se concentra sur son dessin. Le fusain permettait de composer un visage tout d'ombre et de lumière.

— Évidemment, comme ça t'arriverait si tu acceptais de sortir avec l'un d'eux. C'est immanquable. Tu vois, dès que tu acceptes une sortie seule à seul, ils te considèrent comme une fille facile, avec qui s'amuser. Leurs sentiments, ils les gardent pour les demoiselles fréquentées dans de beaux salons.

— Là tu parles des garçons de bonne famille. Des travailleurs comme nos voisins ne vont pas dans les salons.

— Tu as raison. Nos voisins seront aussi exigeants que les petits bourgeois au sujet de la moralité de leur promise, je t'assure. En attendant le grand jour du mariage, s'ils en ont l'occasion, ils s'amuseront avec des filles imprudentes, ou des filles perdues.

Elle répétait là ce que toutes les mères enseignaient inlassablement à leurs filles. Le sort de celles qui s'oubliaient était si pitoyable que la leçon s'incrustait dans les esprits. Phébée sourit de satisfaction en regardant son esquisse. Elle allait rouler la feuille quand son amie tendit la main en disant:

— Montre.

L'artiste ne se fit pas prier. Félicité regarda longtemps ses traits. Elle ne possédait aucune photographie, contempler son image l'intriguait.

— Je ne suis pas si bien que ça.

— J'essaie de reproduire ce que je vois. Tu es jolie. Demande à n'importe lequel de ces messieurs...

L'ouvrière commença par baisser les yeux sur sa modeste robe: la parfaite image de la petite institutrice de campagne. Puis elle regarda les promeneurs, dans les allées du parc. «Non, se dit-elle, ils remarquent Phébée. Moi, je passe inaperçue.» La blonde quitta sa place en disant:

— Allons, marchons un peu. À travailler assise soixante-douze heures par semaine, j'ai vraiment besoin de me dégourdir les jambes.

Félicité acquiesça. En quittant le banc, elle demanda:

— Avec ce que tu viens de me dire sur les garçons, comment peux-tu t'ennuyer de Jules?

— Je te disais aussi que c'est un bon garçon... respectueux.

En d'autres mots, le jeune pharmacien acceptait de garder ses mains pour lui, du moins en présence d'une tierce personne.

— Mais d'après toi, il semble sérieusement intéressé, tu ne trouves pas?

La blonde cherchait un encouragement, en quelque sorte.

— Tu es si belle ! Regarde, la moitié des hommes te saluent au passage.

— Cela n'en fait pas des prétendants sérieux, tu sais.

L'autre secoua la tête, peu convaincue.

— Phébée, tu n'as même pas dix-huit ans, insista son amie. Tu as tout ton temps.

La couturière prit son bras et prononça dans un souffle :

— Tu vois comme je vis… comment nous vivons, plutôt. Mes parents n'ont jamais connu mieux. Des années de misère, puis la mort après une mauvaise grippe. Je ne veux pas connaître cette existence

— Mais toi, tu as un métier, tu gagnes assez pour épargner un peu. Tu parles souvent d'avoir ton propre atelier de couture.

— Je glisse sur une plaque de glace, je me casse un poignet, et j'aurai du mal à tenir une aiguille. Je suis à ça de me retrouver dans la misère.

Entre son pouce et son index, elle montrait une épaisseur d'un quart de pouce.

— Pour des filles comme nous, la seule assurance contre la pauvreté, c'est un bon mariage. Même si dans ce parc des messieurs très respectables lèvent leur chapeau en me croisant, les bons partis ne se bousculent pas.

— Il n'y a pas que la richesse, glissa Félicité.

Très rapidement, le souvenir de Samuel lui passa dans l'esprit, une silhouette dansant sur des billes de bois.

— Tu as raison, bien sûr. Moi, j'ai trop souvent eu faim, j'ai trop gelé dans les logis de mes parents. Je veux un gars qui me rendra bien grasse et me tiendra au chaud.

L'ouvrière s'amusa à imaginer Phébée un peu lourde, le corps bien ficelé dans un corset, marchant en se dandinant. Cela paraissait impossible.

— Nous parlons seulement de moi. De ton côté, aucun admirateur ne se languit d'amour, riche ou pauvre ?

— Non, personne.

Le rose envahit les joues de Félicité à l'évocation de sa vie amoureuse. Comment évoquer Sasseville ? Même sa meilleure amie la mépriserait, si elle savait.

— Voyons, tu es jolie, instruite, tu as de bonnes manières, insista Phébée. Quelqu'un s'est certainement intéressé à toi, pour de bons ou de… mauvais motifs.

— Non, je t'assure…

La voix chevrota un peu. La blonde interpréta mal son trouble et entreprit de la rassurer :

— À la maison, tu attires les regards, tu sais. L'un de ces messieurs t'exprimera sans doute son intérêt, un jour ou l'autre.

Comment l'amener à changer de sujet ? Mieux valait donner le change, prendre une voix légère pour répliquer, comme si la chose allait de soi :

— Oh ! Mais Mainville s'est déclaré, déjà. Puis ce matin Crépin m'a invitée à l'accompagner jusqu'à l'église. De sa part, ça représente une déclaration d'amour, je suppose.

— Tu vois ! Je savais bien que les hommes te remarquaient.

La blonde paraissait réellement heureuse des succès très relatifs de son amie, comme si la voir laissée-pour-compte la peinait. Pourtant, en présence de Jules, elle s'assurait de se placer toujours entre elle et lui. Les jeunes femmes achevaient de faire le tour du carré Viger. Félicité invita son amie à s'asseoir de nouveau.

— Viens, nous allons regarder les mots qui te font encore des misères.

L'autre laissa échapper un soupir mais se soumit à l'exercice. Paraître au-dessus de sa condition valait bien des efforts.

✿

À la Dominion Cotton, les mécanismes des métiers à tisser fonctionnaient douze heures par jour et pourtant, les bris mécaniques se faisaient plutôt rares. Dans une salle où on en trouvait près de trois cents, pas plus de dix par jour nécessitaient l'intervention d'un technicien. Chaque fois, Onil Grondin écrasait d'insultes la pauvre femme chargée de surveiller la machine, puis il allait chercher de l'aide.

Ainsi, Félicité voyait régulièrement Mainville s'accroupir derrière un métier pour en examiner les entrailles de fer. Un simple nettoyage des éléments encrassés suffisait parfois à rétablir la situation. Sinon, il fallait remplacer une pièce brisée, que le mécanicien fabriquait dans son petit atelier ou que l'on commandait. Comme cette dernière éventualité nécessitait l'arrêt d'un appareil pendant quelques jours ou, pire, plus d'une semaine, le salaire de l'ouvrière se trouvait réduit proportionnellement à son allégement de tâche.

Ce jour-là, la grosse Germaine subit le contrecoup d'un événement de ce genre. Mainville arriva son coffre à la main, flanqué du contremaître. Il ne se donna pas la peine de saluer Félicité debout à moins de quinze pas, puis disparut derrière le cadre de fonte. Onil suivit l'employé et se pencha avec lui.

Le mécanicien jura intérieurement. La présence de quelqu'un derrière son épaule ne le rendait ni plus rapide ni plus efficace. Il fut surpris d'entendre :

— La fille à côté, la Dubois, t'as un œil sur elle ?

Il répondit d'abord d'une grimace, voulut lui dire de se mêler de ses affaires, mais ce gars avait à la fois la réputation et le pouvoir de devenir une nuisance.

— Pas plus sur elle que sur une autre.

— Pourtant, tu m'l'as présentée. T'arrives avec elle le matin, tu repars avec elle le soir.

Cela, les deux jeunes gens le faisaient de moins en moins souvent. Lui souffrait d'avoir été repoussé, elle s'était lassée de son air maussade.

— On habite la même pension. Je fais rien pour l'éviter, et rien pour avoir sa compagnie.

— Elle s'est trouvé un autre gars ?

— Ça, faut lui demander. Moi, j'sais pas.

La conversation aurait pu en rester là, mais Mainville laissa libre cours à sa rancœur.

— Pis est allée au couvent. Les ouvriers c'est pas pour elle. Elle attend de trouver un avocat, je suppose.

— Ah oui ? Au couvent…

L'information l'amusait beaucoup. Ses airs de sainte-nitouche venaient de là. Cela en faisait une proie d'autant plus attirante qu'il la devinait totalement innocente.

Cette fois, Germaine ne perdrait pas une partie de son salaire : le mécanicien démonta quelques pièces pour retirer une accumulation de poussière de coton qui coinçait le mécanisme. Lorsqu'il quitta les lieux, le contremaître alla retrouver Félicité qui se penchait pour nouer un fil cassé. Il ne se gêna pas pour heurter de sa grande main le derrière offert. Dans un environnement plus silencieux, tout le monde aurait entendu le claquement.

La jeune femme se redressa vivement, la surprise et la douleur lui tirèrent un cri, lui aussi couvert par le vacarme.

— Comme ça, la petite, t'es allée au couvent. Tu voulais faire une sœur ? T'as l'air d'avoir un crucifix coincé dans le cul. Tu peux compter sur moi pour te l'ôter. Les filles comme toi, j'les laboure.

Il empoigna alors brutalement son postérieur. Une demi-douzaine de travailleuses regardaient maintenant dans leur direction. Des yeux, il les défia toutes, sûr de son impunité. Déjà, les moins décrépites lui étaient passées entre les pattes. Plus encore que l'attirance sexuelle, montrer son pouvoir l'excitait.

— Lâchez-moi ! cria-t-elle en tentant de le repousser.

— Tu vas voir tout ce que je peux t'apprendre.

Elle réussit à se dégager de sa poigne. Une autre machine s'arrêta, la bobine de la navette épuisée. Félicité se figea. Pour la remplacer, elle devait se pencher et s'offrir, impuissante.

— Là, deux métiers fonctionnent pas. Tu t'en occupes tout de suite, ou tu mangeras pas la semaine prochaine.

— … Éloignez-vous.

— J'te regarde faire, pour calculer tes prochaines amendes.

La scène captait désormais l'attention de la moitié des travailleuses. Quelques métiers s'étaient arrêtés faute de fil. Germaine fut la première à fermer tous les siens. Rachel enchaîna, puis une autre, et une autre encore. Onil courait le risque de se trouver avec une grève spontanée sur les bras. Le gérant de l'usine n'apprécierait pas. Mieux valait ajourner son plaisir.

— Tu vas voir, la petite, on va bien s'amuser, tous les deux.

Puis il fit un tour complet sur lui-même en crachant avec arrogance :

— Cette semaine, le patron va faire de grandes économies avec ce que j'vais couper sur vos gages. Perdez pas une minute de plus, ou y vous restera rien.

Quand il regagna enfin son poste d'observation, Félicité éclata en sanglots, le visage enfoui dans ses mains. Bientôt, Germaine la prit par les épaules :

— Tasse-toi un peu, la petite, dit-elle doucement.

Puis elle appela :

— La Souris, tu te caches où ?

La jeune fille en pleurs vit une petite ombre glisser sous la machine. Germaine noua le fil avec l'aide de Victoria, puis la remit en marche. Ensuite, elle s'occupa de placer une bobine neuve dans la navette de l'autre moulin.

— Ça va aller ? dit-elle en lui caressant l'épaule.

Les joues couvertes de larmes, Félicité fit oui de la tête. Elle effectuerait son travail la peur au ventre, désormais.

Robert Gray possédait une grande pharmacie juste un peu à l'est de la rue Saint-Laurent. La façade s'ornait d'une grande porte de chêne avec une fenêtre en son centre, flanquée de deux vitrines où était inscrit le mot *Pharmacy*, peint en grandes lettres blanches. Pour les analphabètes, quelques pots de porcelaine typiques des vieilles officines des apothicaires, des mortiers et des pilons témoignaient de la spécialité du commerce.

À huit heures, un peu intimidé, Jules Abel poussait la porte. Il contempla la grande pièce où il allait travailler jusqu'à l'année suivante. Derrière un comptoir, sur des étagères rapprochées les unes des autres, s'alignaient des pots de verre ou de porcelaine. Contre le mur opposé, des étals offraient tout un ensemble de remèdes « patentés ». Ces mixtures prétendaient ramener tout le monde à la santé : le *Kidney Work* purifiait le sang ; le sirop du Dr F. J. Demers, ou le Zell, calmait les enfants ; le vin de quinine faisait tomber la fièvre et la salsepareille d'Angers, disparaître les scrofules ; les capsules Kein traitaient le ver solitaire ; la solution La Troyenne guérissait de l'épilepsie, de l'hystérie et autres « maladies nerveuses de femme » ; la coryzine soulageait du rhume de cerveau et la poudre du Dr Cléry, de l'asthme. Des publicités dans tous les journaux faisaient connaître ces mélanges.

— Vous êtes intéressé par l'un de ces produits, jeune homme ? Une faiblesse des reins, de la rate, ou pire encore ?

Le pharmacien Robert Gray se tenait derrière son comptoir, un sourire ironique sur les lèvres.

— Non, monsieur. Mais dites-moi, l'une de ces potions a-t-elle déjà permis de guérir quelqu'un ?

— Toutes ont prouvé leur efficacité.

La surprise sur le visage de Jules Abel fit franchement rire son nouveau patron.

— Vous êtes sceptique ?

— Ce sont des mélanges qui, au mieux, ne font pas de dégâts sur l'organisme, mais de là à guérir…

— Ah ! Vous ignorez l'un des grands leviers des soins médicaux : la foi. Croire en son médecin, croire aux médicaments qu'il prescrit, au pharmacien qui les prépare, ça aide à guérir. Pour le mal imaginaire, tous sont merveilleux.

Le professionnel avait appris à s'exprimer dans un français fort convenable auprès de son épouse, car il tenait boutique à la frontière des villes française et anglaise.

Le jeune stagiaire présentait une mine perplexe. Il comptait sur son stage auprès d'un homme reconnu pour sa compétence afin d'assurer sa propre réputation. Voilà que le doute s'emparait de lui.

— Vous savez, insista l'autre, le mal imaginaire aussi fait souffrir. Nous rendons un immense service à nos clients en leur vendant tout ça. Si nous ne le faisions pas, d'autres encaisseraient les profits.

— Bon, je veux bien. Cependant, aucun de ces produits n'a prouvé son efficacité.

Le pharmacien examina de plus près quelques fioles sur son étal.

— Vous avez tort. Par exemple, des parents peuvent utiliser un sirop avec un opiacé pour calmer leurs enfants, en prendre un pour eux-mêmes avec de la codéine. Dans les deux cas, il en résulte une hébétude suffisante pour ressentir un peu moins les symptômes. En plus, la plupart contiennent de l'alcool. C'est amusant, vous ne trouvez pas ? De farouches partisans de la prohibition de la vente de boissons enivrantes se trouvent soulagés en buvant ça.

Du doigt, le professionnel touchait le bouchon d'une bouteille d'un mystérieux élixir.

— Un verre de gin chaud donnerait le même effet.

— Des ingrédients de ce genre sont carrément dangereux !

— Mais tous sont vendus librement dans notre ville.

Cette logique essentiellement commerciale, mêlée à une bonne dose de cynisme, ébranla le jeune homme. Ce dont s'aperçut le pharmacien, qui changea de sujet :

— Cette semaine, vous apprendrez par cœur tout ce qui se trouve ici, de l'urinoir aux opiacés, en passant par les ceintures herniaires électriques pour les « hommes faibles », et tous les types de pansement. Vous vous arrêterez seulement pour répondre aux clients quand je ne serai pas à mon poste.

— Bien, monsieur, je ferai comme vous le dites.

L'autre se pencha un instant sur son tiroir-caisse, puis se releva pour demander :

— Je ne vous ai pas convaincu sur tout ça... Est-ce que je me trompe ?

Du doigt, Gray désignait ses étals. La situation mit le stagiaire mal à l'aise. Fallait-il avouer le fond de sa pensée, ou tenter de deviner la réponse attendue par son patron ?

— Non. En prenant ces potions, les gens n'améliorent pas leur situation, et parfois même, ils l'aggravent.

— Pourtant, tous ces remèdes «patentés» me semblent bien inoffensifs comparés à la négligence des politiciens.

— Je ne comprends pas…

— Pour sauver des vies, l'hygiène est plus efficace que tous les médecins. Marchez-vous parfois dans les rues ou les ruelles des quartiers ouvriers?

Robert Gray, Jules le savait déjà, se passionnait pour la politique municipale et s'était fixé comme objectif d'améliorer les conditions de vie des gens. Sans doute souhaitait-il l'enrôler dans sa croisade.

— Oui, ça m'arrive parfois.

— Vous avez vu les abats d'animaux dans les rues, les excréments?

— Montréal est très sale, je sais.

— Avez-vous la moindre idée du nombre de logis où les latrines sont de simples trous dans la cour arrière?

Un mouvement de la tête de gauche à droite répondit à la question. Le garçon se sentait comme un mauvais étudiant pris en faute par son professeur.

— Au bas mot, dix mille. Ce sont les ménages les plus pauvres, donc les plus nombreux. Soyons raisonnables: disons que cinquante mille Montréalais se contentent d'installations de ce genre. Cela vous paraît réaliste, comme estimation?

Cette fois, le jeune homme se montra d'accord. Les ménages ouvriers comptaient au moins cinq personnes. Cette conversation le désarçonnait de plus en plus.

— Je ne vous demanderai pas combien de matières fécales chaque personne évacue par jour, je vais vous le dire: environ quarante onces. Alors cinquante mille fois ce volume va dans le sol tous les jours, et donc dans l'eau qui s'y trouve.

L'image paraissait effarante. Combien d'habitants buvaient de l'eau tirée de la nappe phréatique ? Le pharmacien ajouta au caractère sinistre de ce portrait.

— De nombreux ménages achètent leur eau de vendeurs itinérants. Savez-vous que ceux-ci s'alimentent dans le fleuve juste à côté de l'endroit où les égouts municipaux se vident ? Ce n'est pas tout : je vous laisse deviner d'où vient la glace que les riches se procurent pendant l'été.

Après un silence qui amplifia l'impact de ses propos, il ajouta :

— Maintenant, vous regrettez certainement de faire un stage avec moi.

Le garçon approuva intérieurement.

— Je suis plus posé d'habitude, continua le professionnel pour le rassurer un peu, mais je viens de lire le journal.

De la main, l'homme désigna le dernier numéro de *La Patrie* sur le comptoir.

— On annonce des cas de choléra en Europe. Tous les jours, des bateaux en arrivent dans nos ports. Nous n'avons même pas besoin d'importer la maladie. Nous nous débrouillons très bien pour nous empoisonner en souillant notre eau.

Jules se dit que s'il n'en apprenait pas autant qu'il le souhaitait en pharmacie, il ne serait pas en reste quant à l'hygiène publique.

À la Dominion Cotton, la chaleur se révélait étouffante. Pourtant, on était seulement au dernier jour de juin. Fin juillet, la situation deviendrait insupportable. Déjà à neuf heures, Félicité sentait la transpiration s'accumuler sous son foulard, dans son dos, sous ses bras. Il lui fallait continuer, maintenir la cadence, malgré l'inconfort.

Dans ces conditions, les heures pesaient le double de leur poids. À midi, il lui semblait avoir travaillé dix heures. Étancher sa soif devenait difficile. La provision d'eau contenue dans une grande jarre de grès étant épuisée, toutes les ouvrières attendaient l'arrivée du porteur. À l'arrêt des machines, la jeune femme se laissa choir lourdement sur le plancher dans son coin habituel.

— On dirait que j'suis tombée dans le fleuve, commenta Rachel.

Félicité acquiesça, tout en mâchant une bouchée d'un petit pain ramolli par l'humidité ambiante. Après sa mésaventure du premier jour, jamais elle n'oubliait de s'approvisionner avant de se rendre au travail.

— Si le salaud n'était pas là, j'enlèverais ma robe, et tout le reste, laissa tomber Germaine.

La grosse femme était en nage. Quand elle enleva son foulard, les cheveux lui collaient sur le crâne, la sueur formait des rigoles sur ses joues et son cou couverts de poussière de coton.

— Vas-y! cria une travailleuse. L'émotion le tuera peut-être.

— Pour ça, t'aurais plus de chance que moi.

Ces remarques un peu lestes ne choquaient plus guère l'ancienne institutrice. Dans ce milieu rude, les conversations pieuses n'avaient pas leur place. Quelques minutes avant la reprise du travail, la jeune femme se dirigea vers les latrines. Le contremaître lui bloqua le passage devant la porte.

— Le travail va commencer bientôt, dit-il. Ne t'arrange pas pour être en retard. T'as pas le temps de traîner.

La jeune femme tenta de le prendre de vitesse par la gauche, mais il la bloqua derechef, assez subitement pour qu'elle fonce droit contre sa poitrine, et qu'il la prenne de ses grosses mains.

— T'en as envie, pour te jeter comme ça dans mes bras.

— Laissez-moi passer.

La voix un peu aiguë s'éleva dans la grande salle. Les autres avaient dû entendre.

— Penses-tu que Mainville va venir à ton aide? Compte pas sur lui. T'es pas bien gentille avec lui, y paraît. T'as personne de ton bord.

— Je veux passer! cria-t-elle, un sanglot dans la gorge.

— Ah, tu veux passer? Vas-y, qu'est-ce que t'attends?

Il la laissa finalement aller, mais ce n'était que pour profiter de son passage pour lui empoigner les fesses.

Convaincu que personne ne viendrait en aide à sa victime, le contremaître semblait décidé à s'acharner sur Félicité. Une dizaine de fois dans la matinée, il était venu se poster tout près d'elle. Quand elle se penchait sur un métier, sa présence lui donnait envie de vomir. Le dîner se passa dans la même atmosphère tendue. Des collègues, au fait de l'épisode de la veille, s'installèrent en demi-cercle autour d'elle, comme pour la protéger. Victoria demeurait un peu à l'écart, tête baissée. Son amie n'avait pas le cœur à lui enseigner quoi que ce soit, ni elle d'apprendre.

En après-midi, Onil Grondin se fit encore plus insistant. La moitié des travailleuses le surveillait du coin de l'œil; lui semblait les défier d'intervenir. Tellement nerveuse, Félicité fit un faux mouvement et sa manche alla se frotter à une courroie, au point de la déchirer. Elle constata les dégâts, étonnée de ne pas avoir été blessée, quand une main la saisit par derrière, glissa sur ses fesses pour se rendre finalement entre ses cuisses.

— Fais attention, chérie, tu vas te blesser. J'vais me tenir plus près pour mieux te protéger…

Ses doigts fouillaient sa chair. Une première machine se tut, une seconde, une troisième. Ses collègues, une nouvelle fois, faisaient entendre une protestation muette. Puis une ombre grise sortie de nulle part vint heurter le bonhomme tête première. Lui ne broncha pas, mais la Souris s'étala sur le dos, un peu étourdie par le choc.

— Y a trop de vermine dans cette *shop*.

Prestement, il se pencha pour saisir la robe de l'enfant d'une main, près du col, la soulever et la tenir devant lui. Les pieds de Victoria battaient dans le vide, peut-être à douze pouces du sol.

— Tu vas crever dans ton trou à rat.

Onil la traîna jusqu'au fond de la grande salle. Quand elle eut repris suffisamment ses esprits pour comprendre ce qui lui arrivait, un cri strident sortit de sa bouche :

— Non, pas là, pas dans le trou. Y a des rats.

— C'est des parents à toi, non ?

Les hurlements de protestation se poursuivirent quand il ouvrit un minuscule placard à balais pour la jeter dedans. Ils continuèrent, un peu étouffés, après que la porte se fut refermée sur elle. Pendant ce temps, Félicité s'était affalée sur le sol. La tête appuyée sur un métier à tisser, elle pleurait à chaudes larmes. Germaine passa ses mains sous ses aisselles pour l'aider à se remettre debout.

— Il va la tuer ! cria-t-elle.

— Dans son placard, est plus en sécurité que toi.

Quand même, les hurlements plaintifs atteignaient ses oreilles. Une fois debout, la jeune femme regarda à la dérobée, par-dessus l'épaule de sa collègue, en direction du contremaître. Le visage fermé, les mâchoires crispées, l'incarnation de la cruauté, il tournait sur lui-même pour toutes les défier du regard.

— C'est un animal, gémit-elle.

— Non, aucun animal fait ça, rugit Germaine.

Elle aussi avait ses propres griefs contre cette engeance.

— Essaie de continuer jusqu'à sept heures. Nous sortirons bientôt.

Pourtant, l'attente parut insupportable. Victoria cria tout son saoul, pour s'arrêter ensuite, sans doute d'épuisement. Onil alla ouvrir la porte seulement à ce moment, mais ne tenta pas de lui porter secours. Elle sortit par ses propres moyens une demi-heure plus tard, quand le sifflet à vapeur émit sa plainte aiguë.

La journée, pareille à un calvaire, s'étira sans fin pour Félicité. Quand elle se termina enfin, les travailleuses défilèrent devant le visage arrogant d'Onil Grondin.

— J'te raccompagne jusqu'à la maison, offrit Rachel à Félicité une fois à l'extérieur.

— Non, tes enfants…

— Les sœurs peuvent bien s'en charger une heure de plus.

Tout près, une femme dans la cinquantaine suivait l'échange.

— Va rejoindre tes petits, dit-elle. J'vas la raccompagner avec Germaine.

Quand Félicité voulut protester, l'autre passa le bras autour de sa taille.

— Là, on va faire comme j'ai dit. On prend par Ontario?

— On va suivre ce grand flanc-mou, décida l'autre travailleuse, il va nous montrer le chemin.

Mainville, à qui les rumeurs étaient parvenues pendant la journée, parvenait mal à contenir son malaise. Comme les ouvrières connaissaient ses liens, même ténus, avec la pauvre fille, elles lui vouaient maintenant un mépris unanime pour sa lâcheté. Lui-même se savait en partie responsable, ses confidences à Grondin ayant précipité les événements.

Dix pieds derrière le mécanicien, le trio de femmes suivait. En s'éloignant de la manufacture, Félicité retrouva un peu de sa contenance.

— Je peux continuer seule, je vous assure.

— Dis pas de niaiserie. Dans ta maison de chambres, t'as une amie? Quelqu'un pour s'occuper de toi?

Un sentiment de honte s'abattit sur Félicité, honte d'amener encore ce genre d'attention sur elle, honte d'être de nouveau une victime. Puis elle confia, un peu hésitante:

— Oui, elle s'appelle Phébée.

Devant la maison, elle insista pour rentrer seule. Comment se montrer avec deux femmes pour la soutenir? Sa dignité s'en trouverait trop écorchée. Surtout, ce genre de solidarité lui était étranger, elle ne savait quelle attitude adopter.

Une fois arrivée, l'une des travailleuses demanda à Mainville de faire sortir Phébée.

— Là tu vas te reposer, lui conseilla la vieille ouvrière. Demain, tu dois revenir au travail.

— Je n'irai plus. Plus jamais.

— Tu vas revenir, dit fermement Germaine à son tour. Des gars comme ça, y en a partout. Si tu reviens pas, t'auras pas le courage d'aller ailleurs non plus.

Jamais elle ne pourrait, cela lui paraissait totalement au-dessus de ses forces. L'arrivée de Phébée l'empêcha de protester encore.

— Seigneur, que s'est-il passé ? demanda-t-elle en enlaçant son amie.

— Rentre, Félicité, dit la plus vieille des travailleuses avec un sourire compatissant. Nous allons parler à cette beauté.

Chapitre 11

Vénérance démontra qu'elle savait parfois faire preuve de générosité. Elle prépara un second repas pour les deux jeunes femmes après le souper des autres locataires. Dans un tel contexte, ses règles ne tenaient plus. Pas même besoin de demander ce qui s'était passé : pour une jolie fille, le scénario était toujours semblable.

À dix heures, Phébée alla mettre son amie au lit avant d'aller frapper à la porte de John Muir. Crépin ouvrit la sienne le premier et la dévisagea brièvement avant de refermer.

— Tu me laisses entrer ? demanda-t-elle à l'ébéniste quand celui-ci apparut dans l'embrasure.

— Une jeune femme dans la chambre d'un homme, ça fera jaser, dit son ami en la laissant entrer.

— Ce soir, je n'ai pas la tête à entendre des sottises.

Comme chaque fois qu'ils se retrouvaient en tête-à-tête, la couturière opta pour l'anglais. Installée sans attendre l'invitation sur la seule chaise de la chambre, elle enchaîna :

— Assieds-toi sur ton lit. Ce sera long.

Puis elle fit le récit de ce que les ouvrières lui avaient rapporté des incidents de la journée.

— Pauvre fille, déplora l'homme quand elle eut fini. Pourquoi tu me racontes tout ça ?

— Elle n'a plus de père, pas de frère et aucun ami à Montréal.

John devinait déjà où cette conversation le mènerait. Cette perspective ne lui plaisait guère.

— Mainville travaille avec elle. Il peut calmer ce type.

— Mainville a eu l'occasion de s'en mêler. Il se déplace beaucoup dans la manufacture pour entretenir les machines, rien ne peut lui échapper. Il a eu peur, et pour le cacher, il fait semblant de ne s'être rendu compte de rien. Le courage lui manque.

— Et moi, j'en ai, du courage, tu penses ?

— Tu le montres chaque jour. Tu dois croiser bien des types désireux de te casser la gueule.

L'homme alla se planter près de la fenêtre. Bien sûr, plusieurs s'imaginaient investis de la mission de ramener un « inverti » dans le droit chemin. Le simple fait que, dans la trentaine, il n'évoque jamais de femme suffisait à alimenter les soupçons. Phébée en profita pour contempler une nouvelle fois les sculptures de bois qui encombraient la pièce, accrochées au mur ou s'étalant sur toutes les surfaces planes. Il y avait des navires de tous types, des animaux d'une demi-douzaine d'espèces, sans compter des têtes, des torses et des corps entiers d'hommes.

— Bon, quel est le plan ? Je me fais passer pour son frère, je me rends à la manufacture pour dire à ce type de la laisser tranquille ?

— Cette histoire marcherait pour une autre. Comme tu as un petit accent en français et que dans sa bouche les mots anglais paraissent être du chinois, il ne te croira pas. Puis d'après ce qu'on m'a dit, il en faudra un peu plus pour impressionner le gars.

Tout à leur réflexion, ils se regardèrent, puis l'ébéniste demanda :

— Pourquoi moi ? Tu connais tout le monde en ville, y compris des personnes très peu recommandables. Tu as certainement des amis capables de faire ce que tu as en tête. Moi, c'est pas mon métier, je taille des morceaux de bois…

— Mais ce genre de service coûte cher… soit en argent, soit autrement. Je ne veux pas devoir leur rembourser quoi que ce soit un jour.

L'homme opina, compréhensif. Phébée était une amie fidèle, mais exigeante.

— Mais toi, insista-t-elle, je veux bien te payer rien qu'avec mes beaux yeux.

Ils éclatèrent de rire, se calmèrent bien vite pour ne pas s'attirer les jugements de l'occupant de la chambre voisine.

— Si j'ai bien compris, ce gars-là est un colosse. Il va me tuer.

— Si tu le rencontres seul, oui. Tu as des amis aussi.

— Prêts à jouer à ça ? Je ne sais pas.

La jeune femme se leva et lui caressa la joue du bout des doigts.

— Allons, je sais que tu peux t'en occuper. Je compte sur toi, John.

Puis elle sortit de la chambre. Dans le corridor, elle constata que Crépin avait laissé sa porte entrouverte pour les espionner.

Avec le recul, Onil Grondin avait craint d'être allé trop loin. Après tout, la garce pouvait porter plainte à la police et toutes les femmes de l'atelier témoigneraient des événements. Tout de suite il se rassura : la honte l'empêcherait de le dénoncer.

Puisant dans des ressources qu'elle ne soupçonnait même pas, Félicité se présenta à la manufacture le lendemain, absolument terrorisée, tremblante. Le contremaître trouva plus prudent de ne pas s'approcher d'elle de la journée. Il se promit même de se retenir le jour suivant.

Avoir une amie aussi aimable que Phébée n'était pas de tout repos. Le vendredi soir, en parcourant la rue Dorchester vers l'ouest, John Muir réfléchissait à la façon de donner suite à sa requête. Il pénétra, toujours perplexe, dans le grand immeuble de brique du *Turkish Bath and Sanitarium*. Ces établissements destinés à laver les corps, pour contrer la propagation des épidémies, comptaient parmi les grandes réformes du siècle.

Contre quelques cents, l'ébéniste obtint une serviette de lin et le droit de profiter des installations de l'établissement. Il se débarrassa de ses vêtements dans un grand vestiaire. Puis, la toile enroulée autour de la taille comme un pagne, il se rendit dans la salle des baignoires. On en trouvait des dizaines, placées sur deux rangées, la moitié déjà occupée. Muir s'étendit dans l'une des grandes cuves de tôle, ferma les yeux pour savourer la tiédeur de l'eau. Puis à grand renfort de savon Impérial, il fit disparaître la crasse accumulée au cours de la dernière semaine.

Toujours vêtu de sa seule serviette, John pénétra ensuite dans une pièce envahie par la vapeur. Instantanément, la chaleur pesa sur ses épaules, sa peau se couvrit de sueur. Quand ses yeux se furent habitués à la demi-pénombre, il distingua des hommes dispersés le long des murs, les uns assis, les autres étendus sur des bancs de bois. Certains étaient seuls, d'autres regroupés par deux ou par trois. Il choisit un coin inoccupé et s'appuya le dos contre la cloison.

Autour de lui, il percevait des mouvements furtifs, des conversations à voix basse de jeunes gens qui se déplaçaient sans bruit, glissaient une invitation à l'oreille de l'un ou de l'autre. Parfois, on les chassait du geste ou de la voix. Il arrivait cependant que la sollicitation se trouve bien accueillie.

Bientôt, un gaillard à l'allure familière prit place à sa gauche, peu après un autre s'assit à sa droite.

— Le vendredi soir, c'est toujours la même chose, dit le premier. L'endroit se remplit de garçons de louage. Je vais en venir à me décrasser le mercredi soir.

— Pourtant, il me semble t'avoir déjà vu profiter de leurs services, le taquina le second.

— Eh là ! répliqua l'autre avec un sourire gouailleur. Pour qui me prends-tu ?

Ils partagèrent un rire étouffé. Ces garçons devaient avoir dix-sept ou dix-huit ans, parfois même un peu moins. Pendant la journée, sans doute se trouvaient-ils vendeurs dans des magasins ou apprentis dans des ateliers. Le soir, ils cherchaient de quoi augmenter leur revenu.

— Quelqu'un m'a demandé de faire peur à un type robuste, laissa tomber John.

Quelques secondes furent nécessaires avant que les mots prennent tout leur sens dans la tête de ses compagnons. L'un commenta enfin :

— Voilà une curieuse histoire…

— Les femmes ont parfois de drôles d'envies.

— L'idée vient d'une femme, en plus ? Elle veut faire donner une volée à un mari, à un fiancé ? Car pour détester un homme à ce point, elle l'a aimé, c'est sûr.

Ce brin de sagesse amena l'ébéniste à ricaner tout bas.

— Tu lis trop de mauvais romans. Non, un salaud terrorise une jeune fille, et son amie veut lui offrir un peu de tranquillité d'esprit.

— Et nous, ça nous rapporte quoi, cette histoire ? demanda l'autre.

— La satisfaction de vous être rendus utiles.

— Les amitiés féminines, ça entraîne toujours un tas d'ennuis. Limite-toi à des relations viriles.

La réponse amusa fort les deux autres. Un long moment, ils se contentèrent de laisser couler les gouttes de sueur sur leur corps. Muir se leva, replaça la serviette autour de sa taille avant de proposer :

— Allons nous rafraîchir un peu dans la piscine. Après, nous discuterons de cette affaire devant une bière, si vous le voulez bien.

Les deux autres laissèrent échapper un soupir, mais ils le suivirent sans discuter.

Le samedi se déroula aussi sans nouvelle agression de la part du contremaître. Félicité constata même avec surprise qu'il ne lui avait infligé aucune amende. Toutefois, à sa sortie un peu avant sept heures, il lui murmura au passage :

— J't'oublie pas, tu sais. On va s'amuser ensemble, tu verras.

Prise de panique, elle fila vers la sortie. Quelques minutes plus tard, Onil quitta les lieux lui aussi et plaça un gros cadenas sur la porte. Le veilleur de nuit ne pourrait partir avant le matin, ni les voleurs, entrer.

La présence de deux gamins derrière lui lorsqu'il descendit la rue D'Iberville n'attira pas son attention parce que l'été, après sept heures du soir, tous les garçons traînaient dehors. Il entra dans une taverne de la rue Craig. L'homme avait la réputation de lever le coude et de s'adonner, dans les établissements de ce genre, aux cartes et aux combats de chiens.

— Ça y est, va lui dire qu'il est ici, lança l'un des enfants.

Son cadet s'exécuta au pas de course.

Les combats de chiens intéressaient bien plus le contre-maître que la boxe. Ces animaux ne suivaient aucune règle, ne montraient aucune retenue. Une cinquantaine d'hommes massés dans un hangar, à l'arrière de la taverne, avaient regardé deux dogues s'entre-déchirer. Leur intérêt allait vers le spectacle, bien sûr, et aussi vers les paris. Onil caressait la poche de son pantalon, en sortant.

— Voilà deux dollars gagnés sans peine, grommela-t-il.

Les gens se montrant bien naïfs, ils misaient toujours sur le plus gros. Lui savait qu'une fois sur deux, le plus petit gagnait. Pour se rendre à son domicile, une grande chambre dans un taudis, il emprunta une ruelle, le pas incertain à cause des nombreuses bières consommées dans la soirée. L'habitude seule l'empêchait de se prendre les pieds dans les déchets qui jonchaient le sol.

À une dizaine de pas devant lui, une ombre se détacha d'un mur. Sa cigarette dessinait un point rouge à la hauteur de sa tête. Elle décrivit un arc de cercle, toucha le sol en jetant des étincelles et s'éteignit dans un grésillement sur la terre humide. Derrière lui, Grondin entendit les pas de deux autres hommes.

Après une nuit sans presque fermer l'œil, le lendemain matin, un dimanche, Félicité présentait une mauvaise mine.

Pendant deux jours, ce monstre lui avait laissé croire à la fin des mauvais traitements. Alors que sa terreur s'amenuisait un peu, une nouvelle menace à peine voilée l'avait ravivée, plus grande encore. Pendant sa toilette, elle posa une toile de lin imbibée d'eau sur ses paupières. Très vite, elle dut céder sa place à Hélidia, qui ne cachait pas son impatience.

Les deux amies s'apprêtaient à quitter la maison quand John Muir descendit l'escalier. Jamais il ne se joignait aux autres pour la messe, mais si Vénérance l'avait accepté dans la maison, l'homme avait dû la convaincre qu'il était en règle avec l'Église.

— Alors, les belles, armées de votre charme, vous êtes prêtes à faire compétition aux bourgeoises ?

— Tu sais, dit Phébée, celles que je vois à l'atelier sont pour la plupart bien jolies.

— Mais à côté de toi, elles pâlissent d'envie, j'en suis sûr. Quand la très sage demoiselle Dubois sourit, elle devient tout aussi redoutable.

Morose depuis une bonne semaine, Félicité se laissa à peine dérider par ce brin de légèreté.

— Ne la taquine pas, le gronda gentiment la blonde. Elle ne va pas bien.

— Tout ira beaucoup mieux très bientôt. Je te le promets.

Ses doigts effleurèrent doucement la joue de Félicité, puis il adressa un léger signe à Phébée.

— Merci de ta gentille prédiction, dit celle-ci. J'espère que tu es meilleur que les gitans pour dire l'avenir. Bon, il est temps d'aller à la messe.

Elles quittèrent les lieux sans tarder. Sur le chemin, la jolie couturière précisa pour son amie :

— Nous allons à l'église Saint-Jacques, car je compte bien rencontrer Jules ensuite.

Le grognement de Félicité pouvait passer pour un acquiescement. Phébée se rapprocha d'elle et caressa la main accrochée au creux de son bras. Son souci de demeurer discrète l'empêchait de la rassurer tout à fait.

À l'arrière du temple, la blonde salua Jules d'un mouvement de la tête, puis se concentra sur la cérémonie. Félicité resta à sa place pour la communion. La couturière, quant à elle, tenait à montrer l'image d'une bonne chrétienne, aussi marcha-t-elle vers la sainte table avec les autres.

À la sortie de l'église, elle entraîna sa compagne un peu à l'écart, tout en levant un doigt à l'intention de son chevalier servant, comme pour dire « Donne-moi une minute ».

— Pourquoi n'es-tu pas venue communier ? Nous nous sommes confessées ensemble la semaine dernière, et je connais assez ta vie pour savoir que tu n'as pas eu l'occasion de commettre de gros péchés depuis.

Seul le silence et de grands yeux désespérés lui répondirent.

— Ce n'est pas à cause de ce salaud, toujours ?

— Je dois sûrement faire quelque chose de mal pour que ça m'arrive. Déjà…

Jamais encore l'envie de se confier sur son passé ne l'avait autant tenaillée.

— Tu es sage comme une couventine, et ce n'est pas avec la robe que tu portes là-bas que tu deviens un objet de scandale.

— La semaine passée, en confession, le prêtre m'a conseillé de quitter cet endroit avant de perdre mon âme. Je n'y retournerai pas. Je ne peux pas. D'un autre côté, je dois travailler.

La blonde hésita avant d'oser une confidence, sa main sur l'avant-bras de son amie :

— Crois-tu pouvoir me faire confiance ? Me croire sur parole ?

Après une hésitation, sa compagne acquiesça.

— Demain, tes problèmes seront réglés. Ne me pose aucune question. Tu n'as plus à t'inquiéter.

Les grands yeux gris de Félicité trahirent d'abord la plus grande incompréhension, puis un espoir un peu fou. Elle avait désespérément besoin de la croire. Elle remua doucement la tête.

— Et tu sais, si aujourd'hui tu n'as pas le cœur à jouer au chaperon, je renvoie celui-là chez lui.

Des yeux, elle désignait le grand jeune homme planté au milieu du parvis.

— Ce serait trop cruel, le pauvre, chuchota son amie, l'ombre d'un sourire se formant sur ses lèvres. Puis votre badinage vaudra mieux pour moi qu'un après-midi dans une chambre sans fenêtre où il doit faire cent degrés, continua-t-elle.

— Merci, tu es comme une sœur. Allons le voir avant qu'une bourgeoise ne me l'enlève.

Les deux amies n'eurent pas le temps de le rejoindre avant que Pélagie ne se place devant elles :

— Phébée, regarde, je n'ai plus ce maudit uniforme de domestique.

Si l'on en jugeait par sa tenue, elle ne gagnait pas au change. Sa robe difforme montrait plusieurs réparations maladroites.

— Tu as quitté cette maison, finalement ! s'exclama Phébée, souriante.

— Demain, je commence à l'Hôtel-Dieu. Je suis venue à la basse messe, mais je voulais te saluer avant de partir.

On se verra pas souvent. Là-bas, je devrai travailler deux dimanches par mois. Puis c'est loin.

— Nous trouverons bien le moyen de nous revoir.

Le ton manquait de conviction, mais elle désirait y croire.

— Là-bas, je connais personne… J'ai essayé de convaincre ma sœur Marie de venir avec moi, mais elle touche de bons gages chez ses vieux bourgeois.

— Une bonne fille comme toi se fera bien vite des amies, j'en suis certaine.

La blonde regarda Jules à la dérobée. L'autre comprit enfin.

— J'empêche quelque chose de se passer, là, dit-elle avec le sourire.

— Tu as bien vu, oui ! répondit Phébée en riant. Nous nous reverrons bientôt, promis.

Pélagie s'éloigna le cœur gros après les salutations et les souhaits de bonne chance échangés.

— Vous étiez avec une amie, commença Jules en l'accueillant. Je ne voudrais pas vous gêner si vous avez envie de parler avec elle.

— Moi aussi, je suis heureuse de vous revoir, monsieur Abel ! répondit la blonde avec humour.

Le garçon enleva alors son chapeau de paille et les salua proprement.

En promettant à Félicité que ses difficultés s'envoleraient comme par miracle, Phébée lui avait permis de vivre la seconde partie de son dimanche dans une relative sérénité. Pourtant, à la suite d'une autre nuit difficile, aucune trace de son espoir ne subsistait le lendemain matin. La jeune femme toucha à peine son gruau et le thé lui donna des haut-le-cœur. Sa nervosité l'empêcha de voir le regard chargé de sympathie de John, et d'entendre les mots d'encouragement de son amie.

En se séparant d'elle au coin de la rue Ontario, un sentiment d'immense solitude s'abattit sur la jeune ouvrière, aussi profond que lors de ses pires heures à Saint-Eugène. La tentation de se blesser avec une pointe de métal lui traversa l'esprit. Défigurée, on la laisserait enfin tranquille.

Ce matin-là, Mainville accorda son pas au sien, mais sa présence n'avait rien de vraiment rassurant. Son indifférence au cours des dernières semaines témoignait de sa rancœur. Il lui avait fait payer bien cher d'avoir refusé d'être son amie. Qu'il se montre plus attentionné maintenant n'y changeait rien.

En pénétrant dans la Dominion Cotton, la bile monta à la gorge de la jeune femme. Elle dut courir vers les latrines. Puis, plantée devant ses métiers, la défection inattendue du contremaître de son poste d'observation habituel l'angoissa plus encore. Son absence, tout comme sa présence, lui paraissait être un mauvais présage.

— Comment tu vas ? lui demanda Germaine au passage.

— Bien, s'efforça-t-elle de répondre dans un souffle à peine perceptible.

Bientôt, toutes les travailleuses avaient pris place devant leurs machines. Onil Grondin manquait toujours à l'appel. À la fin, lasse de cette inaction, une vieille femme démarra un premier moulin, puis les autres. Ses camarades l'imitèrent. Cinq minutes plus tard, tous produisaient leur vacarme habituel.

Félicité ne cessait de jeter des regards au-dessus de son épaule. Son absence devenait une nouvelle forme de torture. À chaque seconde, elle craignait qu'il se dresse subitement près d'elle, avec ses mains envahissantes et ses traits cruels.

Le manque de surveillance déstabilisait les travailleuses et les rendait mal à l'aise. La moitié de la matinée s'écoula avant que le gérant de la manufacture ne se manifeste. Grand et sec, il se planta au milieu de la salle en compagnie d'un homme rondelet et leva les deux bras pour les descendre lentement. Quelques ouvrières virent là le signal d'arrêter les machines, toutes les autres finirent par les imiter.

— Mesdames, commença-t-il en anglais, votre contremaître ne s'est pas présenté ce matin…

— Il doit être saoul dans un coin, une travailleuse.

— Il a eu un accident, poursuivit le gérant. Un accident qui l'empêchera probablement de revenir… pour toujours.

Celles qui comprenaient un peu mieux l'anglais traduisaient pour les autres. Cette annonce les laissa toutes dans la plus grande stupéfaction. Les promesses de Phébée, son assurance à propos de la fin de ses problèmes, revinrent à l'esprit de Félicité. Elle s'en trouva encore davantage ébahie. «Comment pouvait-elle savoir?», se demanda-t-elle.

— Monsieur Rouillard a accepté de prendre le relais, dit le patron en se tournant vers celui qui l'accompagnait. Il possède une bonne expérience, je me fie sur lui pour maintenir le rythme de la production.

Le gérant quitta la salle sans rien dire de plus, alors que le petit homme âgé d'une soixantaine d'années demeura sur place.

— Bon, tout le monde sait quoi faire. Allez-y, au travail.

Les métiers à tisser redémarrèrent très vite, le claquement des marteaux sur les navettes volantes redevint assourdissant. Félicité fit comme les autres, se retournant fréquemment pour voir le nouveau chef. Une casquette dissimulait la moitié de ses cheveux gris, sa veste élimée datait au moins de la décennie précédente, une barbe de trois jours marquait ses joues. Il paraissait être un bon bougre. Il prit le temps de faire le tour des travailleuses pour échanger quelques mots avec chacune d'entre elles.

La jeune femme le regarda s'approcher avec appréhension, même si sa petite taille, son ventre débordant sur sa ceinture de cuir et son visage débonnaire le rendaient bien peu menaçant.

— Toi, tu t'appelles comment? fit-il en approchant la bouche de son oreille.

— Félicité… Félicité Dubois.

Elle n'hésitait plus quand il lui fallait se présenter sous son patronyme d'emprunt.

— Tu as quatre métiers seulement?

— … Oui.

— Je vais te tenir à l'œil, dit-il avec sympathie, pour voir si on peut t'en donner deux autres. À ton âge, t'es plus une apprentie.

Elle hocha la tête, surprise de le voir si accommodant, puis le regarda s'éloigner pour échanger quelques mots avec une autre ouvrière.

Le nouveau contremaître donna le signal de la pause à midi. Couvertes de sueur, les travailleuses regagnèrent l'endroit où elles se réfugiaient habituellement pour manger. Félicité s'assit à même le sol et s'adossa contre le mur en essuyant son visage sur sa manche.

— Tu dois pas t'ennuyer de l'autre… fit Rachel.

— Non, pas du tout, répondit-elle en souriant. Celui-là a l'air gentil.

— Te fais pas d'illusion, quand même, lui conseilla Germaine. Si t'es en retard, ou qu'il aime pas ta production, y va faire comme l'autre.

La grosse femme se tenait assise les jambes en tailleur, la jupe retroussée pour se rafraîchir un peu.

— Tout de même, dit-elle encore après une pause, y paraît moins pire que les autres. Presque humain. Pis y garde ses mains pour lui.

Un éclat de rire souligna la remarque. Toutes commentaient le comportement du nouveau venu dans des termes à peu près semblables.

— Tu as la moindre idée de ce qui est arrivé à… l'autre? demanda Félicité à sa voisine immédiate.

— Le patron a parlé d'accident, rappela Rachel.

— Oui, mais quel genre d'accident?

La travailleuse haussa les épaules pour signifier son ignorance.

— Une raclée dans une taverne, le sabot d'un cheval… va savoir. Il sera plus sur ton dos. Le reste…

Un geste de la main signifia sa totale indifférence.

Félicité se tenait dans un coin de la chambre pour enfiler sa robe bleue. Le conseil de Phébée, offert dès son premier jour à la manufacture, se révélait très sage. Le changement de tenue, avant de souper, lui permettait de voir son présent travail comme une simple partie de sa vie, et non comme une nouvelle identité.

— Tu ne vas pas le regretter, toujours? demanda son amie, tout sourire.

— Non, ce n'est pas ça. Hier tu me disais de cesser de m'en faire et aujourd'hui, il ne se présente pas à la manufacture. C'est tellement étrange.

— Ton ange gardien ne pouvait te laisser aux mains d'un pareil salaud.

— Comment pouvais-tu savoir ? Quelqu'un a dû t'en parler.

Un instant, Phébée eut envie de lui dire la vérité. La prudence la retint.

— Je dois avoir un petit côté sorcière.

— Ne dis pas des choses comme ça. Dans tous les cas, ça me fait un cadeau d'anniversaire inespéré.

— Ton anniversaire ?

— J'aurai dix-huit ans demain.

— Oh !

Phébée s'élança vers elle pour la prendre dans ses bras.

— Alors demain soir, ma chère, nous irons dans un salon de thé plein d'Anglaises. Il faut souligner cette jolie journée.

Ce charmant projet toucha Félicité, mais auparavant elles n'échapperaient pas au bouilli de Vénérance.

Chapitre 12

Bientôt, ce serait la mi-juillet. Félicité célébrait la fin de son premier mois à la manufacture, un peu étonnée de constater qu'au terme de ses longues journées, elle ne se sentait plus vidée de toutes ses forces. Les autres avaient eu raison, on se faisait à ce travail. En ce dimanche, l'idée d'une petite expédition avec le couple d'amis la réjouissait.

— C'est aussi un peu une autre façon de souligner l'anniversaire de notre gentil chaperon, précisa Phébée à Jules.

— Ah oui ? Votre anniversaire est aujourd'hui, mademoiselle Dubois ?

Même si sa présence continue pesait un peu sur le budget du garçon, car à chaque activité il devait assumer les dépenses de deux femmes en plus des siennes, il appréciait sa compagnie discrète.

— C'était mardi dernier, précisa la jeune femme.

— Tout de même, je vous souhaite bon anniversaire, dit-il avec chaleur. Maintenant, nous y allons ?

Le trio se trouvait à nouveau sur le parvis de l'église Saint-Jacques. Le soleil d'été menaçait la blancheur du teint de plusieurs bourgeoises, aussi se promenaient-elles avec des ombrelles à la main. Cela donnait un air de villégiature à l'endroit.

La fin de la messe attirait son lot de cochers, certains paroissiens ayant du mal à rentrer chez eux à pied. Le stagiaire entendait profiter de l'un d'eux.

— Dans un cabriolet ? interrogea Phébée. Le quai Longueuil ne se trouve pas si loin d'ici.

— Mais je ne voudrais pas manquer le bateau…

Le jeune homme lui présenta son bras, et elle dut se faire violence pour l'ignorer. Devant tous ces gens, le geste lui paraissait prématuré et, surtout, compromettant. Jules pinça les lèvres, déçu.

— Si vous voulez monter, dit-il en présentant sa main à Félicité.

La jeune femme accepta son aide pour grimper dans la voiture. La blonde fit de même. Le contact de ses doigts gantés compensait un peu pour la rebuffade précédente. Les trois tenaient tout juste sur la banquette étroite. Il effectuerait le trajet la cuisse contre celle de sa compagne. Cette perspective lui rendit sa bonne humeur.

— Monsieur Abel, commença la couturière alors que le cocher commandait à son cheval d'avancer, vous ne nous avez jamais vraiment entretenues de votre nouveau patron.

— Ah ! Monsieur Gray m'a réservé un très curieux accueil. Il m'a parlé de latrines et de carcasses d'animaux dès le premier matin…

— Étrange !

La blonde plissait le nez à cette évocation. Le cabriolet descendait la rue Saint-Denis. Dans une voiture découverte, elle s'imaginait être le point de rencontre de tous les regards.

— Mais j'apprends à l'apprécier, vous savez. Il donne toujours des explications claires, et il m'a confié des clients dès le premier jour.

— Mais pourquoi vous a-t-il parlé… de ça ?

— Selon lui, la plupart des maladies qui affligent les Montréalais tiennent à la malpropreté de la ville.

— S'il a raison, remarqua Félicité, en améliorant l'hygiène publique, les médecins verront leurs affaires décliner, et les pharmaciens aussi.

Moins intimidée, elle se mêlait un peu à la conversation, offrant des réparties toujours pertinentes. Jules se pencha vers l'avant pour la voir à l'autre bout de la banquette.

— Les gens qui souffrent le plus de ces conditions déplorables n'ont pas les moyens de fréquenter les cabinets et les officines, vous savez.

Elle opina en signe d'assentiment. « Il veut dire des gens comme moi », pensa-t-elle. Le prix d'une consultation dans un cabinet représentait son salaire d'une journée. Tous les soirs, elle et toutes ses collègues de la manufacture rejoignaient pourtant les endroits les moins salubres de la ville pour dormir.

La voiture arriva bientôt au quai Longueuil. Attentionné, Jules aida ses compagnes à descendre. Puis il régla le prix de la course.

— Suivez-moi, dit-il ensuite. Vous voyez, notre navire se trouve là.

Un vieux vapeur doté d'une roue à aubes de chaque côté de la coque accueillait les voyageurs. Avec un à-propos certain, compte tenu de sa destination, il se nommait *Boucherville*. De la proue à la poupe, il faisait environ cent dix pieds. Le trio s'engagea sur une passerelle faite de planches assemblées grossièrement. Au cours de la semaine précédente, le jeune professionnel s'était occupé de régler le prix des billets. L'employé y jeta un coup d'œil et leur désigna la droite.

— Nous avons une place en bas, dit Jules en mettant le pied sur le pont, juste de ce côté. J'ai pensé que recevoir les rayons du soleil directement sur le crâne ne vous dirait rien, malgré vos beaux chapeaux.

Les couvre-chefs de paille ornés de rubans et de fleurs les flattaient en effet l'une et l'autre.

— Vous avez vu juste, dit Phébée, le sourire à la fois moqueur et aguichant. Notre teint ne résisterait pas à cette agression.

Ils se déplacèrent vers la poupe du navire, où on avait installé quelques tables pour les excursionnistes. Long-temps utilisé pour les traversées entre les rives nord et sud du fleuve, le bateau se recyclait dans les promenades du dimanche. Des bâtiments plus modernes assuraient main-tenant le service régulier de traversier.

Galant, le garçon aida ses compagnes à s'asseoir. L'eau se trouvait à trois pieds à peine, brune et malodorante. «Les égouts se vident dans le fleuve», se souvint-il. Les choses s'amélioreraient lorsqu'ils s'éloigneraient de la rive. Cela ne tarderait pas, des employés dégageaient déjà de gros câbles des bittes d'amarrage.

La promenade se révélait plaisante, même si le bruit de la machine à vapeur asthmatique mêlé à celui des pales frappant l'eau empêchait de tenir une véritable conversation. Tout en faisant honneur au repas léger offert à bord, les excursionnistes appréciaient la vue des édifices les plus imposants de Montréal.

À la ville succéda la campagne. Depuis le fleuve, des arbres isolés ressemblaient à des bouquets, les fermes s'offraient sous leur meilleur angle, avec des bâtisses blan-chies à la chaux et des champs fertiles comme des jardins. Puis ce furent les îles de Boucherville, un chapelet verdoyant du côté droit, où se trouvaient de nombreuses exploitations agricoles, et une grande île du côté gauche, traversée par des bras du fleuve. Certains étaient si étroits que les branches des grands arbres sur les rives caressaient le navire des deux côtés. Parfois, Jules attirait l'attention des deux femmes sur les grandes résidences bourgeoises construites par les plus riches habitants de Montréal.

— Là-bas, c'est la maison d'été des Molson, leur apprit-il.

Il s'agissait d'une immense bâtisse blanche, aux volets peints en vert. Une embarcation à vapeur permettait à ses habitants de faire facilement la navette entre cet endroit et la ville.

Un passage particulièrement étroit entre deux rives inspira une petite crainte à Félicité.

— Ça ne doit pas être très profond ici. Nous ne risquons pas de nous enliser ?

— Le tirant d'eau de notre navire est très faible. La profondeur de la quille, si vous préférez, précisa-t-il devant leurs mines intriguées.

L'information rassura les passagères. À deux heures, le vieux traversier accostait à un quai sommaire. Cette fois, loin de tous les regards des habitants des quartiers Saint-Jacques et Saint-Louis, Phébée accepta le bras offert. La passerelle se révélant franchement branlante, ployant sous le poids des excursionnistes, elle ne se sentait pas tout à fait rassurée.

Une fois sur la terre ferme, elle ne retira pas sa main du pli du coude. Le garçon se rengorgea un peu, se donnant des allures de séducteur. Avec raison, il croyait tous les regards tournés vers sa magnifique cavalière, et c'est à lui qu'elle accordait la faveur de sa présence. Quatre ou cinq pas derrière le couple, Félicité se sentait vraiment de trop, cette fois. Son malaise s'avérait d'autant plus grand qu'elle recevait aussi sa part des regards des promeneurs. Certains allaient par deux ou par trois, des étudiants, des professionnels ou des marchands assez jeunes pour n'être encore engagés à personne.

— L'endroit est joli, apprécia Phébée, il nous permet en plus de prendre nos distances de cette grosse machine à vapeur.

— Le bruit, c'est le prix à payer pour la vitesse. À la voile nous serions encore sur le fleuve, car le vent souffle vers l'ouest.

— Alors profitons-en. On oublie le silence de la campagne, quand on vit en ville. Vous avez passé votre vie dans une paroisse agricole, n'est-ce pas?

— Oui, Sainte-Rose demeure un simple village. Mon père possède un magasin là-bas.

Déjà la jeune femme se doutait bien qu'elle ne marchait pas avec un fils de cultivateur. Ceux-là ne poursuivaient des études que grâce à la charité publique, pour se faire curé. Ce marchand devait avoir des moyens conséquents.

— Vous ne m'avez jamais parlé de vos parents, glissa Jules.

Une ombre passa sur le visage de sa compagne. Elle regrettait d'avoir amené la conversation sur le sujet des origines. Maintenant, elle n'y échapperait pas.

— Comme vous ne les avez jamais vus avec moi à l'église et qu'une amie doit me servir de chaperon, vous n'avez pas deviné qu'ils sont morts?

La question avait le ton du reproche. Le garçon aurait dû y penser, et en conséquence ne pas s'engager sur un terrain si triste.

— … Je me doutais bien. Je suis désolé pour votre perte, sincèrement.

Son empathie ne paraissait pas feinte. Phébée le remercia d'une pression de la main sur son avant-bras.

— Leur décès est survenu il y a plusieurs années. Tout de même, ils me manquent.

La voix de la jeune femme se brisa un peu tandis qu'elle se confiait :

— Savoir que l'on est seule, cette impression de grand vide... Je ne peux compter sur personne. C'est le plus difficile.

— Vous n'avez ni frère, ni sœur ? répondit-il avec compassion.

— Non, je suis vraiment seule.

Peut-être pour détourner la conversation des malheurs de sa compagne, Jules s'engagea ensuite dans une évocation des coups, bons et mauvais, de ses cadets, un garçon et une fille. Ils marchaient sous de grands arbres, dans des sentiers tracés par les pas des milliers d'excursionnistes les ayant précédés.

Quand ils furent lassés de la longue promenade, des bancs placés à l'ombre les accueillirent.

Le retour se fit au rythme d'une machine à vapeur essoufflée, cette fois en naviguant contre le courant. Aussi l'accostage eut lieu un peu après six heures. Du quai Longueuil jusqu'à la rue Dorchester, Félicité parcourut à peu près le même chemin que le jour de son arrivée en ville. Elle se surprit de trouver les lieux presque familiers. À tout le moins, ils ne l'intimidaient plus autant.

Cette fois, pour ménager les ressources de leur compagnon, les deux femmes s'étaient opposées à la proposition de prendre une voiture. Rendue à l'intersection des rues Saint-Denis et Dorchester, Phébée s'arrêta en disant :

— Cher monsieur Abel, nous allons nous quitter ici.

— Vraiment, ça devient un peu ridicule. Je déteste vous abandonner comme ça à mi-chemin de la maison.

— Nous ne sommes pas à mi-chemin, nous habitons tout près, dit-elle de sa voix la plus douce.

— À plus forte raison, je veux vous reconduire à votre porte. Cela ne me retardera pas, personne ne m'attend.

La jeune femme sentait l'impatience dans la voix. Sa réticence à le laisser jouer son rôle de cavalier jusqu'à la fin pouvait s'interpréter de diverses façons, toutes susceptibles de l'éloigner d'elle.

— Je vous ai expliqué déjà. La seule chose que je possède, c'est une bonne réputation. Je ne veux pas la voir ruinée par des voisins malicieux.

Le doute ne s'effaça pas du visage de son ami. Spontanément, pour alléger la rebuffade réitérée, la main de Phébée se serra sur le bras, ses lèvres se posèrent sur la joue de son compagnon, près de la bouche, y restèrent un instant.

— Soyez un amour, monsieur Abel, et continuez votre chemin tout de suite. J'ai déjà hâte de profiter encore de votre compagnie.

Puis elle effectua un demi-tour si vif que sa robe s'éleva un peu, dégageant ses chevilles, et même le bas des jambes. Accrochant son amie au passage, elle s'engagea rue Dorchester.

— À bientôt, mademoiselle Drolet, dit le jeune homme une fois revenu de sa surprise devant pareil dénouement. Mademoiselle Dubois...

De la main, sans se retourner, Phébée adressa un salut à son chevalier servant. Puis, en tenant son amie par le bras, elle marcha vers l'est et passa tout droit au moment de doubler la ruelle Berri.

— Où vas-tu? demanda Félicité.

— Nous allons marcher jusqu'à la rue Saint-Hubert. Il se tient probablement encore sur le trottoir, à nous observer. Il ne doit pas me voir entrer dans cette ruelle.

Toute surprise, la jeune femme se laissa entraîner. La méfiance de son amie lui semblait démesurée. Ce jeune homme se pâmait sur son joli visage, pourquoi imaginer que la vue de son logis le rebuterait à ce point ?

— Tu ne trouves pas que tu exagères ? À force de lui cacher où tu habites, il soupçonnera quelque chose de vraiment grave.

Pudiquement, elle faisait allusion à l'immoralité. Aux yeux de Félicité, il s'agissait là d'une tare indélébile pour une femme. Sa propre destinée en témoignait.

— Exagérer ? Tu ne l'as pas entendu à midi ? Nous parler des saletés de Montréal, alors que nous vivons dedans. À ses yeux, nous habitons dans un foyer de contagion. Il voudra me nettoyer à l'eau de Javel.

Cette jeune femme si jolie, si propre, si attentive à placer le bon ruban sur le bon tissu, le bon mot au bon moment, se préoccupait d'une autre forme d'impureté, de flétrissure, que Félicité. Après un long détour, elles arrivèrent à temps chez elles pour souper.

Invariablement, lors des repas du dimanche, chacun rendait compte de ses activités de l'après-midi. Elles se limitaient en promenades plus ou moins longues dans la ville ou la campagne, au nord de la rue Sherbrooke.

— Et toi ? demanda John en se tournant vers Félicité. Je vois un peu de rouge sur tes joues. Tu as pris du soleil ?

Depuis quelques jours, l'ébéniste se découvrait un nouvel intérêt pour sa voisine. Après être venu à sa défense dans le plus grand secret, il se prenait d'affection pour elle.

— Nous sommes allées dans les îles de Boucherville.

— Une grande expédition ! dit l'homme un peu moqueur.

Ces balades occupaient les dimanches de tous les Montréalais pendant la belle saison, sauf ceux qui vivaient dans la pauvreté la plus abjecte. De nombreux entrepreneurs conviaient même leurs employés à de belles excursions pour se les rendre fidèles.

— Tu servais de chaperon à notre amie ? Son excellente réputation te coûte tous tes loisirs, finalement.

— John, intervint Phébée, tu sais combien les gens aiment raconter les pires histoires sur les femmes. Je ne peux pas me promener seule avec ce garçon.

— Je ne connais pas les usages des futurs pharmaciens. Chez les gens que je connais, garçons et filles se promènent deux par deux, et cela les conduit habituellement au pied de l'autel.

Le plus souvent d'une moralité irréprochable, les filles d'ouvriers ou d'artisans ne s'encombraient pas d'un chaperon à chacune de leur rencontre avec un homme. L'attitude des notables, à cet égard, se faisait plus pointilleuse.

— Mais justement, lui c'est un professionnel, répliqua Phébée. Ces gens-là sont plus regardants à ce sujet.

Les succès de la blonde sur le marché matrimonial, ses grandes attentes aussi, agaçaient un peu ses voisins. Elle cherchait un époux au-dessus de sa condition, et de la leur. Le plus entiché d'elle, Crépin Dallet, tenta d'attirer son attention en étalant son grand sens moral.

— Notre amie a raison, dit-il. Ce n'est pas parce que certaines femmes se montrent imprudentes que ça devient acceptable.

Comme John Muir avait évoqué le caractère moins guindé des amours ouvrières, il prit sur lui de répondre avec un sourire narquois :

— Là, tu m'étonnes. Je t'ai vu pas plus tard que cet après-midi dans la rue, aux côtés de mademoiselle Hélidia, et sans chaperon.

Comme d'habitude, le commis comptable se raidit un peu devant le tutoiement. Cela pouvait être acceptable entre ouvriers, mais lui n'appartenait pas à ce monde.

— Tu ne veux certainement pas dire que ton amie a eu tort de te faire confiance, insista John.

Crépin serra les mâchoires, se déplaça sur sa chaise, puis réussit à prononcer d'un ton à peu près neutre :

— Ce n'est pas la même chose. Nous sommes allés aux vêpres.

Pendant cette conversation, Hélidia avait baissé les yeux sur son assiette pour dissimuler sa satisfaction. Elle rêvait parfois de sorties plus agréables, mais assister aux cérémonies religieuses avec un tel parangon de vertu valait sans doute les expéditions à Boucherville.

— Voyons, intervint Mainville, que ce soit pour aller au bal ou à l'église, c'est pareil. S'il faut un chaperon pour l'un, il en faut aussi pour l'autre.

Avant que l'échange ne tourne au vinaigre, John Muir quitta sa place en disant :

— Je vais marcher un peu. Alors, Félicité, aimerais-tu changer de rôle, ce soir ? Si Phébée nous sert de chaperon, tu accepteras bien de m'accompagner ?

— Je suis désolée, répondit la châtaine, mais je pense avoir marché tout mon saoul aujourd'hui. Je ne veux pas être épuisée demain. Puis je comptais écrire à maman.

— Ma pauvre Phébée, laissé seul je dois me résoudre à t'inviter. Tu viens ?

— Je ne sais pas si c'est convenable…

Ses yeux moqueurs se fixèrent sur l'occupant de l'autre bout de la table. Le commis comptable rageait de se voir ainsi tourné en dérision.

— Alors, Crépin, tu seras obligé de venir avec nous. Avec un bon chrétien comme toi dans notre sillage, aucun mangeux de balustre n'osera mettre en doute la respectabilité de mes intentions, ou des tiennes.

— Je ne bougerai pas d'ici, grogna Dallet.

Pourtant, il quitta immédiatement sa place pour monter à l'étage.

— Dans ce cas, Mainville, Charles, vous nous accompagnez ? Vous serez les garants de notre réputation… Tout comme mademoiselle Hélidia, évidemment.

Le groupe quitta la cuisine en échangeant toujours sur les risques d'un comportement moral imprudent. Seule Félicité resta à sa place. Quand Vénérance revint dans la cuisine pour faire la vaisselle après être allée discipliner un peu ses enfants, elle lui demanda :

— Je voudrais écrire une lettre. Me permettez-vous de le faire ici. En haut, la lumière…

— Ça va, la petite, accepta la logeuse. Tu feras moins de bruit que toutes les discussions sur qui va aller marcher avec qui.

L'hostilité sourde entre ses pensionnaires ne lui échappait pas, et elle s'en serait bien passée. Félicité la remercia, puis voulut aller chercher son matériel pour écrire. Lorsqu'elle s'engagea dans le couloir, une voix de petite fille lui parvint depuis le salon des Paquin :

— Donne-moi les cartes !

— Non, c'est à moi, opposa un garçon.

La chaleur tombait visiblement aussi sur les nerfs des plus jeunes. L'ancienne maîtresse d'école résista à la tentation de passer la tête dans l'embrasure de la porte pour leur parler. D'abord, Vénérance tenait à maintenir une distance entre sa famille et ses locataires. Surtout, cela raviverait sa tristesse d'avoir été chassée des salles de classe pour toujours. Son nom avait sans doute été évoqué dans le *Journal de l'Instruction publique*, pour faire connaître sa déchéance à tous les commissaires d'école de la province.

Écrire une lettre de deux paragraphes prenait bien peu de temps. Pour profiter de la lumière du soir, Félicité fit durer l'exercice jusqu'à ce que sa logeuse termine la vaisselle, puis rejoigne sa famille. En montant, elle trouva Crépin debout devant l'entrée de sa chambre, comme s'il l'attendait depuis cinquante minutes.

— Mademoiselle Dubois, puis-je vous parler un instant?

— Seulement un instant, j'ai à faire.

Comme l'autre se taisait, elle ajouta avec une pointe d'impatience:

— Je vous écoute.

— Ne restons pas debout dans le corridor. Venez dans ma chambre.

— Voilà une invitation bien équivoque, monsieur Dallet.

L'ironie déstabilisa son interlocuteur.

— Mademoiselle, je vous assure…

— Il y a quelques minutes à peine, vous fustigiez devant moi ce genre d'imprudence.

— J'aimerais vous parler d'un sujet un peu délicat. Je vous le promets, vous serez en toute sécurité.

Pendant l'hiver précédent, la jeune femme avait appris à se méfier des affirmations de ce genre. Pourtant elle entra dans cette chambre, plus grande que la sienne et meublée plutôt confortablement. Félicité remarqua avant tout un prie-Dieu placé dans un coin, devant un grand crucifix noir. Elle occupa la chaise que l'homme lui désigna du doigt.

— Que voulez-vous? dit-elle, de plus en plus mal à l'aise.

— Je ne sais comment commencer.

— Si vous ne trouvez pas bien vite, je vais vous quitter.

Comme elle faisait mine de se lever, il l'arrêta:

— Vous devriez cesser de l'accompagner partout comme ça.

— Pardon?

— Phébée. Vous devriez cesser de la suivre tous les dimanches. Vous allez perdre votre réputation...

— Je ne veux rien entendre de plus.

L'homme se précipita vers la porte pour l'empêcher de passer.

— Vous ne lui servez pas de chaperon, mais de complice.

— Écartez-vous de mon chemin, monsieur.

— Elle se trouve sans cesse en compagnie de ce jeune homme. Ce n'est pas une conduite acceptable pour une femme.

Plutôt que de fuir, cette accusation proférée contre son amie lui donna envie de faire face.

— Qui vous a fait juge, dans ce domaine?

— Elle ne sait rien de lui.

— Et vous, rien de ses activités, ni des miennes. Vous connaissez encore moins ce jeune homme très respectable.

— Mais elle l'embrasse sur le trottoir, comme une...

— Vous nous suivez! dit-elle en élevant la voix.

Au malaise évident de son interlocuteur, la jeune femme comprit qu'elle avait raison.

— En l'accompagnant, vous vous discréditez aussi, insista Crépin. Je vous dis cela pour vous rendre service. Vous paraissez respectable, mais vous voilà complice de ce comportement...

— Bon, ça suffit, je m'en vais.

Cette fois, le commis comptable s'écarta de la porte.

— Comme vous voulez. Je veux juste vous venir en aide, ajouta-t-il d'un air faussement amical.

Le ton paraissait de bien mauvais augure. Dans le couloir, elle retrouva les autres, de retour de leur promenade digestive. Ils la regardèrent, déroutés. Hélidia surtout semblait surprise, et sérieusement irritée. Elle se précipita dans sa chambre et fit claquer sa porte.

— Cher voisin, dit John en se campant devant le commis, toujours dressé dans l'embrasure de sa porte, si je ne te connaissais pas si bien, je soupçonnerais un gros péché.

Puis en se tournant vers la jeune femme, il demanda :

— Tout va bien, Félicité ?

— … Ça va, mais si cet homme m'importune encore, ça n'ira pas du tout.

— Ah, j'espère pour lui que notre ami a bien compris.

À la menace dans la voix et le regard, l'idée qu'elle devait peut-être à cet homme la paix retrouvée à la manufacture effleura l'esprit de Félicité. Troublée par cette pensée, elle rejoignit Phébée dans leur chambre.

— Que te voulait-il ? demanda la blonde.

— Me dire de ne plus te servir de chaperon.

— Le salaud. Il risque de bien mauvaises rencontres, à m'embêter comme ça…

Deux mois après son embauche à la Dominion Cotton, Félicité accomplissait ses journées de travail sans trop de difficulté. Elle ne supportait mal que la chaleur intense de ce mois d'août, aussi ensoleillé que juillet. Les yeux fixés sur les métiers à tisser, les oreilles attentives à tous les indices d'une anomalie, elle essuyait la sueur sur son visage avec un mouchoir.

— Ça va ? demanda Rouillard dans son oreille.

La surprise la fit sursauter. Elle ne l'avait pas entendu, à cause du cliquetis assourdissant des pièces de métal.

— Désolée, je voulais pas te surprendre. Tu sembles plus avoir de mal à surveiller quatre moulins.

Le contremaître avait abordé ce sujet dès le premier jour. Depuis, rien, et la timidité de l'ouvrière l'avait empêchée de lui en reparler.

— Non, pas vraiment.

— Tu veux en prendre deux autres ?

Un moment, la jeune femme le dévisagea. Il prit cela comme une hésitation.

— Ton travail est aussi bon que celui des autres. Si tu veux, tu en auras deux de plus, et les gages qui vont avec.

— Oui, sûrement.

Cela signifiait plus d'un dollar supplémentaire toutes les semaines. Elle pourrait le mettre de côté. La petite souris grise choisit cet instant pour sortir de sous une machine et buta presque contre le vieil homme.

— Regarde où tu vas, dit le contremaître en la saisissant aux épaules. Si tu arrives comme ça, tête première contre une machine, tu vas t'assommer.

La gamine le regardait de ses grands yeux cernés, un peu incertaine devant sa bienveillance. Depuis son arrivée, convenait-elle, aucun enfant parmi la douzaine dans la manufacture n'avait été fouetté ou maltraité d'une autre façon.

— Tu sais pourquoi les autres t'appellent la Souris ? demanda-t-il après une pause.

Elle haussa les épaules, comme si expliquer tout cela se trouvait au-delà de son vocabulaire.

— Tu aimes ce surnom ?

— Non.

— Alors dis ton nom à tout le monde. Même moi, j'le connais pas.

— Victoria.

La sympathie dans la voix d'un homme hurlant pour couvrir le vacarme des machines la déconcertait.

— Alors, Victoria, regarde bien où tu vas, maintenant.

Après un hochement de la tête, elle se glissa sous les métiers à tisser pour rejoindre une ouvrière réclamant son aide. Elle circulait en tout temps de cette façon pour se rendre plus rapidement d'un point à un autre.

— C'est vrai que tu lui montres ses lettres à l'heure du dîner ?

Félicité craignit de se voir adresser un reproche. Aussi son acquiescement vint après une hésitation.

— T'es gentille. Après-midi, tu travailleras là-bas.

De la main, il désignait un endroit plus loin dans la grande salle. Sa nouvelle affectation entraînerait tout un jeu de chaise musicale dans la manufacture.

L'automne rougissait les feuilles des arbres, au carré Viger le vent poussait dans les allées celles déjà au sol. Le couple marchait d'un pas lent, heureux du moment présent. Derrière, Félicité suivait, perdue dans ses pensées. Un an plus tôt, elle se présentait à la criée pour les âmes, devant l'église de Saint-Eugène. Samuel était là, grand et fort, et elle tenait dans ses mains une cage contenant un lapin.

Tout cela lui semblait appartenir à une autre existence. Maintenant, ses gages un peu plus généreux lui permettaient de mettre un peu d'argent de côté chaque semaine, pour parer aux coups durs. Parfois, elle se surprenait à s'imaginer à la Dominion Cotton dans quarante ans. Bien sûr, Phébée serait mariée, mère de famille sans doute. Toute seule, devenue vieille fille, sa vie se composerait de journée de douze heures de travail et de soirées enfermée dans une chambre. Elle souhaitait de tout cœur que ce ne soit pas chez Vénérance, ou plutôt chez sa fille Fernande, devenue logeuse à son tour.

— Ça vous dit de marcher dans la rue Berri ? demanda Jules en se tournant vers elle.

— Je vous suivrai où que vous alliez.

Ses loisirs se limitaient à son rôle de chaperon, qui lui donnait l'occasion de dîner aux frais du stagiaire en pharmacie presque tous les dimanches, de découvrir la ville sans être tout à fait seule ni vraiment avec quelqu'un. De temps en temps, l'un ou l'autre des amoureux se souvenait de sa présence et échangeait quelques mots avec elle. Après la solitude de l'école numéro 3, ces attentions lui suffisaient.

Moins prestigieuse que les rues Saint-Denis ou Saint-Hubert, Berri demeurait fort respectable. Des deux côtés, des maisons plutôt vastes et confortables logeaient fort convenablement des professionnels ou des marchands. Près de l'intersection de la rue Sainte-Catherine, le jeune homme s'arrêta devant une grande maison de brique.

— Je loue une petite chambre là-dedans, indiqua-t-il à sa compagne.

— Vous logez là depuis longtemps ?

Ils s'étaient immobilisés à cet endroit deux ou trois fois déjà. Les mêmes éléments soigneusement censurés de la biographie de chacun revenaient régulièrement dans la conversation. La présence continue d'un témoin empêchait des épanchements plus intimes.

— Depuis le début de mes études à l'université. Avant, je me trouvais au Séminaire de Montréal.

Ils reprirent leur promenade, tournèrent vers l'ouest dans la rue marchande. Phébée n'aurait jamais osé entraîner son ami dans les ruelles misérables de son enfance. Son travail constituait son seul sujet de fierté. Elle fit une pause devant Les Confections Marly, attira l'attention de Félicité sur les vêtements en vitrine.

— J'ai passé toute la dernière semaine sur cette robe. La femme du juge Lanctôt la portera aux fêtes de fin d'année.

Sa création, dans un coûteux tissu cramoisi, savamment drapée à l'arrière sur une tournure ambitieuse, accrocherait sûrement les regards. La châtaine n'était pas la principale destinataire de cette information. Jules ne dissimulait pas son admiration :

— Tout le monde dans la paroisse vantera votre travail.

— Je vous remercie, vous êtes gentil. Mais je suis surtout fière de ça. Si vous saviez les heures nécessaires pour donner cette impression d'une écume toute en dentelles.

En bas de la vitrine, deux robes de baptême reposaient sur des présentoirs. L'une de couleur ivoire, l'autre d'un blanc neigeux, elles transformeraient des nouveau-nés en adorables angelots.

— Votre patronne décore toute sa vitrine avec vos créations ?

— Pas tout à fait. Voyez ces gants, ces mouchoirs…

— Mais ils n'attirent pas les regards. Elle profite de votre talent.

Phébée serra l'avant-bras de son compagnon de sa main gantée, pour le remercier. Elle partageait cet avis. En toute honnêteté, la boutique aurait dû s'appeler Les Créations Phébée. Un jour ce serait le cas… à moins qu'elle ne devienne madame Abel.

— Il se fait déjà tard, remarqua-t-elle après un regard sur Félicité. Mieux vaut marcher vers la maison.

Ils reprirent leur promenade à pas lents, pour étirer le plaisir d'être ensemble.

L'automne amenait avec lui un temps brumeux et frais. La disparition des odeurs nauséabondes flottant tout l'été sur la ville compensait l'annonce des grands froids. Toute la pourriture dans les terrains vagues, dans les arrière-cours et même dans les rues prendrait bientôt la consistance de la glace. Cela signifiait aussi sortir du fond des placards les robes et les manteaux de laine.

Ce soir-là, Phébée et Félicité durent presser le pas pour revenir du travail. Après quelques minutes à mettre leurs meilleurs vêtements et à faire au mieux avec leur chevelure, elles redescendirent en babillant, fort excitées par le programme de la soirée.

— J'apprends que vous ne souperez pas avec nous, leur dit Crépin Dallet derrière elles, debout en haut de l'escalier.

— Nous sortons ce soir, dit la blonde, redevenue sérieuse.

— Avec ce jeune homme?

Le ton de censeur l'amena à se raidir un peu. L'homme avait évité le sujet pendant quelques semaines, sa réserve prenait fin.

— Je ne pense pas avoir à vous rendre compte de mes allées et venues, et encore moins à vous dire qui je rencontre.

— Voyons, il ne s'agit pas de rendre des comptes. Entre voisins, il est normal d'échanger sur ces sujets.

Le visage de Phébée exprima son désir d'effacer celui-là de ses relations. Elle prit le coude de Félicité en disant :

— Viens, ne soyons pas en retard.

Dans la ruelle, un peu rageuse, la couturière déclara :

— Ce croque-mort tout noir finira par me chasser de la maison. Son regard et ses questions deviennent de plus en plus insupportables.

— Tu crois qu'il se doute de l'endroit où nous allons ?

— Comment le pourrait-il, si on ne le lui dit pas ?

La pointe d'impatience réduisit Félicité au silence. Elles rejoignirent bien vite la rue Dorchester et s'engagèrent dans la rue Saint-Denis.

— S'il l'apprend, insista Félicité, nous aurons droit à tout un sermon.

— Pourquoi ça ?

— Les prêtres n'aiment pas le théâtre. Lui se montre pire que tous les prêtres.

Au coin de la rue Sainte-Catherine, la silhouette de Jules Abel se détachait clairement dans le halo de lumière d'un réverbère.

— Nous ne sommes pas en retard, j'espère ? lança la couturière en accélérant un peu le pas.

Elle lui tendit la main. Le garçon la prit, tout en disant :

— Bien sûr que non, mesdemoiselles. Félicité, si vous voulez monter.

Elle se réfugia au fond de la banquette, Phébée vint ensuite, puis le jeune homme. Un coup contre le toit de la voiture indiqua au cocher de se mettre en route.

— Nous n'allons pas très loin, je pense ? demanda la couturière.

— Non. Le Vanity Theatre se trouve dans cette rue, plus à l'ouest. Cependant nous n'aurions pu être à l'heure en nous y rendant à pied.

— La pièce que nous allons voir sera en anglais ? s'informa Félicité.

— Les représentations en français sont bien rares, dans cette ville, et totalement inexistantes à l'ouest de la rue Saint-Laurent.

— J'ai bien peur de ne pas y comprendre grand-chose.

Si l'ouvrière améliorait un peu sa connaissance de l'anglais, cela n'allait pas jusqu'à pouvoir soutenir une véritable conversation.

— Dans ce cas, pouvez-vous nous raconter un peu l'histoire ? demanda Phébée.

— Si vous voulez. Le titre, *Her Majesty's Ship Pinafore*, fait allusion à un navire de guerre de Sa Majesté.

— Le mot *pinafore* désigne un tablier, compléta la blonde pour le bénéfice de Félicité.

La couturière ne pouvait ignorer le nom d'un vêtement féminin, que ce soit en anglais ou en français.

— C'est une comédie un peu ridicule, reprit l'homme, l'histoire d'une femme de la haute société anglaise qui tombe amoureuse d'un simple matelot.

Une ouvrière de l'aiguille amoureuse d'un pharmacien deviendrait-elle aussi un sujet de dérision ? La voiture s'arrêta bientôt devant une grande bâtisse à la façade brillamment éclairée de lampes à gaz. Avec l'aide de Jules, elles descendirent sur le trottoir, un peu intimidées par l'affluence. Les gens se pressaient pour entrer. Le hall au décor surchargé donnait une impression factice de luxe.

Heureusement, le jeune homme prévoyant avait déjà les billets dans sa poche, il n'eut pas à se placer derrière une longue file de spectateurs. La salle contenait quelques centaines de sièges. La pénombre dissimulait le tissu élimé des sièges, les plâtres un peu décrépits des murs. De sa place dans le parterre, Félicité était ébahie par cette fausse opulence. Rien de sa vie antérieure ne l'avait préparée à cela.

Pour elle, le théâtre était un loisir inaccessible à la réputation sulfureuse.

— Ces gens, dans ces boîtes contre le mur…, commença-t-elle.

— Ce sont de riches Anglais, dit Jules. Ils occupent ces loges avec des amis, des membres de leur famille.

La voix contenait une pointe de déception, ou plutôt de jalousie pour ces nantis. Sa compagne posa la main sur son avant-bras, comme pour le rassurer, ou se rassurer elle-même.

— Un jour, je ne doute pas que vous serez parmi eux.

Si le garçon se gonfla d'aise, une partie de lui saisit qu'elle lui traçait là un programme ambitieux. Félicité examinait les personnes assises dans la rangée devant elle, les femmes surtout, avec leurs chapeaux un peu extravagants, leurs coiffures élaborées et leurs manteaux faits des meilleurs tissus. Tout le monde dans la grande salle devait envier quelqu'un, et être envié par un autre. Sauf elle. Personne ne jalousait une ancienne maîtresse d'école de rang en fuite, dissimulée sous l'humble apparence d'une travailleuse du textile.

Même pour des personnes incapables d'en comprendre tous les mots, *H.M.S. Pinafore* se révélait un divertissement satisfaisant. Les deux jeunes Canadiennes françaises ne riaient qu'avec un léger retard sur les autres spectateurs. Elles suivaient bien l'action sur la scène, éclairée par de multiples lampes à gaz placées à la hauteur du plancher, car aucun chapeau féminin trop élaboré ni aucune carrure masculine n'obstruaient leur vue.

À la fin du dernier acte, elles ne ménagèrent pas leurs applaudissements. L'air frais leur fouetta la peau lorsqu'elles revinrent rue Sainte-Catherine. Une très légère neige donnait aux réverbères et aux immeubles une allure un peu fantomatique. Elle rendait aussi le pavé dangereusement glissant.

— Nous allons chercher un endroit où manger dans les environs, déclara Jules en attachant son manteau jusque sous son menton.

— Nous pouvons rentrer tout de suite, dit Phébée. Il se fait tard déjà.

— Mais vous n'avez pas eu le temps de souper, tout à l'heure. Vous devrez attendre jusqu'à demain midi avant d'avaler quelque chose, pour communier demain matin. C'est pareil pour moi. Venez.

Puisque la rue Sainte-Catherine comptait de nombreux restaurants encore ouverts, les trois jeunes gens purent prendre un souper léger. Ensuite, un fiacre hélé devant le Queen's Hall les ramena vers l'est malgré les protestations des femmes, soucieuses de lui faire faire des économies. Après avoir passé la rue Saint-Denis, Phébée dit à l'oreille de son compagnon :

— Conduisez-nous devant notre porte, ce soir.

— … Vous êtes certaine ?

Après des mois d'interdit, cette ouverture inattendue le surprit.

— À cette heure-ci, nous pouvons espérer que tous les curieux du quartier soient au lit.

— Où habitez-vous ?

— La ruelle Berri…

La confession vint dans un souffle, elle surveillait la réaction de son compagnon. Celui-ci ne laissa rien paraître et entrouvrit la porte du fiacre pour donner la nouvelle destination au cocher. Quelques minutes plus tard, la voiture s'arrêtait à l'entrée de la petite impasse.

— Je ne pourrai pas tourner là-dedans, dit le conducteur en se penchant pour être entendu de son passager.

— … Alors nous descendons.

Jules aida ses deux compagnes à regagner le pavé et régla le montant de la course. Avec Phébée à son bras, il se dirigea vers la maison de Vénérance.

— C'est ici, dit la blonde avec une pointe de honte dans la voix.

Le garçon contempla la façade lugubre, étouffant une remarque.

— Je vous remercie pour cette merveilleuse soirée, ajouta-t-elle encore.

— J'ai beaucoup apprécié votre compagnie, et celle de notre gentil chaperon.

De façon un peu brusque, Phébée leva la tête pour lui embrasser la joue. Félicité se contenta de lui serrer la main. Elles montèrent ensuite en silence pour ne pas réveiller leurs voisins. Une fois la porte de la chambre refermée, la couturière murmura tristement :

— Tu as vu son air dégoûté devant la maison ?

— Tu exagères, j'en suis certaine.

À la lueur de la bougie, Félicité remarqua la mine déconfite de son amie. Un peu plus tard, elle recevrait sa tête au creux de son épaule.

Chapitre 13

Les mois s'écoulaient lentement, au gré d'un travail harassant et de périodes de repos trop courtes. Avec le froid, Vénérance, plus conciliante, laissait ses locataires s'attarder dans la cuisine après le souper. Le temps des promenades digestives était passé et personne ne possédait de vêtements suffisamment chauds pour se trouver à l'aise dehors une fois la nuit tombée.

Et lors de ces soirées, les cartes devenaient l'activité privilégiée.

— Ce jeu est tellement compliqué, se plaignit Phébée. On devrait revenir à la dame de pique.

— Mais en jouant au whist, nous faisons comme dans les maisons les plus riches de la ville, dit John, chez les Allan ou les Redpath, par exemple.

Il répétait le même argument pour la dixième fois peut-être depuis les six dernières semaines. Même si Phébée cherchait par tous les moyens à s'embourgeoiser, elle ne parvenait pas à se résoudre à devoir maîtriser les règles du whist. Félicité se montrait plus encline à mettre les efforts nécessaires. Ce dernier jour de décembre, Charles lui servait de partenaire. Ensemble, ils obtenaient leur part de gains.

— Je me demande si je ne devrais pas monter me coucher, s'interrogeait l'ancienne institutrice. Attendre jusqu'au milieu de la nuit…

Un an plus tôt, presque à cette heure-là, Floris glissait dans l'éternité. Tirer les couvertures jusqu'à son menton, par-dessus la tête même, de préférence avec son amie à côté, pour se sentir moins seule : elle n'aspirait pas à d'autres réjouissances.

— Tu ne travailles pas demain, opposa Phébée. Tu ne vas tout de même pas rater le début de la nouvelle année. Puis tu as veillé aussi tard la semaine dernière pour aller à la messe de minuit.

C'était vrai, et la jeune femme se remémora avec émotion les cantiques et la musique d'orgue. La chorale se composait de gens doués d'un réel talent, la fabrique pouvait se payer l'un des meilleurs musiciens de la ville, les décorations montraient toute l'opulence de ce milieu. Dans sa paroisse natale, comme tout était modeste comparé à cela.

Pendant ces soirées passées dans la cuisine, Crépin et Hélidia, assis sur des chaises droites, parcouraient des ouvrages pieux, ou *Le Monde*, journal officieux de l'archevêché de Montréal. Ils ressemblaient à un vieux couple.

— Je me demande si Mainville passera la prochaine année sans se faire passer la corde au cou, commenta Charles.

Le machiniste n'avait pas rongé son frein trop longtemps après avoir été repoussé par Félicité. Une autre ouvrière de la manufacture tenait à lui au point de l'inviter à accueillir la nouvelle année au sein de sa famille.

— Tu dis ça, le taquina Phébée, mais tu aimerais être à sa place.

— … C'est vrai, mais pas avec elle. J'aimerais que les deux yeux de ma femme regardent dans la même direction.

En même temps, un sourire moqueur sur les lèvres, il roulait des yeux comme pour imiter un strabisme sévère.

— C'est là un petit défaut, intervint Crépin de son coin de la pièce. Une seule chose importe, que ce soit une bonne chrétienne.

Malgré ses lectures pieuses, il ne cessait d'écouter les conversations. Hélidia ne put réprimer un sourire de satisfaction. Quand l'extérieur se révélait ingrat, il importait de trouver un homme capable de reconnaître la beauté intérieure.

— Je me disais aussi que tu ne pouvais te concentrer aussi longuement sur la même page de ton bréviaire, railla John Muir. Tu nous espionnes.

— Ce sont les prêtres qui lisent le bréviaire, pas les gens comme moi.

Le ton parut si dépité que personne n'osa se moquer. Les robres se succédèrent pendant deux bonnes heures, jusqu'à ce que John remette les cartes dans sa poche. Phébée se leva la première en disant avec humour :

— Nous avons gagné, mais ce n'est pas grâce à moi. Mieux vaut nous habiller et nous mettre en route, sinon nous raterons le clou de la soirée.

— Tu as raison, commenta son ami après avoir regardé sa montre de gousset.

Personne, pas même Phébée, ne pouvait demeurer élégant une fois vêtu pour affronter le froid hivernal. Tous, hommes et femmes, se mirent un foulard sur la tête, par-dessus leur chapeau ou leur bonnet de laine, pour le nouer sous le menton. Il s'agissait là de la façon la plus efficace de préserver ses oreilles du gel. Les manteaux épais déformaient toutes les silhouettes.

En peloton serré pour se protéger du vent, les locataires marchèrent jusqu'au coin des rues Saint-Denis et Sainte-Catherine. En attendant minuit, ils piétinèrent sur le trottoir pour se réchauffer. Les réverbères au gaz jetaient des cônes de lumière jaune tout le long de l'artère commerciale. Des milliers de personnes s'aggloméraient dans l'attente du passage à la nouvelle année.

À minuit juste, la grosse cloche de l'église Saint-Jacques tout comme celles de la chapelle Notre-Dame-de-Lourdes et de tous les temples de la ville se firent entendre en même temps, ainsi que les sifflets de nombreuses usines comme ceux du Service des incendies de la ville.

— Un, cria Phébée en même temps que tous les autres.

Puis tous ces bourdons, tous ces tuyaux de cuivre sonnèrent ensemble à huit reprises. Toutes les personnes à l'extérieur criaient le décompte, ils recommencèrent pour une autre série identique. Puis, après cinq, toutes les bouches hurlèrent un « Vive 1885 ! » retentissant.

— Bonne année, souhaita Phébée à l'oreille de son amie en la pressant contre elle.

— Je te souhaite le meilleur pour 1885, répondit Félicité, émue.

— Le meilleur se trouve dans sa famille à Sainte-Rose, et moi, je suis toute seule ici.

La remarque déclencha le rire cristallin de Félicité. L'apprenti pharmacien continuait de passer presque tous ses dimanches après-midi avec les deux jeunes femmes, mais il ne semblait pas pressé de « se déclarer ». Tout de même, en se montrant si régulièrement sur le parvis de l'église avec la blonde, il se disqualifiait pour toutes les jeunes filles de la paroisse Saint-Jacques. Celle-ci se méfiait déjà des beautés de la paroisse Saint-Jacques, et là s'ajoutait la menace de celles de l'île Jésus.

— Alors, les belles, vous venez me faire la bise ?

John Muir les regardait avec ses yeux rieurs, les bras ouverts. Elles s'exécutèrent en même temps, chacune choisissant sa joue. Ce fut ensuite au tour de Charles. Puis il leur fallut bien accepter les souhaits de Crépin Dallet.

— Je vous souhaite une bonne année de prières, d'actions vertueuses, et le paradis à la fin de vos jours, dit-il en se penchant vers Phébée.

Elle détourna la tête juste assez pour que ses lèvres n'entrent pas en contact avec la joue de son voisin. Lui ne se priva pas d'embrasser la peau rougie par le froid.

— Je n'ose pas vous retourner vos vœux, puisque le ciel est acquis à un bon chrétien comme vous.

Le sarcasme enleva un peu de son enthousiasme au commis avant qu'il ne se penche sur Félicité. Puis les hommes adressèrent leurs meilleurs souhaits à Hélidia. Celle-ci se raidit au contact des lèvres sur ses joues, répétant machinalement les paroles convenues. Ses compagnons satisfaisaient aux convenances, elle le savait bien. L'exercice ne pouvait donc lui apporter aucun plaisir.

À Sainte-Rose, sur l'île Jésus, le magasin général Abel demeurait ouvert une petite heure après la messe de la matinée. Des cultivateurs des environs profitaient de leur présence au village pour effectuer quelques achats. En ce temps de l'année, outre les quelques jouets achetés plus tard encore qu'à la dernière minute, de nombreuses ménagères avaient compté trop juste la provision de victuailles. Le sucre blanc ou brun, les conserves de fruits exotiques comme les poires, ainsi que les friandises de toutes sortes se trouvaient en grande demande.

Pour faire face à cette affluence, Jules venait en renfort à ses parents et, les manches un peu retroussées, plongeait les mains dans de grands contenants de verre remplis de bonbons. Devant cette section du comptoir, une douzaine d'enfants ouvraient de grands yeux sur une pareille abondance. Dans la paroisse, être le fils d'un marchand du village apparaissait comme le sort le plus enviable qui soit.

— Vous avez un bon garçon, la complimenta une paysanne. Venir vous aider comme ça, c'est pas tout le monde qui ferait ça.

Occupée à remplir un sac de cassonade, la robuste rousse ne cacha pas son plaisir.

— C'est vrai, c'est un bon p'tit gars. Depuis le 24 décembre, tous les jours où il travaillait pas, il est venu de Montréal exprès pour ça.

Léonie Abel couvrit son aîné d'un regard protecteur.

— Il travaille ? Il a terminé ses études ?

— Oui et non. Ses cours sont finis, mais là il fait un stage.

La bonne femme fronça les sourcils, incertaine.

— C'est un peu comme un clerc du notaire. Il doit travailler pour un autre pendant un an, avant d'avoir le droit de se mettre à son compte.

— Il veut ouvrir un magasin, j'pense.

— Oui, pour vendre des remèdes.

— Juste ça, des remèdes ?

La cliente jeta un coup d'œil vers la douzaine de mixtures «patentées» alignées sur une tablette accrochée au mur. Un commerce de ce genre, en déduisit-elle, logerait dans un placard à balais. «À vanter sans cesse les grandes études de leur fils, se dit-elle, ces gens-là pètent plus haut qu'le trou.» La marchande suivait sans mal le cours des pensées de sa cliente. Il lui fallait rectifier les choses.

— La ville, c'est pas comme Sainte-Rose. Il y a des magasins qui vendent juste des chaussures, d'autres juste du tissu à la verge, d'autres juste des remèdes. Des magasins aussi grands qu'icitte. Y en a même qui vendent juste du tabac.

— Grand comme icitte, et juste des remèdes…

Traiter quelqu'un de menteur ne se faisait pas, à moins de vouloir s'exposer à l'obligation de présenter des excuses publiques sur le perron de l'église. La dame paya sa cassonade en secouant la tête de gauche à droite. La ville était un monde bien étrange et dangereux, le curé ne cessait de le dire du haut de la chaire. Mais étrange à ce point ? Impossible.

Jules acceptait sans trop rougir d'être le sujet des conversations. Il en avait l'habitude depuis la petite école. Faire un cours classique sans rêver de devenir prêtre paraissait déjà si bizarre à ces paysans. Apprendre ensuite qu'il fréquentait l'université sans vouloir être docteur ou notaire les laissait pantois. Pharmacien ! Personne ne se figurait vraiment ce dont il s'agissait.

— C'est bin beau les études, commenta un cultivateur à son tour, mais là il est en âge de fonder une famille. Passer vingt ans et pas de cavalière…

À ce sous-entendu lourd de sens, le rose colora les joues du jeune homme. Son père n'allait pas laisser ces gens s'engager dans des suppositions blessantes.

— Paraît qu'il en a une, une beauté blonde. Elle fait de la couture.

— Les beautés qu'on voit jamais… ça m'fait penser à l'homme qui a vu l'homme qui a vu l'ours. Des fois, à la fin, l'ours ressemble à un siffleux.

La sagesse paysanne faisait parfois rager Absalon. Quand la conversation prenait cette tournure, l'envie d'aller chercher la donzelle pour la faire parader à la grand-messe le saisissait. Et dans ces cas-là, sa moitié ne se montrait pas bien utile, au contraire.

— Pour quelqu'un qui fait des études, vingt-trois ans, c'est pas vieux, assura-t-elle. Puis il faut qu'il s'établisse.

Cette fille, c'est juste une couturière. Il va trouver mieux, c'est sûr.

Cette fois, Jules eut envie de lancer le grand pot de jujubes à travers la pièce. Dire qu'en ce moment, il aurait pu se trouver au bras de Phébée dans la rue Sainte-Catherine, à la recherche d'un charmant café où casser la croûte. Être un trop bon garçon amenait les mères à exagérer, parfois. La blonde l'accompagnerait à Sainte-Rose, ainsi que le charmant chaperon. Ces gens auraient alors de quoi jaser !

Si au plus chaud de l'été la chambre sans fenêtre se transformait en étuve, l'hiver, comme toutes les issues à l'avant et à l'arrière étaient toujours fermées, l'air devenait vicié au point de provoquer un léger mal de tête chez ses occupantes. Au moins, à deux dans le même lit, elles se gardaient bien au chaud.

En ce jour d'exception, tout comme à Noël, Vénérance accueillit tout le monde avec des crêpes au retour de la messe du Premier de l'an. Ce repas suffirait à lester les estomacs jusqu'au soir. Félicité affichait une mine un peu triste, la mort de Floris hantant toujours son esprit. Qu'elle fasse tout de même bonne figure signifiait que le temps cicatrisait les vieilles blessures.

En après-midi, quand tous les locataires se furent dispersés, elle descendit avec son nécessaire à écrire pour s'installer à la table de la cuisine. La lettre émue de sa mère, arrivée le lendemain de Noël, méritait une réponse appliquée. Vénérance acceptait maintenant sa présence tout à fait de bonne grâce. Écrire si régulièrement à sa mère témoignait d'une bonne nature.

Enveloppée par l'odeur du poulet mis à cuire, avec près d'elle la ménagère résolue à entamer la nouvelle année en récurant sa maison, elle commença :

« Ma bonne maman,
J'espère que ta santé demeure excellente, tout comme celle de l'abbé Merlot. De mon côté, après tous les maux de l'année passée, je n'ai même pas attrapé un rhume. Ce n'est pourtant pas faute de travailler. Dans deux semaines, je commencerai mon huitième mois à la manufacture... »

Comment bien rendre compte de sa lassitude devant un travail aussi ingrat ? Elle se faisait l'impression d'être l'esclave des machines, condamnée à se soumettre au moindre changement de rythme dans le mouvement incessant des navettes volantes, ou à la rupture du plus petit fil.

« L'effort physique n'est plus aussi ardu qu'auparavant, mais l'ennui que je ressens à la tâche est lourd à porter... Au printemps, quand je m'exprimerai mieux en anglais, je compte bien me dénicher un emploi de vendeuse. »

Ces derniers mois, avec l'aide conjuguée de Phébée et John, la prononciation de certains mots anglais lui apparaissait moins mystérieuse. Elle arrivait à dire : *May I help you ?* de façon à peu près intelligible. Il lui restait à comprendre les diverses réponses possibles.

« Ce qui me tracasse le plus, c'est d'oublier tout ce que j'ai appris au couvent faute de m'en servir. »

Douze heures devant une machine l'abrutissait. Le soir, à la lueur d'une bougie, même avec la meilleure volonté du monde, lire devenait une entreprise difficile. Toutes les connaissances apprises au fil des ans risquaient de lui échapper, ce qu'elle percevait comme un horrible gâchis.

« *Je n'oublie pas tout ce que je te dois. Tu as sacrifié tes économies pour moi. Je ne veux pas te voir sans ressource. Je mets cinq dollars dans cette enveloppe. Je sais qu'un mandat serait plus prudent, mais au moment de l'échanger au bureau de poste, les gens feraient le lien avec moi.* »

Ce montant représentait une fraction importante des économies réalisées depuis des mois sur son maigre salaire. À l'idée de la rembourser au moins en partie, la jeune femme se sentait un peu moins honteuse de sa faute. Après quelques paragraphes plus gais, dont Phébée fut la vedette, Félicité conclut par des souhaits de bonne année. Elle imagina sa mère probablement affairée à ses fourneaux depuis le matin.

Dans une cuisine d'une propreté incontestable, les locataires se réunirent en soirée devant une volaille de bonne taille. De son côté, la famille Paquin faisait de même au salon, transformé en salle à manger pour l'occasion. Vénérance se voyait obligée de passer d'une pièce à l'autre pour faire le service et converser un peu avec ses enfants et les pensionnaires.

— Voyons, Félicité, tu ne vas pas refuser un verre de vin, insistait John. Nous sommes le Premier de l'an.

— Je travaille à sept heures demain matin. Le moindre retard, et on me mettra à la porte comme ça.

Elle fit le geste de chasser une poussière. Le nouveau contremaître gérait le travail des ouvrières sans abuser de son pouvoir, tout en maintenant le niveau des profits de l'entreprise. Cela signifiait une discipline bienveillante, mais très ferme. Ainsi, depuis le début de décembre, devant le fléchissement des commandes, l'effectif avait été réduit du tiers. Les plus vieilles, c'est-à-dire les moins productives, partaient les premières. Perdre son gagne-pain figurait parmi les expériences les plus difficiles, et un « je suis désolé » sincère n'atténuait en rien la mauvaise nouvelle.

— Je le sais bien, je dois aussi me lever à la même heure. En prendre juste un peu ne te fera pas de mal.

Elle accepta finalement, hésitante et résolue à se limiter à ne tremper que les lèvres.

— C'est très gentil à toi de nous offrir ces bouteilles, John, le remercia Phébée.

Elle regarda l'un après l'autre les deux artisans et le commis assis autour de la table. Aucun n'offrit de participer à la dépense.

— La générosité est ma plus belle vertu, répondit l'homme dans un sourire. N'est-ce pas, Crépin, il s'agit bien d'une vertu théologale ?

— Vous avez raison, monsieur Muir. Cependant, comme l'Église combat de toutes ses forces les abus d'alcool, je doute que votre geste soit bien reçu par le Créateur.

— Tu doutes, Crépin ? Pour un bon chrétien comme toi, c'est décevant. Connaîtrais-tu une crise de la foi ?

Le petit homme répondit par une grimace. Il ne payait peut-être pas sa quote-part, mais il ne boirait pas une goutte. Au poulet, ou plutôt à la poule arrivée à la fin de sa carrière de pondeuse, succéda une tarte aux pommes. Cette fois aussi, la famille Paquin se régalait du même mets dans le salon.

— Je me demande ce que 1885 nous réserve, commença Mainville. Ça va bien depuis quelques années, il y a beaucoup d'emplois. J'espère juste qu'aucune crise comme celle d'il y a dix ans ne nous tombera dessus.

Le machiniste, les joues rouges, profitait bien de l'offre d'alcool de son voisin.

— Comment c'était, il y a dix ans ? questionna Félicité, déjà un peu alarmée.

— Les affaires ont ralenti au point où une armée de chômeurs se promenait dans les rues de la ville, expliqua John. Dans ce temps-là, je terminais mon apprentissage. J'ai été chanceux de trouver quelque chose à faire. D'autres sont allés jusqu'aux États pour gagner leur vie.

— Tu as trouvé quoi, comme travail ? voulut savoir Phébée, assise directement à sa droite.

— La divine Providence m'est venue en aide, Dieu a eu la bonne idée de mettre le feu à une église de Montréal. Tu peux pas imaginer tout le travail de sculpture nécessaire pour faire un autel.

— Je ne tolérerai pas des mots comme ceux-là ! s'emporta Crépin.

Il repoussa le morceau de tarte, esquissant le geste de se lever.

— Bon, qu'est-ce qui se passe encore ? questionna Mainville, un peu las des états d'âme de son voisin.

— Parler de l'incendie de l'église comme d'une action de Dieu, d'une bonne occasion ! C'est sacrilège !

L'homme n'hésitait jamais à apporter la lumière à ses voisins, que ceux-ci veuillent la recevoir ou non.

— Je me demande, Crépin, si tu n'es pas le plus sacrilège d'entre nous, glissa Phébée.

Il détestait le tutoiement en général, plus encore de la part d'une femme.

— Mademoiselle Drolet, dit-il en insistant sur le premier mot, vous allez clarifier cette affirmation, j'espère.

— Dieu est bien responsable de tout ce qui se passe sur terre, n'est-ce pas ?

— … Ça, tout le monde le sait.

La jeune femme disait cela d'une voix douce, son délicieux visage encadré de ses cheveux blonds. La lampe à pétrole y faisait briller des reflets dorés. Elle en venait à ressembler à une magnifique madone.

— C'est donc Lui qui a voulu donner du travail à tous ces gens en période de crise.

— Vous n'êtes pas sérieuse, j'espère.

À une autre époque, une pareille théorie aurait conduit la jeune femme sur le bûcher.

— Tu veux dire que tu connais la volonté de Dieu ? demanda John. Tu peux nous dire le sens de chaque événement ?

— Pour celui-là, c'est une évidence : Il voulait punir les habitants de cette paroisse pour leurs péchés.

Un sentiment d'urgence sur le visage, le commis aux livres avalait maintenant son morceau de tarte comme s'il entendait le soustraire à la convoitise des autres. Il voulait fuir au plus vite ces mécréants, mais non sans avoir eu droit à sa part du repas.

— Mais cette punition n'a pas fait de tort à tout le monde. Moi, ça m'a donné un an de travail et la chance d'en apprendre pas mal.

— Bon, j'en ai assez entendu. Je monte.

Il se leva avec un tel empressement que sa chaise faillit se renverser. Charles tendit la main pour l'attraper de justesse.

— Bonne nuit, Crépin. Fais de beaux rêves… railla Mainville en se servant une bonne rasade de vin.

L'autre ne répondit pas. Un instant plus tard, son pas pesant se fit entendre dans l'escalier.

— Il y en a souvent, des crises ? demanda Félicité.

L'allusion au chômage la préoccupait. Un rien suffisait à lui rappeler la précarité de sa situation.

— Non, dit John. Ne te torture pas avec ça. Le nouveau chemin de fer sera terminé dans quelques mois, le commerce se porte bien, toutes les semaines des centaines de personnes de la campagne viennent s'établir à Montréal pour travailler.

— C'est vrai, renchérit Phébée. En décembre, nous avons vendu de belles toilettes comme jamais. Si des bourgeois peuvent mettre cinq, parfois dix dollars juste en dentelles sur le dos de leur fille, les affaires se portent bien.

La jeune ouvrière retrouva son sourire jusqu'à ce que Mainville échappe :

— Moi, mon père, perdre son emploi en 1877, ça l'a tué.

L'ébéniste se promit alors d'être moins généreux de son vin le jour de l'Épiphanie et des autres fêtes entourant la nouvelle année. L'initiative faisait trop d'esprits chagrins à son goût.

Le soir du 11 janvier, une foule compacte se massait aux alentours de la gare Dalhousie. En plein dimanche soir, pareille affluence avait de quoi surprendre, puisque le froid ambiant faisait regretter la douceur d'une pièce bien chauffée et le confort d'une bonne paire de chaussons.

— Tu crois qu'il vaut la peine de se geler les oreilles pour le voir ? demandait à nouveau Phébée. Nous sommes là depuis une heure.

— Mais il s'agit du premier ministre du Canada ! s'exclama Jules.

Ses compagnes montraient visiblement moins d'enthousiasme pour le grand visiteur. Le groupe se tenait près de la voie ferrée, les deux pieds dans la neige. Le quai était réservé à une brochette de notables, dont le maire de

Montréal, Jean-Louis Beaudry. Autour du cou, sur son manteau de castor, un très lourd collier de métal doré pendait. Si un malencontreux accident le précipitait à l'eau avec cet ornement, il coulerait à pic.

— Mais vous êtes libéral, pesta encore Phébée, et Macdonald est un conservateur.

— Il s'agit quand même du premier ministre.

— C'est son anniversaire, aujourd'hui, non ? demanda Félicité afin de donner un autre ton à la conversation.

— Oui, il a soixante-dix ans. C'est pour le souligner qu'il est en visite.

Visiblement, aux yeux de la couturière l'événement ne méritait pas toute cette excitation. Il en allait autrement pour les enthousiastes de la politique. Des notables du Parti conservateur se trouvaient sur les lieux, afin de partager avec leur chef des conciliabules discrets. Le wagon spécial mis à la disposition de celui-ci représentait l'endroit idéal pour ces rencontres. En effet, on gardait les rideaux tirés et des hommes fiables étaient postés à chaque extrémité de la voiture. Rien ne transpirerait de ces échanges. Finalement, des hommes sortirent du train mis à la disposition du politicien pour l'occasion, vêtus de leurs meilleures fourrures et de hauts-de-forme.

Puis ce fut le grand homme lui-même qui se présenta sur la plateforme à l'arrière de la voiture aménagée comme un salon luxueux. Pour prouver que tous, sans égard aux convictions politiques, savaient recevoir la grande visite, dans la foule les libéraux et les conservateurs battaient des mains à l'unisson et criaient des « hourra ! ». Même Phébée, malgré sa mauvaise humeur, participa comme les autres, mais seulement pour se réchauffer un peu.

Le manteau ouvert, John Alexander Macdonald ne portait aucun chapeau pour dissimuler sa tignasse de cheveux blancs. Le nez long et large sur une tête plutôt petite lui donnait l'air d'un oiseau.

— Il n'est vraiment pas très séduisant, remarqua Jules, amusé.

— Je ne dirais pas ça, murmura Phébée.

Son humeur maussade l'amenait peut-être à contredire son cavalier, ou encore l'aura de pouvoir qui se dégageait du visiteur agissait sur elle.

Le politicien commença d'une voix rauque un discours sur les accomplissements de son parti, revenu au pouvoir en 1878. Il en aurait encore pour quelques années à exercer les plus hautes fonctions. Même si Phébée comprenait fort bien l'anglais, la distance et le lourd accent écossais lui rendirent le tout inaccessible. Quant à Félicité, elle n'essaya même pas de saisir le moindre mot.

La présentation fut brève, Macdonald se retira bien vite. Les notables quittèrent le quai sans attendre, le bon peuple leva les yeux vers le ciel à la première détonation d'un feu d'artifice d'un beau bleu conservateur. Le spectacle se prolongea pendant dix bonnes minutes, embrasant l'obscurité dans une pluie d'étincelles.

Vers dix heures, la foule commença à se disperser. Jules réussit à jouer des coudes pour regagner la chaussée. Un véritable flot humain se déplaçait lentement. Pour ne pas être séparée de son ami, Phébée oublia un instant son mouvement d'humeur et agrippa la main de Félicité pour la garder en remorque. En rejoignant la rue Dorchester, la blonde reprit ses distances avant de laisser tomber avec une moue boudeuse :

— Je ne vous ai pas vu beaucoup depuis le 20 décembre.

Le ton de reproche toucha le garçon. Voilà qui expliquait le visage morose.

— Je suis désolé… À la fin de mon stage chez Gray, je devrai passer des examens pour devenir membre de la corporation des pharmaciens. Si j'échoue, tous mes efforts des dernières années seront perdus. Je dois donc étudier pour être fin prêt.

Le jeune homme marqua une pause avant de continuer, un peu penaud :

— Et aussi, je me suis rendu dans ma famille pour les Fêtes.

Elle eut envie de dire : « Et vous n'avez même pas pensé à me présenter à elle. » À Noël et au jour de l'An, à l'Épiphanie et lors des deux dimanches de festivité, comme un excellent fils il s'était rendu à Sainte-Rose. Seul. Cela ne paraissait pas très prometteur pour la suite des choses.

— Et là, vous me délaissez encore pour préparer des examens, ou pour vous mêler des élections municipales. Je n'en suis même pas certaine.

Encore une fois, elle n'osa pas aller jusqu'au bout de sa pensée : « Ces activités vous semblent plus intéressantes que moi. » Montrer toute son impatience le ferait peut-être fuir à toutes jambes.

— Le vote aura lieu très bientôt. Après, nous pourrons reprendre nos habitudes.

Le ton trahissait une certaine contrition. Tout de suite, elle redouta d'être allée trop loin. Aussi sa main se glissa sous le bras du jeune homme, pour y enrouler le sien.

— Bien sûr, reprit-elle plus doucement, les choses se passeront mieux dans quelque temps.

Tout de même, la conclusion manquait un peu de conviction. Ils s'approchaient de la ruelle Berri maintenant. Dans un instant ils se quitteraient. Phébée devait faire meilleure figure, ne pas le laisser partir avec le souvenir de son impatience. Devant la porte, elle tendit la main.

— Je vous remercie pour cette soirée, monsieur Abel.

— … Le plaisir a été pour moi.

Dans les circonstances, prise au sens propre l'expression témoignait de sa perplexité. Du trio, lui seul s'intéressait à la politique. Sans le feu d'artifice, les deux autres n'y auraient certainement pas trouvé leur compte. Le garçon salua Félicité en touchant son chapeau, puis il s'éloigna dans la nuit.

Une fois dans la chambre, la couturière laissa libre cours à sa frustration.

— Il me laisse seule tout l'après-midi pour faire de la politique, puis il m'emmène me geler les fesses pour voir un vieux monsieur tout dépeigné. Il nous a gâché notre dimanche.

— Tout de même, le premier ministre !

— Il pourrait bien être le roi d'Angleterre, ça ne change rien. Que pense-t-il ? Qu'aucun autre garçon ne pourrait s'intéresser à moi ? Je n'ai qu'à me montrer, et ils accourent.

Sa frustration, ou plutôt sa peur de voir un beau parti s'envoler, la rendait déraisonnable. Félicité savait que son amie ne restait jamais bien longtemps de mauvaise humeur. Mieux valait se mettre au lit et laisser passer l'orage.

Jules se tint un moment devant la maison de Vénérance, songeur. Une « simple couturière », avait dit sa mère. Si un jour Léonie apercevait ce taudis, elle viendrait elle-même s'assurer que jamais il ne la revoie.

Il rebroussa chemin pour regagner la rue Dorchester. Des jeunes gens revenaient du carré Viger à pas lents, absorbés par des discussions politiques. Chez les étudiants ou les jeunes professionnels, les libéraux devenaient de plus en plus nombreux. Les affrontements d'idées prenaient parfois un ton véhément. Peut-être lassé de voir ses convictions raillées par ses compagnons, un jeune avocat conservateur l'apostropha tandis qu'il s'engageait sur le trottoir :

— Eh ! Abel, que faisais-tu dans ce trou ? Tu ne me diras pas que la jolie blonde avec laquelle on te voit depuis des mois à la sortie de l'église habite là !

— J'avais cru voir quelque chose là-bas…

— Quelque chose… Pas quelqu'un avec qui s'encanailler ?

La remarque fit rire les autres jeunes gens.

— C'est vrai que les petites ouvrières sont pas mal gentilles, quand elles rêvent de mettre la main sur un professionnel, ironisa l'un d'eux.

— J'ai autre chose à faire qu'écouter les commentaires de conservateurs à moitié saouls, riposta Jules.

Un peu rageur, un peu honteux, le garçon allongea le pas pour distancer le petit groupe et atteindre au plus vite la rue Berri. Derrière, quelqu'un s'esclaffa. Avec un pincement au cœur, il se dit que l'on se moquait de lui.

Dès le début de décembre, l'effectif de la Dominion Cotton avait diminué un peu. Ce mouvement s'accéléra en janvier. Si, après les dépenses des fêtes, de nombreux ménages devaient resserrer les cordons de la bourse, la situation devenait plus précaire quand il fallait tenir les poêles allumés toute la journée pour se réchauffer. Les prix du bois et du charbon montaient en flèche. Il en allait de même pour la nourriture. Une fois les biens essentiels payés, presque personne n'avait les moyens de refaire la provision de draps, de mettre de nouveaux rideaux aux fenêtres, ni même d'acquérir de nouveaux vêtements.

Bien sûr, dans des quartiers bourgeois comme Saint-Jacques et Saint-Louis, l'achat des biens de première nécessité ne drainait pas toutes les ressources. Les exigences de la religion conduisaient aussi à réduire les dépenses. Lors du carême, que les meilleurs chrétiens faisaient commencer avant le temps, il convenait de se priver : les plus pauvres du nécessaire, les plus riches du superflu. En chaire, les curés expliquaient à ces derniers comment obtenir leur salut. Le sacrifice d'une robe, d'un chapeau, d'un manteau, cela représentait de belles façons de se mortifier. Pendant des semaines, aucune paroissienne n'oserait se présenter à l'église avec une parure inédite.

Tout se conjuguait pour provoquer un chômage saisonnier. Les entrepreneurs n'accumulaient pas d'inventaire dans des entrepôts, ils alimentaient leurs clients au jour le jour. Le 18 janvier, la manufacture n'employait plus que la moitié des travailleurs embauchés l'été précédent. Félicité sentait la menace peser sur elle. Lors de la distribution des enveloppes contenant les gages ce jour-là, Rouillard se présenta avec sa mine des mauvais jours.

— Ça y est, grommela Germaine qui prenait place dans la file comme à l'habitude. Aujourd'hui, il ferme les portes.

Cette éventualité alimentait les discussions tous les midis. La prédiction de Germaine se révéla exacte. Avant de remettre ses enveloppes, le contremaître se donna des allures de prédicateur :

— Je déteste avoir à faire ça, mais il le faut. Lundi, ne vous présentez pas à l'ouvrage, ce sera fermé.

Le silence pesa d'abord dans la grande salle, puis quelqu'un demanda, visiblement au bord des larmes :

— Jusqu'à quand ?

— Au moins deux semaines. Venez voir le premier lundi de février. Nous pourrons peut-être redémarrer certains moulins.

Comme pour les mises à pied, le retour ne se ferait pas en masse. Félicité entendait des jurons autour d'elle, des pleurs aussi. La colère faisait de plus en plus place à la résignation, mais surtout à la peur qui, au fond, ne quittait jamais ces femmes : celle de ne pas « arriver ». Réduire la quantité de nourriture, laisser le poêle à bois refroidir entre les repas, c'était mettre en jeu la vie des plus fragiles. Pour les moins chanceuses, ou celles chargées des familles les plus nombreuses, cela signifierait peut-être la perte d'un enfant. À la ville comme à la campagne, Félicité le savait bien maintenant, les plus chétifs ne traversaient pas toujours les périodes de disette.

— Bon, maintenant les gages, dit Rouillard, visiblement heureux que le plus difficile soit passé.

Comme à toutes les autres, lorsqu'il tendit l'enveloppe à Félicité, il dit :

— J'espère qu'on se reverra bientôt.

— C'est vrai, murmura-t-elle, aux abois, vous me reprendrez ?

— Bien sûr. T'en fais pas.

Toujours les mêmes mots, vagues à souhait, pour rassurer. Elle aurait voulu obtenir une promesse ferme, mais n'osa pas insister. Sans personne à charge, elle avait moins de motifs que la plupart des autres de se plaindre. Dehors, malgré le froid, les ouvrières hésitaient à se disperser, comme si elles espéraient que le contremaître vienne leur annoncer qu'elles pourraient revenir dès le lundi. Germaine interpella Félicité :

— Alors, la petite, c'est la première fois que tu te fais *slaquer* ?

Dans les faits, c'était la seconde fois qu'elle essuyait un renvoi, et la première lui laissait un souvenir infiniment cuisant. On n'en prenait jamais l'habitude, elle ressentait la même angoisse qu'à l'époque de quitter Saint-Eugène.

— Oui, mentit-elle.

— Au moins, celui-là ne nous rit pas en pleine face. Ç'a même l'air de lui faire de la peine pour vrai. Allez, bonne chance.

— … À toi aussi, bonne chance.

Quand Rachel vint la rejoindre, des larmes sur les joues, la jeune femme eut un pincement au cœur.

— Que vas-tu faire pour les enfants ?

Tout de suite Félicité regretta ses mots, les voyant comme un couteau tourné dans la plaie.

— Il faut que je gagne. Dès lundi, je me mettrai à chercher.

— Il y a des emplois disponibles ?

Un petit espoir pointait dans la voix de la châtaine.

— J'sais pas, mais je veux pas m'écraser à la maison. Je verrai dans le quartier si je peux laver de la vaisselle, faire les planchers. Si nous pouvons avoir une bonne bordée de neige, je passerai de porte en porte dans les rues des bourgeois avec une pelle.

Dégager le devant d'une maison pour trois cents représentait la dernière ressource des plus miséreux.

— Au moins, tu seras un peu plus présente pour tes enfants.

— Non, j'pense pas. À l'asile, les religieuses leur donnent du pain, le midi. J'peux pas leur enlever ça.

L'évocation de cette misère peinait la jeune femme. Aussi mit-elle fin à la discussion de façon un peu abrupte.

— Bon, je te laisse aller les retrouver. À bientôt, j'espère, et bonne chance.

— … Bonne chance.

Des larmes vite gelées ne cessaient de couler des yeux de Rachel. Félicité s'enfuit, un peu honteuse. Elle aperçut Mainville qui quittait la manufacture avec un gros coffre à outils.

— Toi aussi ? demanda-t-elle.

— Bien sûr, moi aussi. Si tous les métiers sont arrêtés, un mécanicien ne sert plus à rien.

Elle ignora le ton colérique. Ce jour-là, personne ne devait se souvenir des leçons de savoir-vivre apprises à la petite école.

— Tu dois ramener tout ça ? demanda-t-elle alors qu'ils marchaient vers la maison.

— Ça vaut une petite fortune. Ces outils sont à moi, j'veux pas m'les faire voler. Pis si je peux travailler ailleurs une journée ou deux chaque semaine, j'en aurai besoin.

Lui aussi offrirait ses services à droite et à gauche. L'ouvrière se résolut à faire de même. En ne dépensant rien d'autre, dormir à l'abri du froid et manger la nourriture de Vénérance lui coûteraient un dollar tous les dimanches. Pendant ce temps, elle n'encaisserait pas un sou.

La chambre, ce soir-là, embaumait le savon, car les deux jeunes femmes venaient de faire leur toilette. Les cheveux encore humides, elles les brossaient avec application.

— Je me demande combien de temps la manufacture restera fermée, répétait Félicité pour la dixième fois peut-être, tellement sa situation l'inquiétait. Le contremaître a parlé de deux semaines…

— Si c'est aussi court, tu auras de la chance. Parfois, on voit des arrêts de deux mois.

Le visage de son amie exprima un tel désarroi que Phébée s'empressa d'ajouter :

— Mais ton patron le sait certainement mieux que moi. Comme tu as été parmi les dernières à partir, tu seras parmi les premières à revenir.

La supposition ressemblait à un vœu pieux, mais Félicité voulut la croire, sinon elle ne dormirait pas de la nuit.

— Toi, de ton côté, comment les choses se présentent-elles ?

— Madame Marly m'a demandé de faire l'inventaire de la marchandise et de tout mettre en ordre. Très bientôt, elle me donnera mon congé aussi.

— Mais les gens ont toujours besoin de vêtements.

— Non. Tu sais combien nous sommes capables de faire durer nos robes. Il y a dix clientes maximum par jour, ces temps-ci, et elles veulent des jupons, des bas, des choses comme ça. Une couturière ne sert à rien, dans ce cas. Même pas pour ravauder : ça, les domestiques savent le faire. La patronne ne me paiera pas encore bien longtemps à changer des piles de vêtements de place dans la boutique.

Phébée n'affichait pas une trop grande angoisse face à cette éventualité.

— Dans ce cas, que feras-tu ?

— Madame Marly me garde aussi longtemps que possible, elle me reprendra sans doute bien avant Pâques. Le printemps s'avère toujours une bonne saison, les femmes changent de toilette. Elle a peur que je me trouve un meilleur emploi ailleurs, alors elle prend soin de moi.

Un peu comme John, son habileté particulière, que les boutiquiers de la rue Sainte-Catherine connaissaient, semblait la mettre à l'abri du besoin. L'ébéniste n'exprimait de son côté aucune crainte du chômage d'hiver, comme si personne ne pouvait le remplacer dans les ateliers du Canadien Pacifique.

— Ne fais pas cette mine désolée, dit la blonde d'un air gai pour la réconforter. Les gens auront besoin de coton encore cette année, pour les draps, les vêtements. Les chances que tu retournes à la manufacture dans deux semaines sont grandes. Tout ira bien.

En disant cela, elle toucha l'épaule de son amie. Cette attention fit naître un sourire sur les lèvres de Félicité, mais ne calma en rien ses appréhensions.

— Si ça dure plus de deux mois, je n'aurai plus un sou. Enfin, plus rien de mes économies. Le reste, je ne veux pas y toucher. C'est l'argent de maman.

Partager la même chambre, le même lit, n'était guère compatible avec la préservation des secrets. Enfin, de ceux que l'on pouvait confier sans mourir de honte. Chacune connaissait la petite réserve de l'autre, quelques billets de banque tout chiffonnés destinés à parer aux plus mauvais coups du sort, ou à rembourser une dette d'honneur.

— Si tu ne retournes pas au travail en février, tu verras à ce moment-là. Bon, couchons-nous maintenant, si nous voulons économiser cette bougie.

Malgré ses paroles rassurantes, Phébée entendait visible-ment ajuster leurs dépenses communes à leurs ressources déclinantes.

— Lundi, je vais essayer de me trouver un travail, n'importe quoi, dit Félicité. Je ne peux passer de longues journées à ne rien faire, dans l'obscurité.

— Où penses-tu offrir tes services ? demanda la coutu-rière.

— Dans les magasins. Je connais un peu mieux l'anglais, maintenant, grâce à toi.

— Bonne idée, mais tu sais, dans le commerce aussi, des gens sont mis à la porte.

— Tout de même, je vais essayer.

Elle s'accrochait à cet espoir, pour réduire son anxiété.

— Si ça ne marche pas, ne t'enferme pas dans cette pièce. Descends dans la cuisine. Vénérance n'est pas si méchante, elle te laissera t'asseoir, si tu ne dis pas un mot.

Cette perspective lui paraissait à peine meilleure que la solitude de la chambre.

Chapitre 14

Le lundi suivant, après le déjeuner, Charles, Phébée et John se dirigèrent vers leur travail. Les trois autres s'attardèrent à table.

— Toi aussi, tu as été mise au chômage ? demanda Félicité à sa voisine.

— Oui, j'ai été slackée, dit Hélidia avec colère. Si les métiers à tisser arrêtent de fonctionner, les filatures ferment aussi.

La jeune femme se sentit sotte de ne pas y avoir songé. Tout s'enchaînait, bientôt des milliers de personnes erreraient dans les rues, cherchant à s'occuper.

Vénérance s'approcha de la table en essuyant ses mains sur son tablier.

— J'suis désolée pour vous, mais les enfants doivent pas être en retard à l'école.

— Oh ! Vous avez raison, madame, dit Félicité en se levant.

Comme d'habitude, la ménagère effectuait toutes ses tâches en double, pour ses locataires en premier le matin, et sa famille ensuite, et dans l'ordre inverse le soir. Les chômeurs quittèrent la pièce pour regagner leur chambre alors que les enfants sortaient de la leur.

— Bonjour, Fernande, dit l'ancienne institutrice en s'arrêtant un instant, tout sourire. Tu aimes toujours l'école ?

La gamine portait son uniforme noir. Dans une heure, elle entrerait dans le couvent situé tout près de l'église Saint-Jacques.

— Oui, répondit-elle timidement.

Ses deux frères continuèrent leur chemin vers la cuisine, plus intéressés par le gruau que par la conversation avec une ouvrière.

— Tu ne portes pas la même robe que d'habitude, remarqua la fillette.

— Ce matin, je ne vais pas à la manufacture.

— Celle-là est plus jolie.

Tout vêtement la faisait mieux paraître que la vieille robe portée à la manufacture. Son accoutrement destiné au travail lui donnait l'air d'une pauvresse… ou d'une ouvrière, ce qui signifiait la même chose.

— Merci. Si jamais tu as des difficultés dans une matière, dis-le-moi, je pourrai t'aider.

Fernande jeta sur elle un regard perplexe, comme s'il s'agissait d'une proposition totalement incongrue. Félicité comprit combien elle n'incarnait plus la maîtresse d'école. Ses doigts n'étaient plus tachés d'encre, mais portaient plutôt les blessures causées par les fils de trame ou de chaîne.

À l'étage, quand elle regagna sa chambre, Hélidia était dans la sienne, étendue sur le lit. Impossible de fermer la porte et de s'astreindre à des heures d'obscurité en plein jour. L'intimité de chacune en souffrait.

Une heure plus tard, son paletot dans les mains, Félicité se présenta à l'entrée de la cuisine.

— Madame Paquin?

La logeuse leva la tête de la cuisinière au charbon dont elle frottait la surface avec énergie.

— Vous avez beaucoup de travail, n'est-ce pas?

— J'arrête jamais.

Le visage de Vénérance se ferma tout de suite. Elle devinait la suite.

— Je pourrais vous aider. Je ne vous demanderai rien, sauf une réduction du loyer hebdomadaire.

— T'as plus rien pour payer la semaine prochaine?

— Non, non, ce n'est pas ça. Je veux cependant économiser tout ce que je peux.

La ménagère secoua la tête, et déclara un ton plus bas:

— On peut pas se permettre de se passer de nos loyers. Désolée, la petite. De toute façon, tout reviendra à la normale, tu verras. Dans quelques semaines…

Tous, même s'ils ne savaient rien de l'avenir, répétaient les mêmes paroles optimistes.

— C'est dommage…, répondit la jeune femme.

Elle marqua une pause avant de reprendre:

— Mais des voisines ont peut-être besoin d'un coup de main. Vous connaissez les maîtresses de maison tout autour, n'est-ce pas?

— En cette saison, tout le monde essaie de ramasser des cents, pas de les donner à des étrangers. Pis tu sais, si quelqu'un veut embaucher une femme de charge, ce sera pour les tâches les plus lourdes. T'es pas bâtie pour ça.

— Je fais toutes mes journées à la manufacture.

— Des filles de douze ans surveillent des moulins, ça demande pas beaucoup de force. Mais pour nettoyer un poêle comme celui-là…

De la main, elle désignait le gros appareil de cuisson au charbon.

— Écoute mon conseil, cherche ailleurs. Faire le ménage, c'est pas pour toi. Regarde-toi, tu fais demoiselle.

Félicité baissa les yeux pour contempler sa robe de laine d'un bleu presque noir. Oui, si on ne s'arrêtait pas à son usure, le vêtement lui donnait belle allure.

— C'est la seule que je possède assez chaude pour l'hiver… à part celle que je mets pour la manufacture.

— Les autres filles, dans ta *shop*, elles ont une seule robe pour l'été et l'hiver.

Vénérance prit la cuvette pour aller vider l'eau souillée dans la cour arrière. La jeune femme en profita pour sortir, maintenant un peu honteuse de sa démarche. Offrir ses services à sa logeuse, c'était comme demander la charité. L'orgueil ne faisait pas bon ménage avec la recherche d'emploi.

Si elle se dirigeait vers l'ouest, la maîtrise de l'anglais serait essentielle. Aussi Félicité commença par se rendre au coin de la rue Sainte-Catherine, puis alla vers l'est, traversant dans les deux sens le pavé couvert de neige pour ne rater aucun commerce. Elle passa tout droit devant la boutique Les Confections Marly, pour s'épargner la gêne de quêter un emploi devant son amie.

Sa demande prenait toujours la même allure, qu'il s'agisse d'une épicerie, d'un magasin de chaussures ou de vêtements : « Avez-vous du travail à me donner ? » La réponse qu'elle recevait ne différait pas non plus : les propriétaires ne faisant déjà pas leurs frais, aucun ne pouvait se permettre d'embaucher.

Par souci d'économie, Félicité se priva de dîner ce jour-là. En ne fournissant aucun effort sauf celui d'aller d'un commerce à l'autre, le gruau du matin et le bouilli du soir lui suffiraient. Un peu avant sept heures, Phébée la retrouva dans la chambre, la porte fermée, dans la plus totale obscurité. En allumant la chandelle, elle vit les paupières gonflées.

— Voyons, ne te mets pas dans cet état.

— Je me suis arrêtée dans une cinquantaine de commerces, sans succès.

— Je te l'avais dit. Actuellement, personne n'embauche. Il te faudrait une chance inouïe pour trouver.

L'ancienne institutrice essuya son visage avec un bout du drap, pour cacher ses larmes, se donner une contenance.

— J'ai même demandé à Vénérance de l'aider, contre une partie du prix de la pension.

— Seigneur ! Tu es une fille déterminée, pour affronter notre logeuse. Bon, viens manger, maintenant.

— Ça me gêne que l'on me voie dans cet état.

La blonde souffla la bougie, saisit le bras de son amie et l'entraîna vers la porte dans la plus complète obscurité. Avec le temps, elles en étaient venues à se mouvoir comme des aveugles. Dans la cuisine, Vénérance demeura coite pendant le service, l'air soucieux. Elle risquait de subir les conséquences des difficultés de ses pensionnaires.

— Mainville, tu as pu trouver quelque chose ? demanda Phébée.

— Quelqu'un connaît quelqu'un qui aurait peut-être envie de refaire sa plomberie. J'irai voir demain.

— Si tu as besoin d'aide, je suis intéressé, lui offrit Charles.

Le machiniste montrait un visage morose depuis le début du repas.

— Toi aussi ?

— Les gens achètent moins de tabac en plein hiver, y paraît. La *shop* sera fermée demain.

Bientôt, à cette table, seul Crépin Dallet et John Muir occuperaient un emploi. Le premier voyait là une juste bénédiction du ciel, mais il eut la décence de ne pas formuler ses réflexions à haute voix.

Le lendemain, Félicité choisit de poursuivre sa quête dans la rue Ontario. Les commerces, moins nombreux, lui permettaient de progresser plus rapidement et de s'aventurer plus loin. Malgré les réponses identiques à celles de la veille, elle arrivait à faire meilleure figure devant les refus. Sans vraiment s'en rendre compte, elle passa des quartiers Saint-Jacques et Sainte-Marie dans Hochelaga. La densité des habitations diminuait, parfois jusqu'à laisser de grands terrains inoccupés.

Les chances de trouver un emploi de vendeuse dans ces parages s'amenuisaient encore davantage. Au coin de la rue Désiré, elle bifurqua vers le sud. Au terme de cette longue marche se trouvait la grande usine de la Hochelaga Cotton, donnant directement sur le fleuve. Si l'imposante cheminée crachait une fumée noire dans le ciel, les machines à vapeur tournaient donc encore et, vraisemblablement, les métiers produisaient du tissu.

Près de l'entrée donnant sur la rue Notre-Dame, Félicité aperçut un gardien chenu assis dans une petite pièce, un cagibi en fait.

— Monsieur, je me cherche du travail.

L'homme la regarda des pieds à la tête. Il n'eut pas le cœur de lui annoncer la mauvaise nouvelle lui-même.

— Suis le bruit, tu trouveras le *foreman* dans la seule salle encore ouverte.

L'ouvrière hocha la tête. Déjà, elle connaissait l'issue de sa démarche. Pourtant, elle fit comme on le lui disait. Le son des machines devenait de plus en plus assourdissant.

Dans la salle, un gros homme lui tournait le dos. Elle crut se trouver en présence de son ancien contremaître, Onil Grondin.

— C'est impossible, formula-t-elle à mi-voix.

Dans ce vacarme, personne ne l'entendit. D'un pas mal assuré, elle se dirigea vers l'inconnu. Il se retourna, sentant une présence derrière lui. Outre la carrure, elle fut soulagée de constater qu'il n'avait rien de commun avec Onil, son bourreau.

— Je cherche du travail, hurla-t-elle.

— … Regarde.

L'homme désignait les rangées de métiers bien alignés. La moitié de ceux-ci était arrêtée.

— Tu as de l'expérience ?

— Oui, à la Dominion Cotton.

— Reviens en avril, là nous recommencerons à recruter.

De la tête, Félicité acquiesça, puis tourna les talons. Dehors, le froid lui parut plus vif et le ciel, plus lourd. Une couche de glace et de neige durcie rendait son pas incertain, le vent lui pinçait les joues.

Au coin de la rue Ontario, elle remarqua la boutique d'un certain Octave Duplessis. En grandes lettres blanches dans la vitrine, quelqu'un avait écrit « Librairie », et un peu plus bas, sur deux lignes et en plus petits caractères, « Produits de papeterie » et « Travaux d'impression ».

Félicité s'y engouffra, le vague à l'âme. La porte s'ouvrit sur une salle plutôt étroite et profonde, très éclairée d'abord par les fenêtres, puis de plus en plus sombre en s'éloignant de la rue. Personne ne se tenait derrière le comptoir.

De grands rayonnages contenaient des centaines de livres. D'autres occupaient des tables.

Sur la plus proche, Félicité aperçut des manuels scolaires, ceux des cours modèle et académique. Elle enleva sa mitaine pour prendre une édition récente des *Devoirs du chrétien envers Dieu*. Cet objet lui semblait appartenir à une autre vie.

— Vous êtes certainement un peu trop âgée pour fréquenter encore l'école, fit une voix à l'accent étrange, et trop jeune pour avoir des enfants rendus aussi loin dans leur scolarité.

Un homme d'une trentaine d'années venait vers elle, tout sourire. Sa grosse tête débonnaire, sa chevelure emmêlée, tout lui donnait un air sympathique.

— … Monsieur, je cherche du travail.

— Ah ça, malheureusement, je n'en vends pas. Je me contente de tous ces livres, mais la ville me paraît pauvre en lecteurs.

Il écartait les bras de son corps, les mains tournées vers elle, pour montrer son impuissance. Félicité avait essuyé des dizaines de refus depuis la veille. L'inquiétude, la fatigue accumulée se liguèrent pour lui mettre des larmes aux yeux. Elle n'arriva pas à contenir ses émotions. Le marchand, interdit, s'approcha avant de dire :

— Je ne voulais pas… Je sais, ce n'est pas une façon de répondre aux gens, je suis bien maladroit.

— Je m'excuse… Je ne sais pas ce qui me prend.

La jeune femme tourna les talons, prête à courir vers la porte. L'homme lui barra le passage, posa la main sur son avant-bras pour dire :

— Vous vous en irez quand vous vous sentirez un peu mieux. Là, les passants croiront que je maltraite mes clientes, dit-il en lui adressant un clin d'œil.

Personne ne passait dans la rue, le motif était bien peu crédible, mais la chômeuse s'immobilisa tout de même en détournant le visage par pudeur.

— Je ne sais pas ce qui me prend, répéta-t-elle avec difficulté entre deux sanglots.

— Moi, je sais. Vous êtes sans travail, vous êtes fatiguée et glacée jusqu'aux os avec ce manteau trop mince.

La sollicitude dans la voix eut l'effet d'un déclencheur, Félicité redoubla ses pleurs.

— Allons. Vous allez vous asseoir là, dit-il en désignant une chaise placée contre une petite table portant un nécessaire à écrire.

— Non, je ne veux pas vous importuner…

— Si vous êtes sans travail, aucune tâche urgente ne vous appelle. Puis raison de plus pour rester, je faisais du thé, à l'arrière. J'aime bien en partager avec les clients.

En tenant toujours son bras, il la conduisait vers le siège. Quand elle fut installée, il la regarda, un sourire sur les lèvres.

— Vous ne me décevrez pas, n'est-ce pas ? Vous ne prendrez pas la fuite quand je tournerai le dos, promis ?

— Promis, balbutia-t-elle, déjà un peu plus maîtresse d'elle-même.

— Alors, pendant mon absence, que diriez-vous de vous moucher ? dit-il comme il retournait vers l'arrière de son commerce.

Un peu honteuse de son allure, maintenant, Félicité sortit son mouchoir pour se rendre présentable, mais elle ne pensa même pas à quitter la librairie. Les lieux et cet homme chaleureux la rassuraient. L'amoncellement de livres retint son attention. Elle n'en avait jamais vu autant. Un an plus tôt, elle ignorait totalement l'existence d'endroits où on en trouvait en si grande quantité. Sa surprise et sa fascination l'occupèrent assez pour la rasséréner.

Le libraire revint bientôt avec un plateau dans les mains.

— Voulez-vous mettre tout ça sur la table à côté?

Comme si elle avait été prise en défaut, la jeune femme déplaça le papier, la plume et le bel encrier de bronze sur la table voisine.

— Vous devriez aussi détacher votre manteau pour éviter de prendre froid lorsque vous sortirez.

Tout en parlant, l'homme versait du thé dans une petite tasse bleue, puis dans une seconde. Des biscuits Village, un produit de la grosse manufacture Viau située pas très loin, se trouvaient aussi sur le plateau. Félicité ne pouvait en détacher les yeux.

— Servez-vous, mademoiselle, je vous en prie.

Elle se sentit un peu gênée de s'être trahie si facilement. Le simple fait de voir de la nourriture amenait son estomac à s'exprimer. Pour retrouver sa contenance, elle commença à détacher son manteau.

— Enlevez-le, je vais l'accrocher là-bas.

Ce libraire affable et très poli inspirait suffisamment confiance à Félicité pour qu'elle fasse ce qu'il lui disait. Elle constatait à quel point ces qualités lui avaient manqué, dans son logis actuel et à la manufacture. Elle se leva pour laisser glisser le manteau sur ses épaules, il l'aida à l'enlever pour aller le pendre à une patère. En revenant, il apprécia la jolie silhouette, la robe bien coupée.

— Vous en êtes à chercher un premier emploi? demanda-t-il en approchant une chaise de la petite table pour s'asseoir à son tour.

— Si vous avez cette impression, ça signifie que je vous ai semblé bien maladroite dans ma démarche, répondit-elle en portant la tasse à ses lèvres.

Des yeux, cet homme paraissait la jauger mais étrangement elle ne ressentait ni timidité ni menace, en dépit de ses expériences passées. D'instinct, elle savait qu'il ne lui voulait aucun mal.

— Prenez, dit-il en lui présentant l'assiette de biscuits.

Elle tendit la main, se sentit un peu honteuse d'exposer ses doigts devenus rugueux et ses ongles cassés. Son interlocuteur se servit aussi, certainement pour la mettre un peu plus à l'aise.

— Je ne dirais pas maladroite, mais la situation vous gêne visiblement. Tout à l'heure, par exemple, votre demande d'emploi est venue précipitamment, sans conversation préalable.

— Voilà deux jours que j'entre dans tous les commerces pour demander un emploi de vendeuse. Ma façon de faire ne doit pas témoigner d'une grande habileté à traiter avec les clients.

Le sourire du libraire voulait tout dire.

— Vous travailliez avant ça, si je comprends bien ?

— J'ai été mise à pied samedi dernier, je ne peux pas me permettre de demeurer à ne rien faire, pour des semaines peut-être.

Comme l'autre gardait les yeux sur son visage, elle admit un peu à contrecœur :

— J'étais à la Dominion Cotton.

L'attitude du commerçant ne changea pas, ou peut-être si : une plus grande sympathie encore sembla se dessiner sur ses traits.

— Vous n'avez pas dit slackée.

Le rose monta aux joues de la jeune femme. Il la soupçonnait sans doute de vouloir dissimuler sa condition derrière un langage affecté, prétentieux.

— Je peux bien le dire, si vous jugez cela préférable.

— Pourquoi ? Vous connaissez les mots corrects, vous les utilisez à bon escient. Pourquoi jouer à l'ignorante alors, puisque vous avez eu la chance d'étudier ?

Se trouver devant quelqu'un de si perspicace alarma un peu la jeune fille.

— Le livre que vous aviez en main tout à l'heure, continua-t-il, *Les Devoirs du chrétien*, vous le connaissez ?

— Par cœur, je pense.

— Par cœur ?

De peur qu'il ne lui demande d'en citer un passage de mémoire, elle s'empressa d'ajouter :

— On le trouve dans toutes les écoles, vous savez. La directrice de mon couvent a eu la gentillesse de m'en remettre une copie, à la fin de ma scolarité.

— Vous avez terminé le cours académique ?

— … Oui.

— Vous n'avez pas pensé vous faire institutrice ?

Cette fois, Félicité sentit le sang lui affluer au visage. Après des mois à dissimuler son passé, cet inconnu le devinait après un échange de quelques phrases. Elle prit un autre biscuit pour se donner une contenance, dut avaler un peu de thé pour ne pas s'étouffer avec la première bouchée.

— Vous savez, une ouvrière reçoit une fois et demie le salaire d'une institutrice, une fois tout bien compté. J'avais besoin de cet argent.

Avouer sa pauvreté lui semblait infiniment plus facile que d'évoquer sa déchéance.

— Ma mère est domestique dans un presbytère, se justifia-t-elle encore.

L'homme opina avant de reprendre :

— Oui, je suis au courant de l'injustice des salaires… Dans le *Journal de l'Instruction publique*, le surintendant Ouimet insiste sur cette rémunération misérable.

L'allusion au fonctionnaire apeura encore plus l'ancienne institutrice, lui ramenant en mémoire d'horribles souvenirs. L'homme interpréta mal son attitude.

— Oh, je vous pose des questions bien indiscrètes, pardonnez mon manque de tact. Comme vous le voyez, en cette saison et à cette heure de la journée, je ne vois personne. J'en suis à presser les gens de me faire la conversation.

C'était une autre façon de dire qu'il ne pouvait embaucher personne. Cette fois, Félicité répondit par un sourire.

— Mais venons-en à un sujet qui nous intéresse tous les deux : les livres, reprit-il. À part *Les Devoirs du chrétien*, que lisez-vous ?

— … Des romans.

L'aveu fut fait après une hésitation. Sa familiarité avec les œuvres de fiction datait d'un peu moins d'un an, et elle la devait au curé Sasseville.

— Alors, dites-moi, quel est le dernier que vous avez lu ?

Félicité n'osa répondre. Elle se tenait très droite sur sa chaise, les mains dans son giron. Une parfaite couventine, avec une petite différence toutefois : les épaules rejetées vers l'arrière mettaient maintenant en évidence de jolis seins bien moulés par la robe de laine.

— Voyons, ce n'est certainement pas un secret.

Dans les yeux de son interlocuteur, Félicité lut un scepticisme croissant. L'idée qu'il la soupçonne de mentir lui parut insupportable et elle se décida donc à faire un petit étalage de sa culture.

— Dans la dernière année, j'ai parcouru des romans de Maupassant, Flaubert et Dumas. J'ai feuilleté du Zola, mais ça m'a semblé trop… rude.

Un sourire marqua la commissure des yeux du libraire.

— Le destin malheureux des femmes semble vous toucher de près. En regard de toutes ces lectures, quel personnage vous semble le plus dramatique ?

Félicité ressentit à nouveau la fierté de la bonne élève connaissant toutes les réponses.

— Emma Rouault, je crois. D'un autre côté, Marguerite Gautier…

Elle s'arrêta, terriblement mal à l'aise d'avoir évoqué des titres à l'Index.

— Je ne suis pas curé, vous savez.

La répartie montrait combien il suivait facilement le cours de ses pensées.

— Ça ne prouve pas que vous êtes moins sévère qu'eux !

Il riva son regard franc dans le sien.

— Il n'y a que l'hypocrisie des gens qui me rende sévère. Jamais leurs lectures.

Félicité revit Sasseville en pensée. Oui, celui-là était sournois, hypocrite. Elle battit des cils, sentit une larme quitter son œil gauche. L'essuyer aurait attiré l'attention sur son émotion. À la dévisager comme il le faisait, pouvait-il ne pas la voir ? Une part d'elle l'incitait à fuir. Dans les yeux du libraire, elle reconnaissait un peu l'émotion du curé. Du contremaître, aussi ? Toutefois elle percevait aussi une grande différence. Cette différence, justement, la convainquait de rester où elle était.

— Vous ne m'avez pas répondu, lui reprocha-t-il d'une voix douce. Votre dernière lecture ?

— … *Notre-Dame de Paris.* J'ai trouvé une copie abîmée dans le bric-à-brac d'un marchand de la rue Saint-Laurent. Ça m'a fait tout drôle, ma meilleure amie se prénomme Phébée.

— J'espère pour vous qu'elle n'a rien de commun avec Phébus de Châteaupers.

— Du point de vue moral, ce serait tout l'opposé, mais elle en a la beauté.

Le libraire hocha la tête en l'imaginant.

— Ce serait donc une Esméralda aux cheveux blonds.

Son interlocutrice approuva, de nouveau très troublée d'être aussi bien comprise.

— Oui, le même bon cœur. Nous lisions encore le roman dimanche dernier, épaule contre épaule. Elle souhaite apprendre à lire un peu mieux et à écrire. Je l'aide.

« Une institutrice, je le savais », se dit le libraire.

— Mais nous avons terminé ce livre-là, déjà. À cause du chômage, nous n'avons plus vraiment le cœur à lire, ni les moyens d'acheter d'autres romans…

Elle s'arrêta, de peur qu'il la prenne en pitié.

— Je dois partir, dit-elle en faisant mine de se lever. Je vous fais perdre votre temps.

— Comme vous le constatez, une longue file s'est formée devant la caisse.

Avant de noter l'ironie, elle se tourna à demi.

— Dites donc, je vous questionne depuis votre arrivée, mais vous, vous n'avez aucune curiosité à mon sujet ?

Devant un personnage pour elle si unique, tant de questions se bousculaient qu'aucune ne prenait clairement forme dans son esprit.

— Bien, j'ai remarqué votre façon de parler…, murmura-t-elle finalement.

— Ah, me voilà démasqué ! Je suis né de l'autre côté de l'Atlantique, en France.

— Vous êtes ici depuis longtemps ?

— Une dizaine d'années déjà. La crise financière a frappé fort là-bas. J'ai pelleté du charbon dans la cale d'un paquebot pendant trois semaines pour me rendre compte que la situation n'était pas meilleure à New York.

Au souvenir de sa naïveté d'alors, un sourire dépité se dessina sur son visage.

— De nombreuses personnes vont pourtant aux États-Unis pour trouver de l'emploi, remarqua-t-elle.

— Je suis comme vous, supposa-t-il, l'idée de passer ma vie dans une manufacture ne me souriait pas. J'ai découvert aussi que mon esprit et la langue anglaise ne font pas bon ménage.

— Alors nous sommes dans la même situation, j'en ai peur.

La confession s'accompagna d'un air désolé. Puis elle se sentit gênée de souligner ses affinités avec lui.

— Mais maintenant, je dois vraiment vous quitter.

L'homme vit les yeux de la visiteuse se poser rapidement sur l'assiette où restaient quelques biscuits. Il présuma que les lui offrir blesserait son orgueil, c'est pourquoi il se retint.

— Je vous remercie de m'avoir si chaleureusement accueillie et pour cette agréable conversation.

— C'est à moi de vous remercier. Je finis par m'ennuyer malgré tous ces livres. Vous allez m'attendre un instant.

Prestement, il se dirigea vers une table pour revenir avec un gros volume de plus de six cents pages.

— Je ne peux pas vous embaucher, mais au moins, cela meublera un peu votre temps pendant que vous êtes au chômage.

— … Mais justement, je ne peux me le permettre.

Même en travaillant à la manufacture, jamais ses gages ne lui permettraient de s'offrir un livre neuf.

— C'est pour ça que je vous l'offre.

— Non, monsieur, je ne peux accepter. C'est trop, il doit valoir…

En fait, elle en ignorait totalement la valeur, tant ce luxe lui était inconnu.

— Dans ce cas, nous allons régler cela tout de suite. Vous avez un prénom, je suppose.

— … Félicité.

Sans comprendre, elle le vit se pencher sur la table voisine, relever du bout du doigt le couvercle de son encrier de bronze. Avec une plume d'acier, il griffonna quelque chose sur la page de garde.

— Voilà, c'est maintenant un livre usagé, on y voit l'identité de sa propriétaire. Regardez, c'est déjà le vôtre.

Pour le lui prouver, il lui montra son prénom inscrit, l'encre encore humide.

— Je ne peux pas…

Émue par la gentillesse de l'homme, Félicité ne pouvait contenir sa honte qu'on lui fasse la charité.

— Moi, je ne vends pas de livres usagés. Si vous saviez combien votre Juif de la rue Saint-Laurent a donné au propriétaire de votre *Notre-Dame de Paris*, vous concluriez que je vous fais une offrande très modeste.

Il rabattit la couverture du volume pour lui montrer le titre : *La Porteuse de pain*.

— C'est aussi le destin malheureux d'une femme, mais l'histoire finit bien. Vous vous sentirez mieux, après l'avoir lu. Il vient tout juste d'arriver de France.

— … Je ne sais pas quoi vous dire.

— Je ne m'attends à rien d'autre qu'à un merci. Prenez-le, je vais chercher votre manteau.

Maintenant, refuser lui paraissait aussi déplacé qu'accepter, elle tendit donc la main. Un instant plus tard, il l'aidait à enfiler une manche, puis l'autre.

— Vous savez, je regrette de ne pas avoir de travail pour vous. Vous aimez les livres… Cet établissement est tout récent, donc très fragile. Dans un an, ou même dans six mois, si vous repassez…

La porte s'ouvrit, un client entra avec un coup de vent glacial.

— Octave, tu as mes journaux…

L'inconnu s'arrêta, baissa la voix d'un ton.

— Je suis désolé, madame, mademoiselle…

— Nous avons terminé. Merci, monsieur, ajouta-t-elle à l'intention de son bienfaiteur, d'une voix brisée par l'émotion.

— C'est à moi de vous remercier. Je serai toujours heureux de vous revoir.

Elle se précipita vers la porte, laissant derrière elle un libraire séduit et un client stupéfait à l'idée que l'achat d'un livre puisse susciter des sentiments si vifs.

Marcher une heure avec des larmes gelées au coin des yeux lui parut insupportable. De façon bien irresponsable, crut-elle, elle sacrifia quelques cents afin de profiter du tramway. À cette heure de l'après-midi, elle trouva plusieurs banquettes libres et put ainsi en occuper une, poser le front contre la vitre et regarder son reflet.

Le trajet fut tout de même un peu long. Avec la glace recouvrant tout, l'hiver les rails ne servaient à rien. En remplacement des roues, on mettait des patins sous la voiture, et le conducteur gardait son cheval à faible allure pour ne pas le voir tomber devant lui. Pendant ce temps, Félicité admirait le bel objet qui lui avait été remis, avec son prénom inscrit en petites lettres fines.

Chapitre 15

La vaine recherche d'un emploi l'avait laissée déprimée. Le lendemain, Félicité décida de ne pas quitter la maison. Elle se contenta d'accompagner Phébée à la porte pour lui dire au revoir.

— Tu fais bien, crois-moi, dit cette dernière. Profite de la situation pour te reposer, tu seras en meilleure forme pour retourner au travail.

Crépin Dallet choisit cet instant pour sortir. Elles se pressèrent contre le mur du couloir pour le laisser passer tout en échangeant des souhaits de bonne journée. Une vague d'air glacial entra.

— De toute façon, ajouta encore la blonde, avec ce froid tu risquerais d'attraper du mal.

— Le temps me paraîtra bien long, seule et à ne rien faire.

Pourtant, à ce moment même elle songeait au livre reçu la veille. Redoutant les questions embarrassantes sur sa provenance, elle l'avait dissimulé sous ses vêtements, dans le coffre. Toutefois elle avait l'intention de lui en dévoiler l'existence dans un avenir rapproché, afin qu'elles puissent le lire ensemble.

— Ne t'en fais pas, tu auras droit à ma compagnie sous peu. Madame Marly parle avec une mine d'enterrement de son chiffre d'affaires. C'est un mauvais présage.

— Cela n'arrivera peut-être pas.

— Et si j'arrive en retard, ça arrivera plus vite. À ce soir.

Phébée disparut dans la froidure à son tour. La chômeuse s'attarda assez longtemps dans le corridor pour voir sortir monsieur Paquin et ses enfants. Celui-ci, quand il croisait l'un ou l'autre des locataires, les regardait avec des yeux interrogateurs, comme s'il se surprenait de voir des étrangers dans la maison. Il répondait toujours aux salutations par un grognement inaudible.

Ses rejetons se montraient à peine plus sociables. Les garçons s'esquivèrent en vitesse, mais pas la petite fille, trop bien élevée pour cela.

— Bonjour, Fernande, tu vas bien aujourd'hui?

Un éternuement vint d'abord en guise de réponse, puis quelques mots.

— J'ai le rhume. Je ne veux pas aller à l'école.

— Ça, c'est l'affaire de ta mère. Quoi qu'il en soit, je suis certaine que tu guériras très vite. Bonne journée.

Sans attendre de réponse, Félicité s'engagea dans l'escalier.

En laissant la porte ouverte afin de profiter de la lumière venue du corridor, Félicité s'absorba dans le roman de Xavier de Montépin. Dès le début, elle put confirmer les dires du libraire Duplessis : Jeanne Fortier se trouvait prise dans des difficultés susceptibles d'écraser toutes les femmes, bien que le libraire lui ait dit qu'elle trouverait du réconfort dans cette lecture.

Après plus de deux heures passées dans les rues de Paris, affalée sur le lit, elle sentit un regard sur elle. Dans un sursaut, elle leva les yeux pour découvrir Hélidia debout dans l'embrasure de la porte.

— J'ai eu peur que ce soit Mainville ou Charles. Dans cette position, je ne suis pas très élégante.

— C'est juste moi.

Autrement dit, une quantité négligeable. Ces mots, prononcés sans la moindre trace d'humour, prenaient une teinte très triste. Félicité la regardait, les pages refermées sur son index, visiblement désireuse d'en reprendre le fil.

— Toutes ces journées à rien faire, continua la visiteuse, j'ai pas l'habitude.

Dans la main, elle tenait un jeu de cartes. Elle essayait de le cacher dans les replis de sa jupe, comme si la recherche d'un peu de compagnie l'intimidait.

— Moi non plus. Heureusement que j'ai ce livre, sinon le temps me paraîtrait bien long.

Elle releva un peu le roman, comme pour le lui montrer. L'autre garda le silence, le regard immobile.

— Si tu veux, je te le prêterai ensuite.

— J'suis pas une liseuse.

La voisine tourna les talons pour se réfugier dans sa chambre, en prenant soin de fermer la porte derrière elle. Les cartes lui échappèrent quand elle se jeta sur son lit. Plus un bruit, pas le moindre rai de lumière, ses petites réserves de nourriture épuisées depuis sa mise à pied : les secondes s'écouleraient bien lentement, en attendant l'heure du souper.

Dans la chambre en face, Félicité se sentait coupable. « Se réfugier derrière un livre plutôt que d'engager la conversation n'est pas bien aimable », pensa-t-elle sans compter que ce genre d'isolement lui était familier. Par contre, le cadeau d'Octave Duplessis lui semblait tellement plus intéressant que la compagnie de cette grosse fille morose. Elle tenta de se justifier en évoquant ses années de pauvresse en marge du groupe au couvent, puis dans le grenier de sa petite école.

« Je me suis mal conduite », se reprocha-t-elle en quittant son lit, maintenant incapable de reprendre sa lecture. Plantée de longues secondes devant la porte d'Hélidia, elle n'osa pas frapper. Maintenant, le désir d'une présence la tenaillait, au point de l'amener dans la cuisine. Fernande s'y trouvait, sagement assise à la table, un cahier d'écolier posé à plat devant elle.

— Tu n'es pas allée à l'école, finalement.

— J'suis trop malade. Maman tient à ce que je fasse tous les exercices.

La logeuse devait douter un peu du sérieux de ce rhume, et elle entendait ne pas laisser cette absence de l'école se transformer en congé. Pareille détermination n'avait pas l'heur de plaire à la gamine.

— Et là, que fais-tu ?

— Des calculs.

Un curieux phénomène rendait les écolières réfractaires à cette matière, alors que pour les garçons, c'était le français.

— Tu as de la difficulté ?

Un grand soupir découragé servit de réponse. Vénérance était revenue dans la pièce et, mine de rien, elle suivait la conversation.

— Si tu veux, je peux t'aider.

— D'accord, répondit la fillette.

Elle se tassa un peu pour lui faire de la place sur le banc.

— Oh, les soustractions, commenta l'institutrice.

— Ça fonctionne pas. J'peux pas retrancher un neuf d'un trois.

Visiblement, quand la religieuse avait abordé ce sujet en classe, l'esprit de Fernande vagabondait ailleurs. Tout de même, elle avait pris en note les exercices donnés à la fin de la leçon. Ils lui semblaient toutefois insolubles.

— Pour une petite fille de sept ans, c'est déjà très bien que tu saches que neuf est plus grand que trois. Pour ce problème-là, il faut transférer une dizaine.

La mère, qui s'était rapprochée, et la fille reçurent l'affirmation en fronçant les sourcils. La jeune femme s'engagea avec un plaisir évident dans de longues explications. La petite bâtisse remplie d'élèves lui manquait beaucoup. Dans ces bouffées de nostalgie, jamais les Malenfant ne lui revenaient en mémoire. Elle se construisait une classe idéale, avec seulement des Ernestine et des Floris.

À midi, les deux élèves, la petite et la grande, comprenaient bien que l'on pouvait soustraire neuf sous de trois. Cela donnait une dette, ou un nombre négatif. L'effort laissa toutefois Vénérance avec un petit mal de tête. Elle avait tout de même réussi à préparer trois sandwichs pendant les explications.

— Y en a un pour vous, mais on va aller à côté pour les manger. Si les autres nous voient…

— Mais je ne peux pas payer ça en plus.

— Vous venez de travailler deux heures pour ma fille.

Dans le cadre de cette leçon privée, Félicité changeait de statut. Cela lui valait le vouvoiement de sa logeuse. Le rapport entre elles se trouvait renversé. Cette marque de respect disparaîtrait cependant bien vite.

La famille Paquin occupait les pièces situées de part et d'autre du corridor du rez-de-chaussée. Félicité eut l'impression de se trouver ailleurs en pénétrant dans le salon, tellement le décor différait de celui des chambres.

— Je vais chercher le thé, précisa Vénérance avant de se retirer.

Intimidée, la jeune femme resta debout. La pièce donnait sur la rue, de lourds rideaux masquaient mal la lumière du jour. Ils servaient surtout à empêcher les passants de voir à l'intérieur. Sur les murs, un papier peint de qualité lui donnait un petit air d'opulence. Deux fauteuils et un sofa occupaient la plus grande part de l'espace disponible. Sur les petites tables, on trouvait des journaux, une pipe, du tabac et une fougère en pot. Au fond, un paravent empêchait de voir plus loin.

— Mes parents dorment là, précisa Fernande en suivant son regard.

— Voyons, ma fille, tu n'as pas invité Félicité à s'asseoir ? la réprimanda la logeuse en revenant, un plateau dans les mains.

La fillette prit d'abord ses aises sur le sofa, puis lui désigna la place près d'elle.

— Décidément, t'es dans la lune, aujourd'hui. J'vas rester au milieu de la pièce avec ça dans les mains ?

À la décharge de Fernande, en plus de son rhume, les visiteurs se révélaient bien rares dans la maison. Elle se releva pour tirer une petite table où mettre le plateau. La ménagère versa du thé dans trois tasses métalliques, l'une déjà remplie au tiers avec du lait.

— Il faut faire attention de ne rien salir, commenta Fernande en se servant à son tour. Maman n'aime pas ça.

— Personne aime ça, renchérit Vénérance. Allez, servez-vous, mademoiselle.

Ce langage plus formel, ces efforts pour se plier aux usages amusèrent leur invitée. Connaître les opérations mathématiques faisait d'elle une personne respectable. Elle prit un sandwich à son tour, se réjouit de voir une tranche de jambon et une autre de fromage entre le pain. « Il y a même du beurre », goûta-t-elle à la première bouchée. Elle n'avait jamais profité d'un meilleur dîner un jour de semaine, sauf lors de son arrivée à Montréal, à la taverne de Joe Beef. Le dimanche, Jules Abel faisait le plus souvent les frais d'une amélioration de son ordinaire.

— Où avez-vous appris toutes ces choses-là ? questionna la logeuse une fois bien installée.

— … Au couvent.

— Tu vois, Fernande, si tu travailles bien, tu deviendras savante, toi aussi.

Le visage de l'enfant exprima combien un objectif semblable ne justifiait pas tous ces efforts.

— Vous en savez sans doute autant que Crépin, en calcul.

Décidément, Vénérance avait été impressionnée, et elle ne le cachait pas.

— Je ne sais pas, commença l'ancienne institutrice avec modestie, mais j'ai aussi appris à tenir les livres.

— C'est bien ce qu'il fait, dans sa manufacture de savon. Jamais ils laisseraient une femme occuper un emploi comme ça. Non, jamais.

Ce « ils » désignait tous les patrons du monde. Ce constat ne la réjouissait guère, cela sautait aux yeux.

— Les religieuses nous l'enseignaient en nous disant que ce serait utile pour faire la comptabilité de l'entreprise de notre mari, plus tard.

— En plus de s'occuper du ménage, et de tout le reste…

Vénérance, toujours mise à corvée, entretenait une certaine frustration quant à la répartition des tâches entre hommes et femmes. La conversation porta sur l'édification de Fernande et l'importance de considérer avec soin tout le contenu du programme du cours élémentaire, et même du cours modèle. L'éventualité d'étudier pendant de si nombreuses années laissait la fillette un peu terrorisée.

— Mais si c'est pour me retrouver dans une manufacture, ça ne sert à rien, lâcha-t-elle tout en mastiquant.

— Tu travailleras jamais dans une *shop*, fit la mère d'une voix assurée. Puis fais attention, une demoiselle parle pas la bouche pleine.

La certitude de la mère, à ce sujet, ne convainquait pas du tout Fernande. Le sens commun ne lui manquait pas, même à sept ans. Tout instruite qu'elle fût, la dernière pensionnaire arrivée dans la maison occupait un emploi bien misérable.

— Vous avez pas essayé de trouver mieux? demanda Vénérance. Vous valez plus que ça.

La bonne dame lui conférait d'emblée un meilleur statut qu'à ses autres locataires. Une langue châtiée, des manières réservées la distinguaient des autres.

— Avant-hier, je suis encore entrée dans des dizaines de commerces pour offrir mes services, sans succès.

La jeune femme rougit un peu à cet aveu.

— C'est pas le bon temps, mais oui, vendeuse ce s'rait mieux. Les gages sont pas meilleurs, mais pour le reste…

Cette perception des choses faisait montre d'un certain réalisme. Aucune employée de commerce ne récoltait beaucoup d'argent après une semaine frôlant les soixante-dix heures, mais le travail paraissait moins difficile et dangereux.

— En plus, ça permet de faire des rencontres, ajouta la ménagère avec un sourire complice.

Excepté dans les commerces de dentelles et de frous-frous, les employées recevaient leur part de clients masculins. Comment trouver le bon parti dans une usine bruyante et malpropre, fondue dans un contingent de travailleuses souvent mal embouchées?

Pendant trente minutes encore, une tasse de thé à la main, « mademoiselle Dubois » se trouva appelée à se révéler un peu plus. Sa vie au couvent, le travail de sa mère, la personnalité du patron de cette dernière, l'abbé Merlot, se trouvèrent évoqués. Bien sûr, la jeune femme demeurait prudente. Saint-Eugène, l'école numéro 3, la conclusion de sa première année de travail, personne ne devait se douter de tout cela.

Vénérance l'interrogeait surtout pour que sa fille en retire une leçon de vie. Elle apprendrait comment devenir une jeune femme sage, d'une joliesse toute modeste, se présentant et s'exprimant bien. En sortant de ce salon, Félicité redevint une locataire parmi les autres, à qui on s'adresserait en employant le « tu » familier.

La logeuse au caractère rugueux tenait à mettre une distance entre ces pièces privées confortables, presque bourgeoises, et ses pensionnaires. Elle tentait même de limiter les contacts entre ses enfants et ceux-ci, comme si l'obligation de vivre du travail de ses mains s'attrapait, à la façon d'un mauvais rhume. Félicité avait passé la frontière entre ces deux univers. Dorénavant, chaque fois que la mégère donnerait de la voix, le souvenir de ses efforts pour assurer le meilleur aux siens la ferait sourire.

Même au chômage, impossible de faire la grasse matinée. Vénérance ne servirait pas trois déjeuners successifs. Les deux machinistes, Félicité et Hélidia descendaient en même temps que les autres. Non pas que le menu les attirât. Le gruau revenait avec une absolue régularité. Tout au plus pouvait-on l'adoucir avec un peu de cassonade, ou non.

En jouant du bout de sa cuillère dans son bol, Phébée demanda :

— Vous avez réussi à dénicher des travaux de plomberie ?

— Avec mon charme, répondit Mainville, ça pouvait pas faire autrement.

Le gros clin d'œil enleva beaucoup de suffisance à l'affirmation.

— Et vous y allez tous les deux ?

— C'est toujours mieux d'avoir un apprenti pour lui demander de nous passer le *wrench*, dit-il, moqueur.

Pour le mettre d'aussi bonne humeur, ou la paie se révélait généreuse, ou sa vie amoureuse lui procurait des sources de satisfaction.

— C'est pas ça. Sans mon aide, t'arriverais pas à transporter les tuyaux de plomb, plaisanta Charles.

Mainville, beau joueur, ajouta plus sérieusement :

— À deux, la job est plus facile. Charles m'aide pour ce contrat, et je lui rendrai la pareille pour ce qu'il trouvera.

— Des mécaniciens qui font de la plomberie, c'est bien curieux, le coupa Crépin.

— Quand on peut façonner une pièce pour une machine à vapeur, on sait couper des tuyaux et les mettre bout à bout, répondit-il, toute bonne humeur envolée.

La relation entre les deux hommes n'allait pas en s'améliorant. Ils ne se parlaient que motivés par le désir de se provoquer.

— John, demanda Phébée pour changer le cours de la conversation, toi, tu n'as pas peur de perdre ton emploi ?

— Non. Les wagons s'achètent et se construisent en toute saison.

— Tu as de la chance, conclut-elle dans un sourire.

— Et de ton côté ? l'interrogea-t-il à son tour.

La blonde souriait moins facilement, depuis peu. Elle poussa un soupir avant de rendre compte de sa situation.

— Hier, la patronne insistait tellement sur ses mauvaises affaires que je ne doute pas de me retrouver en congé samedi.

La menace toute proche du chômage lui enlevait beaucoup de son optimisme habituel.

— Tu pourras coudre un peu pour toi, la consola l'ébéniste. Faire toutes tes jolies toilettes ça te prend des heures et des heures.

— Elle va même coudre pour moi, glissa Félicité.

La veille au soir, elles s'étaient entendues sur un prix d'ami pour confectionner une seconde robe de laine. N'en avoir qu'une lui compliquait la vie, les jours de lessive. Cela grèverait encore plus le budget de l'ouvrière. Pour calmer l'angoisse que suscitait cette dépense supplémentaire, elle essayait de se convaincre que très bientôt le vacarme des métiers à tisser lui écorcherait les oreilles.

— Mesdemoiselles, messieurs, je dois vous quitter, les interrompit Crépin en se levant. Le devoir n'attend pas. Bonne journée.

Les autres le saluèrent à leur tour. Il était à peine sorti de la pièce quand Mainville reprit d'une voix de fausset :

— « Le devoir n'attend pas. »

Heureusement, déjà dans l'escalier pour aller chercher son paletot, l'autre ne l'entendit pas.

— Ce gars-là a jamais donné à son patron une vraie journée de travail, ronchonna-t-il. Il aligne des chiffres dans un cahier…

— C'est important, tenir les livres, commenta Vénérance en enlevant le couvert abandonné.

En disant cela, son regard croisa celui de Félicité. Plutôt que d'engager une discussion sur le sujet avec sa logeuse, le mécanicien quitta la table à son tour en disant :

— Charles, nous avons encore un *closet* à installer. Les pots de chambre du client doivent déborder, là. On y va.

— Madame Paquin, ça nous prendrait ça, une toilette dans la maison, commenta le second mécanicien en emboîtant le pas à son compagnon. On se passerait facilement de la bécosse.

— Ah! Si tu veux payer pour l'appareil et l'installation, on en met une dès demain matin.

Les deux comparses s'esquivèrent en grimaçant.

— Une toilette…, maugréa la logeuse. On n'a même pas d'égout dans la ruelle.

Et se relier à celui de la rue Berri relevait de l'impossibilité. On ne pouvait faire passer un tuyau chez les voisins d'en arrière.

Hélidia regagna sa chambre peu après. Félicité accompagna Phébée et John jusqu'à la porte.

— Ne va pas te geler les oreilles encore aujourd'hui, lui conseilla la blonde. Tu perdrais ton temps, et tu risquerais d'attraper une vilaine grippe. Le mieux est d'attendre, les choses vont s'améliorer bientôt.

— Tu as raison, je ne mettrai pas le nez dehors.

Peu après, la jeune femme regagna sa chambre pour se replonger dans *La Porteuse de pain*. Souvent, son esprit vagabondait vers le quartier Hochelaga, plus précisément vers le libraire. Celui-là, impossible de le chasser de ses souvenirs. Cette fois encore, pour y voir quelque chose, elle laissa la porte grande ouverte. Un peu avant huit heures, une voix lui parvint d'en bas.

— Non, non, tu morves plus, tu vas à l'école aujourd'hui.

— Je veux rester ici. La demoiselle explique beaucoup mieux que les religieuses.

— On se saigne aux quat'veines pour te payer le couvent, tu vas aller à l'école et réussir ton année.

Le ton ne tolérant pas la réplique, Fernande ne se risqua pas à insister davantage. À l'étage, Félicité s'émut de cette appréciation de son travail.

La prévision de Phébée se révéla juste. Deux jours plus tard, le 24 janvier, elle rentra à la maison un peu après cinq heures. Silencieuse, elle monta à l'étage et s'arrêta dans l'embrasure de la porte ouverte de la chambre. Félicité se trouvait assise au milieu du lit, les jambes en tailleur, un petit bout de bougie tenu à trois ou quatre pouces de son livre.

— Bien là, nous pourrons lire ensemble, lui confia-t-elle.

Son amie sursauta, rangea son roman avec un empressement suspect.

— Toi aussi ?

— Janvière a mis dix minutes à m'expliquer qu'elle n'avait pas d'autre choix. Me voilà slackée, comme l'an dernier.

La blonde s'écroula sur la couche avec lassitude et commença à défaire les boutons de son manteau.

— Pour toi non plus, ça ne durera pas, plaida son amie.

— Les affaires reprennent toujours en février…

Le ton manquait un peu de conviction. Certaines années, la situation se montrait plus difficile. La couturière alla fermer la porte, puis revint s'étendre sur le lit.

— Et l'autre qui se partage entre ses études et la politique municipale ! ajouta-t-elle. Tu sais qu'on ne le verra pas demain ?

Félicité savait, pour avoir assisté à cette conversation, comme à toutes les autres.

— Aujourd'hui, je me demande si je lui en veux de me mettre de côté comme une vieille chaussette, ou si je suis soulagée de ne pas avoir à lui présenter un beau sourire tout un dimanche après-midi.

Le côté frondeur de la blonde se trouvait bien émoussé, maintenant. La plupart du temps, elle arrivait à faire abstraction des années d'affreuse misère ayant suivi le décès de ses parents. Ce jour-là, le cœur n'y était plus. Jules se faisait distant alors qu'elle perdait ses gages. Ses projets d'avenir s'estompaient pour ne laisser qu'une angoisse sourde.

— Voyons, tu sais bien qu'il te reviendra, dit Félicité pour la rassurer.

— Ce sera avant, ou après avoir retrouvé mon emploi ?

La châtaine avait si peu l'habitude de voir son amie morose qu'elle ne savait trop quelle contenance adopter. Mieux valait se taire, et poser son bras sur ses épaules.

Au souper, la couturière présenta un visage plus serein, un peu comme si elle était en représentation. Sa voix retrouvait sa fermeté : ce chômage constituait une période de repos bienvenue, surtout que le carnaval allait commencer. Les activités reprendraient ensuite, tout rentrerait dans l'ordre.

Quand les amies revinrent dans la chambre après le repas, l'ancienne maîtresse d'école proposa un peu de lecture.

— Tu t'es acheté un livre neuf ? se réjouit Phébée en examinant *La Porteuse de pain*.

Comme elles seraient confinées à la maison, Félicité ne pouvait plus lui cacher l'existence de ce roman. Dans ces circonstances, mieux valait en partager la lecture.

— Comme tu avais prévu que nous serions toutes les deux au chômage, cela m'a semblé une bonne idée…

Phébée, pleinement consciente de la situation de son amie et du coût de la vie, ne la crut pas un instant. Félicité semblait vraiment mal à l'aise, comme si l'acquisition de ce roman s'accompagnait d'une histoire pas très nette. D'un côté, la curiosité la tenaillait; de l'autre, la châtaine montrait beaucoup de retenue quant aux détails de sa vie. Elle préféra lui épargner un interrogatoire pour s'abandonner plutôt à la douceur du moment. Les deux colocataires se trouvaient étendues épaule contre épaule dans leur lit, à la lumière d'une bougie.

Félicité ne ressentait aucune frustration à reprendre la lecture à la première page. De toute façon, elle prévoyait le parcourir cinq ou six fois avant l'été. Au gré des visites chez les regrattiers de la rue Saint-Laurent, il leur avait été possible de dénicher cinq autres romans. Il s'agissait d'une denrée rare, à parcourir avec assiduité.

Son amie tenait la bougie le plus près possible des pages, tout en multipliant les précautions pour protéger le papier des gouttes de cire. Le plus simple était de les recueillir dans sa main. Le halo de lumière éclairait convenablement un paragraphe ou deux.

Chacune lisait silencieusement les mêmes pages. Phébée se révélait beaucoup plus lente. L'esprit de Félicité errait du côté de la librairie du quartier Hochelaga. Comme ce petit homme lui avait laissé une impression durable. Il avait évoqué une période d'un an, avant de pouvoir embaucher quelqu'un. Peut-être six mois. Oserait-elle se présenter à lui à la fin de l'été?

Ces réflexions l'ébranlèrent tant, qu'elle préféra les chasser en s'occupant un peu. La blonde fit irrémédiablement les frais de cet effort. L'ancienne institutrice demandait à sa grande élève de prononcer à haute voix une phrase plus difficile, ou alors d'épeler un mot.

— Comme je profite du livre, déclara la couturière en soufflant la bougie, je vais t'en payer la moitié.

— Non, c'est mon livre, et ça me fait plaisir de le partager avec toi.

Le «mon» avait été prononcé avec trop d'empressement. Dans la pénombre, la blonde esquissa un sourire amusé. Comment diable une personne toujours attachée à ses pas pouvait-elle avoir un secret?

Bien que Phébée recommandât aux autres de profiter des périodes de chômage pour se reposer, elle n'entendait pas s'enfermer dans une chambre sans fenêtre. Aussi, au milieu de la matinée, les deux jeunes femmes s'engageaient dans la rue Sainte-Catherine.

— Ce serait plus court en passant par Dorchester, mais j'aime voir tous ces commerces.

Même au chômage, l'intérêt de la couturière pour les nouveautés de la mode ne fléchissait pas. À ses côtés, Félicité présentait un visage moins enthousiaste. Toutefois, il lui fallait bien se rendre à l'évidence: ses démarches pour trouver un autre emploi ne donneraient rien, à ce temps de l'année. Dans ces circonstances, autant profiter de la présence de son amie pour se familiariser un peu plus avec la ville et ses activités.

— Il fait très froid, se plaignit-elle. Nous ne pourrons pas rester dehors toute la journée.

— Nous trouverons bien un moyen de nous réchauffer, tu verras. Au pire, nous irons prendre un bon dîner à la taverne de Joe Beef, ou ailleurs.

Félicité gardait une impression incertaine de ce grand établissement. D'un côté, l'endroit la fascinait par sa faune, à deux ou à quatre pattes. De l'autre, elle craignait d'y rencontrer bien des mauvais garçons. Toutefois, convenait-elle d'emblée, jamais elle n'avait profité d'un repas aussi copieux pour une somme aussi raisonnable depuis son arrivée à Montréal.

— Mais nous n'en avons pas les moyens, déplora-t-elle.

— Nous avons encore moins ceux de tomber malades. Avec ce que nous donne Vénérance, un bon repas est nécessaire, une fois de temps en temps. Là, la peau du ventre nous colle à celle du dos.

« Finalement, me retrouver sans travail me coûtera cher », réfléchit l'ouvrière. Le chômage multipliait les occasions de dépenser, à moins de se terrer dans sa chambre. Cependant, Phébée ne pouvait tolérer cette idée. Aux protestations de son amie, la blonde opposait toujours : « Tu vas voir, ça ne coûtera pas cher », comme si les sous allaient tomber du ciel.

Très vite, elles se retrouvèrent devant la vitrine de l'officine de Robert Gray. Phébée se tordit le cou pour tenter de voir à l'intérieur, sans ralentir le pas.

— Nous pouvons nous arrêter pour le saluer, tu sais, dit Félicité.

— Penses-tu ? Nous le dérangerions sans doute dans son travail. Le temps de ces professionnels est précieux.

Le ton trahissait à la fois l'inquiétude et la tristesse. Jules Abel se faisait trop rare, et la blonde avait besoin de se faire rassurer.

— C'est possible, tu sais, qu'il lui reste des examens à réussir. Son stage sert à compléter sa formation.

— Mais tu l'as entendu comme moi : hier il faisait la cabale pour Honoré Beaugrand, le candidat libéral à la mairie. Tu le crois, toi ? Un beau parleur comme lui a certainement plusieurs façons d'occuper son dimanche, en plus des examens, ou de la politique.

— Bien des hommes s'intéressent à la politique.

Jamais Jules ne s'était « déclaré », après tous ces mois de fréquentation. Maintenant, il passait des dimanches après-midi loin d'elle. Les jeunes bourgeoises des quartiers Saint-Jacques et Saint-Louis redevenaient pour Phébée des rivales redoutables. Les cheveux blonds et un minois ravissant pesaient-ils plus qu'un mariage dans un beau milieu ? Depuis le début du mois de janvier, elle en doutait fortement.

— Puis tu as entendu Crépin tout comme moi, ce matin ? Ce Beaugrand serait si mauvais catholique qu'il a épousé une protestante des États-Unis. Les prêtres s'opposent à son élection, car ce serait un franc-maçon !

— Je ne savais pas que tu étais si sensible aux recommandations de Crépin, que ce soit pour la religion ou la politique.

L'autre ne releva pas la pointe d'ironie dans la voix. Ce jour-là, elle semblait résolue à broyer des idées noires. Au moins, le carnaval lui changerait peut-être l'humeur, espéra Félicité.

— Tu sais ce que c'est, toi, des francs-maçons ? demanda Phébée après un silence.

— Je ne sais pas trop. Une association d'Anglais, peut-être.

— Beaugrand est un Canadien français, comme nous.

— Honnêtement, je n'ai pas de réponse.

Pareil aveu ne venait pas souvent. Dans les circonstances actuelles, personne autour d'elle ne pouvait la renseigner. Un an plus tôt, l'abbé Sasseville se serait empressé de voir à son éducation.

— Ah, qu'il aille au diable ! pesta la couturière. Il est en train de me gâcher ma journée.

— Qui ça ? Jules, Crépin ou ce fameux Beaugrand ?

— Tous les trois. On serait tellement bien juste entre nous.

Sur ces mots, la blonde prit le bras de son amie et se décida à regarder vraiment les vitrines des magasins. Après quelques centaines de verges, ce fut au tour de Félicité de se questionner à haute voix :

— Je me demande ce que c'est, le carnaval.

— Une grande fête qui dure une semaine. C'est la troisième année qu'il y en a un à Montréal.

— Si tant de monde se trouve au chômage, la fête va manquer de participants.

À la pension, Crépin et John restaient toujours les seuls à se rendre au travail le matin.

— Ce sont surtout les Anglais qui participent, tu sais. Ceux d'ici, mais aussi ceux venus des autres provinces, et même des États.

— Seulement pour fêter !

Félicité se surprenait encore des mœurs de la grande ville. Le français disparut des conversations à l'ouest de la rue Saint-Laurent. Les vitrines de commerces plus imposants livraient aux regards des biens hors de prix pour des travailleuses comme elle.

La plus grande surprise, pour l'ancienne maîtresse d'école, survint vis-à-vis du carré Philips. Une grande bâtisse de pierres rougeâtres se dressait juste en face, haute de plusieurs étages. Le haut de chacune des fenêtres prenait la forme d'un arc de cercle.

— Tu vois tout ce luxe ? commenta Phébée. Le magasin des frères Dupuis semble si modeste, à côté de ça. C'est pas pour nous, ici.

Pourtant, la couturière examina attentivement les vêtements exposés en vitrine pour exciter la convoitise.

— Ces robes-là doivent venir directement d'Angleterre ou de France.

— Veux-tu entrer jeter un coup d'œil ? interrogea Félicité.

— Tu vois le gars à la porte, avec toutes ces dorures sur le manteau ? Il nous empêcherait de passer. Nous avons l'air trop pauvre, et en plus nous parlons français.

Elles poursuivirent leur chemin en silence, impressionnées et perplexes, comme les exploratrices d'un pays exotique. Bientôt, Félicité reprit le cours de la conversation.

— Tu viens souvent dans les parages ?

La première et dernière incursion de l'ouvrière dans l'ouest de la ville datait de la visite du Palais de cristal.

— Je viens parfois me coller le nez sur une vitrine, pour voir de nouveaux modèles de robe ou de chapeau. Une fois par mois peut-être.

— Seule ?

La jeune femme se souvenait bien de quelques longues promenades de son amie, effectuées sans elle. Jamais encore elle n'avait osé la questionner à ce sujet.

— Voyons, ce ne serait pas respectable.

Le ton contenait une ironie mordante. Elle continua après une pause :

— Après sept heures du soir, mieux vaut être accompagnée, sinon tous les beaux messieurs que tu vois là, si respectables avec leur melon ou leur chapeau mou, deviennent entreprenants. Pour eux, une femme seule dehors après le coucher du soleil est une putain. Alors ils ne se gênent pas pour faire des propositions.

Le mot fit frémir la châtaine. Pour évoquer cette réalité, elle parlait volontiers de femmes perdues, de femmes tombées. Jamais de... putains.

— Mais alors avec qui viens-tu ? Jules ?

— Mais lui, je le vois toujours avec mon chaperon. John m'accompagne le plus souvent, mais parfois je suis avec madame Marly. Elle confie alors sa boutique à son mari et nous prenons les tramways. Elle aussi tient à savoir comment les plus riches Montréalaises s'habillent.

Après avoir emprunté la rue Sainte-Monique en direction sud, elles passèrent devant la terrasse Thistle, un bel alignement de maisons de ville, puis longèrent un édifice tout en longueur.

— Ici, les Anglais viennent jouer au curling.

Devant les yeux interrogateurs de son amie, elle expliqua :

— C'est un sport étrange.

L'explication fantaisiste de Phébée, où les balais prenaient beaucoup de place, le rendit plus étrange encore. Elles se retrouvèrent bientôt dans la rue Metcalfe.

— Ça, à gauche, c'est le YMCA, un endroit où les jeunes protestants peuvent aller coucher pour pas trop cher. De l'autre côté, c'est le carré Dominion.

Il s'agissait en réalité de deux grands rectangles de verdure placés de part et d'autre de la rue Dorchester. L'été, les feuilles de nombreux arbres ombrageaient les allées couvertes de gravier. En cette saison, les arbres dépouillés leur conféraient un aspect un peu lugubre.

— Et là, qu'est-ce que c'est ?

Félicité pointait sa mitaine droite en direction d'une étrange construction rappelant les places fortes médiévales, avec des murs crénelés et une tour s'élevant à une trentaine de pieds.

— C'est le palais de glace. Viens, allons voir dedans.

En traversant la rue, les deux jeunes femmes durent faire attention aux nombreux traîneaux qui circulaient. Le conducteur d'un tramway fit retentir sa cloche pour les inciter à dégager le chemin. Plusieurs dizaines de personnes se trouvaient dans le parc, comme si on était dimanche.

— Tous ces gens, ce sont des chômeurs ?

La candeur de l'ouvrière amusa son amie.

— Les Anglais ne sont pas chômeurs, ils vivent de leurs rentes, ou alors ils s'absentent de leur travail sans mal, car d'autres font tout à leur place. Tiens, parmi eux il y a peut-être le propriétaire de la manufacture où tu travailles.

L'idée désarçonna Félicité. Jamais elle n'avait essayé de prêter des traits à celui qui possédait la Dominion Cotton. Seul le gérant lui était un peu familier. Oui, convenait-elle, cela pouvait très bien être l'un de ces gros hommes aux joues rougies par le froid, un cigare fiché dans la bouche et un épais manteau de fourrure sur le dos.

— Mais beaucoup de ces gens sont des touristes, précisa Phébée. Des gens des provinces anglaises ou des États s'absentent de leur travail pour venir au carnaval.

— Il n'y en a pas chez eux ?

— Je ne sais pas, je suppose que non. Ces festivités d'hiver, c'est un prétexte pour que les hôtels emplissent leurs coffres, comme celui-là, de l'autre côté de la rue.

Elle regarda en direction de l'hôtel *Windsor*, un grand édifice à la façade de pierre.

— Là-dedans, il y a des dizaines de chambres magnifiques, des restaurants, une grande salle de bal…

L'ouvrière comprit que son amie se fiait là aux ouï-dire. Si des gardiens empêchaient les curieux de pénétrer dans le grand magasin Morgan, un si bel établissement devait être défendu par une véritable armée.

— Viens, allons visiter le palais de glace.

Pour s'approcher, les deux amies devaient jouer un peu des coudes à cause de l'affluence. Comme à son habitude, Phébée comptait sur ses yeux bleus et son sourire avenant pour faire son chemin. Les hommes se tassaient un peu de côté pour les laisser passer, tout en les examinant des pieds à la tête.

Le soleil jetait d'étranges lueurs contre les murs à demi translucides du grand édifice. Les blocs de glace prélevés dans le fleuve s'entassaient sur huit ou neuf pieds. De la neige mêlée d'eau servait de mortier. Les trop nombreux visiteurs ne profitaient pas vraiment de la beauté de l'endroit. Au milieu de la construction s'élevait un donjon haut d'une trentaine de pieds.

— Je me demande comment ça tient, à cette hauteur, remarqua la blonde.

Le simple fait de parler français à cet endroit attirait l'attention sur elle. Elle profita de l'intérêt d'un jeune homme pour traduire sa question en anglais. Son accent et son vocabulaire s'avéraient très convenables grâce à John. Puis même si cela n'avait pas été le cas, son visage suffisait à lui valoir la sympathie de son interlocuteur.

— Il y a une armature de bois. En fait, ici les blocs de glace servent plutôt de décoration…

Pendant quelques minutes, l'Américain lui donna un petit cours sur les principes élémentaires de la construction. Phébée entendit les mots trop spécialisés sans toujours parvenir à leur donner un sens.

— Je peux vous inviter à boire quelque chose? osa l'étranger. Un café, par exemple?

La blonde consulta sa compagne du regard.

— Bien sûr, votre amie nous accompagnera.

— Tu veux venir boire un café?

La couturière s'adressait à sa colocataire en français, un sourire amusé sur les lèvres.

— Mais nous ne le connaissons pas.

— Bien sûr, nous ne le connaissons pas. Il vient de New York ou de Boston.

— Je n'ai jamais goûté au café.

— Alors profites-en.

Se retournant vers l'inconnu avec son sourire le plus exquis, celui qui soulignait les fossettes de ses joues, elle accepta l'invitation. L'homme lui offrit son bras. Elle avait mis des semaines à accepter celui de Jules. Cette fois, dix minutes suffirent. Très mal à l'aise, Félicité emboîta le pas au couple.

Chapitre 16

Lorsqu'ils s'éloignèrent du palais de glace, la foule se fit moins dense. Il leur fallut multiplier les précautions en traversant la rue Dorchester à cause du pavé glissant et de l'importante circulation.

— Je m'appelle Arthur, se présenta l'homme en s'engageant dans la section sud du carré Dominion. Art pour les amis.

— Et moi Phébée, pour les amis et les autres, dit-elle en souriant. Mon amie, là, c'est Félicité.

Le garçon répéta les prénoms. Avec son accent, on les reconnaissait à peine. Au centre de cette partie du parc se dressait un kiosque. Au-dessus de l'entrée, un grand panneau de bois portait les mots *Grotto Chase and Sanborn*. La société américaine multipliait les points de vente dans la ville à l'occasion du carnaval, afin de convertir les buveurs de thé au café. Le trio se retrouva à une petite table, tout de suite un serveur plaça des tasses et des menus devant eux.

— Nous devions seulement prendre un café, murmura Félicité.

— Tu vois, nous économiserons le prix d'un dîner.

— Il y a un problème ? demanda Arthur, déconcerté par la conversation en français.

— Non, pas du tout. Nous nous demandons quoi commander.

Que l'offre de petits-déjeuners si banals, combinant des œufs, des saucisses ou du bacon, puisse faire l'objet de discussions le laissait perplexe. Pourtant, il accepta de les guider dans ce choix qui leur semblait difficile. Le café laissa les deux femmes indifférentes : le thé leur conviendrait encore pour quelques décennies. Elles en étaient à leur second déjeuner, attendre le repas du soir ne ferait pas problème.

Un peu avant midi, Phébée évoqua « l'obligation de rentrer ». Leur compagnon voulut savoir pourquoi. La blonde laissa entendre de vagues engagements familiaux.

— Pourrai-je vous revoir ce soir ? demanda Arthur, un peu déçu de les voir se défiler si vite.

— Non, pas ce soir, ce ne sera pas possible. Demain, peut-être ?

Félicité tentait de dire non avec des sourcils froncés et des yeux sévères. Cela ne suffit pas.

— Oui, demain, ça pourrait aller.

Les deux jeunes femmes échangèrent un regard.

— Jules, tu y as pensé ? chuchota son amie devant l'inconnu.

— Moi, je veux revoir ce type, mais pas toute seule et dans un endroit fréquentable.

Phébée se retourna vers le jeune Américain, toujours armée de son sourire.

— C'est vraiment dommage que nous ne soyons pas libres ce soir. Cependant, demain il y aura des compétitions sportives à la patinoire Victoria.

La châtaine réitéra son désaccord :

— Nous ne pouvons aller là, ce sera plein de gens riches.

Cette préoccupation nouvelle changeait de ses excès de moralité.

— S'il te plaît, tais-toi. Tu vas tout faire rater.

L'Américain percevait bien la tension dans ces conciliabules et la mine réprobatrice de la plus petite.

— Nous discutons de notre horaire de demain, précisa Phébée. Ça ira, je vous assure.

— Puis-je aller vous chercher chez vous ?

— Ce ne sera pas nécessaire. Disons vers sept heures, à l'entrée de la patinoire.

Ils sortirent du kiosque en silence, un peu mal à l'aise.

— Alors à demain, Arthur, dit la blonde en posant une main sur son avant-bras.

— À demain.

Audacieux et entreprenant, il se pencha pour lui embrasser la joue, la jeune femme ne se déroba pas. Il tourna les talons pour partir, puis se retourna, un peu soupçonneux.

— Je compte sur vous, demain.

— Nous serons à l'entrée à sept heures.

Ils se quittèrent cette fois. Les deux jeunes femmes regagnèrent la rue Peel, Félicité ne pouvant dissimuler son embarras.

Leurs pas les portèrent vers le nord, par la rue Metcalfe. Le projet était d'atteindre la patinoire au flanc du mont Royal. Félicité avait encore du mal à évaluer les distances, dans la ville. La grosse masse blanchie de neige demeurait bien visible, mais tellement lointaine.

— En milles, tu peux me donner une petite idée de la distance à parcourir ? demanda-t-elle.

— En milles, je ne sais pas. Nous en avons pour une heure environ.

Le long moment passé dans le kiosque du carré Dominion leur avait permis de se réchauffer tout à fait, mais leurs vêtements les protégeaient mal du vent de face. Il leur faudrait trouver un autre endroit où se mettre à l'abri.

La châtaine commençait à hésiter devant la durée de leur errance. Surtout, la scène à laquelle elle avait assisté la préoccupait.

Sensible à ses états d'âme, Phébée essaya d'attirer son attention sur autre chose :

— Tu vois cette grande bâtisse ? Il s'agit d'une école secondaire.

Sa compagne ne réagit pas du tout. Pourtant, en toute autre circonstance, une institution d'enseignement aurait soulevé son intérêt. Toujours en silence, elles dépassèrent l'intersection de la rue Burnside. Finalement, la blonde s'impatienta un peu :

— Allez, dis ce qui te brûle la langue depuis tout ce temps.

— Tout à l'heure, avec cet homme…

— Oui ?

— Tu l'as laissé payer pour les déjeuners… Ce n'est pas bien.

La voix se cassa sur le dernier mot. Comment osait-elle faire la morale à une autre ?

— Excuse-moi, fit-elle ensuite.

— Mais ne t'excuse pas…

Phébée lui prit le bras, se rapprocha d'elle.

— Les garçons paient pour les filles, c'est comme ça. Il voulait notre compagnie…

— Ta compagnie.

— Si tu veux. Je ne veux pas être seule avec un homme… Puis comme ça, en plein jour, nous ne risquons rien.

La gentillesse du ton encouragea Félicité à s'expliquer :

— Mais je ne pensais pas juste à notre… ta sécurité. Tu vois Jules toutes les semaines. Mais demain, te voilà prête à aller à la patinoire avec un Américain.

— Toutes les semaines, tu dis ? Tu l'as vu plus souvent que moi, alors.

Le ton de la blonde avait été cinglant.

— Presque toutes les semaines, corrigea l'autre.

— Le problème, vois-tu, c'est que ça ne me mène à rien. Je le vois depuis le début de l'été dernier. Je lui ai consacré tous mes temps libres. J'ai même accepté de le laisser nous reconduire à notre porte, comme tu le suggérais, d'ailleurs…

Félicité se souvenait de la mine surprise du jeune homme devant la maison de la ruelle Berri. Il n'avait probablement jamais approché de si près un logement à ce point misérable.

— Je suppose que ça l'a rebuté, grommela Phébée.

— Voyons, tu l'as revu dès le dimanche suivant.

— Oh ! Il aime notre compagnie… Ma compagnie, si tu préfères, mais ça ne le conduit pas à prendre nos fréquentations au sérieux. Après huit mois, jamais il n'a suggéré de me présenter à sa famille.

— Sainte-Rose, c'est tout de même loin.

— Si lui peut s'y rendre si souvent, je le peux aussi. Après tout ce temps, si ses intentions étaient honnêtes, il m'aurait emmenée.

Le dépit marquait la voix. Sans s'en douter, elle partageait exactement l'avis de la mère du jeune homme. Avait-elle tiré le mauvais numéro ? En consacrant tous ses loisirs à celui-là, elle n'avait plus été disponible pour les autres. Que d'occasions gâchées…

— Moi, renchérit-elle, je lui ai présenté les deux personnes importantes dans ma vie : ma patronne et ma seule amie, toi.

Sa compagne serra la main posée sur son avant-bras.

— Il me paraît réellement intéressé, mais s'il te voit avec un autre…

— Si je lui montre qu'il n'est pas le seul gars sur la terre, ça le dégèlera peut-être. Jamais il ne m'a parlé d'avenir.

Félicité se rappela Saint-Eugène, ou Saint-Jacques. Là-bas, aller veiller chez quelqu'un avec régularité valait un engagement. En ville, attiser la jalousie d'un prétendant figurait-il vraiment dans les stratégies efficaces ?

Maintenant, la proximité de l'Université McGill faisait en sorte que de nombreux jeunes gens fortunés parcouraient les rues. Leurs yeux se posaient sans vergogne sur les deux jeunes femmes, certains leur adressaient des sourires parfois intéressés, mais toujours condescendants.

Enfin, elles approchaient de leur destination, le grand réservoir d'eau creusé dans le flanc de la montagne. Il servait à alimenter l'aqueduc municipal. Au passage, Phébée signala le grand édifice de l'Université McGill, le musée Redpath, le collège presbytérien. Sur leur chemin, elles contemplaient les immenses domaines de la bourgeoisie de Montréal. Dans quelques décennies, on parlerait pour désigner ce quartier de « mille carré doré ».

— Tu vois ce château, là-bas ?

Elle montrait une immense maison de pierre construite au milieu d'un terrain de quelques acres. Les arbres dénudés permettaient de bien la distinguer. L'été, des feuillages épais la dérobaient sans doute à la convoitise.

— Une seule famille habite là-dedans ?

Même après avoir aperçu les grandes demeures de la rue Sherbrooke, la campagnarde affichait encore son scepticisme : tant d'espace pour quelques personnes... Cela paraissait aussi ridicule que d'habiter dans une grande église.

— Elle appartient à la famille Lyman. Il doit y avoir une vingtaine de domestiques.

— Grands dieux ! Comment occuper autant de monde ?

— Certains cirent les chaussures, d'autres frottent l'argenterie. Je ne sais pas trop moi non plus. Imagine tout ce que tu peux faire faire dans une maison, les choses les plus folles. Eux peuvent demander ça à leur personnel.

Avant de voir l'étang artificiel, elles entendirent d'abord de la musique. Près de la surface gelée, du côté de la rue Pine, un petit orchestre s'évertuait à jouer des valses. En plein air, l'hiver, l'exercice n'allait pas de soi. Sous leurs yeux, des couples, mais aussi des solitaires des deux sexes, glissaient élégamment sur la glace, des patins aux pieds.

— J'aimerais bien être à la place de celle-là, se désola la blonde.

Une jolie brune passait devant elles, séduisante avec une toque de vison sur la tête, un manteau élégant et une robe de laine tombant jusqu'aux chevilles, dissimulant presque complètement les patins. Elle semblait glisser sans effort, poussée comme par magie.

— Elle porte l'équivalent de douze mois de mon salaire…, ajouta l'envieuse.

Le spectaculaire accoutrement n'attirait pas seulement l'attention de la couturière. L'inconnue tenait les deux mains d'un grand jeune homme athlétique. Pour réussir cela tout en patinant côte à côte, leurs bras devaient se croiser, de façon à ce que la main droite prenne la main droite, la gauche, la gauche de la partenaire. Cela donnait une impression de délicieuse intimité.

Sans s'en rendre vraiment compte, Phébée esquissait des pas de danse. Un patineur d'une vingtaine d'années s'arrêta tout près, dans un scintillement de poussière de glace. Il demanda en anglais, la main tendue :

— Vous venez avec moi ?

La blonde examina son interlocuteur des pieds à la tête, puis répondit :

— Dommage, je n'ai pas mes patins.

— Dommage, en effet...

Puis il s'éloigna rapidement pour rejoindre deux amis. Le trio masculin se concerta en jetant des regards vers elles.

— Je me sens mal à l'aise ici, se rembrunit Félicité.

— Comment ça ?

— Tu vois les vêtements de ces gens. Je me sens...

La honte l'empêcha de continuer à haute voix. « Comme une pauvresse, une domestique des environs ayant déserté ses corvées pour venir rêver en regardant les beaux messieurs et les belles dames. »

— Mais sans leurs vêtements, objecta sa compagne, crois-tu qu'il y aurait une différence perceptible entre nous ? Pour leur ressembler, il ne nous manque que ça, de belles tenues.

Elle souhaitait tant que ce fût vrai. Ainsi, sa beauté lui procurerait le mariage rêvé. Toutefois, dès la première phrase, chacun pourrait différencier la jolie couturière de la fille de notable.

— Tu veux monter là-haut avec moi ?

De la main, Phébée indiquait le mont Royal.

— Je ne sais pas. Le froid, le vent...

Près du bassin, la brise venue de l'est brûlait un peu les joues. Félicité tapait des pieds sur le sol afin d'empêcher ses orteils de geler.

— Nous irons jusqu'au belvédère. Les arbres nous protégeront du vent, puis il y a des endroits où se réchauffer.

— Que verrons-nous de là ?

— La ville, à nos pieds.

L'ouvrière se laissa convaincre.

Les deux jeunes femmes marchèrent dans la rue Pine, longeant le mur de pierre qui interdisait l'accès à l'immense domaine de sir Hugh Allan, le propriétaire d'une flotte de transatlantiques. À quelques dizaines de verges, depuis la rue, un sentier permettait de s'engager à flanc de montagne. Afin de ne pas offrir une pente trop abrupte, il zigzaguait d'ouest en est. Le passage fréquent de traîneaux durcissait la neige. Elles arrivèrent bientôt au nord d'un autre domaine, celui du magnat du sucre, John Redpath. Tout près, un très long escalier permettait d'atteindre un belvédère.

— Dire que je trouvais mes journées à la manufacture fatigantes, se plaignit Félicité, essoufflée.

Les centaines de marches représentaient un joli défi.

— Nous allons nous reposer quelques minutes là-dedans.

Elle désignait un curieux petit chalet en bois de la main.

— Vous finirez par nous épuiser tout à fait, prononça une voix derrière elles.

En se retournant à demi, elles trouvèrent trois garçons de vingt ans environ, s'exprimant en anglais comme il convenait dans ces parages. L'ouvrière reconnut le patineur de tout à l'heure. Ses amis s'étaient laissé convaincre de suivre des *French girls*.

— Dans ce cas, mieux valait rester où vous étiez.

Le sourire amusé de Phébée constituait pourtant une invitation. De son côté, sans les quelques passants, Félicité se serait sentie vraiment menacée.

— Continuons, dit Phébée à mi-voix, cette fois en français. Nous verrons bien s'ils oseront nous suivre encore.

— Nous ne les connaissons pas…

La voix de la châtaine trahissait son inquiétude. Bientôt, elles furent dans une petite construction de bois où se réchauffer un peu. Pour éviter d'engager la conversation avec leurs poursuivants, Félicité passa tout droit pour commencer à gravir une volée de soixante-dix marches.

— Tu as vraiment peur d'eux?

— Ils nous suivent depuis l'étang.

Phébée poussa un soupir, mais elle accepta de suivre son amie jusqu'au petit chalet suivant. Puis elle dit, amusée:

— Les pauvres, regarde-les. Tu n'as pas un peu pitié?

Le trio s'attachait toujours à leurs pas. La blonde se nourrissait de l'attention des hommes. À la grande déception de Félicité, elle leur adressa un signe de la main. Ils gravirent les marches le sourire aux lèvres, satisfaits de leur propre charme. Faire les présentations prit un instant. Eux étaient étudiants à l'Université McGill, Phébée évoqua son métier.

Une fois reposés, ils reprirent l'ascension ensemble. Quand le groupe arriva au belvédère, les mollets de Félicité la faisaient souffrir et sa respiration se révélait un peu haletante. L'endroit offrait une grande surface dégagée. Du côté de la ville, une balustrade de pierre prévenait les mauvaises chutes. Les trois garçons décidèrent de s'y asseoir, les jambes pendant dans le vide.

— Je voulais t'emmener ici pour te montrer ça, dit la couturière.

De la main, elle désignait la cité d'un geste circulaire. Puis son doigt pointa un point précis.

— Regarde le clocher très haut, très fin. C'est celui de l'église Saint-Jacques. Tout autour, c'est notre quartier.

L'ampleur de l'agglomération laissa son amie pantoise. Au cours des derniers mois, elle avait pris conscience qu'elle vivait dans une grande ville, aux rues innombrables et à la population nombreuse: cent cinquante mille personnes au moins, sans compter les petites municipalités environnantes, comme Saint-Jean-Baptiste ou Sainte-Cunégonde. Maintenant, elle pouvait se la représenter.

— Et là-bas ? demanda-t-elle.

Ses yeux s'accrochaient à un long tube de fonte jeté sur le fleuve Saint-Laurent.

— Il s'agit du pont Victoria. De l'autre côté, c'est Saint-Lambert, et tout près, Longueuil.

Ces lieux, l'ancienne institutrice les connaissait grâce aux allusions dans ses manuels scolaires. Là, elle pouvait les voir. L'attention des garçons se portait plutôt sur les environs immédiats de l'Université McGill. Ils identifiaient les différents bâtiments, cherchaient les toitures de leur domicile.

— C'est une jolie vue, commenta l'un d'eux en se tournant à demi.

— Ça valait toutes ces marches, répondit Phébée.

Ils se reposèrent sur les lieux une petite heure, échangeant des bribes de conversation. À la fin, un garçon demanda, sa montre de gousset à la main :

— Cet exercice nous a creusé l'appétit. Voulez-vous nous accompagner ?

L'expérience du matin se répétait, tout comme la protestation de Félicité :

— Je préférerais rentrer à la maison. Nous pourrons manger plus tard, avec les autres.

— Mais pourquoi ? Nous ne souperons pas avant huit heures, et là ces gentils garçons veulent nous inviter.

Les étudiants ne comprenaient rien à l'échange. La blonde ignora les réserves de son amie pour formuler, cette fois en anglais :

— Où souhaitez-vous aller ?

— Il y a un restaurant juste derrière nous. Si vous préférez aller ailleurs, nous pouvons toujours redescendre. Dans l'autre sens, c'est plus facile.

Elle donna son accord, et tous pénétrèrent dans le grand chalet. De grandes fenêtres laissaient pénétrer la lumière. Ils regardèrent les rails installés à flanc de montagne. Devant la mine intriguée des jeunes femmes, l'un des garçons expliqua :

— C'est pour le funiculaire. On l'a inauguré l'an dernier, mais le service ne commencera que dans quelques mois.

— Un funiculaire ?

— Un genre de tramway. Nous pourrons bientôt monter jusqu'ici sans nous fatiguer les jambes. Pour les athlètes comme vous, les escaliers resteront là.

L'étudiant s'amusa de son propre humour. Félicité se réfugiait derrière son ignorance de l'anglais – maintenant moins grande qu'elle le laissait paraître – pour demeurer en retrait des conversations. Cette familiarité de la part d'inconnus la gênait. Saint-Eugène ne l'avait pas habituée à une telle audace.

Avant de passer à table, les deux amies se dirigèrent vers les latrines publiques. Félicité réprima alors son envie d'adresser des remontrances à sa compagne. Celle-ci utilisait sans vergogne son capital de beauté pour se procurer de petits avantages, comme des repas. Ces hommes ne devaient pas être dupes de son opportunisme. « Pour leur investissement, à quels dédommagements s'attendent-ils ? », se demanda-t-elle encore.

En descendant de la montagne, un étudiant proposa de se rendre à la grande glissoire de la rue University. L'ouvrière se mordit la lèvre inférieure, se privant de donner une opinion qui ne prévaudrait pas. L'équipement construit pour la durée du carnaval permettait à deux traînes sauvages de glisser en parallèle. Les jeunes hommes payèrent le droit d'utilisation, un employé leur confia des traînes.

— Ça n'ira pas, remarqua l'un des étudiants. On entre à deux là-dedans, et nous sommes cinq.

— Comme je fais presque seul les frais de la conversation avec mademoiselle depuis le début, rétorqua le patineur du matin, vous réglerez ce dilemme entre vous.

Puis, sans autre formalité, il invita Phébée à s'asseoir la première. Elle plaça ses pieds sous la partie courbée à l'avant, ramassa sa robe et son manteau entre ses jambes, de façon à ce que le vent, pendant la descente, ne les lui envoie pas par-dessus la tête. Le jeune homme prit place juste derrière, plaçant ses jambes de part et d'autre de son corps. Littéralement, elle se trouvait assise entre ses cuisses.

Félicité copia la posture de son amie dans l'allée voisine, fort troublée. Les deux étudiants désignèrent celui qui aurait la chance de se coller contre elle le premier en tirant à pile ou face. Ce fut le plus timide qui obtint le privilège. L'autre descendrait seul.

Engagés dans la pente, les jeunes gens prirent rapidement de la vitesse. Lors des nuits les plus froides de la semaine précédente, on avait versé de l'eau depuis le haut de la rue. Maintenant, une couche de glace favorisait la descente.

Deux mains gantées de cuir se posèrent sur les bras de Félicité. Le contact entre les corps allait maintenant de ses genoux jusqu'à la tête. L'inconnu posa son menton sur son épaule, les deux visages se trouvaient l'un contre l'autre. Cette proximité suffisait à colorer ses joues de rouge.

Au bas de la pente, les hommes se levaient les premiers, puis tendaient la main à leur compagne pour les aider à se relever. Pour toute cette semaine, et peut-être au-delà, la circulation régulière se trouvait suspendue dans la rue University. Sur la moitié de la chaussée, du sable abondamment répandu permettait d'éviter de se rompre les os en remontant sur le pavé glissant.

— Il était tout collé contre moi, glissa Félicité à l'oreille de son amie.

Elles marchaient à une courte distance derrière les autres, un peu courbées vers l'avant.

— Le mien aussi, tu sais. Avec toutes nos couches de vêtements et les leurs, je doute que ton confesseur t'en fasse le reproche.

Cette légèreté la déstabilisait. Malgré son honneur perdu, Félicité s'accrochait à sa vision de couventine. Sur leur droite, d'autres touristes des deux sexes descendaient sur la glissoire en riant joyeusement. Tout comme Phébée, ils ne craignaient pas cette promiscuité.

Cette fois, le solitaire de la première glissade prit le relais de son camarade. À nouveau, elle se retrouva pressée contre un inconnu. Quand ils prirent un peu de vitesse, elle sentit les mains sur le haut de ses bras. Elles descendirent vers la taille, remontèrent cette fois sous les bras pour se poser sur sa poitrine.

La jeune femme se raidit, essaya de se dégager d'un mouvement vif, n'obtenant d'autre résultat que de projeter la traîne contre les madriers des côtés de la glissoire. Sa sécurité lui imposait de tolérer l'intrusion. Dès que la planche recourbée s'immobilisa, d'un saut elle se tourna sur le côté, se retrouva sur les genoux et les mains.

— Phébée, je m'en vais, annonça-t-elle en se relevant.

Le ton ne tolérait aucune réplique, aussi la blonde n'hésita pas une seconde à la suivre.

— Monsieur, dit-elle en se tournant vers son cavalier, ce fut agréable, mais nous devons rentrer.

— Pas déjà ? Nous venons tout juste de commencer.

Elle regarda son amie et constata son air tout à fait excédé.

— Mais nous, nous avons terminé. Merci pour votre charmante compagnie, bonne fin de carnaval.

Sans attendre de réponse, elle prit le bras de sa compagne et l'entraîna vers le sud. Félicité entendit les hommes protester entre eux. Les mots *Frenchie frogs* et *damned papist girls* résonnèrent bien distinctement à ses oreilles. Elles s'éloignaient d'un pas rapide pour s'éviter d'autres propos indélicats.

— Qu'est-ce qui s'est passé ? demanda la blonde.

— Il m'a touchée… là.

Elle baissa les yeux, pour désigner vaguement sa poitrine.

— Oh ! Le petit cochon, dit-elle avec un clin d'œil.

Phébée prenait l'incident à la légère, trop, au gré de son amie.

— Puis tu as entendu ces mots ? Attaquer notre religion ! Prenons vers l'est sur Sherbrooke pour rentrer.

— Mais il n'est même pas quatre heures, dit Phébée, déçue.

Le soleil avait décliné à l'horizon, le ciel nuageux offrait un gris soutenu. Dans une heure à peine, ce serait déjà la nuit.

— Tu ne vas pas laisser un salaud aux doigts trop longs gâcher nos journées de congé ? insista-t-elle. Nous en avons tellement peu dans l'année.

Afin d'augmenter l'achalandage au carnaval, le conseil municipal avait recommandé aux employeurs d'accorder une journée de repos à leur personnel. Phébée entendait aller plus loin et désigner de ce mot moins déprimant toute sa période de chômage.

— Nous courons de tous côtés depuis ce matin, plaida l'autre. J'ai froid et je suis fatiguée.

Une moue un peu boudeuse assombrissait son joli visage. Son amie s'appuya sur son bras et prit sa voix la plus douce pour proposer :

— Alors faisons un compromis. Nous allons marcher vers la maison, mais en passant par les sites les plus intéressants du carnaval. Regarde, à cette heure, ce sera magnifique. Toute la ville est en train de s'illuminer.

Elle disait vrai. Des hommes allumaient les lanternes chinoises accrochées aux réverbères. Elles jetaient une lumière un peu rougeâtre dans un rayon de trois ou quatre pieds tout au plus. Cela rappelait un chapelet tendu tout le long de la rue University.

— Qu'en dis-tu ?

Comment résister à tant de charme et de gentillesse ?

— D'accord, je veux bien.

Une bise sonore donnée sur la joue par des lèvres glacées scella cet engagement.

Des lanternes chinoises éclairaient aussi les rues conduisant au carré Dominion. Quand le palais de glace se matérialisa sous leurs yeux, interdites, elles s'émerveillèrent de toute cette beauté. L'éclairage électrique donnait aux murs l'aspect d'une porcelaine blanche. Dans l'obscurité ambiante, la construction prenait un aspect fantomatique.

— Tu vois, remarqua Phébée, le coup d'œil en vaut la peine.

— Je ne sens plus mes pieds, Phébée.

— Tu es de mauvaise foi…

Le reproche, formulé avec humour, tira un sourire à Félicité. Elle devait en convenir, à ce moment la construction gagnait en majesté.

— Prenons maintenant la rue McGill vers le sud pour rejoindre la place d'Armes.

La couturière se donnait encore une fois le rôle de guide. Elle connaissait la ville aussi bien que les cochers. Une demi-heure plus tard, elles atteignaient l'endroit où, depuis près de deux siècles, se tenaient des événements de nature militaire. De grands édifices se dressaient tout autour, comme le bureau de poste, la Banque de Montréal, la Société d'assurances de New York et l'église Notre-Dame.

Ces bâtisses se trouvaient illuminées par les faisceaux des lampes électriques, tout comme l'imposant lion de glace érigé au milieu de la place qui, sous l'éclairage artificiel, prenait un air surréel. Haute d'une dizaine de verges, la bête semblait sur le point d'avaler les fêtards tout autour. Plusieurs de ceux-ci combattaient le froid à grandes lampées de gin, de whisky ou de cognac. Certains titubaient, d'autres chantaient à tue-tête.

— Les filles, vous cherchez de la compagnie ? cria une voix avinée en anglais.

— Pas celle d'un vieux soûlon, répondit la blonde.

— Je ne me sens pas en sécurité parmi tous ces gens, se lamenta Félicité.

— Avec l'éclairage et la foule dans les rues, nous ne risquons rien. Tous ces jeunes hommes seraient trop contents de venir à notre secours.

Sur leur chemin, ils étaient nombreux à toucher le bord de leur chapeau en guise de salut. En cette saison, la bienséance leur permettait de ne pas l'enlever tout à fait. Chaque fois Phébée répondait d'un sourire.

— Puis je n'ai pas moins froid aux pieds que tout à l'heure, maugréa son amie.

— Bon, prenons la rue Notre-Dame. Nous arrêterons nous réchauffer quelque part quand nous serons rendues au Champ-de-Mars.

Félicité aurait préféré rentrer très vite à la maison. Au moins, elles marchaient dans la bonne direction.

Voué aux parades militaires depuis le siècle précédent, le Champ-de-Mars présentait des vestiges des murs d'enceinte de Montréal. Au sud de la place, l'arrière du palais de justice et de l'hôtel de ville formait de grandes masses sombres. Là aussi se dressait une haute structure de glace, brillamment éclairée à l'électricité. Elle prenait la forme d'une ogive, et les blocs avaient été taillés à angles droits. La sculpture aux proportions impressionnantes atteignait la hauteur d'un édifice de trois ou quatre étages, elle scintillait comme un bijou couvert de diamants. Au sommet, on avait posé une statue, elle aussi de glace.

— C'est le condorra, expliqua Phébée.

— Que veut dire ce mot?

— Je n'en ai aucune idée. Viens, allons-nous réchauffer dans cette petite cabane, près de Gosford.

Cette fois aussi, une entreprise profitait de l'affluence pour faire connaître un produit, le Johnson Fluid Beef. Derrière un comptoir, un gros homme versait le précieux liquide dans des tasses de fer-blanc.

— Une boisson chaude te remettra de bonne humeur, tu verras.

— Je ne suis pas de mauvaise humeur, je suis gelée, déclara Félicité à voix basse.

Sa compagne passa la commande, puis un homme s'approcha pour dire en anglais:

— Je m'en occupe. Allez vous asseoir à la table là-bas, avant que quelqu'un ne vous devance. Je vous rejoins dans un instant.

La même situation se reproduisait sans cesse. Phébée faisait son chemin en payant son dû de sourires et de battements de cils, sans y mettre un cent. En buvant un bouillon de bœuf bien chaud et vraiment trop salé, ils échangèrent prénoms et informations anodines. Vingt minutes plus tard, un peu réchauffées, elles quittaient la petite construction.

Cette fois sans effectuer d'autres arrêts, elles regagnèrent la ruelle Berri à temps pour profiter du souper préparé par Vénérance.

Chapitre 17

Jules s'était privé d'assister aux événements de la première soirée du carnaval pour accompagner son patron à la séance du conseil municipal. Voir les échevins se disputer sur l'à-propos de confier à des entrepreneurs, contre rémunération, le ramassage des déchets des rues pour les faire brûler un peu à l'écart de la ville présentait un bien médiocre succédané à une soirée en compagnie de Phébée. Par contre, il comprenait l'importance de cette réunion : jusque-là, à moins que des personnes au sens civique aiguisé ne prennent l'initiative de les enlever, les ordures pourrissaient lentement là où on les avait jetées. Seule la vermine accélérait un peu le processus.

À la fin de la séance, le stagiaire attendit son patron dans le vestiaire, afin de faire route avec lui. En tant que membre du comité d'hygiène municipal, on lui avait demandé d'exprimer son opinion plus d'une fois. Robert Gray attendit qu'ils soient dehors pour demander :

— Alors, Jules, vous avez aimé la sagesse de nos élus municipaux ?

— Le conseiller Martin s'opposait à toutes les mesures proposées simplement pour ne pas voir augmenter son compte de taxes.

— Aux prochaines élections municipales, ceux qui voteront pour Beaudry auront cette seule préoccupation en tête.

— Mais le maire vient d'adopter le principe du ramassage des ordures !

Les élections municipales se tiendraient dans quelques semaines. Le conservateur Jean-Louis Beaudry entendait briguer un autre mandat.

— Bien assis dans son fauteuil de maire, il pourra tout simplement annuler le contrat. C'est pour ça que nous devons tout faire pour mettre Honoré Beaugrand à sa place.

L'usage du «nous» indiquait combien le pharmacien comptait sur la contribution de son stagiaire lors de la campagne électorale. Jules acceptait de bonne grâce, lui aussi convaincu de la nécessité de porter une nouvelle équipe au pouvoir. Pour l'heure, un autre sujet le tracassait :

— Le conseiller Martin possède des taudis un peu partout dans la ville, n'est-ce pas ?

— Paraît-il. C'est pour ça qu'il s'inquiète tellement d'une augmentation des taxes municipales.

— Il en a même tout près de votre pharmacie, dans la ruelle Berri.

— Ah oui ? Ces fonds de cours ou de ruelles, ce sont les maisons les plus insalubres. Impossible de les relier au système d'égouts ou d'aqueducs sans démolir celles qui donnent sur la rue.

Jules pensait exactement cela de l'habitat de Phébée. Il imagina la jolie blonde sur les divers sites du carnaval, une petite pointe de jalousie au cœur. Depuis les fêtes, il se questionnait sur la tournure à donner à cette histoire. Ses bonnes relations avec son employeur l'amenèrent à solliciter son avis.

— Monsieur Gray, puis-je aborder une question bien personnelle avec vous ?

L'autre tourna la tête vers son stagiaire. À la lueur des réverbères, il ne distinguait pas l'expression de son visage.

— Je vous écoute.

Obtenir une oreille attentive était facile. Se confier posait plus de difficulté.

— Depuis plusieurs mois, je fréquente une jeune fille.

— Je m'en doutais. Seul un amoureux peut contempler un lot de pastilles pour la toux avec des yeux rêveurs.

L'humeur taquine de son patron ne rendait pas les choses plus faciles.

— Je lui trouve bien des qualités… mais elle ne vient pas de notre monde.

— Grands dieux! Vous l'avez dénichée sur un navire arrivant de Chine?

— Plutôt dans l'un des taudis du conseiller Martin.

En quelques phrases, Jules lui raconta les circonstances de sa rencontre avec Phébée.

— Orpheline, elle gagne sa vie comme couturière, termina-t-il.

— Chanceux. Vous vivez une histoire d'amour digne d'un roman populaire français.

— Tous mes camarades d'université risquent de se moquer de moi. Eux trouvent des compagnes sorties tout droit du couvent, ils les rencontrent dans de jolis salons.

— Bien sûr. Si une femme ne vient pas d'un couvent, elle fera une mauvaise épouse…

Robert Gray aurait trouvé tout naturel d'avoir cette conversation avec son fils. Que ce soit avec son stagiaire ajoutait du piquant à la situation.

— En fin de compte, reprit-il, vous avez peur que la demoiselle vous fasse honte. Si devant des collègues ou des relations d'affaires, elle échappait l'un de ces mots appris dans un taudis, ou utilisait la mauvaise fourchette pour manger son poisson, votre fierté en serait à jamais écorchée.

Le pharmacien décrivait assez bien ses appréhensions, même si Phébée, lors de toutes leurs sorties, soignait son vocabulaire et se tenait parfaitement bien à table.

— Vous considérez votre future épouse comme un trophée, continua Gray, à la manière de nos concitoyens qui paradent rue Saint-Denis avec un joli pur-sang payé une somme folle. Lors d'un souper, quand un gars vous présentera sa femme en précisant qu'il s'agit de la fille du juge Untel, vous aurez les joues cramoisies quand il vous faudra confesser votre terrible faute de goût : la vôtre aura, pour tout titre de noblesse, celui de couturière orpheline.

Cet homme si préoccupé des ordures ménagères, des raccordements d'égouts et de la vente de lait avarié se révélait sensible aux rapports humains. Le froid piquant les obligeait à forcer l'allure. Par une nuit de janvier, les rues de Montréal se prêtaient mal à ce genre de confidences. Pourtant, Jules revint à la charge :

— Certains camarades de l'université ne me pardonneront pas un mauvais mariage. Personne ne m'insultera dans les rues, mais on cessera de m'inviter à souper.

— On vous invite si souvent ?

— ... Non, admit le garçon après une hésitation.

— Je vous taquine. Bien sûr, si vous ne faites pas comme tout le monde, des gens jaseront, certains mettront peut-être fin à leur relation avec vous. Je vous demandais tout à l'heure si vous aviez trouvé votre Dulcinée sur un paquebot chargé de Chinois. Moi, j'ai fait pire, j'ai épousé une catholique de langue française. J'ai même abjuré ma foi, autrement l'Église aurait refusé de nous marier. Aux yeux de plusieurs, à Montréal, c'est une faute impardonnable, une trahison même. Certaines de mes connaissances ont cessé de me parler. Par ailleurs, d'autres sont devenus des amis. Je n'ai pas perdu au change. Surtout, tous les soirs je suis heureux de rentrer à l'appartement au-dessus de la pharmacie. Alors l'opinion des idiots, moi...

Cette Canadienne française, Jules l'apercevait parfois. Une charmante femme. Ils s'engagèrent dans la rue Saint-Laurent, vers le nord. Dans quelques minutes, la conversation prendrait fin.

— Cette couturière, demanda Gray, quelles qualités lui trouvez-vous?

— Elle est enjouée, plutôt taquine. Elle met beaucoup de soin à bien s'exprimer, bien se vêtir. Je crois qu'elle a très bon cœur, elle se montre fidèle à ses amies. Nous traînons toujours une jeune fille avec nous, sous prétexte d'avoir un chaperon. Je soupçonne que le souci de ne pas la laisser seule le dimanche est au moins aussi important, à ses yeux, que le désir de présenter une parfaite moralité.

— On dirait que vous parlez d'une postulante chez les sœurs de la Congrégation. Est-elle jolie?

— C'est la plus belle fille que j'aie vue.

L'aveu avait été fait à voix basse, car implicitement il évoquait son désir pour elle. Le pharmacien commença par rire de bon cœur, il donna même une claque dans le dos de son stagiaire. Puis il ajouta, moqueur:

— Vous vous interrogez sur l'éventuelle réaction de certains de vos condisciples de l'université au lieu de conter fleurette à une beauté. Vous devriez réfléchir un peu à vos priorités, mon jeune ami.

Présentées comme cela, il devait en convenir, ses hésitations paraissaient un peu sottes. Tandis que les deux hommes tournaient à droite dans la rue Sainte-Catherine, Jules se trouva animé d'une nouvelle résolution. Devant la porte de la pharmacie, il tendit la main à son patron:

— Je vous remercie, monsieur.

— Il n'y a pas de quoi. Vous m'accompagnerez au conseil municipal aussi souvent que vous le voudrez.

Le jeune homme prit congé en se disant que même traître à sa foi et visiblement francophile, Gray gardait un humour bien anglais.

— Je ne veux pas sortir ce matin, protesta Félicité. Tu as entendu John tout à l'heure, le temps est glacial.

L'ébéniste n'exagérait pas. En plein jour le mercure demeurerait autour des 24 degrés Fahrenheit sous zéro, mais cela ne découragea pas la couturière.

— Hier, tu me reprochais de partager un peu de mon temps avec des Anglais de passage. Aujourd'hui, je veux tenir compagnie à Jules, et tu veux tout ruiner.

— Il n'y a pas que Jules. Cet Américain…

Ce rendez-vous prévu pour la soirée continuait de la chicoter. Sans compter que la veille, elle avait souffert d'attentions inopportunes. De plus, la rencontre avec cet inconnu aurait lieu tout de suite après un long aparté avec le pharmacien. La situation en devenait plus immorale encore aux yeux de Félicité.

— Vois-tu une bague à mon doigt ?

La blonde montrait son annulaire. Bien sûr, Jules ne s'était pas encore engagé avec la couturière, ni personne d'autre d'ailleurs. Elle pouvait donc se considérer comme libre.

— Allez, mets tes bas de laine, ton jupon le plus chaud sous ta robe, deux camisoles aussi, et viens encourager notre coureur des bois.

Phébée se penchait sur le coffre grand ouvert et elle lançait l'une après l'autre les pièces de vêtement énumérées à son amie assise sur le lit. Devant une pareille détermination, Félicité cessa de résister. De toute façon, la perspective de passer la journée toute seule la déprimait encore plus que les comportements ambigus de son amie.

En quittant la chambre, le regard de la blonde se porta dans la pièce juste en face. Comme à son habitude, Hélidia se trouvait étendue sur son lit, plus morose que jamais.

— Tu n'as pas envie de profiter un peu du carnaval ?

— Comme je n'ai personne pour m'accompagner, je préfère rester ici.

— Dommage que Crépin ne puisse pas se libérer.

Chacun feignait de croire à une idylle entre eux, tellement ils étaient souvent ensemble. Cela venait probablement du désir de voir finalement les laissés-pour-compte trouver chaussure à leur pied.

— Il a surtout la chance de ne pas connaître le chômage.

— De toute façon, conclut Phébée en haussant les épaules, faut-il vraiment être avec quelqu'un pour apprécier des monuments de glace ?

Et pourtant, une minute plus tôt elle bousculait son amie pour la traîner avec elle.

— Ce ne serait pas convenable.

— En plein jour ?

Aucune réponse ne vint de la chômeuse renfrognée. La couturière continua son chemin vers l'escalier. Au rez-de-chaussée, avant d'ouvrir la porte, Félicité boutonna son manteau jusqu'au cou, ajusta son bonnet et son foulard pour protéger la plus grande surface de peau possible. Lorsqu'elle mit les pieds dans la ruelle, l'air lui brûla les poumons et le froid lui piqua les joues.

— Seigneur, nous allons attraper la mort, gémit-elle. Je t'ai dit que l'an dernier j'ai fait une pneumonie ?

— Mais selon ce cher Jules, Montréal cesse d'être un foyer de contamination en plein hiver, à cause du climat. C'est peut-être le jour le moins dangereux de l'année.

Si le Champ-de-Mars se trouvait au nord de l'hôtel de ville, la place Jacques-Cartier s'étendait au sud de celui-ci jusqu'à la rue des Commissaires. À une extrémité de celle-ci se dressait la colonne Nelson, le plus vénéré des héros britanniques. Jules Abel avait promis de les attendre près du socle de ce monument. Heureusement, car il aurait été introuvable dans la foule. Deux cents jeunes hommes environ se trouvaient rassemblés là, tous vêtus de la même façon : une tuque et un manteau bleus. Et bien sûr, comme il convenait pour un club de raquetteurs, chacun tenait des raquettes à la main.

Les deux jeunes femmes rejoignirent le pharmacien. Phébée hésita entre des retrouvailles enthousiastes et une moue boudeuse pour le punir de ses absences des dernières semaines. L'autre s'avança pour lui faire la bise, mais s'arrêta devant le peu d'empressement de son amie et lui tendit plutôt la main.

Quelle maladresse ! La femme regretta son premier mouvement de recul et essaya de compenser un peu en posant la main sur son avant-bras. Elle se plaignait de n'avoir jamais été présentée à la famille Abel, et là le jeune homme voulait l'embrasser devant tous ses amis réunis. Cela aussi valait un engagement public.

— Vous ne pensez pas mourir de froid ? s'enquit-elle. Sur le fleuve, le vent rendra la situation plus difficile encore.

— Il faut se montrer digne de nos ancêtres qui allaient combattre nos ennemis de la Nouvelle-Angleterre en plein hiver.

Le garçon se montrait un peu belliqueux, ce jour-là. Pour cette expédition, préparée par le comité d'organisation des fêtes pour l'est de la ville – autrement dit pour les Canadiens français –, des invitations avaient été envoyées à deux autres clubs de raquetteurs regroupant des Canadiens anglais, le premier pour les protestants, le second pour les catholiques irlandais : le *Snowshoe* et l'*Emerald*.

— Je ne doute pas que vous ayez le même courage, dit la blonde dans un sourire.

La même phrase, répétée à tous les membres du club Le Trappeur, aurait peut-être ramené le sourire sur le visage de ces athlètes. Pour l'instant, ils se montraient maussades : une activité prévue pour plus de deux mille personnes en réunissait dix fois moins.

— Mais cette idée de traverser le fleuve, l'interrogea Félicité, n'est-ce pas dangereux ?

Silencieuse toute la journée de la veille, la jeune femme tenait à se prouver à elle-même qu'elle pouvait encore faire la conversation.

— En cette période de l'année, c'est sans risque. Sur toute la largeur, l'épaisseur de la glace n'est jamais inférieure à vingt pouces. Il y a quelques années, l'entrepreneur Sénécal faisait construire une voie ferrée sur le fleuve pour permettre la circulation entre Montréal et Longueuil.

— Oh ! Même dans ma campagne, les journaux ont annoncé la chose. Ils ont aussi rapporté qu'une locomotive avait sombré sous la glace.

Le jeune homme eut un rire bref. Il regrettait que le charmant chaperon ne participe pas plus souvent aux échanges. Elle pouvait se révéler amusante et bien informée.

— Vous avez raison, et je ne serais pas monté dans ce train. Notre petit groupe d'hommes pèse cependant beaucoup moins qu'une locomotive et une demi-douzaine de wagons.

D'anciens camarades d'université du pharmacien commencèrent à défiler aux pieds de la colonne Nelson afin de se faire présenter ces jolies femmes. Certains d'entre eux se promenaient avec une cavalière au bras. Phébée reconnut quelques-unes des clientes des Confections Marly, des rivales de bonne famille.

Bientôt, on s'agita près de la rue de la Commune.

— Le départ approche, s'enthousiasma le raquetteur.

— Vous vous rendez sur l'île Sainte-Hélène et vous revenez ici? demanda encore Félicité.

Elle espérait une réponse positive, cela la libérerait de cette sortie à la patinoire.

— Non, nous y passerons une partie de la nuit dans une espèce de pavillon de chasse, à chanter et à raconter des histoires.

— Et à boire un peu, je suppose, dit Phébée avec un sourire.

La remarque amusa son cavalier.

— Avec des gins et des rhums chauds nous ne crèverons pas de froid.

Ces expéditions permettaient de se dépasser dans l'effort physique, mais le désir de festoyer revêtait au moins autant d'importance. Maintenant, les hommes avançaient lentement vers la rive. Depuis les quais Jacques-Cartier et Richelieu, de nombreuses échelles permettaient de rejoindre la surface glacée. Sur le fleuve, certains profitaient de la présence d'un brasero pour allumer de grands flambeaux.

— Vous n'avez pas peur de vous égarer sur le fleuve? questionna Phébée. D'ici, je ne distingue même pas l'île Sainte-Hélène.

— Regardez, des sapins ont été plantés dans la glace. Ils forment une ligne continue jusqu'à notre destination.

Les premiers raquetteurs, leur équipement aux pieds, certains avec une torche à la main, commençaient leur longue marche.

— Je dois me presser, dit Jules, je n'aime pas arriver le dernier.

— Les derniers seront les premiers, ricana son amie.

— Ce soir, les derniers seront ceux qui n'auront ni à manger, ni à boire. C'est bien entendu, nous nous rejoignons demain matin rue Saint-Denis?

— Nous serons là. Vous devrez nous abandonner avant l'heure du dîner, c'est bien ça?

Elle affectait une moue déçue.

— Oui. À midi, je me tiendrai derrière le comptoir de la pharmacie.

— Et en soirée, vous suivrez votre patron à la réunion du comité d'hygiène.

Cette discussion se déroulait pour la seconde fois. Dix jours plus tôt, le jeune homme lui avait donné tout son emploi du temps pour la semaine du carnaval.

— Je suis content de me joindre à lui pour cette réunion, Phébée. Il va se décider des choses importantes pour l'avenir de la ville, et je veux m'établir ici au terme de mon stage. Bon, je dois vraiment les rejoindre, maintenant.

La plupart de ses compagnons formaient déjà une ligne continue sur le fleuve. Debout près du quai, Jules tendit la main à Phébée. Elle se pencha pour lui embrasser la joue, à la sauvette.

— Alors nous nous retrouverons demain à neuf heures. Bonne promenade.

Encore surpris du geste, il la salua, souhaita une bonne soirée à Félicité puis s'engagea dans l'échelle. Une fois ses raquettes attachées aux pieds, un flambeau à la main, il adressa un dernier salut aux deux femmes. Elles le lui rendirent et demeurèrent ensuite quelque temps debout sur le quai pour le voir se joindre au petit peloton fermant la marche des trappeurs.

Ce soir-là, l'atmosphère un peu maussade dans la cuisine de Vénérance s'expliquait par la précarité de la plupart des locataires, bien sûr, mais aussi un peu par l'absence des deux voisines.

— Faut bien le dire, les filles mettent un peu de vie dans nos repas, commenta Mainville. Sans elles, c'est pas pareil.

— Je regrette de pas être assez amusante pour toi, glissa Hélidia.

— Voyons, c'est pas ce que je voulais dire.

L'ouvrière se trouvait seule de son côté de la table, avec en face les deux mécaniciens. Son visage triste ne contribuait certes pas à améliorer l'ambiance.

— Mais où ces deux-là sont-elles allées courir? demanda Charles.

Ses yeux se portaient sur John Muir, le plus susceptible de connaître leurs allées et venues.

— Les raquetteurs du club Le Trappeur se rendent à l'île Sainte-Hélène ce soir. Elles sont allées saluer l'un d'eux.

— Le petit notable? Elle a encore un œil sur lui?

— Elle le connaît à peine, s'offusqua Crépin, mais elle se trouve sans cesse avec lui.

Le commis aux livres se tenait à un bout de la table, droit, comme un père responsable de rappeler à l'ordre des enfants turbulents.

— Si elle le voit sans cesse, elle doit bien le connaître, ricana Mainville.

— Elle l'a rencontré au carré Viger. C'est pas connaître quelqu'un, ça. Ses parents ne sont même pas de Montréal. Peut-être sont-ils des mécréants... Se comporter comme ça peut très bien ruiner une réputation, ajouta-t-il après une pause.

L'ébéniste lui adressa un regard hostile, mais il s'abstint de répliquer.

— Elles iront pas sur le fleuve avec des raquettes aux pieds ? se demanda Mainville. À cette heure, elles devraient être là ?

Hélidia poussa un long soupir. Finalement, même absentes, ses voisines prenaient toute la place.

— Ensuite, elles iront à la patinoire Victoria, dit John. Il y a du patin, du curling et du hockey au programme.

— T'as vu des gens jouer au hockey déjà ? demanda Mainville. Ça ressemble pas à un sport. Sept gars dans chaque équipe, montés sur des patins, avec un long bâton dans les mains. J'y comprends rien.

— Moi non plus, renchérit Charles. De toute façon, aucun Canadien français ne se mêle de ça. C'est un jeu pour les étudiants anglais.

La conversation porta ensuite sur les mérites respectifs du hockey et de la crosse. Crépin Dallet ne s'y mêla pas, jugeant le sujet indigne de lui. Sa tasse de thé à la main, il profita d'un silence pour revenir à sa grande préoccupation.

— Elles sont bien imprudentes. Les voilà toutes seules au milieu de tous ces étrangers, sans personne pour veiller sur elles. Le carnaval recèle bien des occasions de perdre son âme.

— Voilà encore saint Crépin occupé à condamner tout le monde, s'impatienta John Muir. J'en ai assez entendu, je retourne à mes outils et à mon bois.

Les mécaniciens montèrent aussi dans leur chambre. Dallet et Hélidia restèrent seuls, formant un couple triste et silencieux.

D'un pas rapide, les deux amies empruntèrent la rue Dorchester vers l'ouest. Devant l'hôtel *Windsor* étaient massés de nombreux traîneaux fermés, et même des voitures de maître. Les femmes qui en descendaient portaient des fourrures précieuses. La lumière des réverbères soulignait le moiré des robes de soie.

— Ça c'est un grand bal pour les richards de l'ouest de la ville, laissa tomber Phébée.

— Dans cet hôtel ?

— Il y a une immense salle utilisée pour des concerts et des bals. Je ne l'ai jamais vue, mais j'ai connu un portier qui travaillait là.

Bien sûr, comprit Félicité, ce devait être l'un de ces hommes qui lui avait payé un bouillon de bœuf, un repas ou une excursion quelconque. Puis elle regretta cette réflexion : sa seule amie méritait sa considération. Le duo tourna à droite dans la rue Drummond pour rejoindre l'entrée de la patinoire Victoria. Arthur battait la semelle devant l'immeuble de briques en posant les mains sur ses oreilles pour les protéger du froid.

— Ah, vous voilà ! s'écria-t-il en les apercevant. Vous êtes en retard d'une heure.

— Mais à ma montre, je suis juste à l'heure, à une ou deux minutes près.

L'Américain préféra se taire, surtout quand la demoiselle lui présentait son sourire le plus enjôleur tout en tendant la main.

Après les avoir saluées comme il convenait, l'homme reprit :

— J'espère que nos places sont toujours libres.

Ils se retrouvèrent finalement assis dans les gradins après avoir dérangé une vingtaine de personnes pour atteindre leurs sièges. Impressionnée, Félicité contempla la grande bâtisse, la surface glacée, les estrades et le toit arrondi comme un demi-cylindre. Il lui fallut un instant avant de s'intéresser à la compétition se déroulant sur la glace.

Après une épreuve de patin de fantaisie dont le Montréalais Louis Rubenstein sortit vainqueur, deux groupes d'hommes s'avancèrent en portant de grosses pierres polies dans lesquelles on avait fiché une poignée de fer. Certains tenaient aussi des balais. Les équipes se distinguaient par leur habillement : l'une portait le kilt, l'autre le pantalon. Pendant une quarantaine de minutes, les spectateurs purent apprécier le talent des joueurs de curling.

— Je comprends qu'ils tentent de toucher des pierres avec d'autres pierres, remarqua Arthur, mais quelles sont les règles de ce jeu ?

Comme Phébée haussait les épaules en signe d'ignorance, il regarda le chaperon. Félicité n'en savait guère plus. À la fin, les équipes firent de la place à deux autres groupes de compétiteurs, cette fois chaussés de patins et avec de grands bâtons dans les mains.

— Ah ! Voilà enfin quelque chose qui ressemble à un sport.

Arthur ne perdrait pas totalement sa soirée.

Finalement, le spectacle revêtait surtout un intérêt ethnographique pour les trois spectateurs. Tant l'Américain que les deux Canadiennes françaises se familiarisaient avec les pratiques étranges de ces autres Canadiens. Un petit malaise rendit tout le monde muet à la sortie de l'immeuble. Puis Arthur proposa :

— Si vous le désirez, nous pourrions aller manger. Il y a un restaurant dans mon hôtel.

Félicité arrondit les yeux. La proposition lui parut d'une telle audace ! Surtout, comme toutes les deux avaient fait le sacrifice du repas de Vénérance, elle redoutait un peu que son amie accepte.

— Nous rentrons sagement à la maison comme les bonnes filles que nous sommes, dit plutôt celle-ci.

— Je vous parle simplement d'un souper, protesta l'autre.

— C'est bien ce que j'avais compris, mais nous sommes attendues ailleurs. Bonsoir, Arthur.

Phébée tendit la main, son sourire charmant sur les lèvres. L'autre ravala sa frustration.

— Avez-vous envie de m'accompagner pour la conquête du palais de glace ?

Le programme du carnaval prévoyait pour le lendemain un curieux jeu de guerre, avec cette construction éphémère comme enjeu.

— Nous demeurerons toutes les deux au coin du feu, malheureusement. Cette activité nous attire plus ou moins…

— Mais il y aura aussi des feux d'artifice…

— Je vous souhaite une bonne soirée, Arthur.

Quelques heures plus tôt, Jules se tenait aux côtés de Phébée, au milieu de tous ses amis. Cette attitude l'avait tout à fait réconciliée avec lui. Sans attendre la réplique de l'Américain, elle tourna les talons. Félicité esquissa un salut de la tête, puis saisit le bras de son amie, pour lui chuchoter :

— Tu te rends compte ? Il voulait nous emmener à son hôtel. Penses-tu qu'il avait des… intentions ?

— Tous les hommes ont cette intention-là, tu sais. Les salauds, comme ton ancien contremaître, et les gentils, comme Jules.

Félicité jeta un regard derrière elle pour vérifier qu'Arthur n'était plus où elles l'avaient quitté.

— Tu crois qu'il peut nous suivre ?

— Peut-être, mais comme tu avances le cou tordu pour voir derrière, tu le sauras, répondit-elle, un peu moqueuse.

La châtaine ne cacha pas sa surprise.

— Tu n'as pas peur ? Un jour ou l'autre, un de ces hommes rencontré par hasard risque de prendre de force ce qui l'intéresse.

— Je suis prudente, tu sais. Nous ferons le chemin de retour dans la rue Dorchester. C'est bien éclairé, puis à cause du carnaval, on croise plein de monde.

Mais cette foule ne rassurait pas tout à fait Félicité. On voyait bien quelques couples se déplacer sur les trottoirs, mais les hommes dominaient largement. Certains déambulaient en petits groupes, d'autres seuls. La moitié peut-être titubait à cause de l'abus d'alcool.

— Cet Arthur, tu le mets où, entre mon contremaître et Jules ?

— Juste au milieu, je suppose.

— Et John ?

La blonde laissa échapper un rire bref, puis posa la main sur les doigts de son amie accrochés au creux de son coude.

— Sais-tu que je t'adore ?

— Mais tu ne me réponds pas.

— Mon bon ami John est un inclassable. Ne me demande pas pourquoi, c'est un secret entre lui et moi.

La réponse laissa la jeune femme songeuse. À la maison, l'ébéniste n'évoquait jamais de cavalière. Pourtant, il s'agissait d'un bel homme.

— Et Crépin ?

— Ce serait le dernier homme avec qui je voudrais me trouver seule… sauf ton contremaître. Ces fervents religieux, ce sont les pires.

À ces mots, le souvenir de l'abbé Sasseville refit surface dans l'esprit de Félicité. Elle arrivait maintenant à ne plus penser à lui pendant plusieurs jours consécutifs. Cette histoire, elle la ressentait de plus en plus comme un malheur ancien.

— Crépin sent la mort, en plus…, ajouta la blonde. D'après moi, ce n'est pas seulement son travail qui lui donne cette odeur malsaine, mais peut-être son âme.

L'idée que les cadavres des saints répandaient une odeur de rose était familière à tous les catholiques. Naturellement, la fragrance tenace du commis amenait à imaginer l'inverse.

— Mais tu me poses bien des questions sur les hommes, ce soir, se moqua-t-elle ensuite. T'intéresserais-tu à quelqu'un ?

La question mit Félicité mal à l'aise, comme si on l'accusait de mauvaises pensées.

— Non, non, mais je suis si ignorante de ces choses-là.

— Oui, je sais, le couvent…

Répété depuis plus d'un an et demi, le constat commençait à lui tomber sur les nerfs. Tout le monde y voyait la cause de sa timidité, de sa discrétion… ou de sa sottise. Il lui arrivait encore parfois de regretter la sécurité offerte par la vie en communauté religieuse, mais cette avenue lui était dorénavant fermée.

— Entrons ici pour acheter de quoi manger, dit Phébée en désignant une boulangerie. Autrement, nous aurons du mal à attendre jusqu'à demain.

Dans le commerce, une jeune fille aux yeux cernés leur vendit des petits pains. Félicité se demanda si le sort d'une vendeuse était vraiment meilleur que le sien.

Chapitre 18

Le club Le Trappeur ne faisait pas qu'organiser de longues promenades sur le fleuve gelé. Au cours de la semaine précédente, ses membres avaient passé des heures à assembler des madriers pour construire une glissoire rue Saint-Denis. À partir de l'intersection de la rue Sherbrooke, une dénivellation suffisamment importante conduisait les traînes sauvages jusqu'au coin de la rue Sainte-Catherine.

Son inauguration eut lieu peu après dix heures le mercredi 28 janvier. L'événement devait attirer des centaines de personnes des quartiers Saint-Jacques et Saint-Louis. Malheureusement, le mercure descendait sérieusement sous le zéro Fahrenheit, et un vent froid remontait depuis le fleuve, emportant avec lui une fine poudrerie de neige.

— Doit-on vraiment supporter ce froid? se plaignait Félicité.

Par contre, demeurer seule à la maison ne lui disait rien qui vaille et au fond, la compagnie de son amie compensait largement cet inconfort.

— Mais nous devons encourager le pauvre Jules, insista Phébée. Sans nous, il n'y aurait personne.

Elle exagérait à peine. Tout au plus une vingtaine de badauds étaient réunis au sommet de la pente, alors que tous les jours les journaux en évoquaient des centaines à chacune des autres activités qui se déroulaient dans l'ouest de la ville. Le conseiller Martin, debout sur une caisse de bois placée à l'envers, un manteau de fourrure sur le dos et un chapeau assorti sur la tête, commença son laïus :

— Mes chers amis, je suis heureux de vous voir si nombreux aujourd'hui…

L'entrée en matière attira un ricanement. Le politicien s'en tenait à son discours, sans l'ajuster aux circonstances.

— Pareille initiative, menée à bien par les valeureux trappeurs, témoigne de l'enthousiasme des nôtres pour les plaisirs de l'hiver.

Un coup de vent glacial vint plier en deux la feuille de l'échevin.

— Bon, le temps n'est pas propice à de longs palabres, conclut-il. Nous allons inaugurer tout de suite cette belle glissoire.

Il se dirigea vers la traîne sauvage placée tout en haut de l'échafaudage.

— Je me souviens tout à coup ! murmura Félicité. Cet homme : c'est notre propriétaire.

— Tu as raison, c'est bien lui.

À cause de son embonpoint, Martin éprouva un peu de difficulté à s'asseoir sur la planche de bois. Son derrière débordait assez généreusement de chaque côté. À titre d'artisan dans la construction de la glissoire, Jules Abel obtint le privilège de le pousser pour la descente.

La traîne sauvage heurta en alternance les madriers de chaque côté. Sans eux, le pauvre échevin aurait sans doute atteint le bas de la pente à reculons. Après avoir rempli son rôle dans la petite cérémonie officielle, le stagiaire en pharmacie vint vers son amie avec une mine déçue.

— Nous attendions une petite foule, personne n'est venu, maugréa-t-il.

— Mais avec cette température, c'est compréhensible, le consola Félicité avec gentillesse.

— Il ne doit pas faire plus froid sur les flancs du mont Royal, pourtant des centaines de personnes s'y trouvent sans doute.

Tant l'esprit de la fête que l'esprit sportif semblaient faire défaut aux citadins habitant à l'est de la rue Saint-Laurent.

— Vous avez travaillé fort, l'encouragea Phébée en posant la main sur son avant-bras, et le résultat est très bien.

Le vent soulevait les cheveux blonds dépassant de sous son bonnet de laine et rougissait ses joues. Le jeune homme réprima une envie de l'embrasser.

— Au moins, nous allons l'essayer, cette glissoire, dit-il, un peu ragaillardi. Venez.

Il tendait la main pour prendre celle de son amie. Elle se dirigea avec lui vers l'une des traînes placées au sommet de la pente. Les quelques témoins de la cérémonie s'égail-laient alors. Phébée prit place à l'avant, son ami s'installa juste derrière pour la tenir entre ses jambes.

— Félicité, dit la jeune femme, tu vas glisser toi aussi ?

— Oui... bien sûr.

Quelques jeunes gens la regardaient. Les privautés de l'étudiant, la veille, la rendaient méfiante.

— Pousse-nous d'abord. Nous t'attendrons en bas.

Elle s'exécuta de bonne grâce. Elle les regarda filer, puis chercha une autre traîne. Quand elle voulut s'y installer, un membre du club de raquetteurs s'approcha, désireux de lui tenir compagnie jusqu'en bas.

— Non, dit-elle, je préfère être seule. Vraiment.

La jeune femme s'élança, puis se jeta à plat ventre sur la traîne. Cette fois, elle goûta la descente sans se soucier de mains envahissantes. Passant devant l'église Saint-Jacques, elle aperçut la silhouette noire du curé de la paroisse, debout sur le parvis. Même à cette distance, elle put remarquer la colère sur son visage. Une fureur d'inquisiteur. Quand la planche termina son trajet, Jules vint lui tendre la main pour l'aider à se relever.

— Si l'affluence reste la même, tout le monde pourra glisser seul, comme vous l'avez fait.

— … Je ne connais personne, dit-elle comme pour s'excuser.

Déjà, le jeune homme rejoignait son amie en voulant lui prendre le bras.

— Non, pas ici…

Ses yeux se fixaient sur le prêtre, à une vingtaine de verges tout au plus. Le garçon suivit son regard et se retint de faire le moindre commentaire.

— Devons-nous ramener cela en haut?

Félicité tenait la corde attachée au-devant de sa traîne, déjà disposée à remonter la longue pente pour la remettre à sa place.

— Non, laissez. Quelques-uns des membres du club seront de service toute la journée, ils pourront y voir. Bon, maintenant, je dois retourner au travail.

Il paraissait si déçu de les quitter que Phébée ne lui en tint pas rigueur.

— Dans votre accoutrement de trappeur, nota-t-elle avec un sourire moqueur, vous attirerez les regards des clients. Au moins, vous n'avez pas de raquettes aux pieds.

Il portait la tuque et le long manteau bleu des membres de son club.

— Dessous j'ai mes vêtements de ville. Me raccompagnerez-vous jusqu'à la porte de la pharmacie?

— C'est presque sur notre chemin, répondit la blonde en riant.

Elles s'éloigneraient plutôt de leur domicile pour lui tenir compagnie. Quand ils furent rendus assez loin, rue Sainte-Catherine, pour échapper aux regards du curé de la paroisse, Phébée plaça sa main sur le pli du coude de son compagnon.

— Ce soir, nous projetons d'assister à l'attaque du palais de glace.

— Toutes seules?

Le ton contenait à la fois un reproche et une inquiétude. Que deux jeunes femmes se trouvent au milieu de tous ces hommes sans être accompagnées lui paraissait à la fois inconvenant et dangereux. Cette activité serait sans doute la plus courue de toute la semaine du carnaval.

— Cette fois, je servirai de chaperon à mon tour, dit la blonde en serrant un peu ses doigts sur le pli du coude. Félicité sera en compagnie de l'un de nos voisins de la pension.

Des yeux, elle pria son amie de ne pas contredire cette fable. Si le fait de la voir sortir sans lui le contrariait, peut-être se montrerait-il un peu plus pressé de s'engager pour de bon.

— Et de votre côté, continua-t-elle, vous ne regrettez pas de vous retrouver au comité d'hygiène de la municipalité?

— Un peu, bien sûr…

En vérité, s'occuper de politique municipale, même de façon indirecte, le passionnait. Il avait passé plusieurs des soirées précédentes à peaufiner le rapport que son patron présenterait lors de cette séance.

— Mais d'un autre côté, il se discutera de questions importantes pour l'avenir de notre ville.

Évoquer le détail de l'ordre du jour avec des femmes lui paraissait inapproprié. Aussi, il en resta là. De toute façon, ils arrivaient maintenant à la pharmacie Gray.

— Alors je n'ai plus qu'à vous souhaiter une bonne soirée, dit-il en s'arrêtant pour faire face à son amie.

— J'espère qu'il en ira aussi de même pour vous.

— … Et soyez prudente.

— Je le suis toujours, vous savez.

Le lieu ne prêtait guère à un contact plus intime qu'une poignée de main.

— Bonne soirée à vous aussi, Félicité.

Elle lui retourna son souhait. L'instant d'après, toutes deux s'engageaient dans la rue Sainte-Catherine afin de regagner le trottoir de l'autre côté.

— Mais pourquoi avoir inventé cette histoire? Je ne sors pas avec John, ce soir.

— Crois-tu que lui dire que c'était moi aurait été plus indiqué? Et pour toi, ça ne change rien.

— … Tu as raison.

— Je ne pouvais pas non plus lui dire que nous allions là-bas ensemble. À ses yeux, deux personnes «du sexe faible» seules dans les rues, ça doit paraître terriblement inconvenant.

Félicité s'interdit d'ajouter que leurs contacts avec des inconnus, ces derniers jours, lui paraissaient à la fois risqués et… inopportuns. Des deux, Phébée n'était certes pas la moins vertueuse.

Ce soir-là, Vénérance servit le souper de ses pensionnaires dès sept heures, essentiellement à cause de la présence précoce de ses deux seuls pensionnaires toujours en emploi. En cette saison, Crépin Dallet finissait un peu plus tôt sa journée de travail, car à la manufacture Barsalou l'éclairage disponible interdisait de travailler longtemps après le coucher du soleil.

— Vous n'êtes pas allé à l'atelier, aujourd'hui? demanda le commis aux livres à John, assis à l'autre bout de la table.

— Notre grand patron a décrété que nous méritions tous une pause pour aller au carnaval, expliqua l'ébéniste. Bien sûr, nous ne serons pas payés pour cette journée.

— Comme vous ne fournirez aucun travail, pourquoi vous paierait-on ?

John Muir préféra changer d'interlocuteur. Il se tourna vers les machinistes à sa droite pour leur demander :

— Trouvez-vous toujours à vous occuper ?

— On passe plus de temps à chercher qu'à travailler, expliqua Mainville, mais dans les circonstances mieux vaut ne pas nous plaindre. Les filles n'ont pas notre chance.

Ce rappel de la triste réalité amena Félicité à baisser le nez sur son assiette. Dans ses prières, à l'église ou le soir en se couchant, elle demandait sans cesse la réouverture de la Dominion Cotton le lundi de la semaine suivante. De son côté, Hélidia afficha un air encore plus déprimé que d'habitude. Jamais elle n'évoquait le moment de la reprise, comme si son contremaître n'avait rien précisé à cet égard.

— Viendrez-vous au carré Dominion ce soir ? s'enquit encore John.

— Certainement, ricana Mainville, mais pas avec vous.

— Donc la jeune demoiselle que tu fréquentes se montre toujours avenante pour toi, plaisanta Phébée.

— Je n'ai pas à me plaindre.

Le mécanicien lui adressa un gros clin d'œil. Après plusieurs mois, la fréquentation se terminerait tôt le matin dans la sacristie de l'église paroissiale de sa cavalière, selon toute probabilité. Ce dénouement ne semblait pas lui déplaire.

— Et toi, Charles, tu serviras de chaperon à ton collègue ? Nous ne voudrions pas qu'il prenne trop de libertés.

La blonde mettait tellement d'efforts à préserver sa réputation en se faisant toujours accompagner de son amie, que taquiner un homme à ce sujet lui paraissait être un juste retour des choses.

— Tu n'as pas à te tracasser pour ça, dit Mainville. La demoiselle a trois sœurs pour veiller sur elle, et les trois seront avec nous.

— Je me retrouve donc seul, remarqua l'autre mécanicien.

Discrètement, John consulta Phébée du regard, puis Félicité. À leur mine, il jugea qu'elles ne voyaient pas d'inconvénient à une présence supplémentaire.

— Tu peux te joindre à nous si tu veux, Charles, offrit-il.

— Merci de l'invitation. Ce sera un plaisir, si ça convient à Félicité.

— Ce soir, elle accompagne John, dit Phébée en riant. Nous nous mettrons ensemble pour veiller sur eux.

Elle s'amusait de la situation. Jules Abel n'aurait sans doute pas approuvé sa façon de concevoir son rôle de chaperon.

— Je vais faire contre mauvaise fortune bon cœur, assura Charles.

— Moi, je n'ai pas l'intention d'y aller, les coupa Crépin.

Personne ne se souciait de ses allées et venues. Il tenait tout de même à les faire connaître.

— Je me demande pourquoi, mais je ne suis pas surpris, ironisa John.

— Et moi, je ne suis pas surpris de vous voir y aller, riposta l'autre. Les recommandations de notre curé ne doivent pas vous émouvoir beaucoup.

Le petit homme noir renouait avec son rôle de rabat-joie, au déplaisir de tous les autres.

— Le curé t'a fait des recommandations? ricana l'ébéniste.

— Pas juste à moi… Lors de la réunion de la Confrérie du Sacré-Cœur, il a dressé pour nous la liste des occasions de péché offertes par le carnaval.

— Le bon abbé parcourt les différents sites pour dresser une liste de ce genre ? Là, tu me surprends.

Crépin se raidit, mais se maîtrisa assez pour ne pas jeter l'anathème sur ses voisins.

— Hélidia, tu te joindras à nous ? demanda Phébée, soucieuse de ne pas laisser l'importun s'exprimer encore.

— Non, je préfère demeurer à la maison.

L'ouvrière reçut un regard approbateur du commis. Elle comptait sur ses qualités de bonne chrétienne pour attirer sa sympathie.

— Bon, conclut John, nous serons quatre. Nous nous rejoignons à la porte dans une demi-heure.

Dans l'ouest de la ville, une foule dense se pressait aux abords du carré Dominion, envahissant toutes les rues environnantes et rendant la circulation impossible.

— Heureusement, le vent est tombé, remarqua Félicité. Ce matin, la température était à peine endurable dans la rue Saint-Denis.

— Tu ne vas pas commencer à te plaindre encore du froid, j'espère ? la taquina Phébée.

La blonde suivait un peu en arrière, flanquée de Charles. Celui-ci avait compris depuis longtemps qu'il n'avait aucune chance avec elle. La déception passée, il se révélait un bon compagnon.

— J'ai raison de me plaindre. Ce soir, le mercure doit descendre sous le zéro.

— Allez, ma belle, approche-toi de moi, dit l'ébéniste.

John plaça son bras autour de ses épaules. Le geste la troubla d'abord, puis son malaise s'estompa bien vite.

— Je ne pensais pas que la ville comptait autant de raquetteurs, glissa-t-elle plutôt.

Ils se trouvaient au nombre de deux mille trois cents dans le parc et aux alentours, prétendraient les journaux du lendemain. Parmi eux, on voyait très peu de tuques et de manteaux bleus. Les Trappeurs, toujours frustrés de n'avoir attiré personne à leurs propres activités, demeuraient chez eux. Par contre, les pelisses vertes du club *Emerald*, et les grises aux bandes rouges, jaunes et vertes du club *Snowshoe* formaient deux masses compactes, comme des armées prêtes à se lancer à l'attaque.

— Comment se déroulera l'assaut? questionna Félicité.

— Tous ces gens débarrassés de leurs raquettes pour l'occasion vont se lancer à l'attaque jusqu'à ce que les portes s'ouvrent devant eux. Comme tu le vois, ce palais ressemble à une ancienne place forte qui fait penser à celles dessinées dans le *Canadian Illustrated News*.

L'échange se déroulait en anglais, au grand plaisir de la jeune femme, qui souhaitait améliorer sa maîtrise de cette langue. Depuis le trottoir, ils regardaient des jeunes hommes planter des tiges de fer légèrement inclinées dans le sol pour y attacher des chandelles romaines.

— Attaquer de quelle façon? Ce serait dommage de le détruire… au moins avant la fin du carnaval.

— Ne t'en fais pas, leur but n'est pas de le détruire. Ils en mettront plein la vue à tous ces spectateurs.

Les raquetteurs formaient maintenant des cercles, de dix ou douze pieds tout au plus, autour des tiges de fer. Juste devant le couple, un jeune homme sortit des allumettes de sa poche pour mettre le feu à une mèche à la base de trois chandelles, puis il tourna rapidement le dos pour se protéger.

Avec un « Schh » sonore et dans une gerbe d'étincelles, elles s'envolèrent vers le ciel, pour éclater bientôt dans un embrasement multicolore. Partout dans le grand parc, d'autres sportifs procédaient à des mises à feu. Bientôt, des dizaines de chandelles romaines exploseraient au-dessus du palais de glace. Tout le ciel semblerait s'être enflammé.

— Ils devraient être plus prudents en les allumant, hurla John pour couvrir le bruit des détonations. Des gens pourraient être blessés.

Des chandelles romaines fusèrent de la construction de glace pour former des fleurs brillantes au-dessus des spectateurs. Puis des bombes explosèrent dans un vacarme assourdissant. Avec un peu d'imagination, on pouvait se représenter une canonnade nourrie, tant de la part des assaillants que de celle des défenseurs.

Les badauds profitèrent du feu d'artifice pendant plusieurs minutes. À la fin, une cascade d'étincelles tomba depuis le sommet des murs de glace. Les portes de bois s'ouvrirent alors lentement et des dizaines de raquetteurs s'y engouffrèrent en poussant des cris.

— Voilà, les occupants de cette place forte viennent de concéder la victoire aux valeureux attaquants, conclut John à l'intention de sa compagne.

Félicité gardait les yeux vers le ciel, encore émerveillée. Ce troisième feu d'artifice de sa vie la laissait subjuguée.

— Je pense que tu as aimé, la taquina son compagnon.

— C'était très beau.

— Voilà un avantage de la grande ville. Tu ne devais pas assister souvent à un spectacle pareil, dans ta campagne.

— Dans ma campagne, comme tu dis, il n'y avait jamais de feu d'artifice. Avec un peu de chance, on apercevait des mouches à feu.

De nouveau, l'homme la prit par les épaules.

— Tu es mignonne, tu sais.

Phébée et Charles vinrent les rejoindre, pendant quelques minutes ils échangèrent sur ce magnifique assaut. Puis une certaine agitation près des portes du palais de glace attira leur attention. Des hommes vêtus d'un uniforme de policier, ou alors de pompier, en sortaient, accompagnant ou soutenant des civils, dont quelques-uns avançaient avec difficulté.

Quand les employés municipaux passèrent à proximité des quatre locataires, ceux-ci virent des brûlures cruelles sur le visage de certains défenseurs du palais de glace, ou encore des trous fumants sur les vêtements. Ces traces témoignaient de l'imprudence de jouer avec des feux d'artifice.

— Je ne comprends pas pourquoi personne ne leur a dit de se tenir à distance ! commenta John. Le pire, c'est qu'on ne les a même pas payés pour aller faire les idiots dans ce fortin.

Pendant quelques minutes, les quatre compagnons errèrent dans le carré Dominion alors que les sportifs retrouvaient leurs raquettes et, une torche à la main, entreprenaient de se rendre au sommet du mont Royal, bien déterminés à suivre leurs plans malgré ces blessés.

— Nous pourrions prendre un café dans le kiosque avant de rentrer, suggéra Phébée.

Quand ils arrivèrent dans la section sud du parc, ils découvrirent une longue file d'attente devant la « grotte » *Chase and Sanborn.*

— Ça va prendre toute la nuit avant d'être servis, déplora Félicité.

— Alors, ma belle, dit la blonde en venant la prendre par le bras, allons tout de suite nous emmitoufler bien au chaud dans notre petit lit.

Elle sembla enfin comprendre que les efforts imposés à son amie depuis les derniers jours pesaient sur elle. Il convenait de ne pas la forcer davantage. D'un pas d'autant plus vif que le froid devenait pinçant, le petit groupe rentra directement à la maison.

Le carnaval se termina le samedi suivant, le 31 janvier. Sous un ciel couvert, à une température un peu au-dessus du point de congélation, le club de raquetteurs *Emerald* tint les dernières compétitions sur le flanc du mont Royal, là où se trouvaient les terrains de l'association athlétique de la ville. Phébée et Félicité assistèrent à l'événement. La première présenta cette fois un visage fermé à tous les jeunes hommes un peu entreprenants. Jules s'était suffisamment affiché avec elle ces derniers jours pour la rassurer tout à fait. Son amie ne cachait pas sa satisfaction devant ce changement d'attitude.

Le lendemain, la plupart des locataires de la ruelle Berri se dirigèrent vers l'église Saint-Jacques pour la grand-messe. Une fois dans le temple, Phébée murmura à l'oreille de son amie :

— Je veux me confesser.

— Si tu préfères, nous pouvons aller à Notre-Dame-de-Lourdes. Nous avons encore le temps.

Depuis sa première confession à cet endroit, Félicité avait soigneusement évité de récidiver. Le prêtre ne lui avait guère semblé compréhensif envers les problèmes fémi-nins. Son amie ne voulut pas lui imposer d'aller au temple voisin.

— Ce n'est pas nécessaire, répondit la blonde en se-couant la tête. La file d'attente n'est pas trop longue, ça ira.

Un instant plus tard, elle se plantait derrière une grosse femme. Si les choses se déroulaient comme elle l'espérait, bientôt elle devrait s'adresser au curé pour annoncer son mariage. Se faire un peu mieux connaître de lui s'imposait donc.

Après être sortie du confessionnal, Phébée présentait un visage préoccupé, presque défait. Pendant la messe, le curé se déplaça vers la chaire abondamment sculptée et monta les quelques marches pour se planter dans le petit nid de vigie et entreprendre son prône.

— Mes très chères sœurs, mes très chers frères, hier se terminait la semaine du carnaval, période de débauche et d'excès d'alcool. Dieu saura bien nous payer le salaire de toutes ces fautes. Pour apaiser sa juste colère, prions de toutes nos forces. Sinon, quand sa main s'appesantira sur nous, ce sera alors le temps d'amers regrets.

Dans le temple richement décoré, certains parmi les plus jeunes paroissiens se raidirent, d'autres baissèrent la tête dans une attitude de soumission.

— Combien de personnes, et pas seulement des jeunes gens, ont profité de ces célébrations pour abuser des boissons alcooliques? vociféra-t-il sans attendre de réponse.

Félicité se souvint de tous ces hommes au pas chancelant aperçus au cours de ses visites dans les principaux sites de festivités. Ces écarts de conduite, ils les avaient d'autant plus facilement commis que la plupart des activités s'étaient déroulées dans l'ouest de la ville. Chacun avait espéré que ses voisins n'en soient pas témoins. Aujourd'hui, on rappelait aux fêtards qu'en dépit de cette apparence d'anonymat, Dieu était partout, voyait tout.

— Combien parmi vous sont allés non pas dans un, mais bien dans deux bals masqués, le premier à la patinoire Victoria, le second à l'hôtel *Windsor* ? Et là, dans des déguisements grotesques, combien parmi vous se sont livrés à des pensées ou à des activités impures ?

Une rumeur parcourut l'assemblée. Était-ce de soulagement ? Bien peu devaient avoir osé participer à l'une ou l'autre de ces activités dépravées… Alors peut-être s'agissait-il plutôt de regrets formulés dans un murmure.

— Combien, parmi vous, ont saisi le prétexte d'une promenade nocturne en raquettes pour abuser de l'alcool ?

Au moins cinquante membres des Trappeurs devaient se trouver dans l'église. Phébée pensa à Jules, perché dans le jubé pour assister à la messe.

— Pendant cette semaine infernale, l'âme des jeunes filles, des jeunes femmes s'offrant aux regards a surtout été noircie, et celle aussi des jeunes hommes induits en tentation. Pensez à ces patineuses tournant sur elles-mêmes, avec la robe ou la jupe qui remonte à mi-jambe… Quel spectacle indécent dont il fallait à tout prix se préserver !

L'ecclésiastique savait comment faire en sorte que tous se sentent concernés. En effet, les mauvaises pensées devaient en tenailler plusieurs à ce moment même, qui se remémoraient ou s'imaginaient ces scènes.

— Et puis vous avez vu, juste en face de l'église, cette glissoire. Une construction inspirée par le diable ! Là-dessus, lovées dans les bras d'hommes, souvent de purs inconnus, des jeunes filles descendaient la pente les conduisant directement en enfer, alors que le vent soulevait jupes et jupons pour révéler ce que personne ne devrait voir…

Cette fois, Félicité rougit. Elle se souvenait de la silhouette noire de ce prêtre, lors de sa descente le mercredi précédent. Au moins, elle était seule sur la traîne. Peut-être sa robe, avec le vent…

— Toutes ces fautes souillent de très nombreuses âmes. Seul le tribunal de la confession, avec le ferme propos de ne pas recommencer, saura les sauver.

Étonnamment peut-être, après un pareil sermon, aucun Trappeur ne se dirigea vers la sainte table pour communier. D'autres jeunes hommes, tout comme des jeunes femmes, restèrent aussi à leur place… dont Phébée et Félicité.

Chapitre 19

À la fin de la cérémonie, bon nombre de paroissiens s'attardèrent sur le parvis afin de discuter, dans la froidure, des condamnations du curé. Les vieilles dames faisaient front commun avec leur confesseur, mais leurs époux adoptaient un avis plus mitigé. Pour les affaires, soutenaient certains d'entre eux, le carnaval représentait une bénédiction. Bien sûr, les commerces à l'ouest de la rue Saint-Laurent avaient surtout profité de cette manne, mais si on pouvait créer des événements d'envergure à l'est, les profits viendraient.

Les plus jeunes des deux sexes, les victimes de ces accusations, dissimulaient très mal leurs émotions, un mélange de honte et de frustration devant des accusations publiques. Les deux colocataires attendirent leur ami pharmacien. Crépin Dallet les contempla avec une mine réprobatrice. Hélidia vint se planter à ses côtés pour participer à la condamnation muette.

Phébée était sur le point de laisser éclater sa colère quand Jules Abel arriva enfin, la mine sombre.

— Allons marcher un peu, lui dit la blonde. Il y a ici des gens dont je ne supporte pas l'odeur.

Les circonstances se prêtaient mal à une quelconque démonstration d'affection, aussi son cavalier s'abstint de la tenir par le bras. Sans se consulter, ils s'engagèrent dans la rue Sainte-Catherine, vers l'ouest.

— J'ai bien peur de ne pas profiter de votre présence bien longtemps aujourd'hui, maugréa le jeune homme.

— Une activité politique, je suppose, dit Phébée d'un ton un peu acide.

— Non, pas du tout. Vous avez entendu le curé, au sujet de la glissoire. Le président du club Le Trappeur était dans le jubé. Il m'a demandé de venir participer à une corvée pour la démonter.

— Un dimanche ?

La question avait été pesée par le personnel du presbytère. Pour le salut des âmes de ses ouailles, le curé considérait que l'exemple de quelques dizaines de jeunes gens au travail le jour du Seigneur pour démanteler une construction maudite ne pouvait porter à mal.

— Oui, un dimanche, émit-il dans un soupir de découragement. On dirait qu'il pense que si elle reste là une heure de plus, nous glisserons tout droit en enfer.

La blonde prit le bras de son compagnon pour le rasséréner un peu.

— Aviez-vous obtenu sa permission avant la construction ?

— La rue appartient à la Ville, pas à l'archevêché. L'échevin Martin nous avait donné sa bénédiction.

Le choix de ses mots lui tira un petit ricanement. Son association aurait pourtant dû savoir que tout appartenait au clergé : les âmes, les corps, les installations gouvernementales et les chaussées municipales.

— Vous en avez pour longtemps ? voulut savoir la blonde.

— Non, pas tellement, je suppose. Nous allons laisser les madriers près du trottoir, quelqu'un les ramassera plus tard. L'urgence, c'est de faire en sorte que personne ne puisse utiliser une traîne sauvage dans la paroisse.

Pendant quelques centaines de verges, le couple marcha encore, son chaperon en remorque. Comme souvent dans le passé, il s'arrêta devant la pharmacie Gray.

— Tout de même, il me reste un peu de temps, dit Jules. Nous pouvons aller dîner, comme prévu. Si je rejoins les autres pour deux heures…

— Je ne sais pas… Comme je ne serai pas avec vous cet après-midi…

Avec Jules, Phébée entendait respecter tout à fait les usages des fréquentations. Elle payait de sa présence les repas, les verres, les tasses de café qu'il lui offrait. Aujourd'hui, elle ne pourrait s'acquitter de sa dette. Ce sens éthique ne valait bien sûr pas avec des touristes de passage.

— Déjà que je devrai me briser les reins sur ces madriers, protesta Jules, vous ne me condamnerez pas à manger seul ?

À la fin, la jeune femme accepta l'offre. De toute façon, elle commençait à avoir froid, puis comme tous les dimanches Vénérance ne lui servirait pas à dîner.

Tout de même, le passage dans le salon de thé ne leur valut aucun plaisir. Tous les trois ruminaient le sermon du curé. Quand Jules alla rejoindre ses amis pour accomplir sa corvée, les deux femmes s'attardèrent un peu dehors. La force de l'habitude les mena en direction du carré Viger. Phébée rompit le silence la première.

— Tu crois ça, toi, que je suis une grande pécheresse ?

Son ton suppliait Félicité de répondre par la négative. Celle-ci se remémora pourtant les événements de la semaine écoulée. À la fin, elle choisit d'être franche.

— Je crois que tu es la plus gentille fille du monde. Je ne voudrais de personne d'autre comme meilleure amie, mais…

La blonde demanda dans un souffle :

— Mais quoi ?

— Tu te montres parfois imprudente. Souviens-toi de ces touristes… Tu t'exposes à une condamnation. Notre curé compte sur une véritable armée de Crépin pour le tenir au courant des va-et-vient de chacun. Tous ces gens ne vivent que pour charger les autres de péchés imaginaires.

Cette réalité, la châtaine en avait fait la cruelle expérience. Toute sa vie elle devrait multiplier les efforts pour dissimuler sa faute, bien réelle celle-là.

— Mais pourquoi me poser une question pareille aujourd'hui ? voulut-elle savoir. C'est à cause du sermon ?

— Oui, mais il y a autre chose. Ce matin, à confesse, le curé m'a demandé si j'avais participé au carnaval. Comme je suis passée devant lui sur une traîne sauvage, dans les bras de Jules, je devais le reconnaître. Il a tout de suite commencé à me débiter son sermon. Je pense qu'il voulait le répéter avant le prêche.

« Dans de meilleures circonstances, se dit Félicité, elle aurait donc fait une confession incomplète. » Cette pensée l'attrista avant qu'elle ne prenne conscience de la difficulté de faire autrement. Elle-même préférait se contenter des absolutions bien suspectes de Sasseville pour s'éviter d'énumérer ses fautes à un autre prêtre.

Phébée avait tout simplement joué de malchance. Désireuse de se bâtir un capital de vertu auprès de son curé, afin d'être mieux reçue le jour où elle lui demanderait d'évoquer en chaire une promesse de mariage, elle avait obtenu l'effet inverse.

— Ce n'est pas tout, n'est-ce pas ? murmura la châtaine en pressant sa main sur les doigts posés sur son avant-bras.

— … Je lui ai dit que je ne trouvais pas qu'il s'agissait d'une faute grave… La glissade, je veux dire. Là, il a refusé de me donner l'absolution.

Au moins la condamnation du prêtre n'avait pas été publique, la jeune femme s'étant abstenue de se rendre à la sainte table. Sa compagne se souvenait de son humiliation, quand on lui avait refusé la communion devant tous. Félicité tenait maintenant le bras de son amie des deux mains.

— Ma pauvre fille.

Aucune autre parole de consolation ne lui venait à l'esprit.

— Il m'a dit de ne pas me présenter devant lui sans regretter vraiment mes fautes, et sans le ferme propos de ne jamais recommencer.

Cette notion de « ferme propos », on l'évoquait dans l'acte de contrition Le désir sincère de ne plus jamais tomber dans le péché était nécessaire pour recevoir l'absolution. Il s'agissait d'un curieux engagement, puisque le confesseur et le paroissien savaient tous les deux la faiblesse des Hommes devant les entreprises du démon.

— Il a précisé aussi que je ne devais pas aller me confesser ailleurs, à moins d'avoir un certificat…

Donc l'ecclésiastique ne se fierait pas à la parole donnée. Ou Phébée lui redisait ses fautes en exprimant la ferme intention de ne plus recommencer, ou elle lui présentait une lettre d'un autre confesseur affirmant qu'elle se trouvait en règle avec Dieu. À défaut de le faire, la priver de la communion équivalait à signaler à tous la noirceur de son âme. Dans une pareille éventualité, Janvière Marly serait contrainte de la renvoyer, ou alors elle courrait le risque de perdre sa clientèle. Le pouvoir de ces inquisiteurs allait jusque-là.

— Je ne peux pas rester dans cette situation, se désespéra la blonde. Imagine ce que Jules va penser de moi…

Si l'apprenti pharmacien lui venait tout de suite à l'esprit, cela valait pour tous les autres paroissiens. L'ostracisme serait complet.

— Je ne sais pas quoi faire…

Pour des fautes si vénielles, la jeune femme pouvait se voir privée de toute chance de bonheur. La démesure d'une pareille sanction brisait le cœur de Félicité. Pour la première fois, elle appliqua ce constat à sa propre situation. Quelle que soit sa faute, méritait-elle de se cacher à Montréal sous un faux nom, afin que personne ne puisse faire le lien entre elle et une maîtresse d'école déchue ?

— Fais ce qu'il demande, lui conseilla-t-elle.

Se tenant par le bras, elles approchaient du carré Viger.

— Mais il a tort, insista Phébée. Patiner ou glisser sur une traîne sauvage ne peut pas être si mal. Bien sûr, on montre un bout de jupon, et puis après ?

La couturière ne voulait pas se reconnaître comme une pécheresse pour des actions aussi bénignes. Félicité soupe-sait depuis des mois les notions de bien et de mal. Toute la journée devant ses métiers à tisser à effectuer des tâches répétitives, aucun autre sujet n'occupait son esprit.

— Ça, nous le savons toutes les deux. Ces porteurs de soutane se présentent comme nos seuls juges et se donnent le pouvoir de ruiner une vie.

Réfléchir à la question en se mettant à la place de son amie lui donnait une autre perspective. Ces prêtres si enclins à régenter la vie des autres n'agissaient-ils pas en fonction de leurs propres obsessions ? Au fond, le curé de Saint-Eugène se trouvait sans doute plus honnête que celui de la très cossue paroisse Saint-Jacques, en vivant les siennes avec des paroissiennes.

Si on prenait leurs sermons au pied de la lettre, ces cen-seurs empêcheraient tout le monde de vivre, et en particulier, les femmes.

— Et si tu lui disais simplement tout ce qu'il veut entendre ? risqua Félicité, un peu enivrée par l'audace de ses mots. Le regret de tes fautes, la promesse de ne pas recommencer…

Sa compagne ralentit le pas au point de s'immobiliser sur le trottoir, pour la regarder en face.

— Tu me dis de mentir à mon confesseur ?

Pourtant, Phébée évoquait cette possibilité depuis le début de cette conversation. Elle entendait obtenir de sa meilleure amie la permission de le faire.

— Je connais mon petit catéchisme par cœur. Aucune question ne porte sur le carnaval.

— Il y en a plusieurs sur l'impureté.

Les quelques passants, en cette journée claire et froide, devaient les contourner pour poursuivre leur chemin. Absorbées par cet échange, tout le reste s'estompait à leurs yeux.

— Mais tu n'as commis aucun acte vraiment répréhensible.

Félicité la jugeait en fonction de l'horreur de sa propre faute. Si son amie était coupable de péché mortel, sa déchéance prenait des proportions effarantes.

— Penses-tu que ces hommes exigent d'eux-mêmes ce qu'ils nous imposent ?

L'ancienne maîtresse d'école se remémorait de manière très précise les arguments de Sasseville, désireux d'arriver à ses fins avec elle. Lui acceptait ses appétits et les justifiait par les exigences de la nature. Quand le curé de Saint-Jacques fustigeait en chaire les jupons des jeunes femmes en patin ou sur une traîne sauvage, que voyait-il, au fond de son âme ?

La pensée de Phébée allait dans la même direction.

— Quand le curé me regarde, dit-elle dans un souffle, je me sens…

Le mot ne venait pas, sans doute étouffé par la honte.

— Mal à l'aise ? suggéra Félicité.

— Oui… mais ce n'est pas assez précis.

Toute son éducation l'empêchait de formuler sa pensée. Comment dire qu'elle voyait chez lui l'expression de sentiments contradictoires, alimentés à son désir, à son mépris et à sa haine ?

— Quand j'ai parlé du contremaître au prêtre de la chapelle Notre-Dame-de-Lourdes, il soupçonnait… non, il m'accusait de l'aguicher. À ses yeux, j'étais la tentatrice. J'étais coupable au même titre qu'Ève qui a fait perdre aux Hommes leur innocence.

— Pour eux, c'est toujours notre faute… convint Phébée. Tu crois vraiment que je dois lui dire ce qu'il veut entendre ?

Félicité hésita. Répondre par l'affirmative, n'était-ce pas inciter son amie à perdre son âme ? Ne devenait-elle pas la tentatrice, comme avec Sasseville, comme avec le contremaître ? Au jeu de déconstruire ce qui nous a forgés, ne risquait-on pas d'affronter le vide absolu ?

— L'autre option, souffla-t-elle, c'est de t'en tenir à tes convictions et d'accepter de ne plus recevoir la communion. Tu pourrais bien changer de paroisse, t'établir là où personne ne te connaît. Cependant, tôt ou tard, ton nouveau curé pourra demander des informations sur toi à ton ancien curé.

— Par exemple en vue d'une publication des bans…

L'autre approuva d'un signe de la tête. On célébrait d'habitude les mariages dans la paroisse où vivait l'épousée. Cela exigeait de s'informer de la moralité et des antécédents des fiancés à leurs anciens pasteurs.

— Tout de même, mentir à un prêtre…, s'effraya la blonde. Je ne suis peut-être pas une chrétienne exemplaire, mais ça, c'est sacrilège.

Elle aussi avait été façonnée par ses quelques années d'école et des centaines de prêches dominicaux. La honte du péché et la peur de l'enfer la pétrifiaient donc, dans ces circonstances. La couturière garda un long silence, comme pour mettre de l'ordre dans ses idées. Avec une bonne dose d'ironie, elle avança enfin :

— J'ai du mal à croire que Dieu, là-haut, passe son temps à surveiller les filles pour veiller à ce que leurs jupons soient bien cachés. Penses-tu qu'il a un galon à mesurer et qu'il déclarera à la première, le jour du jugement dernier : « Toi, tu as montré trois pouces, c'est véniel, donc tu iras au ciel après trois ans de purgatoire. » Et à la suivante : « Six pouces, et tu n'as pas promis de ne plus recommencer, alors je te condamne aux flammes éternelles. »

— Crépin le ferait certainement, ricana Félicité. Dieu ? Je ne crois pas.

— C'est ce que je voulais dire au curé, ce matin. Pas dans ces mots, bien sûr, mais avec la même idée. Dans tout ce qui se passe de mal à Montréal, mon jupon ne doit pas peser bien lourd.

Félicité secoua la tête, un peu abasourdie d'entendre cet argument. Oui, c'était sensé. Pouvait-elle se l'appliquer à elle-même ? Avoir été dans le lit du curé, cela dépassait certainement en gravité le fait de montrer six pouces de dessous.

— Je crois que tu as raison.

Elle osa enfin formuler la seule conclusion possible, au terme de cet échange.

— En fait, tu sais ce que je pense, Phébée ? Les seuls intéressés par la longueur des jupons, ce sont des prêtres torturés entre leurs envies et leurs privations.

Elle se rendit alors compte que les arguments de l'abbé Sasseville avaient fait leur chemin en elle. Celui-là en était arrivé à trouver sage que les pasteurs protestants se marient, car tous les hommes partageaient les mêmes appétits.

— Tu m'étonnes, tu sais..., glissa son amie, hésitante.

— Je te connais mieux que lui. Tu es une bonne fille.

Pourtant, une semaine plus tôt elle se scandalisait de voir la couturière compter sur ses charmes pour obtenir de petits avantages de la part de parfaits inconnus.

— Pour penser comme ça, est-ce que tu as..., demanda Phébée.

Son embarras l'empêchait de formuler le soupçon à haute voix. Les idées exprimées cadraient bien mal avec une Félicité si chaste et prude. Peut-être avait-elle eu à confesser des fautes très graves, pour se voir condamner ensuite sans ménagement.

Le sang afflua aux joues de Félicité ; son silence des quelques derniers mois lui parut soudainement insupportable.

— J'ai connu une expérience très désagréable avec... un prêtre, admit-elle. Aujourd'hui, je ne pense pas avoir été la plus fautive dans cette histoire. Quand j'y pense, une immense colère m'envahit.

Sa confidence lui donna le vertige. Maintenant, il lui était impossible de la retirer.

— Je n'ose pas t'en dire plus.

La main de son amie se serra sur son avant-bras.

— Je confesserai être allée sur les différents sites du carnaval, continua l'ancienne institutrice, je reconnaîtrai que c'était là un gros péché, j'afficherai la plus grande contrition et je montrerai l'intention très ferme de ne jamais recommencer. De toute façon, je ne recommencerai sans doute jamais : je me suis sentie tellement mal à l'aise. Cependant, dans mon âme, je sais que tout ça était bien véniel.

— De mon côté, je me présenterai devant le curé comme un saint Thomas ayant tardé à voir la lumière. Je dirai comme toi. Il saura que nous étions ensemble. Nous en parlerons dimanche prochain, pour présenter la même histoire.

L'indiscrétion des paroissiens, résolus à scruter les faits et gestes de leurs semblables, obligeait à se concerter. Sauf pour les péchés commis en solitaire, il était à peu près impossible de dissimuler les actes répréhensibles. Même à Montréal, tout pouvait facilement se rendre aux oreilles d'un pasteur.

Le lendemain matin, le 2 février, la jeune ouvrière revêtit sa vieille robe, elle noua soigneusement un foulard sur sa tête, puis se tourna vers Phébée.

— J'ai l'impression de me préparer pour rien.

— Tu n'as aucun moyen de le savoir avant de te présenter à la porte. S'ils ouvrent et que tu n'es pas là, qui sait quand ils te reprendront.

La couturière, quant à elle, avait l'intention de rendre visite à madame Marly. À Pâques, les bourgeoises aimaient se montrer sur le parvis de l'église dans une tenue printanière. Malheureusement, on célébrerait cette fête très tôt dans l'année, soit le 5 avril. À cause du froid, plusieurs préféreraient peut-être attendre un peu plus tard pour revêtir de nouveaux atours. Leur attitude déterminerait la date de son retour à l'atelier.

À table, les deux mécaniciens, de même qu'Hélidia, s'apprêtaient à effectuer la même démarche. Personne ne voulait courir le risque de ne pas se trouver là le jour de la réouverture de leur manufacture, et à moins d'une catastrophe ce serait un lundi de février.

— Nous allons tous perdre notre temps, maugréait Charles. Le mois vient tout juste de commencer.

— Si l'on adresse de ferventes prières au Seigneur, je ne doute pas qu'Il favorisera la relance des usines, commenta Crépin en levant les yeux de son exemplaire du *Monde*, un journal catholique.

— Tu veux dire qu'Il fera en sorte que les gens achètent plus de tabac à pipe, à chiquer et à cigarette ? Pour ça, on lui fait brûler un lampion, ou un gros cigare ?

Le commis comptable afficha le plus grand mépris pour ce travailleur manuel.

— Bien sûr, conclut-il, si la ville comptait moins de pêcheurs et de mécréants, les affaires se porteraient mieux.

Ne désirant aucunement le voir reprendre le même refrain que le curé la veille, John Muir s'intéressa vivement aux dernières activités de Mainville avec sa cavalière, aux prévisions météorologiques, et même aux progrès de Phébée dans la confection de la robe de Félicité. Il ignora si bien Crépin que ce dernier devança un peu son départ pour la savonnerie Barsalou.

Puis tout ce monde se retrouva dans la ruelle Berri, vêtu le plus chaudement possible. Félicité et Phébée se dirigèrent vers la rue Ontario en compagnie de Mainville. Là les deux employés de la Dominion Cotton bifurquèrent vers l'est. Ils se trouvaient encore à bonne distance de la manufacture quand le mécanicien jura entre ses dents :

— Sacrament ! Charles avait raison, nous sommes venus pour rien.

Un petit groupe de femmes conversait avec animation au coin de la rue D'Iberville. Lorsqu'ils arrivèrent devant l'entrée des employés, une petite foule battait la semelle en échangeant des propos acerbes.

— Te voilà, s'écria Germaine en voyant Félicité. Viens ici, ils ont mis une feuille, mais je comprends rien de ce charabia.

— C'est en anglais, l'informa une autre.

La jeune femme s'approcha pour regarder la petite affiche. Même si elle n'accordait pas une confiance absolue à sa maîtrise de la langue des patrons, le sens de cette communication lui sembla bien clair.

— Ça dit que faute de commandes, la manufacture n'ouvrira pas avant le 16 février.

— C'est dans deux semaines, ça ! s'exclama une voix.

— T'es certaine ? demanda une autre. Des fois, en anglais…

Félicité ne doutait pas de sa première lecture, mais elle se repencha sur la feuille pour montrer sa bonne volonté.

— Vraiment, c'est ça, dit-elle après un laps de temps assez long pour inspirer confiance aux plus sceptiques. Ils vont rouvrir le 16 février.

Plusieurs travailleuses prononcèrent des jurons dignes de leurs collègues masculins. Pourtant, l'ancienne institutrice leur présentait une traduction bien optimiste, puisque le message était plutôt : « Nous espérons être en mesure de reprendre les opérations le 16 courant. » Il s'agissait d'une pure spéculation de la part du gérant.

— Mais ça va faire quatre longues semaines de chômage en tout !

— On va manger quoi, nous autres, pendant tout ce temps ? interrogea une autre.

— Les messieurs de la Société Saint-Vincent-de-Paul font les avares, comme si on était slackées par notre faute.

Cette organisation composée de pieux laïcs offrait un peu de combustible et de nourriture aux familles dans le besoin pouvant faire la preuve d'une moralité irréprochable. Dans les faits, le curé désignait toujours les bénéficiaires. La colère ne dura pas, tout de suite la soumission prit le dessus. Une femme s'en alla la tête basse, puis une autre.

Félicité chercha Rachel des yeux et s'approcha d'elle pour demander :

— Ça va ?

L'autre combattait de toutes ses forces les sanglots lui montant dans la gorge.

— Je tente de m'en tirer.

Déjà après deux semaines, elle semblait plus maigre. Surtout, ses yeux se soulignaient de noir. Le sommeil devait lui manquer autant que la nourriture. Si elle avait des parents en ville capable de l'aider, ou même des voisines généreuses, les choses seraient plus faciles. Félicité se sentit trop lâche pour s'enquérir de la situation de ses enfants. Une allusion de ce genre aurait déclenché des flots de larmes. Elle hocha plutôt la tête, comme pour indiquer qu'elle comprenait.

— Je vais le rejoindre.

D'un mouvement de la tête, elle désigna Mainville, en grande conversation avec des collègues masculins. Il se détacha d'eux pour marcher à ses côtés. Le poids de son coffre à outils, tenu au bout du bras droit, donnait à son dos une inclinaison plus prononcée qu'à l'aller. La déception rongeait ses forces.

— Quand ils ferment, ils nous dorent la pilule. « On va reprendre dans deux semaines. » Reprendre mon cul, oui. On reste dehors un bon mois tous les hivers. Des fois plus.

Même en réduisant ses dépenses au minimum, Félicité entamait un peu plus ses économies chaque semaine. Son extrême prudence lui avait permis de mettre dix dollars de côté. Elle espérait de toutes ses forces ne jamais toucher au solde du petit pécule obtenu de sa mère.

— Toi et John, commenta-t-elle, vous arrivez au moins à travailler un peu. Pour toutes ces femmes, c'est impossible.

Comme je n'ai pas d'enfants, j'économise un peu. Pour les autres, je ne sais pas comment elles font.

Mainville eut envie de lui rappeler que les hommes étant chargés de familles, un revenu plus élevé s'imposait. Il s'abstint pour éviter d'entendre sa voisine débiter toute la liste des travailleuses de la manufacture ayant des enfants à charge. Il admit plutôt, un ton plus bas :

— T'as raison. Même si pour une heure travaillée on en passe une, des fois deux à chercher, on a de la chance. Mais comme les clients savent que nous sommes dans le trouble, ils nous paient la moitié du salaire d'un ouvrier qualifié.

« Mais ça représente encore l'équivalent des gages d'un homme sans qualification, et le double des miens », songea Félicité. Elle éviterait d'écrire à sa mère, le prochain dimanche. Lui mentir devenait au-dessus de ses forces, tandis que lui avouer la vérité la tourmenterait trop, et elle ne pourrait en rien la rassurer.

Phébée ne se sentait pas très confiante. Janvière Marly se tenait derrière le comptoir de son commerce, bien droite, sa silhouette solidement corsetée.

— Ah ! Bonjour, ma fille, fit-elle avec une mine un peu attristée. Je suis bien contente de te voir, malgré l'état des affaires…

L'assurance de Phébée en présence de ses voisins ne réduisait en rien sa hantise d'un chômage prolongé. Son sourire se figea.

— Les choses ne vont pas mieux ?

— C'est bien tranquille ces temps-ci, autant qu'à ton départ. J'ai le temps de lire les feuilletons de tous les journaux pendant les heures d'ouverture.

— Donc vous ne savez pas quand je pourrai revenir.

La marchande secoua la tête de droite à gauche, visiblement elle aussi un peu angoissée.

— Viens t'asseoir de ce côté-ci du comptoir. Nous allons parler un peu.

Si les usages exigeaient que les vendeuses demeurent debout, les mains tenues ensemble à la hauteur de la taille, en l'absence de toute clientèle il était inutile d'adopter cette posture. Les deux femmes prirent place sur des tabourets.

— Le chômage se répand dans la ville. Les gens ne consultent plus les médecins ou les avocats. Les femmes et les filles de ces bourgeois réduisent leurs dépenses. Puis en cette saison, les mariages sont rares. Seuls les baptêmes donnent l'occasion de porter une nouvelle toilette.

Phébée reconnaissait tous ces faits, au point d'en parler elle-même avec Félicité.

— Mais le mois prochain, ce sera le printemps.

— Dans plus de six semaines, on est juste le 2 février. Les affaires reprendront en mars si la température est clémente, en avril si elle est maussade.

— Je ne peux demeurer inactive si longtemps !

Janvière Marly tendit la main pour prendre celle de sa visiteuse.

— Mais tu reviendras un bon mois avant que les femmes du quartier commencent à se faire élégantes pour le retour de la belle saison.

Cela signifiait encore des semaines d'inactivité. La blonde remua la tête, les yeux baissés. Son interlocutrice tenta de lui redonner son entrain habituel.

— Au lieu de penser à nos malheurs, dis-moi plutôt comment se porte ce jeune homme si poli ? Je vous vois souvent ensemble à la sortie de l'église.

Le sujet ne ramena pas le sourire aux lèvres de Phébée.

— Il va bien, mais j'aimerais le voir plus souvent.

Même si Jules s'était fait bien présent pendant le carnaval, pour Phébée ce ne serait jamais assez. La commerçante souhaitait en apprendre plus.

— Que fait-il de son temps, alors ?

— Sa famille l'occupe beaucoup. Il se rend à Sainte-Rose bien souvent.

— Ça te tracasse ? Un bon fils, ça fait un bon mari.

Elle acquiesça. Devant la perspective que sa période de chômage ne s'étire, le désir de se voir passer une bague au doigt se faisait plus pressant.

— Ta frustration tient seulement à ses séjours dans sa famille ? questionna Janvière.

Aux yeux de la commerçante, cela semblait un reproche bien anodin.

— Il a encore des examens de pharmacien à réussir. Je ne connais rien là-dedans, mais je veux bien le croire. Je déteste quand il perd son temps à s'occuper d'affaires municipales.

— Ah, un autre épris de politique ! Cette maladie touche bien des hommes, elle les retient longtemps hors de la maison. Ça reste moins pire que la boisson, ou le couraillage.

Bien que fort raisonnable, cette analyse n'encourageait pas la visiteuse. Sa vieille inquiétude ne cessait pas de la torturer.

— Je me demande s'il ne se trouve pas trop bien pour moi, dit-elle dans un souffle, la tête basse. Autrement, il me ferait passer en premier.

— Il ne te… respecte pas ?

Ou peut-être la respectait-il trop. En ne cherchant jamais à la pousser dans un coin, qu'exprimait-il, au fond ? Du respect, ou de l'indifférence ? En l'absence du garçon, sa réponse changeait au gré de ses humeurs, de ses questionnements. Quand il était là, son regard suffisait à la rassurer.

— Je n'ai aucun reproche à lui faire, glissa-t-elle. Il se comporte comme un gentleman.

— Et tu fais cette tête-là ? S'il ne te touche pas, ça signifie qu'il te trouve digne de lui. Dans le cas contraire…

Ce constat venait de la conviction qu'un garçon fréquentant une fille pour le « bon motif » gardait ses mains pour lui. Personne ne voulait d'une fille flétrie comme épouse, même pas le responsable de la flétrissure. Phébée décida d'exprimer le fond de sa pensée :

— Depuis le temps, il aurait dû m'exprimer ses intentions à haute voix. Là, je ne sais rien de ses projets.

— Bientôt ces gamins en auront fini avec leurs élections municipales. Quand la sève montera dans les arbres, ça va le dégeler.

L'allusion un peu leste les fit rire toutes les deux. Après une pause, la visiteuse se leva en disant :

— Je ne vous ferai pas perdre plus de temps, madame Marly.

— Comme tu vois, aucune cliente n'est venue nous interrompre.

— Tout de même, je vais rentrer chez moi. Je repasserai lundi prochain.

— Nous continuerons alors notre conversation sur ce gentleman.

La couturière aurait préféré que ce soit pour lui faire connaître le moment de la reprise du travail. Le sourire qu'elle afficha en quittant les lieux manquait beaucoup de conviction.

Le moral des colocataires au souper était au plus bas. Au cours de la journée, personne n'avait reçu de bonnes nouvelles.

— Comme ça, résumait John, tu ne pourras retourner à la boutique cette semaine?

— Ni la semaine prochaine, sans doute, souffla Phébée.

— Nos riches voisines du quartier n'ont pas encore recommencé à acheter de jolies robes?

— Pendant que j'étais là, aucune ne s'est présentée.

Il marqua sa sympathie d'un mouvement de la tête, puis s'intéressa au sort de l'autre jeune femme.

— Et toi, Félicité?

— On a trouvé un message en anglais sur la porte, pour nous dire de revenir dans deux semaines.

Charles et Hélidia l'avaient expliqué un peu plus tôt, les choses n'allaient pas mieux à la MacDonald Tobacco ou à la filature.

— Je le disais ce matin, leur rappela Crépin Dallet, mais personne ne m'écoute. Si les enseignements de l'Église étaient mieux respectés, Dieu n'aurait pas à nous rappeler à l'ordre de cette façon.

Charles baissa la tête pour jurer entre ses dents. Être privé d'emploi était difficile en soi, se faire casser les oreilles par cet imbécile devenait insupportable.

— Nous avons tous eu droit au même sermon hier à l'église, s'impatienta John. Le réentendre aujourd'hui ne nous donnera rien de plus.

Même à l'église Saint-Patrick, le prêtre avait fustigé tous ceux et celles qui étaient allés au carnaval. La directive devait venir de l'archevêché.

— Je ne prononce pas de sermon. Je constate simplement que le salaire de tous les péchés commis pendant le carnaval, c'est le chômage. Rien n'arrive pour rien.

— Quelqu'un peut-il faire taire cet idiot? demanda Mainville en regardant vers l'autre bout de la pièce.

Vénérance passait justement dans la cuisine, après être allée voir ses enfants dans le salon familial.

— Vous êtes pas dans une taverne ici, leur reprocha-t-elle. J'veux pas entendre des mots comme ça.

— Vous pouvez bien me traiter d'idiot, reprit Crépin. Mais moi, je ne suis pas allé dans ces lieux de perdition et je travaille encore tous les jours.

— Je travaille aussi, le contredit John, et je suis allé au carnaval avec trois de mes voisins. Ton Dieu semble être un partisan du « deux poids, deux mesures ».

Les deux hommes se toisèrent du regard. Le commis aux livres se méfiait de cet artisan trop libre penseur.

— Ou alors Il vous réserve un châtiment proportionnel à la gravité de vos fautes.

— Tu les connais, toi, toutes nos fautes?

Une profonde colère, peut-être un défi, couvait sous ce ton posé.

— Allez-vous cesser, à la fin?

La voix haut perchée de Félicité trahissait combien la situation l'excédait. Vieille habitude du couvent, elle seule s'en tenait au vouvoiement avec Crépin, et l'homme s'adressait aussi à elle de cette façon.

— De quel droit faites-vous la morale aux autres? l'interpella-t-elle.

Le commis resta interdit, puis il répondit :

— C'est le devoir de tous les bons chrétiens…

— Qui vous a donné un brevet de bon chrétien? Où l'avez-vous affiché?

— Je suis les enseignements de l'Église…

Les joues rouges, la voix rendue un peu chevrotante par l'émotion, encore fâchée de l'intervention du curé en chaire la veille, Félicité n'entendait pas lui laisser le dernier mot :

— Vous n'êtes pas meilleur que n'importe lequel d'entre nous. Je vois bien vos regards sur Phébée, je me souviens que l'été dernier, nous vous trouvions sur notre chemin trop souvent pour que ça tienne du hasard. Vous m'avez même fait venir dans votre chambre pour me sermonner. Vous aviez alors les mêmes petits yeux vicieux que d'habitude...

Les mots se bousculaient dans sa bouche, elle ne pouvait les retenir. Qu'un malotru, sous des airs de chrétien modèle, prétende avoir le droit de porter un jugement sur les autres devenait insupportable.

— Mademoiselle Dubois, je ne vous permettrai pas..., commença le petit homme maintenant reculé au fond de sa chaise, comme si Félicité l'impressionnait.

— Moi, je ne vous permets pas de poser vos yeux vicieux sur moi ou sur mon amie. Je ne vous permets pas de porter un jugement sur ma moralité, ou celle de mes amis assis ici. Je ne vous permets pas de mépriser des personnes plus respectables que vous, seulement parce que vous rongez les balustres. Jésus parlait de sépulcres blanchis pour désigner les personnes présentant à l'extérieur une apparence de vertu, alors que dans leur cœur il n'y avait que... pourriture.

Chacun de ses mots exprimait une colère trop longtemps refoulée. Contre cet idiot bien sûr, mais aussi contre le curé de la paroisse, contre Sasseville, contre le surintendant qui l'avait chassée de son emploi. Dans sa petite robe grise boutonnée jusqu'au cou, tendue comme si elle devait se rompre, elle ressemblait à une institutrice mise à bout par un élève particulièrement détestable. Depuis sa conversation de la veille avec Phébée, les jugements péremptoires et l'arrogance ne pouvaient plus la laisser muette.

— Je ne permettrai pas…, répéta Crépin d'une voix blanche.

— Tu devrais trouver une autre répartie, le ridiculisa John pour le déstabiliser complètement. Celle-là, la demoiselle l'a utilisée de façon convaincante.

Le regard de Félicité devenait de plus en plus acéré. À la fin, Crépin trouva son salut dans la fuite. Il quitta la salle sans finir son repas. Quand ses pas se firent entendre à l'étage, suivis du bruit d'une porte refermée, John Muir dit à voix basse, les yeux dans ceux de Félicité :

— Je ne te mettrai jamais en colère. Tes mots sont de véritables coups de fouet !

— Je m'excuse… Je ne suis pas comme ça, d'habitude.

— D'habitude, tu es si discrète qu'on pourrait te croire absente. Ne t'excuse pas, c'est tellement mieux quand tu es là.

Lentement, elle hocha la tête. Comme elle aurait alors aimé discuter avec Romulus Sasseville de la violente révolte qui l'habitait soudainement ! Lui seul peut-être la comprendrait vraiment.

— Je me demande où tu trouves tous ces mots, dit Phébée. Moi, dans une querelle, ou je dis des bêtises, ou je me mets à pleurer.

Il est vrai que dans la plupart des situations, elle recourait plutôt à son beau sourire et à un battement de cils.

— Elle lit, dit Hélidia en quittant la pièce, appuyant ainsi implicitement la position de Crépin. Ces mots-là, elle les prend dans des romans.

L'affirmation, vraie, ressemblait à une mise en accusation.

À son retour des bécosses plus tard ce soir-là, John Muir trouva Vénérance en train de décrasser la surface de sa grosse cuisinière au charbon.

— Madame Paquin, vous avez entendu Dallet, tout à l'heure ?

— J'ai surtout entendu les mots de Mainville… J'veux pas voir de batailles chez moi.

— Je comprends, mais vous connaissez l'habitude de Dallet de juger tout le monde. Il nous empoisonne la vie… Vous devriez l'inviter à aller vivre ailleurs.

La logeuse pencha la tête sur l'appareil de chauffage pour en inspecter la propreté, tout en maugréant :

— J'ai besoin de tous mes loyers. Puis ce n'est pas à vous de me dire comment gérer la place.

L'ébéniste entendit la colère dans la voix. Il reprit doucement :

— Je sais que vous avez besoin de vos loyers. Ces temps-ci, il doit y avoir plus de chambres à louer que de clients dans la ville…

L'homme ne se trompait pas. De nombreuses personnes au chômage devaient tout simplement se retrouver à la rue.

— Mais si ce gars continue d'écœurer tout le monde, plusieurs de vos locataires chercheront ailleurs, moi le premier. On ne trouvera pas moins cher, mais avec un peu de chance, on ne se fera pas constamment faire la morale, et on ne… chiera pas dans un trou creusé dans le sol.

L'homme indiquait du menton la cour arrière.

— Moi non plus, je n'aime pas les disputes, madame Paquin.

Devant l'air fermé de la dame, il ajouta :

— Bon, je vous souhaite une bonne nuit.

La femme grommela quelque chose entre ses dents. Son usage répété de mots désignant la vaisselle liturgique ne devait cependant rien à la prière.

Chapitre 20

Une nouvelle fois, Félicité présentait une figure maussade. De mauvaise grâce, elle la suivait dans la rue de la Commune.

— C'est ridicule, à la fin ! protesta-t-elle. Hier j'apprenais que la manufacture reste fermée, et voilà que tu m'entraînes chez Joe Beef.

Phébée s'arrêta tout à fait pour faire face à son amie. Parce qu'elles nuisaient à la circulation sur le trottoir, des passants leur décochaient des regards impatients. Et avec un bonnet de laine enfoncé très bas sur la tête, la blonde n'avait même pas droit à l'indulgence des hommes. Accoutrées pour affronter le froid cinglant du début de février, les deux jeunes femmes perdaient tout leur charme.

— Écoute, je ne t'ai pas sortie de chez Vénérance de force.

La remarque laissa l'ancienne institutrice sans voix, tellement l'habitude d'attacher ses pas à ceux de sa compagne était bien ancrée. Bien sûr, il n'existait aucune contrainte, sauf son désir de ne pas se séparer de sa sœur d'adoption. Déjà, pendant tout le carnaval elle l'avait suivie en rechignant.

— Je te vois te dévêtir tous les jours, continua la couturière sur un ton plus amène. Tu es maigre comme une chatte abandonnée dehors en hiver, et je ne vaux sans doute pas mieux. Tu le sais bien, depuis juin nous nous sommes efforcées de prendre un bon repas à l'occasion.

— Mais là nous n'avons plus de gages, et tu veux nous entraîner à la dépense...

Elle n'osa pas lui reprocher les sorties de la semaine précédente. De toute façon, une œillade de Phébée leur avait procuré des repas ou des boissons chaudes.

— Tu as pu économiser un peu, l'automne dernier, précisa cette dernière, et moi aussi.

— ... À peine dix dollars.

— De quoi payer dix semaines de pension, et à ce jour tu en as dépensé deux.

— J'essaie de rembourser maman.

Rembourser Marcile, ou le curé Merlot : elle ne savait pas exactement dans quelle proportion elle se trouvait redevable à l'un et à l'autre. Même si la domestique avait protesté en recevant les dollars, l'initiative ne pouvait que lui plaire, et la rassurer. Elle témoignait de la débrouillardise de sa fille.

— Je t'avais dit d'attendre à l'été prochain, dit la blonde en lui prenant les mains. Il vaut mieux affronter l'hiver avec des réserves. Là, nous risquons d'être malades, avec nos deux maigres repas tous les jours et notre trou sans lumière.

— Comme nous ne travaillons pas, ça peut suffire.

— Une seule visite chez le médecin, un seul sirop pour la grippe, te coûtera plus cher qu'une pièce de viande une fois par semaine d'ici le retour du printemps.

Félicité se souvenait très bien du long dépérissement préalable à la pneumonie. Après le décès de Floris, sa mélancolie l'avait amenée à négliger son alimentation. Au point de frôler la mort.

— J'ai tellement peur que le chômage se prolonge, admit-elle. Moi, je commence ma troisième semaine à ne rien faire.

— Tu as de quoi tenir encore deux mois. Tu seras au travail bien avant.

La châtaine ouvrait de grands yeux gris affolés.

— Ça, personne ne peut en être certain.

— … Tu as raison. Admettons qu'une crise comme il y a dix ans nous tombe dessus. Nous risquerions toutes les deux de nous retrouver à la rue. Crois-tu vraiment que les dix cents dépensés aujourd'hui feraient une réelle différence ?

Toujours au milieu du trottoir, elles échangèrent un long regard. À la fin, l'ouvrière secoua la tête de droite à gauche.

— D'un autre côté, si tu es affaiblie à la réouverture de la manufacture, là ça ira mal pour toi.

Bien sûr, il s'agissait là d'arguments raisonnables. Félicité devinait bien que son amie se languissait tout autant d'un bon repas que de l'occasion de passer deux heures dans un lieu animé. À la pension, les visages attristés agissaient sur son humeur. De la tête, elle donna enfin son assentiment.

— Je suis certaine que tu ne le regretteras pas, dit Phébée.

La jeune femme passa son bras autour de ses épaules avant de se remettre en marche. Le froid vif piquait les joues, sous leurs pas la neige crissait un peu. La rue de la Commune recevait un nombre de promeneurs anormalement élevé. Des chômeurs erraient près des quais, soit pour tuer le temps, soit dans l'espoir de trouver à s'employer pendant une heure. Ils seraient vraisemblablement déçus. Le fleuve gelé interdisait toute navigation. Aucun navire transatlantique ne se trouvait amarré dans les parages. Des traversiers, de petits bâtiments immobiles se couvraient d'une chape de glace.

La seule activité venait des cultivateurs qui, en cette saison, accédaient à la ville en traîneau. Ils apportaient du bois de chauffage, des quartiers de porc ou de bœuf. Ces denrées coûtaient cher, mais moins que les légumes ou le lait. Si des femmes se trouvaient trop affaiblies pour allaiter, plusieurs nourrissons ne survivraient pas, faute d'une nourriture de remplacement. Naître à l'automne représentait un risque réel de mort précoce.

Au cours de la nuit, une épaisse couche de neige était tombée. Les trottoirs avaient été plus ou moins dégagés grâce à l'initiative des propriétaires des immeubles bordant la rue. Sur la chaussée, l'accumulation rendait toutefois le passage des véhicules d'hiver périlleux.

Les deux jeunes femmes arrivèrent à destination sans trop de difficulté. Dans la grande salle de la taverne, elles découvrirent une foule bigarrée, bruyante et malodorante. Le long des murs, quelques petits poêles de fonte réchauffaient une atmosphère fétide.

— Nous ne trouverons jamais une place où nous asseoir, se lamenta Félicité, les yeux écarquillés devant cette faune.

Si les hommes se trouvaient largement plus nombreux, la proportion de femmes n'était pas négligeable. Rester dehors par ce temps s'avérait intolérable. Tous voulaient se mettre à l'abri. Parmi les femmes, certaines pratiquaient sans doute le plus vieux métier du monde. Sous les couches de vêtements superposés, elles ne se distinguaient guère par leur allure.

— Comme nous sommes en mesure de payer un repas, commenta Phébée, on nous trouvera bien un coin.

Des yeux, elle cherchait l'une ou l'autre de ses connaissances parmi le personnel. Le hasard voulut que le serveur qui les avait accueillies l'été précédent soit de service.

— C'est bien toi, princesse, la reçut-il en approchant. Habillée comme ça, impossible de te reconnaître.

— Tu y es pourtant arrivé.

— Ah! Mais on aperçoit un œil bleu, sous ton bonnet.

De la tête, il salua la seconde jeune femme, puis continua :

— Tu veux manger ?

— Je n'aurais pas marché jusqu'ici dans le froid pour voir les animaux empaillés.

— Reste là, j'essaie de te dénicher une place.

Des yeux, il chercha dans la grande salle, puis il se dirigea vers une table placée à bonne distance d'un poêle ventru, ni trop près, ni trop loin. De la main, il invita les clientes à le suivre.

— Les gars, vous faites une place à mes amies ? demanda-t-il en anglais.

Une demi-douzaine d'hommes attablés ensemble levèrent les yeux vers elles. Après quelques remarques égrillardes, ils acceptèrent de se tasser un peu.

— … Je préférerais être juste avec Phébée, murmura Félicité, intimidée.

— Ça, c'est un luxe hors de prix, aujourd'hui.

— Alors avec ces femmes, là-bas ?

Des yeux, elle indiquait un endroit de la salle d'où montaient des rires aigus, vraisemblablement avinés.

— Crois-moi, la belle, tu te sentiras mieux ici. Elles aimeraient pas avoir des jolies filles à côté. Déjà, la compétition est féroce, et la plupart des clients sont cassés comme des clous.

« Des femmes tombées », comprit-elle. Elles ressemblaient à de rudes matrones, comme celles que l'on croisait tous les jours sur les trottoirs.

— Cesse de les regarder, lui conseilla la blonde. Tu vas nous faire remarquer.

Déjà, les occupants de leur table ne les quittaient pas des yeux.

— Je vous amène un steak ? demanda le serveur.

— Oui, et chacune une bière.

Félicité allait protester quand sa compagne précisa :

— Ça, je te l'offre. Maintenant, assieds-toi. On dirait que tu veux absolument devenir le point de mire.

Elle ne se le fit pas dire deux fois. Une fois installées, les deux jeunes femmes firent disparaître leurs mitaines dans les poches de leur manteau.

— Détache-toi, autrement tu seras en sueur en sortant.

La châtaine copia les gestes de son amie. Elles laissèrent le vêtement sur leur dos afin de dissimuler leur silhouette, et leur bonnet pour cacher leurs cheveux. Malgré tout, leurs voisins de table décochaient des regards dans leur direction, formulant des appréciations en anglais. Les expressions utilisées ne figuraient pas au vocabulaire enseigné par les sœurs de Sainte-Anne, et Phébée évita soigneusement de les traduire pour sa compagne.

— Tous ces gens…, commença Félicité.

— Regarde, la moitié n'ont pas d'assiette devant eux, pas même de chope. Plusieurs sont en chômage. Le patron les laisse se réchauffer. On raconte qu'il nourrit les plus démunis à ses frais.

Charles McKiernan, alias Joe Beef, circulait dans la salle, son petit singe sur l'épaule, solidement agrippé à la chevelure de son maître. Quelques paroles, une claque dans le dos d'un client, puis il passait à une autre table.

— C'est un homme généreux.

— Il vaut un cercle de la Société Saint-Vincent-de-Paul à lui seul.

En ces temps difficiles, l'organisation catholique devait venir en aide aux plus démunis, choisis parmi les plus vertueux. Son action s'apparentait à un grain de sable dans un Sahara de misère.

— C'est un bon chrétien.

La couturière commença par rire de bon cœur, attirant sur elle les regards des clients les plus proches.

— Probablement meilleur que le curé de Saint-Jacques.

Depuis la veille, la couturière se découvrait un sentiment anticlérical.

— Pourtant, il se vante de n'avoir ni Dieu, ni maître, ajouta-t-elle.

Les assiettes et les chopes arrivèrent à ce moment. Elles payèrent leur dû. À la vue de la viande, le ventre de Félicité produisit un gargouillis gênant. Malgré les protestations formulées un peu plus tôt, la faim la tenaillait. Ce ne fut qu'après plusieurs bouchées qu'elle reprit le fil de la conversation :

— Il s'en vante ?

— Il fait imprimer des petits poèmes où c'est écrit en toutes lettres.

Le propriétaire des lieux était allé derrière le comptoir afin de récupérer quatre pelles pour les tendre à autant de clients s'apprêtant à partir.

— Il fait aussi le quincaillier ?

— Il ne les vend pas, il les prête. Ces gars vont aller cogner aux portes pour offrir de déneiger le devant des maisons, les cours arrière des commerces. Les bourgeois ne font pas ça eux-mêmes. Avec de la chance, quand ils rapporteront les pelles, ils auront gagné de quoi s'acheter un repas.

Les pensées de Félicité allèrent vers Rachel. La pauvre mère de famille avait évoqué cette possibilité, pour gagner quelques sous, le jour de la fermeture de la manufacture. Attristée, elle avala quelques gorgées de bière. L'âcreté de la boisson la fit grimacer, l'alcool suffirait pour lui faire oublier un peu les regards insistants de ses voisins.

— La nuit, continua sa compagne, il envoie les serveurs dans les rues des environs pour ramener les gens sans abri. Il y en a des dizaines qui couchent par terre dans cette salle, les jours de grands froids.

Finalement, Montréal recelait encore un certain nombre de surprises. Des yeux, la jeune femme suivit le propriétaire. Une fois l'estomac plein, elle était disposée à admirer un mécréant qui aidait les pauvres et gardait quatre ours noirs dans sa cave.

— Là, dit Phébée en amorçant le geste de reboutonner son manteau, nous allons rentrer dans notre trou et ronfler comme des marmottes tout l'après-midi.

Ce programme eut l'heur de plaire à son amie. Sur tout le trajet entre leur chaise et la porte du commerce, des invitations salaces soulignèrent leur passage. L'ancienne couventine ne s'en formalisa même pas. Il est vrai que sa compréhension limitée les rendait moins offensantes.

Le 16 février, Félicité se prépara à nouveau au travail. Cette fois cependant, elle tentait de réduire ses attentes, afin de ne pas souffrir d'une très possible déception. Mainville fit le trajet avec elle, son gros coffre à outils à la main. Ils aperçurent un attroupement au coin de la rue D'Iberville.

— Tu crois que cette fois aussi ?… murmura la jeune femme.

— On va le savoir bientôt…

L'entrée des employés se révéla encore fermée de l'intérieur. Une nouvelle annonce occupait maintenant deux feuilles.

— Tu vas nous lire ça, la petite, dit une vieille travailleuse. Moi, je vois bien des noms, mais ils ne sont pas tous là.

Avoir appris ses lettres à Victoria faisait d'elle une véritable savante aux yeux de ces femmes. Très vite, elle comprit la tournure des événements.

— C'est écrit qu'ils vont recommencer avec seulement la moitié des moulins, et la moitié des employés. Cette liste-là, c'est celle des personnes qui reprennent ce matin.

Tout en parlant, Félicité cherchait son nom. Nerveuse, elle se trompa en regardant pour Drousson, mais découvrit ensuite Dubois.

— Moi, je suis dans la liste? interrogea une ouvrière parmi les plus vieilles. Chèvrefils, mon nom. Ça commence par un «C».

— … Je ne le vois pas, madame, dit Félicité, visiblement désolée.

Sceptique, l'ouvrière la bouscula pour vérifier elle-même, parcourant la liste d'un index à l'ongle noirci par un coup. Un juron souligna sa déconvenue. Certaines lançaient un «Oui» soulagé, puis se sentaient coupables de leur bonne fortune. D'autres réagissaient par des larmes ou un blasphème tonitruant.

— Les baptêmes, s'insurgea Germaine. Je ne suis plus assez bonne pour eux autres.

Sous la liste des élues, une note disait aux employées non réembauchées de se présenter la semaine suivante. Plusieurs, parmi les résignées, tournèrent les talons pour regagner leur domicile.

— T'as vu mon nom? interrogea Mainville en s'approchant de Félicité.

— Oui, tu es là.

— Je m'disais, aussi. Après un mois d'arrêt, ce sera pas simple de repartir les métiers. Tout va être un peu couvert de rouille, dans cette bâtisse pas chauffée. Ils ont besoin des mécaniciens.

Son interlocutrice paraissait si soulagée qu'il ne l'interrogea pas sur son sort.

— Pourquoi nous font-ils attendre dehors ? lui demanda-t-elle.

— Pour éviter le grabuge et les engueulades, j'suppose. Il fait froid, celles qui restent slackées vont s'en aller bientôt.

Félicité gardait les yeux sur Rachel. Soulagée, la pauvre femme ne pouvait retenir ses larmes. La reprise du travail lui enlevait un poids terrible des épaules. La prévision du mécanicien se révéla juste. Une bonne demi-heure après l'heure habituelle d'ouverture, le bruit des verrous tirés se fit entendre, la porte s'ouvrit sur deux contremaîtres, celui de l'atelier mécanique et celui de la salle des métiers à tisser.

— Mesdames, commença Rouillard, celles dont le nom se trouve sur cette liste peuvent entrer.

Les pieds et les oreilles gelés ne faisaient pas bon ménage avec la politesse. Les hommes jouèrent des coudes pour passer parmi les premiers. Les femmes n'hésitaient pas non plus à se frayer un chemin jusque dans la manufacture. Les contremaîtres tenaient chacun une liste des personnes rappelées et ils entendaient bloquer le passage aux autres. Félicité se colla au dos de Rachel, plus robuste qu'elle, qui se taillait efficacement un passage. Rouillard adressa à l'ancienne institutrice, comme à toutes les autres, un « Bonjour » rapide, puis il haussa le ton pour dire :

— Germaine, t'es pas sur la liste.

— J'ai besoin de travailler, moi aussi, protesta-t-elle d'une voix un peu hystérique.

— Alors reviens lundi prochain. Maintenant dégage le passage, y en a qui attendent.

— Comment vous la faites, cette maudite liste ? Ça fait dix ans que j'travaille ici, et j'reste dehors, alors que la petite, là, peut entrer même si elle est nouvelle.

La grosse femme désignait Félicité. Dans de pareilles circonstances, où la tension était à son plus haut degré, les collègues devenaient des ennemies. La châtaine se sentit encore plus coupable de sa chance et profondément désolée pour celle qui l'avait soutenue dans les pires circonstances.

— Le gérant me donne pas plus d'explication qu'à toi, dit le contremaître. Il a fait une liste, moi, je laisse entrer les personnes dont le nom est dessus.

— Mais moi, j'en veux, des explications. Va m'le chercher, ton Anglais.

— Si la façon de fonctionner des patrons te plaît pas, t'es libre d'aller travailler ailleurs, trancha Rouillard, toute bonhomie disparue de son ton et de son attitude.

Tous les deux se défièrent, puis la femme baissa les yeux et tourna les talons après un instant d'hésitation.

— Comment ils font pour dresser la liste ? demanda Félicité à Rachel.

— Regarde autour de toi, tu vas comprendre.

La jeune ouvrière fit un tour complet sur elle-même.

— Les plus vieilles ne sont plus là, constata-t-elle.

— Comme les plus jeunes qui suivaient mal le rythme, les plus chialeuses… Il reste les plus efficaces, celles qui ferment leur gueule et gâchent pas de coton.

Félicité se rendit compte que, finalement, au fil des mois elle avait appris à bien effectuer ses tâches. Cela seul lui valait d'être là.

— Crois-tu qu'ils vont reprendre les autres, lundi prochain ?

— Pas toutes. Certaines reviendront jamais, et dans deux mois, y arrivera des nouvelles… comme toi l'an passé.

— … Que leur arrivera-t-il ?

La jeune ouvrière parlait des laissées-pour-compte.

— T'as entendu Rouillard. Sont libres de chercher ailleurs.

— Mais Germaine était une travailleuse efficace…

— Qui gueulait tout le temps… Onil s'en sacrait, les verges de coton sortaient rapidement de ses moulins. Le nouveau *foreman* sacre jamais, l'entendre devait lui tomber sur les nerfs. Va partir tes machines avant qu'il revienne. Il te traite bien, fais pas exprès pour que ça change.

Avec au cœur la culpabilité de la survivante, Félicité fit comme on le lui disait.

Deux semaines plus tard, il régnait dans le logis de la ruelle Berri une bien meilleure atmosphère. Tous les chômeurs avaient repris le travail. Le soulagement passé, ils se prenaient à espérer déjà qu'aucun nouveau ralentissement ne survienne au cours de la prochaine année. Puis Crépin n'avait plus évoqué sa supériorité morale ou la déchéance de ses voisins. Vénérance, un peu ébranlée par l'exposé de John, avait pris sur elle de lui adresser certaines remontrances.

Le dimanche 1er mars, fidèle à une habitude datant maintenant de plusieurs mois, Jules Abel offrit un repas à sa cavalière et leur chaperon. Cette fois, ils se retrouvèrent dans un salon de thé situé rue Saint-Antoine. Le trio se dirigea ensuite vers le carré Victoria. Dans les rues bordant le grand parc, de nombreux traîneaux étaient stationnés, avec leurs cochers coiffés d'un melon et pour la plupart vêtus d'un manteau « de chat » sur le dos. Exposés aux intempéries toute la journée, parfois même une partie de la nuit, cet accoutrement suffisait à peine à les garder au chaud.

— Il doit y avoir une centaine de traîneaux dans les environs, expliqua Jules. Il s'agit des membres de l'Association des conducteurs des voitures de louage qui se livrent à leur activité charitable annuelle.

— Nous offrir cette longue promenade doit coûter cher, remarqua Phébée.

À la longue, la jeune femme en venait à craindre de peser un peu trop sur les ressources de son compagnon. Elle ignorait si un stagiaire dans une pharmacie touchait une bonne rémunération, et la question ne se posait pas.

— Tout le montant du prix des billets ira à l'Hôtel-Dieu et à l'Hôpital général de Montréal. En échange, les membres de l'Association sont soignés gratuitement là-bas. Alors je fais une bonne action.

Le jeune homme avait en fait déboursé cinquante cents pour chaque billet, soit un peu moins que le salaire quotidien de ses compagnes.

— Mais qu'est-ce que c'est que ce traîneau là-bas ? l'interrogea Félicité.

Le jeune homme s'amusa de la surprise du chaperon.

— C'est le corbillard de la maison Duhaime et Halpin. Je suppose qu'il s'agit aussi d'une voiture de louage, même si chaque client ne la prend en général qu'une fois.

— Moi, je ne veux pas monter là-dedans ! déclara Phébée avec dégoût.

— Je pense que si nous nous dépêchons un peu, ce ne sera pas nécessaire.

Déjà, de nombreux clients se pressaient autour des voitures d'hiver. Le départ était prévu à deux heures, il restait quelques minutes à peine.

— Venez, ce traîneau semble toujours libre.

Jules prit le bras de Phébée pour se diriger vers un véhicule peint en rouge. Le cheval arborait une parure de plumes de même couleur au milieu du front. Avant d'y arriver, ils furent témoins d'une scène pénible. Une femme et ses deux enfants occupaient un traîneau stationné. Un Noir, vêtu d'un long paletot gris avec un melon assorti, tendait son billet au conducteur.

— Je ne veux pas que ce nègre monte avec nous, insistait la mère de famille dans son meilleur anglais.

Tourné à demi vers elle, le cocher commença :

— Regardez ses vêtements. Il paraît respectable.

— Mais je ne veux pas qu'il monte dans mon traîneau.

Des billets en main, la dame s'imaginait avoir l'exclusivité du véhicule.

— Vous l'avez entendu, monsieur, dit le conducteur au requérant avec une mine attristée.

— Mais j'ai un billet, répliqua l'homme en anglais. Je l'ai payé le même prix qu'elle.

Dans sa main gantée de gris, il tendait encore le bout de papier. La colère durcissait ses traits.

— Venez avec nous, dit Phébée en anglais en se plantant devant lui de façon à lui masquer la vue de la petite famille intolérante.

L'homme la toisa, incertain de l'attitude à adopter.

— Nous sommes seulement trois. Venez avec nous, l'incita-t-elle avec chaleur.

La blonde lui adressa son meilleur sourire, celui auquel bien peu d'hommes pouvaient résister. Ses traits s'adoucirent un peu.

— Et vos compagnons ? Ils ne sont pas incommodés par la compagnie d'un nègre ?

Si Jules ne ressentait aucun enthousiasme à ce sujet, l'initiative de sa compagne ne lui laissait plus le choix :

— Venez avec nous. Ce sera plus simple pour tout le monde.

L'étranger devrait se contenter de cette offre peu encourageante. Ils se dirigèrent vers le traîneau. Le pharmacien tendit la main pour aider Phébée à monter. Un peu dérouté par la situation, il y prit place sans penser à leur chaperon.

Félicité s'apprêtait à monter quand une main gantée apparut sous ses yeux.

— Vous me permettez de vous aider ? proposa l'inconnu, pour tester son ouverture d'esprit.

Elle comprit et, soucieuse de ne pas ajouter à la tension, elle dit en acceptant :

— Merci, vous êtes gentil.

Phébée et Jules occupaient la banquette orientée vers l'avant du traîneau, les deux autres regarderaient vers l'arrière.

— Je m'appelle Phébée, commença la blonde en tendant la main pour briser le silence un peu lourd.

Le geste prit l'autre au dépourvu. Elle présenta ensuite ses amis. L'étranger donna son nom : Paul. Une fois la glace rompue, le malaise se dissipa un peu. À ce moment, le conducteur du corbillard de Duhaime et Halpin fit claquer les guides sur le dos de son cheval pour s'engager vers l'est dans la rue Saint-Jacques et regagner bien vite la rue Notre-Dame, principale artère des affaires.

Le cortège de cent traîneaux ne risquait pas de passer inaperçu, surtout que la plupart des attelages portaient des grelots. Il emprunta la rue Papineau et revint vers l'ouest jusqu'à la rue Saint-Laurent. Phébée se plaignit un peu du froid. Jules comprit le message et remonta la robe de carriole sur ses jambes. Puis le couple s'engagea dans une conversation meublée de tous les petits événements ayant marqué la dernière semaine.

— Vous avez froid ? demanda Paul à sa voisine.

— Oui, un peu.

Obligeamment, l'homme chercha une seconde robe de carriole au fond du véhicule pour la couvrir jusqu'à la taille.

— Mais vous aussi, monsieur…

Pour éviter une trop grande impression d'intimité, il avait pris garde de ne pas s'abriter. Félicité fit en sorte de mieux étendre la fourrure pour les tenir au chaud tous les deux. En face d'elle, Phébée lui jetait parfois des regards à la dérobée, un sourire amusé sur les lèvres.

Félicité et Paul gardèrent ensuite un silence embarrassé jusqu'à ce que le cortège de traîneaux arrive au chemin à péage faisant le tour du mont Royal. À la fin, la châtaine s'efforça de prononcer, dans son meilleur anglais :

— Que faites-vous dans la vie ?

L'autre la toisa un moment. Elle put alors apprécier les traits réguliers. Déjà, elle avait remarqué sa carrure imposante.

— Vous voulez savoir si je travaille comme domestique ?

Le ton impatient, le masque sévère amenèrent Jules et Phébée à cesser leur babillage pour les regarder, intrigués.

— Si c'est votre métier, qu'est-ce que ça change ? répondit Félicité. Je travaille dans une manufacture de coton. Devrais-je me sentir supérieure à vous, ou inférieure, si vous êtes domestique ?

Lancée d'un trait, la réponse témoignait de ses progrès en anglais, et de son désir de faire moins confiance aux idées reçues. Le gaillard la regarda longuement, puis esquissa son premier sourire.

— Je m'excuse. L'incident, tout à l'heure… Je suis portier à l'hôtel *Balmoral*.

Ce n'était pas un travail de domestique, mais à peine mieux. Montréal n'offrait pas de nombreuses possibilités aux gens « de couleur ». Ils s'en tiraient encore moins bien que les Canadiens français. Comme leur carrière respective ne pouvait alimenter une longue conversation, ils discutèrent de la beauté de la campagne enneigée au nord de la montagne, du caractère paisible des cimetières catholiques et protestants.

Le retour s'effectua par le chemin de la Côte-des-Neiges. Les traîneaux parcoururent ensuite les beaux quartiers de la ville anglaise. La jeune femme ne voyait pas pour la première fois les grandes demeures, mais une pareille richesse lui semblait toujours inconcevable.

— On a du mal à imaginer comment ces gens vivent, n'est-ce pas? remarqua Paul.

— C'est vrai, je ne peux pas du tout me le représenter. C'est un peu comme s'ils n'appartenaient pas tout à fait à l'espèce humaine.

— Je passe mes journées à leur ouvrir la porte, la main tendue. Ce sont des gens comme vous et moi.

Il s'arrêta, lui donnant l'occasion de contester cette prétention, d'affirmer que la couleur faisait tout de même une différence. Son interlocutrice n'y pensa même pas, attendant la suite. Depuis sa sortie du couvent, la proximité de nombreux hommes l'avait mise mal à l'aise. Devenant plus sûre de son instinct, elle trouvait celui-là plutôt rassurant.

— La seule différence, c'est l'argent, beaucoup d'argent. Ils dépensent plus en une journée que je ne gagne en une année.

Dans le cas des plus riches, cela ne faisait aucun doute. Le long cortège passa devant l'hôtel *Windsor*. Paul adressa un salut de la tête au portier de l'établissement, tout aussi grand et tout aussi noir de peau.

Sur l'autre banquette, la conversation était passée à la politique. Phébée présentait un visage un peu soucieux.

— Ce n'est pas dangereux, une élection ? questionna-t-elle. Chaque parti engage des fiers-à-bras pour empêcher des personnes de voter, ils distribuent de l'alcool.

— Au niveau municipal, les choses se passent plus doucement. On verra certainement des gallons de gin, des gars un peu plus costauds que la moyenne. N'aie pas peur pour moi, je serai en sécurité.

— Tu n'iras pas du tout à la pharmacie ?

— Comme le patron appuie Honoré Beaugrand, il tient pour acquis que je donne un coup de main.

Jules n'avait aucun besoin de l'insistance d'un tiers pour apporter son aide. Dans sa famille, on était militant libéral de père en fils.

— Que feras-tu ? Les gens seront en train de voter, les assemblées et les débats ne serviront plus à rien.

— Je visiterai les partisans libéraux pour les convaincre de se rendre déposer leur vote, tout en espérant que de l'autre côté les gens soient moins efficaces que moi.

Le silence des occupants de l'autre banquette l'incita à demander en anglais :

— Paul, vous intéressez-vous à la campagne électorale municipale ?

— Je ne suis pas propriétaire, je n'ai pas le droit de vote.

— Mais moi non plus.

L'autre s'amusa fort de la situation. Quelques milliers d'hommes seulement pourraient voter, tous blancs et propriétaires de maisons, de terrains, ou alors pouvant faire la preuve qu'ils versaient un loyer important. La plupart des travailleurs manuels se trouvaient d'emblée exclus du suffrage.

— Cela ne m'empêche pas de soutenir les libéraux, continua Jules. Dans le bout de la ville où vous habitez, que pensent les électeurs de cette campagne ?

— Les Anglais préféreraient voter pour un Anglais.

— Il est vrai que cette année, les deux candidats sont des Canadiens français : Beaudry et Beaugrand.

Au-delà de la couleur de la peau, la politique demeurait le sport favori des hommes, lui aussi tendait l'oreille à toutes les conversations, intéressé.

— Ils vont donner leur vote à celui qui leur ressemble le plus. Beaugrand a épousé une protestante qui parle anglais, les prêtres le détestent. Ça attire leur sympathie.

— Et d'un autre côté, Beaudry demeure le candidat des soutanes, dit le pharmacien.

Ce petit détail donnerait au maire sortant une majorité des votes chez les francophones. Si Beaugrand l'emportait, ce serait avec le soutien de l'ouest de la ville.

La balade de trois heures se terminait. Le cortège de traîneaux arrivait au parc Victoria. Les cochers se rangèrent le long des trottoirs. Jules aida Phébée à descendre. Félicité accepta de nouveau la main de Paul. Le portier serra les mains de ses compagnons d'excursion en se déclarant enchanté de les avoir connus, puis disparut dans la nuit.

— Tout de même, c'était quelqu'un de bien, commenta le pharmacien.

Il voulait dire « pour un nègre ». Ses compagnes manifestèrent leur accord. Après des heures au grand air, tout le monde désirait rentrer rapidement à la maison. La blonde prit le bras de son ami, ajustant son rythme de marche au sien, alors que le chaperon suivait trois pas derrière. Cette dernière entendit le jeune homme demander :

— Le dimanche 14 mars, vous serez disponible ?

— Comme d'habitude, je le serai pour vous. Vous avez une autre promenade à nous proposer ? Celle d'aujourd'hui a été très agréable.

Un peu de flatterie ne nuisait en rien à leur relation, Phébée n'en faisait jamais l'économie.

— En quelque sorte, oui. Il faudrait partir tôt le matin… et cette fois, nous passer tout à fait de notre charmant chaperon.

Félicité tentait de suivre la conversation, mais plusieurs mots lui échappaient. Elle se rapprocha un peu.

— Je ne sais pas si ce serait convenable…

— Pour un dîner dans ma famille, arriver avec deux jeunes femmes ferait un peu étrange.

La blonde s'arrêta au milieu du trottoir et se tourna pour mieux voir son compagnon sous la lumière d'un réverbère.

— Vous voulez dire que…

— Depuis le temps que ma mère veut savoir avec qui je passe mes dimanches… Pour la santé de son cœur, mieux vaut lui montrer que je suis entre bonnes mains.

Félicité amorça un mouvement de recul, ce développement surprenant exigeait un peu plus d'intimité. Son cœur se gonfla de joie pour son amie. Elle paraissait enfin sur le point d'arriver à ses fins.

Phébée chercha les mains de son cavalier, muette.

— Vous viendrez, j'espère ?

— Bien sûr que oui. Voilà des mois…

Elle n'osa pas dire « que j'attends ce genre d'engagement de votre part ».

— … Que je veux connaître votre famille. Cela me permettra de mieux vous connaître aussi.

— L'idéal serait alors d'aller à la basse messe à Saint-Jacques, puis de prendre le train tout de suite après afin d'arriver là-bas à temps pour dîner.

— Comme je ne connais pas la durée du trajet, je vous laisse régler les détails.

Le couple se remit en marche. Derrière, le chaperon arborait un sourire satisfait. La progression vers la maison se fit rapidement, le froid favorisant la célérité. Même si depuis quelques mois Jules avait la possibilité d'accompagner son amie jusqu'à la porte, l'état des lieux le laissait toujours troublé. Si son candidat remportait la victoire le lendemain, il espérait que ces endroits deviennent bientôt choses du passé.

— Demain, voulez-vous m'accompagner à l'hôtel de ville ?

— Voyons, ma présence serait…

Tout de suite, Phébée s'interrompit. En lui demandant d'aller chez ses parents et en voulant se montrer avec elle devant ses amis politiques, il lui conférait un statut officiel. Refuser serait tout à fait inconvenant, à présent.

— Ça me ferait plaisir, mais je ne pourrai être là avant neuf heures.

— Je peux venir vous chercher à neuf heures moins le quart. Les résultats ne seront pas connus avant dix heures.

Les yeux de la blonde se posèrent sur Félicité.

— Ah ! Bien sûr, mademoiselle Dubois sera la bienvenue.

— Pour une activité publique comme celle-là, ma présence ne sera pas nécessaire, plaida Félicité.

À l'hôtel de ville, lors d'une assemblée politique, les accrocs aux bonnes mœurs lui semblaient bien peu probables. Surtout, elle se sentirait bien mal à l'aise à cet endroit.

— Au contraire, mademoiselle. Quel que soit le résultat, deux groupes seront présents à l'hôtel de ville. Les perdants boiront pour se consoler, les gagnants célébreront de la même façon. Vous seule pourrez témoigner de notre savoir-vivre et du fait que nous n'en toucherons pas une goutte.

Malgré ses paroles joyeuses, et le clin d'œil complice pour les souligner, Jules ne paraissait pas tellement entiché de sa présence. Il aspirait à se trouver seul avec l'élue de son cœur.

— J'aimerais que tu sois là, insista la blonde.

La perspective de se retrouver parmi l'élite politique la torturait déjà. Une présence amicale près d'elle la rassurerait. Félicité comprit cet appel. Elle donna son assentiment d'un mouvement de la tête, puis tendit la main vers le jeune pharmacien. L'autre l'accepta.

— Je rentre, j'ai un peu froid. Bonsoir, monsieur.

— Bonsoir, mademoiselle.

Quand la porte se referma derrière le chaperon, Jules et Phébée se trouvèrent seuls pour la première fois. Mal à l'aise face à cette intimité nouvelle, ils se taisaient.

— Je vous remercie pour cette invitation, pour les deux invitations. Vous m'avez fait un grand plaisir.

— Je me suis fait plaisir aussi. Bonsoir, Phébée.

Il tendit la main. La blonde l'ignora pour s'approcher vivement et poser ses lèvres sur la joue glacée.

— Bonsoir, Jules.

Un instant, elle craignit d'être allée trop loin.

— À demain, dit le garçon d'une voix un peu cassée.

Sur ce, il tourna les talons pour s'en aller. « Non, se dit-elle en grimpant l'escalier, c'était la bonne chose à faire. »

Étendue sur le lit dans le halo de lumière d'une bougie, Félicité l'accueillit avec un grand sourire.

— Tu as réussi ! Tu l'as maintenant, ton invitation.

— Oui ! Il a fallu huit mois, tu te rends compte, pour qu'il se décide à me présenter à ses parents. Toutes les filles du quartier ont droit à cet honneur après deux semaines, trois tout au plus.

Phébée n'avait pas l'habitude d'être heureuse, la bonne attitude lui échappait. Elle fit une pause, puis se reprit :

— Comme je suis sotte de me plaindre ainsi. Je suis si contente, j'ai l'impression que mon cœur va éclater.

— Ne lui tiens pas rigueur de cette situation, dit l'ouvrière. Il vous faudra un trajet en train pour aller là. Ce n'est pas comme une promenade dans la rue d'à côté.

La distance entre Saint-Jacques et Sainte-Rose, dans l'île Jésus, lui paraîtrait moins grande que celle entre une couturière orpheline et le fils d'un marchand de village, quand il lui faudrait gagner le cœur d'un père et d'une mère, d'un frère et d'une sœur.

— Tout de même, c'était si long, j'ai eu si peur…

La blonde se laissa aussi tomber en travers du lit, près de son amie.

— Mais cette fois, il me semble très déterminé, dit Félicité.

Elle se surprenait à parler comme si elle avait la moindre expérience de ce genre de situation.

— Cette sortie, demain, dit-elle encore, ça te tente vraiment ?

Dans l'affirmative, ce ne serait pas un enthousiasme partagé.

— L'élection du maire, je m'en fiche éperdument. Cependant, comme lors de la randonnée en raquettes des Trappeurs, il se montre avec moi devant son monde, tous ces professionnels, jeunes ou âgés.

— Dois-je vraiment être là ? Je suis un peu fatiguée de mon rôle de chaperon. Surtout, j'ai honte de me faire payer des sorties.

Sans compter qu'au vu de l'évolution de cette relation, elle se faisait maintenant l'impression d'être indiscrète, comme si elle les espionnait.

— Je demeure une fille sans famille, à la merci de ce que les gens diront sur moi. J'ai besoin de ta présence jusqu'à ce qu'il fasse sa grande demande, et que j'aie dit oui… Ou encore mieux, jusqu'à la troisième publication des bans.

À cette étape, aucun garçon ne pouvait vraiment se dérober.

— Alors je vais le supplier de faire vite…

Chapitre 21

Si elles avaient possédé de nombreuses robes, se préparer se serait certainement révélé ardu ce soir-là. Comme chacune choisirait entre deux vêtements convenables pour la saison, l'un plus récent que l'autre, elles furent prêtes tout de suite. Puis l'une s'occupa un peu des cheveux de l'autre. Elles descendirent ensuite pour le souper.

— Je me trompe, les belles, ou vos yeux sont particulièrement brillants, ce soir ? commença John quand elles vinrent occuper leur place à table. Une grande sortie est au menu ?

— Si tu veux… Mais vêtue comme cela, je me sentirai tellement intimidée, répondit Phébée avec une pointe de lassitude dans la voix.

— Que dis-tu là ? Vous portez toutes les deux une robe cousue par la meilleure petite main de Montréal.

La flatterie lui valut cette fois un sourire plus convaincu.

— Alors, où allez-vous, pour vous préoccuper ainsi de vos tenues ?

— À l'hôtel de ville. Le nouveau maire sera connu ce soir.

Tout le monde, autour de la table, fronça les sourcils devant tant de prétention. Leur voisine sortait de sa condition. Seul Crépin n'arriva pas à se taire.

— Jamais on ne vous laissera entrer. Ce genre de soirée est réservé aux personnes importantes du monde politique. Le premier ministre de la province sera peut-être là.

La chose n'était pas impossible. Les conservateurs au pouvoir à Québec souhaiteraient certainement garder leur emprise sur la ville la plus importante de la province.

— Nous avons été invitées par un membre de l'équipe de Beaugrand, précisa la couturière.

Robert Gray faisant partie de cette équipe, Jules profitait de la sympathie de son patron pour lui.

— Cette invitation vient bien du jeune homme avec lequel vous passez vos dimanches depuis l'été dernier ? insista le commis comptable.

Le ton contenait une accusation sous-entendue : une attention de ce genre devait se payer d'une quelconque façon.

— Je l'ai toujours rencontré en présence d'un chaperon, se défendit Phébée.

Crépin ne pérora pas sur le caractère douteux d'une compagne de trois mois plus âgée que sa protégée.

— Ce garçon a quel âge ? dit-il plutôt. Vingt-deux, vingt-trois ans ?

— Plus vraisemblablement vingt-quatre ou vingt-cinq, car il a fini l'université.

La précision fut donnée avec une pointe de fierté. La jeune femme commençait déjà à se parer des réussites de cet homme pour impressionner ses semblables. Si Félicité et John s'en réjouissaient pour elle, Hélidia ne pouvait dissimuler son envie. Les deux mécaniciens affichaient un réel dépit. Les professionnels venaient souffler les plus belles sous leurs yeux.

— Même diplômé d'université, il ne peut pas vous faire entrer à l'hôtel de ville, insista Crépin.

— Ça, nous le saurons tout à l'heure, intervint Félicité.

Le commis aux livres, depuis leur dernière altercation, affichait une certaine prudence face à cette jeune femme.

Elle lui avait fait l'impression d'être une incarnation du diable. Cette fois, il prit un risque en commentant encore :

— Puis s'il est avec ce Beaugrand, ce garçon ne peut être une personne respectable.

— Monsieur Dallet, le rappela à l'ordre Vénérance, vous avez promis…

La logeuse tenait à conserver tous ses locataires. Pour cela, elle se montrait soucieuse d'éviter tout nouveau dérapage dans les échanges.

— Mais tout le monde sait que c'est un mécréant ! Il a abandonné la religion catholique, il fait partie des francs-maçons…

— Mon cher Crépin, dit John d'un ton moqueur, explique-moi ce que sont les francs-maçons. C'est comme le veau à deux têtes : tout le monde en parle, mais personne ne l'a vu.

— Les prêtres nous le disent : c'est une société secrète qui complote contre notre sainte mère l'Église.

— Oui, mais encore ? Quel genre de complot ? Où se réunissent-ils ?

— La parole de nos ecclésiastiques me suffit. J'apprends d'eux ce qui est bien ou mal.

Vénérance posa brutalement son chaudron au milieu de la table. Ses manches roulées sur des avant-bras musclés témoignaient qu'elle saurait sans mal jeter le plus malingre de ses locataires à la rue.

— Vous avez faim, ce soir ? dit-elle. Si ce n'est pas le cas, vous pouvez monter tout de suite.

Tout le monde, sauf le principal intéressé et Hélidia pour afficher sa solidarité, dissimula un ricanement. Crépin n'agita plus sa langue de tout le repas.

À huit heures trente, vêtues de leur manteau, les deux amies se faisaient du mauvais sang dans le couloir. Le bruit des conversations dans la cuisine parvenait jusqu'à elles.

— Tu crois que Jules peut vraiment nous faire entrer là-bas ? l'interrogea Phébée.

— Cet idiot te fait douter, maintenant ?

En réalité, Félicité aussi s'inquiétait du dénouement de la soirée, mais elle souhaitait faire confiance à Jules. Comme aucune des deux ne possédait de montre, elles se résolurent finalement à l'attendre au milieu de la ruelle. À l'étage, quelqu'un écarta un peu le rideau d'une fenêtre. Crépin avait écourté son souper pour le seul plaisir de les surveiller.

Une silhouette apparut au coin de la rue Dorchester et s'avança dans leur direction.

— Le voilà ! s'écria Phébée. Allons vers lui.

Ce fut presque au pas de course que la blonde parcourut la ruelle. Le baiser de la veille rendait son cavalier incertain. Devait-il prendre pareille initiative, cette fois ? Son amie régla son dilemme en lui tendant la main.

— Bonsoir, Jules.

Le stagiaire regretta un peu la présence du joli chaperon. Malgré ses paroles de la veille, il avait espéré qu'elle s'abstienne. Tant de méfiance de la part de son amie lui paraissait exagéré. Toutefois, l'échange des salutations se fit de façon fort courtoise. Ensuite, il saisit le bras de Phébée en disant :

— Pressons le pas, c'est un peu loin.

— Viens de l'autre côté, Félicité. Je veux marcher entre les deux personnes qui comptent le plus pour moi.

Quelle jolie façon de justifier la présence de la châtaine. Susceptibles de faire fuir bien des garçons, ces mots amenèrent plutôt Jules à resserrer ses doigts sur l'avant-bras de son amie. Une demi-heure plus tard, ils trouvaient l'hôtel de ville brillamment éclairé. Des badauds s'étaient regroupés jusque dans la rue Notre-Dame pour attendre les résultats des élections.

— Suivez-moi.

Le pharmacien prit Phébée par la main pour monter le grand escalier, la blonde entraînant Félicité. Sur leur chemin, des personnes un peu bousculées par leur empressement multipliaient les jurons.

— Vous pensez aller où, comme ça ? demanda un agent de police comme ils atteignaient les grandes portes de chêne.

— À la salle du conseil.

— Attendez dehors comme les autres. On vous donnera les résultats quand on les aura.

L'orgueil du pharmacien se trouva mis à rude épreuve, et Phébée entendait déjà les commentaires blessants de Crépin au petit-déjeuner du lendemain.

— Vous ne comprenez pas. Je suis avec Robert Gray.

— Le gars du comité d'hygiène ?

— Exactement, je travaille avec lui.

Dans ces circonstances, le « avec » sonnait beaucoup mieux que le « pour ».

— Les deux filles ?

— Mon amie, et la sienne.

La réponse, tout à fait exacte, laissait toutefois planer une ambiguïté. Le planton l'interpréta de la bonne façon.

— Le petit monsieur ne se prive pas, dit-il en examinant Félicité des pieds à la tête. Entrez.

Lorsqu'ils passèrent la porte, des blasphèmes et des « Pourquoi eux ? » fusèrent de la foule. Les deux visiteuses ouvraient de grands yeux sur le décor majestueux du hall. L'espace d'un instant, elles furent intimidées au point de regretter de se trouver là.

— Moi aussi, la première fois ça m'a impressionné, leur avoua leur compagnon, tout sourire. On s'y fait. Venez avec moi.

Se sauver maintenant les couvrirait de ridicule. Elles le suivirent dans les couloirs, suspendirent leur manteau à des cintres dans le vestiaire. Une soixantaine de personnes s'entassaient déjà dans la salle du conseil. La plupart des hommes portaient une jaquette et une cravate de soie. Ils avaient sans doute laissé un haut-de-forme au vestiaire après être arrivés en voiture de maître.

— Venez, je vais vous présenter mon patron, dit Jules.

Le trio se glissa entre les notables. Les deux jeunes femmes sentaient sur elles les regards réprobateurs des hommes et ceux, carrément méprisants, des quelques femmes présentes. Ces dernières, étouffées par leurs corsets, portaient des faux-culs sous leur robe et de larges chapeaux sur la tête. Leur sentiment tenait à la conscience que les plus beaux atours ne triompheraient jamais de la fraîcheur des dix-huit ans.

Robert Gray discutait avec quelques collègues, des membres du comité d'hygiène. Jules attendit une pause dans la conversation avant d'attirer son attention.

— Monsieur, dit-il enfin, je veux vous présenter Phébée.

— Ah! La jeune personne qui vous rend si rêveur pendant les heures de travail.

Malgré le ton badin, le stagiaire sentit la chaleur lui monter aux joues.

— Je suis enchanté de faire votre connaissance, mademoiselle, dit le professionnel en lui prenant la main. Et en vous voyant, je comprends pourquoi votre ami passe de si longues minutes dans la lune.

Gray s'exprimait dans un excellent français et son sourire engageant le rendait très sympathique.

— Et voici Félicité Dubois.

— Vous êtes celle qui doit s'assurer que les deux autres se comportent bien sagement? commenta-t-il en prenant ses doigts.

Sa bonhomie soulagea les deux visiteuses. Leur guide les présenta encore à quelques jeunes professionnels partisans du Parti libéral. Les conservateurs n'eurent pas le plaisir de faire leur connaissance.

À dix heures, un fonctionnaire bedonnant s'avança près du grand fauteuil réservé au maire. Une feuille à la main et se donnant un air important, il obtint rapidement le silence dans la grande salle.

— Mesdames, messieurs, nous avons les résultats du suffrage. Monsieur Beaudry a récolté 2 923 voix et monsieur Beaugrand, 3 322.

Un grand « Bravo ! » jaillit de la moitié des poitrines, les autres s'interdirent de le siffler. Jules Abel compta parmi les plus enthousiastes, sous les yeux amusés de son amie de cœur. Pour elle les choses prenaient une tournure idéale. Heureuse du regard admiratif de son cavalier, elle se fichait alors éperdument de ceux, réprobateurs, des vieux notables.

Le niveau sonore monta d'un cran quand Honoré Beaugrand pénétra dans la salle, vêtu d'un bel habit de soirée, un lourd collier de fonction en métal doré autour du cou. Cet homme au destin fascinant – il avait fait la guerre au Mexique, résidé longuement en France et aux États-Unis – suscitait une grande méfiance chez les catholiques. D'ailleurs, l'échevin Martin exprima l'opinion de plusieurs en criant :

— Usurpateur ! Nos seigneurs les évêques ont condamné votre candidature. Vous êtes un ennemi de l'Église, et ce sont les ennemis de l'Église qui vous ont élu.

— Même ici, ils ont un Crépin Dallet, commenta la blonde dans l'oreille de son amie. Cette vermine se répand partout.

Dans la salle du conseil, les insultes et les sifflets se multiplièrent à l'intention du mauvais perdant.

— Pour quel parti est-il, celui-là? demanda Phébée à voix basse.

— L'échevin Martin est un castor.

La réponse fut reçue avec des sourcils froncés.

— Les castors sont des conservateurs enragés qui souhaitent voir le clergé catholique tout régenter dans la province : l'éducation, le gouvernement, les affaires, même.

Elle ne voterait jamais, mais Félicité comprit tout de suite qu'elle était plus proche des libéraux que des conservateurs. Cela témoignait des changements survenus en elle depuis son départ de Saint-Eugène.

— A-t-il été réélu, ce soir? voulut-elle savoir.

— Je suppose que oui. Dans l'arrondissement Sainte-Marie, il paraît indélogeable.

— C'est le propriétaire de la maison où nous habitons.

Se voir rappeler cette information accrut davantage le mépris qu'éprouvait Jules à son égard. Un brouhaha se fit entendre, venant des conseillers. Ceux qui se reconnaissaient dans les valeurs libérales récupéraient les balais tout neufs rangés dans un coin pour les lever très haut. Les conservateurs présents affectèrent de se sentir offusqués par l'allusion très nette à l'obligation de nettoyer les mœurs politiques.

— Mesdames, messieurs, commença Beaugrand d'une voix plutôt faible, je ne vous ferai pas un long discours. Nous avons tous connu une rude journée. Je remercie d'abord toutes les personnes qui ont voté pour moi, et toutes celles qui m'ont aidé à atteindre ce résultat.

Un tonnerre d'applaudissements retentit, accompagné des sifflets des partisans du candidat défait.

— Ces balais que tiennent les conseillers de mon équipe ont servi aujourd'hui à commencer un grand ménage en chassant de ce fauteuil un homme dont les malversations, les magouilles, les compromissions ont couvert toute la ville de honte.

De nouveaux applaudissements et de nouveaux sifflets, en guise de réplique, s'élevèrent dans la salle. Félicité constatait que les hommes jouant à la politique valaient les écoliers les plus turbulents.

— Aujourd'hui, ce n'était que le début. Ces balais rappellent aussi notre programme politique : nettoyer la ville de sa pestilence. L'hiver, l'air est frais et net. Quand la neige fondra en avril, partout nous verrons réapparaître les cadavres d'animaux, les excréments, les déchets de toutes sortes. On verra dans les rues des gens qui vendent de l'eau polluée, et dans les marchés, du lait avarié. Nous allons prendre des mesures pour nettoyer tout ça…

— Des taxes, des taxes, encore des taxes ! cria Martin.

Cette fois, les conservateurs battirent des mains, les libéraux sifflèrent à qui mieux mieux.

— Tout le monde sait que je dis vrai, insista le nouveau maire. Il s'agit de renifler une fois, n'importe quel jour entre mai et septembre, pour comprendre pourquoi Montréal a reçu le titre de ville la plus sale de l'Amérique du Nord. Et cette réputation odieuse, je veux la lui faire perdre. Nous nous mettrons au travail demain.

L'homme élégant, visiblement d'une santé fragile, se retira sous un second tonnerre d'applaudissements. Il lui restait maintenant à traduire sa bonne volonté en actes concrets. Les conversations se poursuivirent un peu, puis les gens quittèrent la salle un à un d'abord, par petits groupes ensuite. Le pharmacien Gray passa près de son stagiaire en se dirigeant vers la sortie.

— Je rentre tout de suite, expliqua-t-il. Nous aurons une longue journée demain.

Le message ne pouvait être plus clair ; Jules lui emboîta bien vite le pas, accompagné des deux femmes. Une fois son manteau sur le dos, le pharmacien présenta sa main à Phébée.

— Mademoiselle, j'ai été ravi de faire votre connaissance.

Il répéta le même geste et les mêmes mots à l'intention de Félicité, puis quitta les lieux.

— J'aime bien… votre patron, commenta la blonde.

Son hésitation sur le « votre » montrait que le temps de passer à un langage moins formel était venu. Son compagnon ne remarqua pas la chose.

— Moi aussi, même si au début, je le trouvais un peu étrange. Vous avez apprécié votre soirée ?

Littéralement, Phébée était aux anges, mais cela avait peu à voir avec l'élection de Beaugrand et ce contact bien limité avec le beau monde. Déjà, elle attendait la grande demande.

— J'ai adoré. Je vous remercie beaucoup de m'avoir permis de vivre ça.

— Et vous, mademoiselle Dubois ?

— L'expérience a été très enrichissante. Je vous remercie aussi.

La voix dénotait un moins grand enthousiasme. Évidemment, contrairement à son amie, elle parlait réellement de ce spectacle politique, et non de ses espoirs matrimoniaux.

Une semaine plus tard exactement, le nouveau maire de Montréal, Honoré Beaugrand, présidait son premier conseil municipal. Jules Abel occupait l'un des sièges réservés aux spectateurs. Son employeur l'avait assuré que les événements à venir justifiaient sa présence. Jusque-là pourtant, il n'entendait rien de nouveau : le premier magistrat dressait une image navrante de l'insalubrité de la ville.

— Pour prévenir les maladies épidémiques, le comité d'hygiène a déjà approuvé un contrat pour la collecte et la destruction des déchets qui encombrent nos rues. Nous devrons aussi adopter des mesures afin que l'eau distribuée aux habitants soit de bonne qualité…

Il s'agissait d'une innovation importante. Jusque-là, les détritus pourrissaient sur place, à moins que des citoyens se chargent de les faire disparaître. L'échevin Martin, si mauvais joueur le jour du scrutin, demeurait maintenant silencieux. S'opposer ouvertement aux nouveaux élus ne servirait guère sa cause. Autant essayer de se faire une place dans la nouvelle administration.

— Le président du comité d'hygiène de la Ville a remis sa démission ce matin, continuait le maire. Je propose la nomination de monsieur Robert Gray, pharmacien bien connu de cette ville, pour le remplacer.

Bien vite, un conseiller donna son appui à la proposition. Comme personne ne demanda le vote, il se trouva élu par défaut.

« Voilà donc pourquoi il tenait tant à ma présence », songea Jules. Être seul à l'heure du triomphe enlevait de son lustre à cet accomplissement. Un employé faisait un admirateur tout désigné. Un sourire satisfait sur le visage, Gray se leva de son siège situé au premier rang des spectateurs et se tourna vers les journalistes présents dans la salle pour évoquer brièvement son programme :

— Toutes les personnes qui se penchent sur les dépêches étrangères publiées dans nos journaux savent que plusieurs villes européennes sont aux prises avec le choléra. Nous devons nous attendre à ce que la terrible maladie touche nos rivages dès que le fleuve Saint-Laurent sera réouvert à la navigation. Cette menace sera notre première préoccupation.

Il reprit son siège sans rien ajouter, laissant les personnes présentes se construire une représentation apocalyptique de la menace. Une épidémie de ce genre pouvait causer des milliers de décès en quelques semaines.

La suite de la séance du conseil municipal ne réserva aucune autre surprise. À la clôture, les curieux s'empressèrent vers le vestiaire afin de récupérer leur paletot. Jules Abel attendit dans la pièce l'arrivée de son employeur. Celui-ci devait avoir des détails à régler avec ses collègues, car il se manifesta une bonne demi-heure plus tard.

— Je vous félicite pour votre nomination, monsieur Gray, commença le jeune homme.

— Je vous remercie. Vous rendez-vous compte ? Je viens de me porter volontaire pour une tâche qui accaparera mon temps, ne me vaudra aucun ami, me conduira à négliger mes affaires et, finalement, m'appauvrira. Le plus étrange, c'est que je suis content, finit-il dans un large sourire.

— Voyons, les choses n'iront pas si mal.

Le pharmacien se pencha pour attacher ses couvre-chaussures, plaça un chapeau de fourrure sur sa tête et enfila son paletot. Seulement ensuite, il reprit :

— Si nous sommes aux prises avec une épidémie, toutes les mesures seront considérées comme insuffisantes. Si rien ne se passe, on m'en voudra d'avoir inquiété la population pour rien... Rentrez-vous avec moi ?

Le jeune homme avait attendu tout ce temps justement pour bénéficier d'un moment seul à seul avec son employeur.

— Ce sera avec plaisir, monsieur.

Ils quittèrent l'hôtel de ville en silence et s'engagèrent vers l'est dans la rue Notre-Dame. Après quelques minutes, Jules demanda :

— Cette menace d'une épidémie de choléra, y croyez-vous vraiment ?

— Elle préoccupe les services d'hygiène de nombreuses villes en Amérique. Si nous ne nous trouvons pas aux prises avec une contagion venue de l'extérieur, les conditions sanitaires de Montréal peuvent suffire à nous mettre en difficulté.

— Tout à l'heure, vous avez évoqué les mesures de protection à prendre. Quelles seraient-elles ?

— Déjà, l'incinération des déchets sera un progrès notable. Il faudrait appliquer des mesures de contrôle de la qualité des aliments et de l'eau vendus dans la ville. Puis bien sûr se débarrasser de façon plus efficace des animaux morts et des abats que les propriétaires d'abattoirs clandestins jettent dans la rue.

La nomenclature n'était pas nouvelle, la difficulté était de mettre ces mesures en place. Cela demanderait des efforts et des investissements que la population ne serait peut-être pas disposée à consentir.

Mars se révélait le pire mois de l'année. Le temps rendait tout sale, froid et humide. Phébée dut prendre garde de glisser pour se rendre à la basse messe tôt le matin du 14. La température descendait sous le point de congélation toutes les nuits, les trottoirs et les rues devenaient autant de patinoires. Pendant la journée, l'eau mouillait irrémédiablement les pieds.

Même si l'église était à peu près vide, elle assista à la messe debout à l'arrière. Jules Abel vint se flanquer à ses côtés. L'échange de regards complices transformait la cérémonie en une rencontre amoureuse. La jeune femme se surprit à rêver du jour où tous les deux occuperaient un banc dans ce temple, le même toutes les semaines, en tant que mari et femme.

À la fin de la cérémonie, le couple se retrouva très vite sur le parvis.

— Nous n'avons pas de temps à perdre, précisa le jeune homme, le train quittera la gare Dalhousie dans une quarantaine de minutes.

— Alors prenez mon bras et allons-y.

Phébée affichait un petit sourire nerveux. Seule sa capacité de séduire lui permettrait de tirer le meilleur de la journée. Cette fois, un joli visage, un sourire engageant et des cheveux blonds suffiraient-ils ? Il ne s'agissait pas là de plaire à de jeunes anglophones désireux de bousculer un peu les interdits moraux habituels en période de carnaval, mais de faire bonne impression à des beaux-parents potentiels, notables d'une importante paroisse rurale.

Bras dessus, bras dessous, ils regagnèrent la gare du Canadien Pacifique. Acheter les billets à un guichet prit une minute à peine, puis ils se rendirent sur le quai. Même si Phébée venait souvent chercher des lots de tissus ou porter des vêtements à livrer, jamais elle n'était montée dans un wagon. L'admettre l'aurait fait rougir un peu. Elle posa la main dans celle de son compagnon pour gravir les trois marches.

— Nous pouvons choisir n'importe lequel de ces bancs ? voulut-elle savoir une fois dans l'allée.

— N'importe lequel. Si nous prenions celui-là ?

Le jeune homme désignait la banquette la plus proche. Après le *All aboard*, la locomotive démarra dans un grand bruit.

— Le trajet sera assez long, je pense ? demanda-t-elle.

— Nous serons là-bas à onze heures. Ce n'est pas si loin, mais les arrêts sont nombreux.

Pendant de longues minutes, la jeune femme se passionna pour la configuration du wagon, la griserie de la vitesse. La locomotive atteindrait facilement les trente milles à l'heure. Sous ses yeux défilaient les cours arrière des maisons. Comme ces gens-là devaient avoir du mal à supporter le vacarme d'un train en marche à vingt verges de leurs fenêtres, nota-t-elle.

Quand le convoi se retrouva en pleine campagne, Phébée formula enfin l'objet de son inquiétude :

— Je me demande ce que vos parents penseront de moi. Je suis très intimidée.

— Mes parents vous aimeront. Pourquoi vous en faire avec ça ?

Elle mit un instant à se donner une contenance, à se convaincre que ces gens n'étaient en rien supérieurs à elle. Car si elle-même doutait d'être à sa place aux côtés de Jules, cela inspirerait le même sentiment aux autres.

— C'est la première fois qu'un homme me présente à ses parents, murmura-t-elle enfin.

— Mais je l'espère bien ! dit Jules en riant.

— Alors je ne sais trop comment cela se passe.

— La situation me rend un peu mal à l'aise, avoua-t-il enfin. Pour moi aussi, c'est la première fois, vous pensez bien. Personne ne prend l'habitude de ce genre de chose.

— Mais vous, au moins, vous les connaissez, ce sont vos parents !

Cette fois, Jules posa la main sur l'avant-bras de sa compagne, pour la rassurer.

— Alors je vais vous parler un peu d'eux. Mon père se prénomme Absalon.

— Absalon?

Le prénom lui rappelait un récit entendu sur les bancs de la petite école des sœurs de la Congrégation Notre-Dame. Son compagnon lui rafraîchit la mémoire.

— C'est un personnage de la Bible, l'un des fils du roi David. Sa mort fut un peu étrange : il fuyait à cheval, et ses cheveux se sont emmêlés dans les branches d'un arbre. Il est resté pendu là, au-dessus du chemin, jusqu'à ce que ses poursuivants le tuent.

« Comme il en sait, des choses », admira Phébée. Elle dut faire un nouvel effort pour réprimer son angoisse. Elle continua à haute voix :

— Son prénom et son nom viennent de personnages de la Bible. Pourtant je suppose qu'Absalon Abel ne se promène pas en Galilée.

— Non, répondit Jules en souriant. Il est marchand général à Sainte-Rose.

— … Il doit être riche, non ?

Voilà, elle osait pour la première fois évoquer leur condition sociale respective.

— Cela dépend à qui on le compare. À côté des riches marchands de l'ouest de Montréal, il ne possède rien. Tenez, même comparé au conseiller Martin, votre propriétaire, il n'est pas bien prospère. Mais il se tire bien d'affaire.

— Assez pour vous envoyer à l'école jusqu'à plus de vingt ans.

— Il voit ça comme un investissement pour l'avenir. Je deviendrai un commerçant, moi aussi, seulement d'un autre genre.

Une officine de pharmacien pouvait se révéler d'un bon rapport, travailler chez Gray lui en donnait la certitude.

— Votre mère porte-t-elle aussi un prénom tiré de la Bible ?

— Non, un par famille, c'est suffisant. Elle s'appelle Léonie, elle rugit parfois, mais au fond elle est très douce.

Cette affection pour ses parents toucha l'orpheline. Janvière avait raison : un bon fils ferait un bon époux.

— Et les autres membres de la famille ?

— J'ai une petite sœur adorable, Fidélia, et un petit frère turbulent, Didace.

— Je suis sûre qu'il est très gentil aussi. Ils ont quel âge ?

— Respectivement, dix et treize ans. Le petit diable se montrera certainement sous son meilleur jour. C'est la ruse habituelle des enfants terribles.

Un peu apaisée, Phébée posa sa main gantée sur celle de son compagnon.

Après le départ de sa compagne, Félicité avait tenté sans succès de se rendormir. Le va-et-vient dans le couloir lui indiqua que l'heure de la messe approchait. Avec seulement sa robe sur le dos, mais un foulard autour du cou, elle se rendit à la bécosse. La fonte des neiges découvrait les déchets jetés dans la cour depuis la fin de l'automne dernier. Impossible de faire abstraction de ce décor misérable qui, avec le temps, agissait sur son moral.

À son retour, elle croisa Crépin :

— Ah ! Mademoiselle Dubois, votre bonne amie vous a abandonnée, ce matin.

— Phébée est allée dîner chez les parents de Jules. Elle ne m'a pas abandonnée.

Les échanges inamicaux survenus quelques semaines plus tôt rendaient le commis comptable un peu plus prudent, mais le naturel revenait sans cesse. Il se montra mielleux en ajoutant :

— Voyons, c'était juste une façon de parler. Seulement, comme vous êtes seule aujourd'hui, je me demandais si je pouvais marcher avec vous vers l'église.

Refuser compliquerait des relations déjà difficiles, aussi Félicita accepta-t-elle à regret. Un peu plus tard, le couple mal assorti se dirigeait vers la rue Dorchester.

— Voulez-vous prendre mon bras ? offrit Crépin.

Afin de ne pas laisser croire à une mauvaise intention de sa part, il ajouta bien vite :

— Le trottoir et le pavé sont couverts de glace. Vous pourriez chuter.

— Ne vous en faites pas, je suis toujours très prudente.

Félicité ignora le bras tendu. Le trajet se poursuivit en silence. Quand elle retrouva sa place habituelle à l'arrière du temple, il vint se flanquer près d'elle. Un étranger aurait pu les croire ensemble. Cette idée lui levait le cœur.

Depuis le départ de la gare Dalhousie, le train en était à son cinquième arrêt. Les roues n'étaient pas encore tout à fait immobilisées dans la gare de Sainte-Rose quand Jules posa le pied sur les madriers du quai. Il tendit la main afin d'aider sa compagne à descendre.

— La messe se termine tout juste, personne ne viendra nous chercher. Le village se trouve à un demi-mille tout au plus, la marche ne sera pas trop longue.

— Je devrais y arriver…

Son sourire crispé témoignait d'un regain de nervosité. Sa vie, elle en avait la certitude, se jouerait dans l'heure à venir. Bras dessus, bras dessous, le couple s'engagea sur le chemin public. Le clocher et la toiture de l'église se découpaient à l'horizon, la tôle brillant sous le soleil. La chaleur ambiante faisait fondre la neige et il leur fallait éviter les flaques. Malgré cette précaution, Phébée sentit l'eau s'infiltrer dans ses chaussures.

— Jules, j'ai les pieds mouillés, se plaignit-elle.

— Nous serons bientôt à la maison. Vous pourrez vous réchauffer.

— Mais je serai mal à l'aise tout l'après-midi.

— Nous nous occuperons de ça tout à l'heure. Je ne vous laisserai pas attraper la fièvre.

La blonde serra les doigts sur l'avant-bras du garçon. L'église, moins imposante que celles de Montréal, était tout de même flanquée de deux clochers. Dans la rue Principale, deux maisons portaient une enseigne *Magasin général*.

— C'est là, dit Jules en montrant la plus grande des deux.

Il s'agissait d'une construction de brique de deux étages, avec un grand hangar à l'arrière.

— Qu'est-ce que votre père vend, au juste ?

— De tout, c'est le sens du mot « général ». Cela va du fil et du tissu à la verge jusqu'à certains instruments aratoires, comme des faucheuses ou des charrues. Tenez, il tient même un petit assortiment de médicaments « patentés », ces remèdes qui ne soignent pas vraiment.

Quelques marches conduisaient à une grande galerie longeant deux des côtés de la bâtisse. Le jeune homme conduisit sa compagne du côté de l'entrée du magasin, à sa grande surprise.

— Jusqu'à midi, papa a la permission du curé pour recevoir des clients. Entrez.

En s'ouvrant, la porte fit tinter une clochette. Une douzaine de cultivateurs et de paysannes se retournèrent, curieux.

— Bonjour tout le monde! s'exclama Jules.

Dans ce groupe, tous le connaissaient depuis l'enfance. Les femmes inclinèrent la tête tout en scrutant l'étrangère. Les hommes saluèrent par un «Bonjour, Jules» machinal. Eux aussi soumettaient la nouvelle venue à un examen attentif. De son côté, Phébée ne quittait pas des yeux le gros homme debout derrière le comptoir. Si l'Absalon de la Bible portait des cheveux assez longs pour s'emmêler dans les branches d'un arbre, celui de Sainte-Rose se révélait totalement chauve.

Jules la poussa un peu pour la faire avancer, puis il prononça, lui aussi un peu incertain maintenant:

— Papa, je vous présente Phébée Drolet, l'amie dont je vous parle depuis quelque temps déjà.

La visiteuse s'approcha pour lui tendre la main, un sourire timide sur les lèvres.

— Je suis enchantée de faire votre connaissance, monsieur Abel.

— Moi aussi, mademoiselle. Je ne vous serre pas la main, les miennes sont pleines de farine.

Comme pour le lui prouver, il montra ses paumes, puis enchaîna:

— Maintenant vous allez m'excuser, je retourne à mes clients.

— Oui, bien sûr, dit Phébée, encore plus mal à l'aise qu'en entrant.

— Je vais l'amener de l'autre côté, dit Jules. Voulez-vous que je vienne vous aider ensuite?

— Non, tu pourras tenir compagnie à ta mère. Je ne comprends pas pourquoi, mais tu lui manques.

La boutade s'accompagna d'un gros clin d'œil. Le marchand reporta son attention sur le client âgé devant lui :

— Alors, Auguste, voilà deux livres.

Sous l'œil d'un cultivateur soupçonneux, il posa le sac de papier sur le plateau d'une balance. Jules guida son amie derrière le comptoir et, de là, dans l'autre section du grand édifice. Sans transition, ils se retrouvèrent dans une cuisine. Une grosse femme aux cheveux roux se penchait sur un chaudron.

— Ah, mon petit, te voilà enfin ! Il y a des semaines que je t'ai pas vu !

— Voyons, ça ne fait pas si longtemps…

— Pour une mère, le temps sans ses enfants vaut le double.

Il appliqua des bises sonores sur ses joues, puis il se retourna à demi pour lui présenter son amie :

— Voici Phébée.

L'examen de la dame se révélerait décisif. Les joues en feu, la blonde tendit la main et se déclara enchantée. L'autre la garda longuement dans la sienne, le temps de détailler ses traits comme si elle voulait un jour pouvoir les dessiner de mémoire.

— Vous êtes de Montréal ? demanda-t-elle.

— Je suis née dans la paroisse Sainte-Cunégonde, mais maintenant j'habite Montréal.

— Bon, enlevez votre manteau, sinon vous aurez trop chaud.

— Maman, nous nous sommes mouillé les pieds en venant de la gare. Vous croyez pouvoir prêter quelque chose à Phébée ?

Tout en posant la question, il aidait son amie à se défaire de son pardessus. La mère continuait son examen, appréciant la taille fine, la poitrine juste un peu arrondie. Elle s'interrogea même sur ses qualités maternelles, jugea d'emblée les hanches un peu trop étroites. Les accouchements seraient difficiles, dangereux même. Les joues brûlantes d'être scrutée ainsi, les yeux baissés, la jeune femme essayait de retrouver son naturel.

— Fidélia ! Didace ! appela la mère, venez dire bonjour à la visite, et saluer votre frère.

Des pas se firent entendre dans l'escalier. Jules refit les présentations pour le compte des enfants.

— Ma grande, demanda la mère revenue à ses chaudrons, la demoiselle a les pieds mouillés. Tu vas trouver des chaussons à sa taille, et mettre ses bottines à sécher.

Phébée, qui se plaignait quelques minutes plus tôt, se crut obligée de dire pour faire meilleure impression :

— Ce n'est pas nécessaire, madame...

— Vous attraperez pas la grippe dans ma maison. Va, Fidélia, tu trouveras en haut.

— Quant à moi, je vais aller chercher de vieilles chaussures dans ma chambre, annonça Jules. Je reviens tout de suite, ajouta-t-il doucement en s'adressant à Phébée.

Dans un coin de la cuisine se trouvaient une table et quelques chaises. Didace y prit place de façon à garder les yeux sur l'étrangère. Lui se sentait tout à fait séduit par la nouvelle venue, et il ne cherchait guère à s'en cacher.

— Vous allez pas rester debout au milieu de la pièce, intervint la ménagère. Allez vous installer là.

— Je peux peut-être vous aider, madame ?

— Ce sera pas nécessaire. Enlevez plutôt ces chaussures mouillées.

Attentionné, le garçon avait tiré une chaise pour la placer près de la sienne. Phébée alla le rejoindre. Tout en continuant la préparation du repas, madame Abel levait les yeux en direction de son invitée.

— Vous êtes couturière, je pense ?

— Oui. Je travaille pour une commerçante de la rue Sainte-Catherine.

— Cette robe, vous l'avez faite vous-même ?

La blonde portait un vêtement bleu foncé s'harmonisant à ses yeux. La rangée de petits boutons ronds montait de la taille au menton. Une fine dentelle ornait le col, tout comme l'extrémité des manches.

— Oui. Je fais tous mes vêtements moi-même.

L'hôtesse se dit qu'une femme habile avec une aiguille permettrait à son homme de faire des économies.

— Vous travaillez bien, ça se remarque tout de suite.

Un poids immense libéra la poitrine de la jeune femme. Son « Merci » s'accompagna d'un sourire. Fidélia revint avec des chaussures de feutre à la main et accepta ses bottines en échange.

— Je te remercie, tu es très gentille, dit Phébée.

Elle se demanda soudainement si les circonstances exigeaient le vouvoiement des enfants. Cela lui semblait ridicule d'un côté, mais de l'autre, aucune mère ne l'avait jamais entretenue des usages en pareille circonstance. Ses bottines lacées aboutirent sur un support métallique placé près du poêle. Les chaussons de feutre, visiblement portés par plusieurs personnes, manquaient d'élégance, mais ils se révélaient secs et chauds à souhait.

Jules revint enfin avec aux pieds des souliers ayant connu de meilleurs jours. Sa conversation avec ses cadets permit à Phébée de se détendre un peu, de ne plus être le centre d'attraction.

Chapitre 22

Lorsque le marchand général ferma la porte de son commerce dans le dos de sa dernière cliente, l'horloge indiquait midi quinze minutes. Sa famille se trouvait déjà à table, devant les assiettes vides.

— Vous n'auriez pas dû m'attendre. Il y a toujours quelqu'un qui étudie l'inventaire de tout le magasin pour finalement n'acheter qu'une bobine de fil noir.

— Tu sais bien qu'on mangerait pas sans toi, dit Léonie en quittant sa place pour faire le service.

Les parents occupaient chaque extrémité de la table. Jules et la visiteuse se trouvaient d'un côté, les deux enfants de l'autre.

— Alors, mademoiselle Drolet, commença le chef de famille en se tournant vers elle, aimez-vous notre paroisse ?

— Oui, beaucoup, pour le peu que j'en ai vu depuis la gare.

— Avec ses pieds mouillés, ajouta Jules, je n'ai pas voulu lui faire visiter l'endroit.

Tout en versant la soupe dans les bols, la mère tendait une oreille attentive.

— Alors tu ramèneras la demoiselle en juillet, dit-elle. Vous pourrez vous promener près de la rivière. Le paysage est très beau.

Étourdie par son bonheur, la visiteuse ferma les yeux un instant. À moins d'une bévue magistrale, ces gens l'acceptaient. Absalon la contemplait, fier du bon sens de son fils.

Quand tout le monde fut servi, il prit sa cuillère en souhaitant «bon appétit» à la ronde.

Phébée apprécia la soupe chaude et nourrissante, bien différente de celle de Vénérance. Elle quitterait les lieux bien repue, le lapin étant à l'honneur au second service. C'était sûrement cela, être riche, pensa-t-elle: avoir accès chaque jour à trois bons repas et à un lit douillet.

— Mademoiselle, demanda Absalon, décidé à en savoir plus, faites-vous partie de ces couturières à qui des jobbeurs apportent des caisses de manches de chemise auxquelles coudre un poignet?

L'homme connaissait les usages de l'industrie textile. Cette façon de procéder réduisait les coûts de fabrication au minimum.

— Non, heureusement. Ces ouvrières survivent à peine. Je travaille dans une boutique… élégante. La patronne me demande de confectionner des vêtements exclusifs, ou d'en rehausser d'autres.

— Si vous voyiez ce qu'elle réussit à faire, intervint Jules. Les femmes les mieux vêtues des paroisses Saint-Jacques et Saint-Louis portent ses robes.

— C'est quoi, des vêtements exclusifs? interrogea Léonie depuis sa place à l'autre bout de la table.

À Sainte-Rose, peu de femmes pouvaient s'offrir le luxe d'une robe «de magasin». La plupart des ménagères confectionnaient les vêtements destinés aux membres de leur famille. Ainsi, leurs robes étaient nécessairement «exclusives», mais rarement élégantes.

— Des femmes viennent à la boutique pour commander une robe pour un mariage, un baptême, même des funérailles, expliqua Phébée. Parfois je leur présente un patron, parfois je dessine le vêtement selon leurs exigences. Ma patronne s'entend avec elles pour le prix.

Le maître et la maîtresse de maison se consultèrent du regard, assez impressionnés d'un tel savoir-faire. Jules voulut mousser encore davantage les talents de son amie.

— C'est magnifique, ce qu'elle fait. En particulier les robes de baptême.

Elle lui en avait montré deux, exposées dans la vitrine des Confections Marly. La petite Fidélia demanda :

— Maman, la demoiselle pourrait peut-être modifier ma robe…

— Voyons, c'est pas poli de demander des choses comme ça à une invitée.

— Madame, je serais heureuse de me rendre utile.

Tant de gentillesse et de bonne volonté touchèrent les parents. Après tout, les filles de la grande ville pouvaient se révéler fort serviables, constataient-ils.

Félicité en venait à regretter ce rôle de chaperon qu'elle jouait depuis le mois de juin. Elle se réjouissait sincèrement de la tournure que prenait l'histoire d'amour de son amie, mais elle redoutait de renouer avec l'ennui qu'elle avait connu tout au long de ses interminables journées de solitude à l'école de Saint-Eugène. Mainville, Charles et John disparaissaient tous les dimanches après-midi. Si le premier fréquentait une ouvrière avec assiduité, les deux autres n'évoquaient pas leurs occupations. Les divertissements étaient nombreux en ville, pour un homme capable d'y consacrer un dollar. Toutefois, compter sur la présence de l'un d'entre eux, ce serait le « fréquenter ». Ça, jamais elle ne pourrait.

Au retour de la messe, un arrêt dans une boulangerie lui permit de se procurer un petit pain. Accompagné d'un peu de confiture de fraises, ce serait son dîner. Cette petite douceur cachée au fond de la garde-robe figurait parmi ses quelques richesses. Ensuite, dans la cuisine, elle écrivit une lettre à sa mère. Depuis son retour à la manufacture, elle se faisait volontiers plus bavarde sur les surprises que lui procurait encore la ville.

Cela ne pouvait l'occuper bien longtemps. Au milieu de l'après-midi, assise sur le rebord de son lit, la porte grande ouverte afin de profiter de la lumière du jour, elle s'absorba dans une nouvelle relecture de *La Porteuse de pain*.

— Mademoiselle Dubois, l'interrompit le commis comptable debout dans l'embrasure de la porte, puisque vous êtes seule, peut-être aimeriez-vous venir marcher un peu avec moi ?

— Avec un bon livre, personne n'est vraiment seul. Puis je veux éviter de m'enrhumer. En cette saison, prendre froid est si facile.

Deux motifs de refus auraient généralement suffi à décourager un homme. Or Crépin figurait parmi les plus tenaces.

— Vous restez plus de soixante-dix heures par semaine dans votre manufacture malsaine. Prendre un peu l'air vous fera le plus grand bien.

— Je vous remercie de votre sollicitude, mais non, je reste ici.

Le commis refusa encore de se compter pour battu.

— C'est un roman que vous lisez là, n'est-ce pas ?

— Oui, mais je vous rassure tout de suite, il ne figure pas à l'Index.

— Selon mon confesseur, tous les romans présentent un danger pour le salut de l'âme, car tous exaltent les passions humaines. Ils présentent en plus des situations susceptibles… d'exciter les sens.

Les siens, en tout cas, demeuraient bien sensibles à la sollicitation. Elle rétorqua d'une voix glaciale :

— Vous vous souvenez, je vous ai déjà demandé de qui vous teniez votre brevet de censeur.

Cette fois, la réplique porta. Il accusa le coup et dit plus bas :

— Il ne s'agit que d'une simple conversation entre voisins.

Félicité leva son livre à la hauteur de ses yeux, afin de soustraire l'importun à sa vue.

— Tout à l'heure, insista encore Crépin, peut-être accepterez-vous de m'accompagner aux vêpres ?

Un peu excédée, la jeune femme serra les mâchoires plutôt que de l'invectiver. Elle se domina assez pour ne pas le regarder de nouveau. L'homme finit par se retirer. Une légère odeur rappelant sa présence persista, même après qu'il l'eut quittée.

Placée sur un guéridon, une pendule égrenait lentement les secondes. Visite ou pas, la famille Abel changeait bien peu ses habitudes. Dans sa chaise berçante, Absalon s'absorbait dans les journaux de la semaine écoulée ; dans un coin du salon, Jules disputait une partie de cartes avec son cadet. Seule Léonie, bien droite dans son fauteuil, un tricot dans les mains, soumettait toujours Phébée à un examen attentif.

Quant à Fidélia, la perspective d'avoir un jour une belle-sœur la remplissait d'aise. Assise tout près de la jeune femme sur un petit canapé, elle surveillait les doigts agiles sur le tissu de sa robe.

— Elle n'est pas neuve, commenta-t-elle, visiblement déçue. Deux cousines l'ont portée déjà. Puis elle est bien trop grande pour moi.

— Tu sais, comme la communion solennelle n'arrive qu'une fois dans une vie, ce serait dommage de ne pas réutiliser un aussi joli vêtement. Elle a beau être blanche, tu n'entreras plus dedans le jour de ton mariage.

La réponse allégea la frustration de la gamine. Madame Abel esquissa un sourire, heureuse de voir la jeune femme pleine de bon sens. Un peu après dîner, ignorant les protestations maternelles répétées – « On fait pas travailler la visite » –, l'adolescente était montée chercher cette robe, pour l'étaler sur la table de la salle à manger. Un ruban à mesurer avait convaincu Phébée qu'au niveau des épaules et de la taille, le tissu flotterait un peu. Le panier à couture de son hôtesse mis à sa disposition, elle faisait les ajustements nécessaires.

— Que feras-tu après la communion solennelle ?

— J'aiderai dans la maison, ou au magasin.

Pour des enfants déjà considérés comme des adultes, cette cérémonie permettait de répéter eux-mêmes les engagements pris par le parrain et la marraine lors du baptême. Pour la plupart, elle marquait la fin de la scolarité. Dans le cas de Fidélia, cela ne signifiait pas pour autant l'entrée à la manufacture ou à l'atelier. Ses parents pouvaient se permettre de la garder à la maison. Pendant les cinq prochaines années, elle se préparerait à son métier d'épouse.

— Tu vois, expliquait la couturière, en reprenant juste ces coutures-là, tout le monde pensera qu'elle a été faite pour toi.

Faute d'un vêtement sur mesure, l'adolescente se contenterait de l'apparence. Un dé au bout de l'annulaire, l'aiguille entre le pouce et l'index, Phébée faisait des gestes vifs et précis.

— Tu travailles vite, admira la petite.

— Je fais ça douze heures par jour. Je pense que je pourrais coudre les yeux fermés.

Se livrer à une occupation si familière la mettait en confiance, tout en lui évitant de faire la conversation aux parents. Puis le contact de l'épaule de la fillette contre la sienne, l'odeur des cheveux frais lavés de la veille, cela lui donnait l'impression d'appartenir à cette famille.

— Fidélia, la gronda la mère, laisse la demoiselle respirer un peu. Tu es couchée sur elle.

— Mais je veux apprendre…

— Madame, murmura l'invitée, cela ne me gêne pas. J'aurais beaucoup aimé avoir des frères et sœurs.

C'était la meilleure réponse, susceptible de toucher une mère. Léonie eut un sourire attendri, puis elle se reprit. Avant de lui ravir son aîné, cette jolie femme devrait montrer plus que des talents de couturière et des paroles gentilles.

Après avoir remporté la partie, Jules abandonna les cartes pour venir se planter près de son amie.

— Tu couds si bien, la complimenta-t-il.

Rapetisser une robe présentait un défi bien modeste, mais elle le remercia d'un sourire. Depuis son arrivée, le jeune homme faisait en sorte qu'elle se sente à l'aise.

— Je ne veux pas te bousculer, mais notre train quittera la gare dans un peu plus d'une heure.

— Dans trente minutes, j'aurai terminé.

Son ami retrouva sa chaise, Absalon déposa le numéro de la veille de *La Patrie* avant de demander :

— Le gars qui possède ce journal, Beaugrand, c'est bien le nouveau maire ?

— Lui-même, Honoré Beaugrand.

— C'est pour lui que tu as cabalé ?

Jules répondit d'un hochement de la tête, incertain. Venir à la maison accompagné d'une jeune femme, s'engager en politique, c'étaient des comportements d'adulte. Parfois le marchand s'entêtait à le traiter comme un gamin. Ce jour-là serait marqué par un changement d'attitude.

— Tu veux un petit coup ?

— Absalon…, le mit en garde la mère.

— Bah ! Juste assez pour se mouiller les lèvres, ça lui fera pas de mal. Et vous, mademoiselle ?

Il n'existait qu'une seule bonne réponse, Phébée ne fut pas prise en défaut :

— Je vous remercie, monsieur Abel, mais même le contenu d'un dé à coudre serait trop pour moi.

Le père et le fils avalèrent d'un coup le contenu d'un petit verre. La couturière termina son ouvrage dans le temps prévu et la fillette voulut tout de suite revêtir la robe, « pour voir ». Un peu de rose aux joues, d'une voix très basse, la visiteuse indiqua à l'hôtesse qu'elle souhaitait aller « là ».

— C'est en haut. Fidélia va vous montrer.

Tous les membres de la famille avaient leur propre chambre à l'étage. Par les portes ouvertes, la visiteuse apprécia les pièces meublées simplement. Aucun des enfants n'avait à partager son lit. Un luxe qu'elle ne connaissait pas. Son guide lui montra un petit réduit, peut-être un placard, autrefois. Il accueillait maintenant l'un de ces fameux *water closet*.

En redescendant, elle entendit distinctement :

— T'avais raison, mon grand, c'est une bonne fille.

Madame Abel devait être un peu sourde, pour formuler son appréciation aussi fort, ou alors souhaitait-elle se faire entendre de la visiteuse. La joie dans le cœur de Phébée sembla irradier toute sa poitrine. Revenue dans le salon, elle trouva Fidélia vêtue de sa robe blanche.

— Regarde, fit-elle en levant les bras. Elle me va bien. Elle est juste un peu courte.

— À ton âge, tu sais…

Seuls les enfants montraient leurs jambes. Comme elle avait hâte de porter une robe lui battant les chevilles !

— Vous rendrez vos enfants très fiers, en faisant leurs vêtements.

Léonie ne se tracassait plus quant aux hanches un peu étroites, peut-être allait-elle jusqu'à s'imaginer grand-mère. Quelques minutes plus tard, la blonde échangeait des « au revoir » émus avec la matrone. Pour lui éviter le risque de se mouiller encore les pieds, Absalon attela son cheval pour les conduire à la gare. Les deux enfants montèrent aussi dans la voiture pour le plaisir de la promenade. Cinq minutes plus tard, Fidélia embrassa sa nouvelle amie ; Didace fit de même pour ne pas être en reste.

Quand les pieds de Phébée touchèrent le sol, le marchand lui dit :

— Mademoiselle, n'oubliez pas de revenir quand il fera beau. On ira pêcher un peu dans la rivière.

— Monsieur, ce sera avec un immense plaisir.

Elle allongea le bras pour serrer la main de son hôte, puis rentra dans la gare avec la conviction d'avoir vécu le plus beau jour de sa vie.

Dans le train, le couple demeura un long moment silencieux. Phébée pensait à toutes les remarques, à tous les petits bouts de phrases témoignant de son acceptation dans cette famille. Sans trop le réaliser, elle laissait son corps se lover contre celui de son compagnon, indifférente aux froncements de sourcils de certains passagers.

— Puis, commença Jules, ce premier contact fut-il aussi difficile que vous le craigniez ?

— Je me sentais très impressionnée, au début.

— Et à la fin ?

— J'étais bien, parmi les vôtres. Vos parents sont des gens très bien.

Un peu de rose colora ses joues. Coudre avec une enfant appuyée contre elle avait rendu l'examen moins intimidant. Le regard de Léonie, tout comme celui du père, s'était progressivement chargé de sympathie.

— Vous complétiez la scène familiale de façon si charmante.

Elle prit conscience que lui aussi devait avoir ressenti une grande inquiétude. D'abord, ses parents voulaient certainement savoir s'il pouvait se dénicher une bonne compagne. Puis Phébée, après l'avoir vu auprès de ses proches, portait un nouveau jugement sur lui.

— Et vous, vous prenez l'allure du parfait grand frère, et du fils exemplaire.

La remarque lui fit plaisir. Il se tourna un peu plus vers elle pour demander :

— Nous nous connaissons depuis plusieurs mois… Croyez-vous que nous tutoyer serait convenable ?

— Nous sommes de… bons amis, n'est-ce pas ?

L'autre approuva de la tête.

— Nous tutoyer me semblerait tout naturel.

— Alors, que penses-tu de l'idée de mon père de t'emmener pêcher ?

— J'en serais bien heureuse… mais tu sais, c'est à toi que ma présence doit faire plaisir avant tout.

Jules opina, allongea la main pour la poser, légère, sur celle de sa compagne. Elle ne se déroba pas, alors il la prit dans la sienne.

— L'examen de l'Association des pharmaciens aura lieu au début de l'été. Ensuite, j'aurai beaucoup plus de temps pour te voir. Tout mon temps, en fait.

— Comme je sais pouvoir te faire confiance, nous pourrons donner congé à Félicité.

— … Même si elle est bien gentille, cela vaudra mieux, ne serait-ce que pour lui laisser aussi la chance de rencontrer quelqu'un.

Cette idée amusa un peu Phébée, tellement les conversations entre elles montraient la réserve de son amie à ce sujet. Pendant tout le reste du trajet, ils restèrent main dans la main, tout près l'un de l'autre. Le train entra dans la gare Dalhousie un peu après six heures.

Dans la rue, la jeune femme posa la main au creux du coude de son compagnon.

— Si nous nous pressons un peu, dit Jules, tu seras chez toi à temps pour le souper.

— Tant mieux. La journée a été un peu fatigante, tout de même.

— Les Abel peuvent devenir éprouvants, en groupe.

La remarque tira un rire joyeux à la jeune femme.

— Non, ce ne sont pas les Abel, mais l'idée que je m'en faisais.

— La prochaine fois, tu te sentiras tout à fait à l'aise.

Un immense bonheur envahissait Phébée à l'évocation d'un futur commun. Sa main se serra sur l'avant-bras de son ami pour lui communiquer son contentement. Dans la ruelle Berri, devant la porte de la pension, ils ne savaient trop comment conclure ce jour déterminant.

— Jules, merci pour cette belle journée.

— Merci d'être venue. Je te donnerai signe de vie très vite.

Le jeune homme fit face à un dilemme : devait-il lui tendre la main ou lui embrasser la joue ? Son amie mit rapidement fin à son hésitation en s'approchant vivement pour poser ses lèvres sur les siennes.

Léger et bref, le contact le surprit.

— J'ai déjà hâte de te revoir, tu sais, dit-elle. Bonne soirée.

Elle tourna les talons pour saisir la poignée de la porte.

— … Bonne soirée, Phébée.

Elle disparut dans la maison.

Lundi, au souper, le visage de Phébée exprimait encore l'immense satisfaction de voir sa relation avec Jules prendre la meilleure des tournures. Ses voisins devinèrent l'heureux développement même si elle préférait demeurer discrète. Une dernière crainte la tenaillait toujours : pouvait-il se dérober ? Avant de formuler ses projets à haute voix, excepté devant ses meilleurs amis, il lui faudrait un engagement ferme de mariage, et même la date de la cérémonie.

Bientôt, l'attention se détourna d'elle. Quelqu'un d'autre devait révéler une bonne nouvelle, ce soir-là. Pourtant, Mainville ne se décidait pas. Pire, son visage n'affichait pas une joie sans nuance.

— Mais tu vas le dire, oui ou non ? s'impatienta Charles. Si ça te gêne trop, je peux le faire pour toi.

Vénérance devait déjà connaître la nouvelle, et ne pas la trouver très bonne. Depuis le début du repas elle posait les plats de service sur la table avec une certaine brusquerie.

— Bon, bien, commença le mécanicien de la Dominion Cotton. Je vais quitter la maison samedi prochain.

— Mais c'est pas tout…, insista Charles.

La logeuse fit assez de vacarme dans la cuisine pour exprimer toute sa frustration. Elle en serait quitte pour faire le tour de divers commerces et autres lieux publics pour y laisser des affichettes annonçant « Chambre à louer ».

— J'sais pas pourquoi ça l'excite autant, précisa Mainville. À croire qu'il veut prendre ma place… Ce jour-là, j'me marierai tôt le matin.

— J'vais lui servir de père, même si j'suis plus jeune que lui, ajouta son comparse en riant.

Les deux collègues avaient assez fraternisé pendant la récente période de chômage pour que l'honneur revienne à Charles. La surprise passée, John Muir fut le premier à se lever pour lui serrer vivement la main. Phébée lui adressa ses félicitations, une pointe de jalousie dans la voix : comme elle se languissait de faire la même annonce ! Félicité et Hélidia firent de même.

Le dernier, Crépin Dallet tendit la main avec une mine très sérieuse.

— Quand on s'y engage en bon chrétien, le mariage est un état respectable.

À son ton, chacun comprit qu'il doutait que ce fût le cas pour son voisin. John s'empressa de dire, pour ne pas lui laisser le temps de s'engager sur une liste de conseils moraux :

— Tu as certainement déjà trouvé un endroit où habiter.

— Dans un petit logement pas très loin des parents d'Armancia. Rien de bien luxueux, mais ce sera pas pire qu'ici.

Vénérance exprima son dépit en reniflant bruyamment. La conversation porta sur les projets familiaux du mécanicien.

— Ne trouves-tu pas ça un peu rapide, ce mariage ?

Félicité défaisait déjà les boutons de sa robe. Pour être à la manufacture dès sept heures le matin, il lui fallait se lever bien tôt. Ce soir-là, elle préférait se mettre au lit tout de suite après être sortie de table.

— Attends un peu, dit Phébée sans répondre à la question.

Une idée lui était soudainement venue.

— Si tu es d'accord, nous pourrions partager la chambre à côté. Ce serait un peu plus grand, et on verrait la lumière du jour. Là, on vit comme des marmottes dans un trou… D'abord, allons voir Mainville.

— Vénérance nous demandera plus cher. La fenêtre, elle voudra nous la faire payer.

— Crois-tu pouvoir verser cinquante cents de plus ?

Cette chambre sans lumière et deux repas très légers tous les jours lui coûtaient deux journées complètes de travail par semaine. Son amie lui proposait d'en verser une autre. La menace du chômage saisonnier la forçait à économiser au moins une autre journée de salaire, sinon deux. Avec le dollar restant sur ses gages, elle devrait combler tous ses autres besoins.

Toutefois, dormir confinée dans ce trou sans aucun courant d'air pouvait aussi se révéler coûteux, si sa santé déclinait.

— Je pense que oui. Cependant, je ne pourrais mettre un cent de plus.

— J'affronterai la terrible Vénérance et je la convaincrai d'accepter.

La blonde saurait sans nul doute négocier plus efficacement.

— D'abord, allons jeter un coup d'œil, ajouta Phébée.

Félicité eut tôt fait de se reboutonner jusqu'au cou. Une minute plus tard, son amie frappait chez Mainville. Une voix maussade fit :

— Non, Charles, pas de taverne pour moi ce soir. J'dois surveiller mes dépenses, maintenant.

— C'est moi, dit Phébée. Je veux voir ta chambre.

L'homme tira le verrou et ouvrit la porte. Il n'avait plus sa chemise, mais un sous-vêtement de laine gris couvrait chaque pouce de sa peau, des poignets jusqu'à la pomme d'Adam.

— Tu veux la louer ? demanda-t-il.

— Qu'est-ce que tu penses ? Je ne suis certainement pas venue te voir pour tes beaux yeux, tu es déjà promis à une autre.

Le voisin grimaça, un peu égratigné. Si sa voisine avait été plus réceptive… Ces pensées le rendaient morose. Il se tassa un peu pour la laisser entrer et constata qu'elle n'était pas seule.

— Vous la prendrez à deux ?

— Les gages des femmes ne permettent à aucune de se loger toute seule.

Des yeux, elle fit l'inventaire des lieux. En plus d'un lit un peu étroit, on trouvait là une minuscule table et une chaise, de même qu'une commode dont le bois paraissait avoir été frappé à coups de pierre. Une fenêtre d'une largeur de vingt pouces, à demi fermée par un rideau en piètre état, laissait entrer la clarté de la lune.

— Ça t'intéresse, Félicité ?

— Oui, ça ira… si Vénérance accepte ton prix.

— Merci, Mainville, nous allons te laisser tranquille. Bonne nuit !

Il lui restait maintenant la tâche ardue de convaincre la logeuse.

Mainville devait convoler en justes noces le samedi suivant. Le gérant de la Dominion Cotton avait accordé deux heures de congé pour cela, en matinée. Quand ils revinrent mari et femme à la manufacture, vers neuf heures, ils portaient leur habit de travail. Peut-être s'étaient-ils présentés comme ça devant le prêtre. Plus vraisemblablement, ils avaient fait un crochet par leur nouveau logis avant de venir.

Lors du souper ce soir-là, une personne manquait à la table de Vénérance. La conversation démarra lentement, comme si tout le monde se plongeait dans ses pensées. Au dessert, John Muir décida de poser la question que tout le monde avait sur les lèvres :

— Charles, tu ne nous as pas dit un mot du mariage de ton ami ! Tu étais là, ce matin ?

— Comme dans toutes les exécutions, il s'est mis la corde au cou avant le lever du soleil, répondit-il en souriant.

— Voyons, ce n'est pas une façon de parler d'un événement de ce genre, déclara Crépin avec la solennité d'un curé. Il s'agit d'un sacrement approuvé par Dieu.

Son intervention condescendante agaça le mécanicien. Dès le plus jeune âge, tous les Canadiens français connaissaient évidemment la liste des sacrements. Il lui tourna le dos ostensiblement avant de raconter :

— Il y avait les mariés, les parents de la fille, moi, le témoin de Mainville, et un vicaire de l'église Sainte-Marie.

Le commis aux livres de la savonnerie Barsalou n'entendait pas se voir exclu de ces échanges, surtout qu'il nourrissait des soupçons sur la nouvelle union.

— Dans les circonstances, la discrétion valait mieux. Quand on fréquente quelqu'un sans la présence d'un membre de la famille, ça arrive souvent.

— Que voulez-vous dire ? questionna Félicité.

La jeune femme regretta tout de suite d'avoir parlé. Elle lui donnait l'occasion de cracher son venin.

— Il a annoncé son mariage six jours avant la cérémonie. Voilà un empressement bien suspect.

— Les ouvriers se donnent pas de jolies bagues, dit Charles, ils paient pas pour une grande noce. Ils connaissent une fille, ils la marient, c'est tout.

— Mais de là à ne pas publier les bans…

Le mécanicien lui décocha un regard assassin. Phébée devenait toute pâle, certaine d'être la vraie destinataire de ces sous-entendus.

— Ils ont été bien chanceux que les curés accordent une dispense pour éviter le scandale. Avec au moins trois semaines de plus pour les formalités, la mariée aurait dit « oui » en arborant un gros ventre.

Prendre un peu d'avance sur la bénédiction nuptiale n'était pas chose si rare, et personne n'en faisait une histoire, quand le garçon « faisait son devoir ». Il fallait un Crépin Dallet, qui se croyait plus catholique que le pape, pour montrer une pareille indélicatesse.

John Muir réfléchissait à une façon de river le clou au gêneur. À la fin il formula à mi-voix :

— Cette odeur, c'est celle des bécosses ?

— Ça ressemble plutôt à celle d'un chat crevé, commenta Charles.

Les locataires s'entre-regardèrent, puis furent pris d'un fou rire impossible à réprimer. Tous, sauf Crépin Dallet. Il chercha des yeux l'appui de la logeuse, pour l'apercevoir dans sa cuisine le dos tourné, les épaules secouées par un rire incontrôlé. Mère d'une petite fille, elle n'aimait pas entendre commenter ce genre d'«accident». Phébée profita de l'occasion pour quitter la table.

— Ça me fait penser à ma corvée de nettoyage, tout d'un coup. Viens, Félicité, on a encore de la vieille crasse à faire partir.

Ses yeux se portèrent sur l'homme noir, au bout de la table.

❉

Phébée savait se montrer convaincante, Vénérance préférait recevoir trois dollars par semaine pour une chambre, que deux dollars pour une autre. Déplacer leurs maigres possessions d'une pièce à l'autre prit moins de cinq minutes. Après une heure d'effort, à grand renfort de *lessi*, tout était propre.

— Tu vois, avec cette fenêtre, le soleil va nous réveiller tous les matins, apprécia Phébée.

— Je ne doute pas que ce soit plus sain, dit son amie.

Félicité déplaça le rideau de la main, explora des yeux l'arrière des maisons de la rue Berri, bien visibles au clair de lune.

— Oh, viens voir!

Dans la cour en bas, la chaleur de mars avait déjà fait disparaître quelques pouces de neige. En conséquence, les déchets de plusieurs semaines s'offraient à la vue, sans compter que la bécosse se dressait, bien visible, au fond de la cour.

— Tu sais maintenant pourquoi les chambres donnant sur la rue sont plus chères que celles de l'arrière, mentionna Phébée avec un clin d'œil.

Une nouvelle jeune femme se trouvait maintenant à la table de Vénérance, si petite qu'elle ne dépassait certes pas les cinq pieds. Il s'agissait de Marie Robichaud. Sa sœur Pélagie et elle avaient déjà partagé une chambre avec Phébée et une autre jeune fille pendant toute une année.

— Comment as-tu fait pour trouver cet endroit? demanda Phébée.

— Y avait une petite affiche près de la porte de la manufacture de tabac Macdonald, expliqua-t-elle.

— Ah! C'est mon amie qui a écrit ces annonces de sa plus belle main.

Félicité confirma la chose. Vénérance ne se distinguait pas par une calligraphie soignée. Au moment de s'entendre avec Phébée sur le prix de la chambre, elle avait demandé que l'ancienne couventine rédige une douzaine d'affichettes en grandes lettres rondes.

— Tu travailles donc avec Charles? continua la blonde.

— Dans la même usine, expliqua le mécanicien, mais nous nous étions jamais parlé avant ce soir, je pense.

Cela ne pouvait surprendre, la manufacture comptait des centaines d'employés. Tout naturellement, la nouvelle occupait la place laissée libre par Mainville, à côté de son collègue. Son regard se posait suffisamment souvent sur lui pour laisser croire qu'elle le voyait déjà comme un bon parti.

— Ça ne te fait rien, de vivre encore dans une chambre sans fenêtre? demanda la couturière, désireuse de réduire un peu son malaise.

— Cette fois au moins, je serai seule à l'occuper.

Leur cohabitation à quatre avait laissé un souvenir pénible à ces jeunes femmes. Elles tentaient d'éviter de revivre cette situation. La conversation porta sur les mauvais logis dont tous avaient l'expérience. Dans les plus mauvaises périodes de leur existence, Charles et John en avaient été réduits à louer un lit simple pour huit heures d'affilée. Avec cette sorte d'arrangement, trois personnes pouvaient s'y succéder.

Puis tous quittèrent la table. Dans le couloir à l'étage, Phébée demanda encore à la nouvelle venue :

— Tu as des nouvelles de Pélagie ?

— Pas souvent. Elle a congé un dimanche sur deux, et on n'est pas des écriveux. À l'Hôtel-Dieu, si des malades ont les mains longues, elle m'en parle pas. Faut dire que ses gages de misère prennent toute la place.

— Elle ferait mieux de chercher dans une manufacture, comme toi.

— J'lui dis la même chose. Dans un mois, les *shops* chercheront du monde. On va la voir revenir dans les parages.

Depuis ses douze ans, la pauvre fille allait d'un mauvais emploi à l'autre. Pendant quelques minutes encore, elles échangèrent sur les mérites du travail des domestiques comparé à celui des ouvrières. Comme toutes les trois seraient à la tâche le lendemain matin à sept heures, elles ne s'attardèrent pas.

Chapitre 23

Après plusieurs mois de travail quotidien, la pharmacie Gray ne présentait plus de mystère pour Jules Abel. Son employeur n'hésitait plus à le laisser répondre aux demandes des clients. Cela se produisait d'autant plus souvent que les travaux du comité d'hygiène accaparaient de plus en plus le professionnel.

Parfois, comme en ce lundi 23 mars, ces fonctions officielles occupaient l'essentiel de la journée. Entre la séance du comité, tenue l'après-midi, et celle du conseil municipal, en soirée, le commerçant se présenta à la boutique pour bavarder avec son jeune employé.

— Vous avez entendu la nouvelle? questionna-t-il en passant la porte. Il y a de nouveaux troubles dans le Nord-Ouest.

Le jeune homme ne comprit pas d'abord, puis il affecta un air grave.

— Vous voulez dire comme en 1870, au Manitoba?

— Exactement. Et devinez qui a pris la tête des rebelles?

— Pas encore une fois Louis Riel?

Le pharmacien fit oui de la tête. Au lendemain de la formation de la fédération, les Métis établis sur les rives de la rivière Rouge s'étaient soulevés afin de négocier les conditions de leur entrée dans le nouveau dominion. Le mouvement avait permis de créer le Manitoba.

— Je le croyais disparu quelque part aux États-Unis.

— Tout indique qu'il soit de retour au pays.

— Pour former une autre province ?

— Ça paraît plus compliqué, ou plus simple, je ne sais pas. Les Indiens tout comme les Métis se plaignent depuis longtemps de crever de faim.

Robert Gray obtenait quelques informations des députés libéraux siégeant à Ottawa. La situation se détériorait depuis de longs mois, sinon des années.

— Le gouvernement enverrait des troupes là-bas afin de maintenir l'ordre, ajouta-t-il. Vous faites partie de la milice, je pense ?

— Du 65e Régiment. Vous croyez que…

— Le pays compte de nombreux régiments, le vôtre ne sera peut-être pas appelé. Bon, je vais monter avant que ma femme ne donne mon souper au chien.

Après le départ de son patron, Jules se planta devant la vitrine. Avec le printemps, les rues ne portaient plus que quelques traces des neiges de l'hiver. Les réverbères s'allumeraient une heure plus tard ce jour-là. La perspective de participer à une expédition militaire vers le Nord-Ouest l'excitait au plus haut point. Après avoir marché au pas dans le manège militaire et tiré sur des cibles pendant trois ans, mesurer son courage dans l'action, savoir quel genre d'homme il était lui faisait envie.

Toutefois, ce n'était pas son propre reflet que lui renvoyait la vitre, mais bien celui de Phébée. Il chérissait depuis peu le désir de l'épouser au cours de l'été à venir. S'il le proposait à ses parents, ceux-ci accorderaient sans hésiter leur bénédiction. La très belle orpheline nourrissait leur romantisme.

Les sujets politiques s'imposaient rarement dans les conversations à la table de la pension de la ruelle Berri. Crépin récitait le *credo* conservateur, et tous les autres, excédés de son attitude, celui des libéraux. Or, le soulèvement dans les Territoires du Nord-Ouest bousculait les habitudes. Les nouvelles relatées par les journaux s'étaient répandues à grande vitesse à travers la ville.

— Les Métis ont fait prisonniers des arpenteurs et des fonctionnaires fédéraux, expliquait John Muir. C'est la même stratégie qu'en 1870.

— À la manufacture, tout le monde parlait des Sauvages. Les Métis et les Sauvages, ce sont les mêmes ? demanda Charles.

— Non. Les Métis sont nés des mariages entre les trafiquants de fourrures et les Indiennes.

L'ébéniste se révélait, et de loin, le mieux informé d'entre eux sur les affaires canadiennes. Les journaux circulaient beaucoup entre les employés les plus instruits du Canadien Pacifique. Non seulement ces artisans pouvaient les lire, alors que bien des travailleurs manuels ignoraient jusqu'à leur alphabet, mais leurs gages plus élevés les autorisaient à se payer ce petit luxe.

— Donc ils sont juste à moitié sauvages, conclut le mécanicien. Lequel des deux groupes fait du trouble, ces temps-ci ?

— Les deux, pour autant que je sache. Tiens, on pourrait se rendre aux bureaux d'un journal, tout à l'heure, et lire les panneaux affichés. Ils reprennent les dernières communications télégraphiques.

En ces temps d'échange rapide d'informations grâce au télégraphe, les quotidiens distribués dans les rues donnaient à lire des nouvelles qui dataient déjà un peu. Les passionnés des affaires publiques recouraient aux affiches pour se tenir à jour. L'autre donna son assentiment d'un geste de la tête.

— Louis Riel se trouve encore à leur tête, intervint Phébée.

Maintenant, il lui arrivait de rejoindre Jules pour une petite promenade digestive en soirée. Son compagnon lui avait fait part des derniers développements la veille. Elle appréciait qu'il la trouve assez intelligente pour l'entretenir de ces sujets – bien des hommes ne le faisaient jamais avec une femme –, tout en se désolant un peu que l'actualité l'emporte sur les projets d'avenir, dans leurs discussions.

— C'est un nom français. C'est bizarre, remarqua Charles.

— La majorité des Métis parlent français, précisa John.

— Celui-là a fait des études à Montréal, il est assez instruit, dit la blonde.

Elle paraissait toute fière. Cette information, son amoureux la lui avait donnée des mois plus tôt, lors de la Saint-Jean-Baptiste.

— Il est question d'envoyer des régiments de miliciens pour ramener l'ordre, dit John en échangeant un regard avec son amie.

Jules avait fait allusion à cela aussi, au grand désespoir de sa compagne.

— Sont pas fous au gouvernement, réfléchissait Charles tout haut. Pas assez en tout cas pour envoyer des miliciens canadiens-français combattre un autre Canadien français à l'autre bout du pays. Ce gars, Riel, c'est l'un des nôtres.

Crépin Dallet attendait l'occasion de communiquer « la » vérité sur ce sujet, celle diffusée par l'aumônier de la confrérie du Sacré-Cœur dont il faisait partie.

— Qu'il parle français ou non ne change rien. Cet homme se révolte contre son gouvernement, c'est un péché grave. Pour montrer leur foi, tous les bons Canadiens français doivent joindre leur force pour le combattre.

« Des Canadiens français comme Jules », songea Phébée en jetant un regard rageur sur le petit homme en noir assis au bout de la table. L'inquiétude croissante lui faisait voir dans cette remarque une petite phrase assassine pour la blesser.

— Bravo, Crépin, déclara John, sarcastique. Rejoindre la milice et aller sur le champ de bataille doit demander beaucoup de courage pour un gars aussi malingre que toi !

— … Je ne fais pas partie des troupes.

— T'as dit tous les bons Canadiens français, ricana Charles. Pour montrer leur foi. Tu serais donc pas un bon catholique ?

Marie Robichaud demeurait coite, peu désireuse de se mêler à des querelles dont elle ignorait tous les enjeux. Toutefois, elle ne parvint pas à cacher son sourire devant la réplique.

— Mademoiselle, vous ne devriez pas rire de leur mauvais humour. Ainsi, vous les encouragez à continuer.

— Où vois-tu de l'humour là-dedans, Crépin ? reprit Muir d'un œil sévère. Tu te plais à dire aux autres ce qu'ils devraient faire, mais tu es trop lâche pour suivre tes propres directives.

Le commis comptable ne prononça plus une parole jusqu'à la fin du repas.

Seuls Crépin et Hélidia regagnèrent leur chambre à la fin du repas. Tous les autres locataires rejoignirent la rue Dorchester pour marcher vers l'ouest.

— Ça me semble bien loin, se plaignit Félicité après quelques minutes.

— Pour une fille de la campagne, tu ne fais pas une bonne marcheuse, se moqua Phébée. Au moins, il fait bien moins froid qu'au carnaval, cet hiver.

— Peut-être, mais là la neige qui reste est en train de fondre. Nous aurons les pieds tout mouillés.

— Ah, comme tu es capricieuse !

La voix de la blonde exprimait un amusement suffisant pour que son amie ne perde pas le sourire. Comme fréquemment alors qu'ils marchaient tous ensemble, la couturière se trouvait devant, pendue au bras de John Muir. Marie Robichaud suivait en tenant celui de Félicité. Cette précaution, pour éviter les chutes sur le pavé glissant par endroits, risquait plutôt de faire deux victimes au lieu d'une seule. La jeune Acadienne le devina sans doute quand elle dit :

— Charles, viens prendre mon autre bras, au lieu de rester seul derrière.

L'homme s'exécuta sans protester. Collègues, voisins à la maison de chambres, une certaine complicité paraissait se développer entre ces deux-là.

Le petit groupe s'engagea dans la rue Saint-François-Xavier, près du marché Bonsecours, là où se trouvaient les locaux du quotidien *The Montreal Herald*. La façade de pierre s'ornait de colonnes élégantes. Déjà, plus de cent personnes se massaient devant, occupant toute la chaussée, au grand dam des conducteurs de tramway et des cochers. Les entreprises de presse se trouvaient reliées au reste du monde grâce aux lignes télégraphiques et, depuis peu, téléphoniques. Une nouvelle importante justifiait rarement la publication d'une édition spéciale. Chaque jour, les nouveaux développements se trouvaient cependant présentés au public sur de grands panneaux cartonnés. Seuls les gens des premiers rangs arrivaient à les lire à la lueur des réverbères. Obligeamment, ils communiquaient les nouvelles aux autres curieux tout en les commentant.

— Hier à Duck Lake, commença l'un d'eux, les Métis ont repoussé un détachement de la police montée. Ils ont tué une douzaine de personnes, des gendarmes, mais aussi des civils. Ils ne sont pas mieux que les Sauvages.

— Ils ont tué des civils ? cria quelqu'un.

— C'est ce qui est écrit là.

— Combien ? voulut savoir un autre.

— Ils ne donnent pas de détail. Il faudra lire le journal demain pour le savoir.

Douze policiers et quelques Métis avaient été tués. Pour Phébée, déjà ces placards s'avéraient trop bavards. Elle savait maintenant que des membres des troupes envoyées par le gouvernement mouraient dans cette histoire. Le retour à la maison se fit en silence, par solidarité pour elle.

— Tu comprends, maintenant il n'est plus vraiment nécessaire d'avoir un chaperon, avait expliqué Phébée en se dirigeant vers l'église. Comme je le fréquente pour le bon motif, je sais qu'il me respectera.

L'explication, souvent répétée au cours des derniers jours, devait rassurer celle qui la formulait, plutôt que son amie.

— Je sais tout cela, voilà deux semaines aujourd'hui que je ne vous accompagne plus. On dirait que tu as peur que je m'ennuie.

— C'est un peu ça, avoua l'autre dans un sourire.

L'inquiétude était fondée. Félicité devait trouver à s'occuper toute seule pendant tout un long après-midi. Bien sûr, séjourner dans leur nouvelle chambre se révélait moins pénible grâce à la fenêtre, mais les journaux, le plus souvent obtenus de John au cours de la semaine, ne l'occupaient jamais bien longtemps. Surtout, Crépin Dallet ne manquerait pas de lui offrir sa compagnie.

Jules Abel vint les rejoindre bien vite sur le parvis de l'église. Il ne négligea pas de serrer la main de la châtaine. Il se planta ensuite près de sa cavalière, l'air bien résolu à ne plus quitter cette place. Après avoir échangé quelques mots, tous les deux s'esquivèrent. Le commis aux livres venait déjà dans sa direction. Bonne fille, Marie Robichaud devint sa planche de salut.

— Tu veux marcher un peu avec moi avant de rentrer ? dit-elle en lui saisissant le bras.

— Bien sûr, s'empressa d'accepter Félicité.

Un peu plus bas, elle chuchota un « Merci ». Elles se rendaient mutuellement ce service depuis quelques jours.

— Ce sera juste le temps de manger un petit quelque chose, précisa l'Acadienne. Ensuite, j'vais t'abandonner à ton admirateur. J'veux aller visiter ma sœur à l'hôpital.

Crépin les regardait toutes les deux, hésitant à leur proposer de les rejoindre pour une promenade.

— Il va me rendre folle, dit Félicité en entraînant sa compagne sur le trottoir de la rue Saint-Denis. Allons vers le nord. J'espère qu'il n'aura pas l'audace de nous suivre.

Sans se retourner, elles avançaient d'un pas rapide. Les jeunes femmes se procurèrent une petite brioche, pour ainsi patienter jusqu'au repas du soir. En effet, plusieurs boulangeries, ouvertes quelques heures le jour du Seigneur avec la bénédiction du clergé, offraient leurs produits à la vente.

— J'comprends pas trop, dit Marie alors qu'elles revenaient dans la rue. Ce bonhomme a clairement un œil sur toi. D'un autre côté, Hélidia semble pâmée devant lui. À rester la bouche grande ouverte comme ça, elle va avaler des mouches.

— Quand je suis arrivée dans la maison, Phébée était son obsession. Comme elle a quelqu'un dans sa vie, il me voit sûrement comme son prix de consolation.

— Phébée a bien de la chance d'être tombée sur ce gars. Bien sûr, quand on est aussi jolie qu'elle…

Le ton était un peu dépité. Sur le cruel marché nuptial, chacune devait savoir mettre à profit ses charmes. Certains jours, elle doutait même que Charles soit une prise à sa portée. Il lui tenait parfois compagnie le soir, pour disparaître le dimanche. Félicité préféra revenir au premier sujet :

— Hélidia se montre patiente en attendant qu'il remarque enfin son intérêt pour lui. Je sais pas si on doit lui souhaiter ça.

— Lui s'essaie avec toutes. J'sais pas si j'aimerais ça, gagner parce que les autres ont dit non.

«À ce compte-là, elle n'est pas près de perdre son air maussade», songea l'ouvrière.

— Mais toi, tu n'as personne dans ta vie ? l'interrogea Marie.

La question revenait souvent aussi à la manufacture. Elle apprenait à répondre sans trop donner prise à la curiosité.

— Non, personne. De toute façon, comme je servais de chaperon aux deux autres, je n'ai pas eu le temps.

— T'es belle, les hommes te remarquent.

Félicité réprima sa protestation. Juste à cet instant, un homme souleva son chapeau sur son passage pour la saluer.

— Toi aussi, continuait l'Acadienne, tu pourrais trouver un bon parti. Tiens, celui de Phébée a peut-être un ami à te présenter.

Phébée aussi avait soulevé cette possibilité devant Félicité, pour se faire répondre de ne plus aborder le sujet.

— Tu sais, je ne suis simplement pas du genre marieuse.

— Peut-être ben. Si c'est pour passer ta vie dans une *shop* avec ton petit salaire, penses-y. Un bon mari, ça demeure le meilleur moyen d'y échapper.

Félicité se renfrogna un peu devant ce morceau de sagesse populaire. Ses compagnes de travail disaient la même chose, et certaines annonçaient le grand événement pour l'été prochain.

Les deux femmes marchaient rue Sherbrooke. En ces derniers jours de mars, le soleil caressait la peau sans la réchauffer tout à fait.

— Tu peux venir avec moi jusqu'à l'Hôtel-Dieu, offrit l'ouvrière. C'est tout droit. Tu connais Pélagie.

— Je l'ai croisée à la sortie de l'église. Je vais te tenir compagnie jusqu'à la rue Saint-Laurent, puis je rentrerai à la maison ensuite.

Avec un peu de chance, aucun importun ne viendrait la troubler, pensa-t-elle.

Un peu à l'ouest de la rue Saint-Laurent, on trouvait plus facilement des cafés ou des restaurants ouverts le jour du Seigneur. Jules invita sa cavalière dans un salon de thé au décor charmant et commanda après s'être informé de ses goûts. Tout le long du chemin, le couple avait abordé des sujets anodins afin de repousser à plus tard celui qui leur torturait l'esprit.

— Tu sais que depuis deux jours, tout le monde parle d'envoyer des régiments afin de ramener la paix dans les Territoires du Nord-Ouest? dit le garçon.

— Dans le pays, il y a des dizaines de régiments, la plupart plus près des troubles que Montréal.

La blonde se passionnait depuis peu pour la géographie canadienne. John Muir lui avait expliqué que Toronto ne se trouvait pas si loin de la rivière Saskatchewan.

— Je sais. Certains parlent quand même d'expédier là-bas mon régiment, et un autre de la région de Québec.

Le sang parut se retirer du visage de la jeune femme, des perles brillèrent au coin de ses yeux.

— Le gouvernement n'enverra pas des Canadiens français combattre des gens de la même religion et de la même langue que nous.

Elle s'inspirait de l'argument de Charles et s'y accrochait de toutes ses forces.

— Certains disent le contraire. Macdonald voudrait mesurer notre fidélité au dominion.

— Alors qu'il aille la faire lui-même, sa guerre stupide, et qu'il nous laisse vivre notre vie.

Au mot « stupide », Phébée avait frappé de ses deux petits poings sur la table, tout en élevant un peu la voix. Maintenant, les larmes roulaient sur ses joues. Aux autres tables, des clients et surtout des clientes jetaient des yeux réprobateurs sur le couple. Un serveur se présenta avec les assiettes, un air sévère sur le visage.

— Tout va bien ? demanda-t-il.

— Oui, dit Jules, un peu gêné.

L'autre posa les repas sur la table en remarquant les larmes de Phébée.

— Si tu m'aimes, tu vas laisser tomber la milice, plaida la jeune femme. Ces affaires-là ne nous concernent pas.

Il garda le silence puis, les yeux dans les siens, dit à voix basse :

— Je t'aime, mais je ne suis pas un lâche.

Ironiquement, c'était la première fois qu'il évoquait ses sentiments aussi clairement. Jusque-là, une certaine pudeur l'avait retenu. Les larmes de sa compagne coulaient maintenant en abondance, elle dut les essuyer avec sa serviette.

— Je suis membre de la milice. Mon devoir est d'obéir aux ordres.

— N'y va pas, pour l'amour de moi.

Jules agitait la tête de droite à gauche :

— Ce serait perdre mon honneur. Je ne pourrais plus regarder personne sans avoir honte, ni même me regarder dans un miroir.

Son amie voulut protester, mais il ne lui en laissa pas le temps.

— Je ne vais pas me porter volontaire pour aller là-bas. D'un autre côté, si au ministère de la Milice on désigne mon régiment, je remplirai mon devoir, par fierté.

— Tu vas te faire tuer. Tu auras l'air fin, ensuite, avec ta fierté !

La blonde se mordit la lèvre inférieure. Elle luttait pour ne pas éclater en sanglots.

— Nous sommes bien entraînés, nous sommes bien armés. Ça se réglera bien vite, tu verras.

— À Duck Lake, les policiers tués étaient deux fois plus nombreux que les Métis.

Généralement indifférente à l'actualité politique, elle n'hésitait pas à se référer à cet événement pour faire valoir son point de vue. Son compagnon hésita brièvement, mais retrouva sa contenance en affirmant :

— Nous serons tous bien vite de retour.

— La rivière Saskatchewan, c'est à l'autre bout du monde.

— Mais grâce au Canadien Pacifique, ce bout du monde est relié au nôtre.

Ce serait la grande différence avec les événements de 1870. En trois, quatre jours tout au plus, les troupes seraient rendues dans l'Ouest.

— Mangeons, maintenant. Je dois me rendre au manège militaire, tout à l'heure.

— Je n'ai plus faim, dit la jeune femme en repoussant son assiette.

Elle présentait maintenant une mine boudeuse. Elle se croyait si près du but, au point où elle réfléchissait déjà à sa robe pour la cérémonie de mariage. Voilà que ce garçon souhaitait aller jouer au soldat dans une région au nom imprononçable.

— Je ne sais pas si je devrai y aller. Si c'est non, on pourrait se marier début juillet, après mes examens. Si je dois partir, ce sera après mon retour.

Phébée se taisait. La demande tant attendue arrivait enfin, mais dans un si terrible contexte. Comme si tout événement franchement heureux lui était interdit.

— À mon retour, veux-tu m'épouser ? se décida-t-il à préciser.

Cette formule ressemblait davantage à celle des feuilletons lus avec Félicité, épaule contre épaule.

— Tu feras de moi la femme la plus heureuse du monde, le jour de notre mariage, balbutia-t-elle, toujours au bord des larmes.

La jeune femme marqua une pause, puis demanda, encore un peu inquiète :

— Tu as parlé de juillet ?

— Si je reste ici. Si je vais là-bas, il faudra compter quelques semaines pour tout régler à mon retour. Juste pour publier les bans dans ta paroisse et la mienne, c'est trois dimanches d'affilée avant le mariage.

Phébée hocha la tête. Peu de temps auparavant, Crépin lui avait rappelé le danger de trop précipiter les choses.

— Alors au pire, ce sera entre un et deux mois après ma descente du train.

De nouveau, la jolie blonde agita la tête de haut en bas. Très vite, elle demanderait un extrait du registre des baptêmes de sa paroisse d'origine. Félicité l'aiderait sûrement dans ces démarches.

— D'habitude les mariages ont lieu dans la paroisse de la promise… Mais comme tu n'as plus de famille, la cérémonie pourrait se dérouler à Sainte-Rose. Bien sûr, tu inviteras qui tu voudras.

Ce garçon avait mis tout ce temps à se déclarer, et voilà qu'il paraissait avoir prévu tous les détails. Elle acquiesça en silence.

— J'en ai parlé à mon père. Il a accepté de s'occuper de tous… les détails.

En fait, les décisions avaient été prises grâce à un échange de lettres recommandées. Le mot « détails » témoignait de la délicatesse du garçon. Habituellement, le père de la mariée réglait le coût de la noce. Or Absalon la jugeait assez bonne fille pour se charger de la dépense, et même renoncer à prononcer le mot « dot ».

Toujours silencieuse, les yeux dans ceux de son promis, Phébée prit sa fourchette pour avaler quelques bouchées sans vraiment les goûter. Il souhaitait une femme en bonne santé, elle y veillerait donc.

Les retards des miliciens à l'entraînement n'étaient pas tolérés. Lorsque le couple s'approcha de la bâtisse un peu décrépite, Jules s'arrêta soudainement sur le trottoir, consulta sa compagne des yeux puis l'attira sous une porte cochère. Avec la nervosité du néophyte, il la serra contre lui un peu trop fort, chercha sa bouche avec la sienne. L'émotion les rendit si maladroits que leurs dents s'entrechoquèrent et leurs langues s'effleurèrent à peine. Puis Phébée, réussissant à se détacher un peu, susurra :

— Non, pas tout de suite… Ce ne serait pas bien. Mais si tu pars, un mois après ton retour je me donnerai toute à toi.

À ce rappel à l'ordre, le garçon relâcha son étreinte.

— Oui, tu as raison. Et si je ne pars pas, début juillet.

Voilà qui lui donnerait la meilleure motivation pour éviter de se faire tuer. Ils se séparèrent devant la grande porte sur une poignée de main et des regards énamourés. De crainte d'être en retard, Jules courut ensuite vers le vestiaire afin de revêtir son uniforme.

Plus de deux cents hommes s'étaient présentés à la salle d'entraînement, les uns en tenue militaire, les autres avec leur veste sur le dos. Le bruit des conversations ressemblait à celui d'un gros essaim d'abeilles. Le major responsable des exercices prenait place dans un coin. Un vieillard à l'uniforme décoré comme celui d'un général d'opérette et un homme en costume de ville occupaient une petite plate-forme surélevée.

Jules reconnaissait le second : Joseph-Aldéric Ouimet. C'était le député conservateur de la circonscription de l'île Jésus. Ce jour-là, il se présentait sans son uniforme, mais il occupait le grade de lieutenant-colonel dans la milice. Le 65e Régiment avait été formé grâce à ses efforts.

Quand tout le monde fut rassemblé, ou à peu près, il s'avança d'un pas. Les volontaires firent silence et se mirent au garde-à-vous pour l'écouter.

— Messieurs, j'ai réclamé pour vous avec insistance auprès de mes collègues du Cabinet l'honneur de servir votre pays. Le gouvernement du dominion vous ordonne de vous déplacer dans le Nord-Ouest afin d'y rétablir l'ordre.

Des acclamations retentirent dans la grande salle. Des calots et des chapeaux, mous ou melons, s'envolèrent. L'apprenti pharmacien fit comme les autres, mais le cœur n'y était pas tout à fait. Quand le calme fut à peu près revenu, le député dit encore :

— À votre réaction, je vois toute la fierté qui vous habite à l'idée de faire votre devoir. Je suis certain que vous vous montrerez dignes de vos ancêtres de la Nouvelle-France qui ont porté les armes dans tous les coins de l'Amérique.

Quelques cris de joie soulignèrent ce rappel des aïeux héroïques. Puis le député laissa la parole au major. Celui-ci commença dans le meilleur anglais, celui appris sur les rives de la Tamise :

— Messieurs, l'entraînement n'aura pas lieu aujourd'hui. Nous prendrons le train pour l'Ouest mardi, en après-midi. D'ici là, je ne doute pas que vous aurez un certain nombre de détails pratiques à régler.

À l'annonce d'un départ aussi proche, aucune expression de joie ne retentit. Rêver de gloire était une chose, devoir concrètement l'atteindre, une autre.

— Et nos emplois ? cria quelqu'un. On sera à la rue, à notre retour.

Ce rappel à la réalité reçut quelques appuis.

— Je suis certain, clama le député avec l'assurance de celui qui ne risquait rien, que tous les employeurs du pays se feront un devoir sacré de reprendre les volontaires à leur retour du Nord-Ouest.

Sur cette assurance, les hommes se dispersèrent lentement. Jules, comme bien d'autres, se sentit soudainement pris d'un grand vague à l'âme, malgré l'excitation qui l'habitait.

De tous les habitants de la ruelle Berri, seuls John et Félicité connurent les derniers développements de la vie sentimentale de Phébée. À table, son air satisfait fut éclipsé par les yeux gonflés de larmes et les traits défaits de Marie Robichaud.

— Qu'est-ce qui se passe ? demanda la blonde.

— C'est ma sœur, fit l'autre d'une voix geignarde.

— Pélagie ? Tu devais la voir cet après-midi.

— Quand j'ai donné son nom à la vieille religieuse à l'entrée, elle a fait venir la directrice. Celle-là m'a empêchée de la voir. Ils la tiennent prisonnière.

Imaginer des sœurs retenir des domestiques contre leur volonté amena un sourire sur les lèvres de Charles. Cette fille avait le sens du drame. Crépin, de son côté, se sentit obligé de défendre ces saintes femmes.

— Si les religieuses vous ont empêchée de la voir, elles avaient certainement de bonnes raisons.

— Elle m'a parlé de maladie contagieuse.

— Vous voyez !

— C'est ma sœur, j'ai le droit de la voir…

À ses yeux, le lien fraternel semblait la prémunir contre les germes et les virus dont parlaient les médecins hygiénistes. Le commis comptable ricana un peu, comme si pareille sottise dépassait l'entendement.

— Sa sœur est malade, lui reprocha Phébée avec colère. Vous savez ce que c'est, l'affection dans une famille ?

Ce damné prétentieux arrivait à ruiner tout à fait sa bonne humeur, même le plus beau jour de sa vie.

— Tu ne savais pas ? ironisa John. Crépin ne comprend rien à la vie de famille. Il n'a eu ni père ni mère, on l'a trouvé sous une croix de chemin.

— Il était pas tout nu comme tous les bébés, renchérit Charles, ça aurait pu causer scandale. Il portait déjà sa veste et sa cravate.

Le petit homme se raidit, mais retint le flot d'injures lui venant à la bouche. Vénérance posa le plat de service au milieu de la table, dans l'espoir que la nourriture les garde silencieux.

— Sais-tu de quoi elle souffre ? demanda Félicité à voix basse, comme si cela pouvait décourager le commis aux livres d'ajouter un mot.

— Si elle me l'a dit, j'ai pas entendu… Je pleurais pas mal, je pense.

— La grippe est contagieuse, commença Charles. C'est pas ça ?

La jeune femme fit non de la tête.

— La coqueluche, la scarlatine, la diphtérie ?… enchaîna-t-il au cas où elle saurait reconnaître le mot.

Marie continuait de secouer la tête de droite à gauche.

— J'y retournerai demain pour pouvoir vous le dire.

On frappa à la porte tandis que les locataires terminaient leur repas. Comme personne n'alla ouvrir, Vénérance grommela :

— Il pourrait tout de même se rendre utile. Je dois tout faire, dans cette maison.

La mégère parlait de son mari. Elle quitta sa cuisine en égrenant tout bas un chapelet de jurons, et revint, plus maussade encore :

— Phébée, c'est pour toi. Tu connais pourtant le règlement : pas de gars dans la maison !

— Moi oui, mais la personne dehors, visiblement pas.

Si la logeuse désirait la voir se confondre en excuses, ce serait pour une autre fois. La jeune femme découvrit Jules debout sur le pas de la porte, le visage un peu défait.

— Prends ton manteau et viens marcher avec moi. Nous devons parler.

La gravité du ton l'effraya. Dans un bruit de talons sur les marches, elle alla chercher son vêtement avant de revenir en vitesse. Son ami plaça son bras autour de sa taille, la serra contre lui. Le geste la rassura un peu. Elle avait craint un instant, de manière irrationnelle, une rupture le jour même de la grande demande.

— Mon régiment doit se diriger vers le Nord-Ouest.

Même si elle s'y attendait bien un peu, Phébée ne put juguler l'immense chagrin qui la submergea. Elle s'arrêta pour appuyer son corps contre celui de son compagnon, indifférente à la réaction des passants dans la rue Dorchester. « Un mois après son retour », se répéta-t-elle machinalement pour tenir le coup.

— Quand pars-tu ? réussit à articuler la jeune femme.

— Après-demain.

Elle ferma les yeux un instant, se laissant guider par son compagnon en direction de la rue Berri. Il lui fallut faire appel à toute sa force pour ne pas le supplier à nouveau de rester. Mieux valait respecter son choix.

— Je vais penser à toi tous les jours de cette expédition, dit-elle plutôt, et je t'écrirai aussi souvent que possible. Je te le promets.

Un baiser rapide sur la joue scella l'engagement.

— Tu ne me sortiras pas de la tête une seule minute. Je vais gâcher toutes les robes, madame Marly va me mettre à la porte.

Cette affirmation tira un sourire au milicien.

— Tu es si douée que tu pourrais coudre les yeux fermés ou en dormant, répondit-il doucement. Mon père est au courant. Avant de venir ici, je suis passé par le bureau du télégraphe. Il veillera à certaines formalités pour le mariage, comme obtenir les certificats de baptême.

Au moins, Jules ne déviait plus de son engagement, songeait Phébée. Au contraire, l'idée de partir le rendait plus déterminé.

— Si tu as besoin de quoi que ce soit, contacte papa. Je te confie à lui.

L'idée qu'une belle-famille se substitue à la sienne, disparue, l'apaisa. Ne plus être seule allégeait son chagrin.

— Tu m'accompagneras jusqu'à la gare, le jour du départ?

— Mais mardi, je serai au travail…

— Madame Marly ne te refusera pas ça. Je suis même prêt à aller lui demander à ta place.

— … Je ferai tout pour y être.

«Janvière se fera certainement une joie de jouer un rôle dans mon histoire», se rassura-t-elle. Cette femme avait un côté bien romantique.

— Je lui demanderai demain matin. Je viendrai, conclut-elle, mais je vais pleurer toutes les larmes de mon corps.

— De mon côté, j'essaierai de me retenir.

La réplique tira un rire bref à la jeune femme, qui posa la tête contre l'épaule de son compagnon. Sur leur passage, les passants affichaient une mine sévère. Le visage mouillé de larmes de Phébée, cette façon de marcher en se tenant la taille, tout cela laissait supposer une relation sulfureuse.

— Nous allons passer par Sainte-Catherine, dit Jules, puis prendre Saint-Denis. Faisons comme si nous nous revoyions dimanche prochain.

Pourtant, tout dans leur attitude témoignait que ce ne serait pas le cas. De retour dans la ruelle Berri, ils demeurèrent immobiles, les yeux dans les yeux.

— Tu me reviens vivant, avec tous tes morceaux, murmura la blonde sur un ton impératif.

— Avec tous mes morceaux, juré.

— Et un mois plus tard, nous serons mariés.

— Ce sera ma meilleure raison de revenir.

Jules la serra contre lui, les mains sous le manteau afin de mieux sentir son corps sous ses paumes. Leurs lèvres se trouvèrent, cette fois moins maladroitement que dans l'après-midi. L'étreinte dura longtemps, assez pour donner à Crépin tout le temps de surveiller la scène. La jalousie le consumait toujours.

Chapitre 24

Le lendemain matin, Jules se présenta à son travail à la même heure que d'habitude. Robert Gray leva les yeux d'un registre, pour dire d'une voix déçue :

— Comme ça, la rumeur disait vrai.

— À propos de quoi ?

— Le 65ᵉ ira combattre les Métis, ou les Indiens. Vous aurez le choix de l'ennemi.

Les cernes sous les yeux de son employé le renseignaient clairement.

— Personne ne nous a donné de détails. Tout ce que je sais, c'est que nous partons demain en train.

— Si vous ne voulez pas y aller, restez ici. Personne n'est conscrit.

— Ce serait manquer à mon devoir.

— Le devoir ! Si vous voulez, je peux demander à notre voisin médecin de vous écrire un billet de santé. Personne n'aurait à redire, dans ces conditions.

Une hésitation passa sur le visage du stagiaire, puis disparut très vite. Même si tout le monde prêtait foi à cette comédie, lui saurait s'être comporté comme un lâche.

— Non, monsieur, je ferai mon devoir.

L'autre secoua la tête. Ce genre de discours montait à la tête des plus jeunes, épris de gloriole. Pour tous les conflits récents dans les Amériques ou en Europe, les volontaires n'avaient pas manqué. À son âge, Gray savait combien ces sentiments étaient vains. De très rares causes valaient de mourir au début de la vingtaine. Soumettre des Métis ou des Indiens mourant de faim ne figurait pas sur sa liste.

— Ce conflit tient seulement à la stupidité des conservateurs, commenta-t-il. Il n'y a plus un bison dans l'Ouest depuis six ou sept ans, mais le gouvernement refuse d'acheminer des vivres pour forcer les Indiens à rentrer dans les réserves. Le sort des Sang-Mêlés ne vaut pas mieux.

Jules opina, même si cette habitude des libéraux de tout mettre sur le dos de leurs adversaires politiques lui paraissait un peu ridicule. Bientôt, ils leur reprocheraient les moustiques en été et les engelures en hiver.

— Mais je suis très déçu de devoir vous abandonner comme ça.

— Je pense que j'arriverai sans trop de mal à me passer de vous, ricana l'autre par dépit.

La boutade, indélicate, fit rougir le stagiaire. Il bégaya un peu en précisant :

— J'aime travailler pour vous, j'apprends beaucoup… Au cours des derniers mois, vous m'avez montré à préparer tous les médicaments qui existent, je pense.

Il n'osa pas ajouter que son salaire aussi lui manquerait, d'autant plus qu'il souhaitait se marier. D'ailleurs, la modeste rémunération qu'il touchait comme stagiaire pourrait facilement doubler, s'il réussissait les examens de son association professionnelle en juin.

— J'aimerais continuer, à mon retour, se lança-t-il, avant de me mettre à mon compte. Je veux dire, si vous avez besoin de quelqu'un. Je sais bien que vous pouvez vous passer de moi.

Le pharmacien esquissa un sourire un peu désolé, puis expliqua :

— Je m'excuse pour mes mots de tout à l'heure. Vous avez un bel avenir, ça me chagrinerait si cette aventure se terminait mal. J'aime votre sérieux, votre compétence. Avec le comité d'hygiène, j'ai de moins en moins de temps pour la pharmacie. Le jour de votre retour, vous aurez un emploi ici.

Pour sceller l'accord, ils échangèrent un sourire. Le pharmacien retrouva son sérieux pour demander :

— La magnifique jeune femme que vous m'avez présentée à l'hôtel de ville, que devient-elle ?

— Je lui ai promis de l'épouser à mon retour.

— Vous avez bien fait. Autrement, un avocat pourrait mettre la main dessus.

Aux yeux de ce professionnel de la santé, aucun destin ne pouvait être pire.

— Aujourd'hui, que souhaitez-vous que je fasse ? Je ne voudrais rien laisser en plan avant mon départ.

— Rien. Allez régler vos affaires, ou embrasser vos parents.

L'homme tendit la main, Jules la serra avec enthousiasme.

— Surtout, faites en sorte de revenir, insista l'employeur.

— Je serai aussi prudent que possible.

Comme si la prudence changeait quelque chose, sur un champ de bataille... En mettant la main sur la poignée de la porte, il se retourna pour dire :

— Je vous remercie. Je profiterai donc de la journée pour faire l'aller-retour à Sainte-Rose.

— Une question d'honneur ? Les hommes sont vraiment des imbéciles. Je me demande bien pourquoi nous les aimons.

Janvière Marly se dit avec soulagement que son mari ne ferait jamais une chose aussi sotte que d'aller se battre à l'autre bout du continent. Cela suscita en elle une petite bouffée d'affection.

— Vous devez le comprendre, plaida Phébée sans trop y croire, voilà des années qu'il est membre de la milice. Impossible de se dérober maintenant sans avoir l'air d'un lâche.

— Quelle idée ridicule! Le mieux pour lui, ce serait de se casser une jambe en allant à la gare. Tiens, tu devrais lui lancer une brique, juste pour lui rendre service.

La remarque n'était qu'à demi humoristique. Un peu honteuse, la blonde baissa la tête. Elle aussi avait, un très bref instant, imaginé un scénario semblable.

— Me laisserez-vous aller le saluer, à son départ?

— Bien sûr, ma fille. Espérons juste qu'à son retour, il sera devenu un adulte.

Pour elle, ce mot désignait un homme attaché à son foyer et résolu à ne pas s'en éloigner de plus de dix pas, sauf pour se rendre à son travail.

Une foule très dense s'était rassemblée aux abords de la rue Craig, de petits drapeaux anglais dans les mains. À les voir, on aurait pu croire à une population belliqueuse. Cette attitude tenait pour beaucoup à l'enthousiasme grandissant pour l'aventure coloniale, dont les journaux faisaient état tous les jours. L'Homme blanc se donnait la mission d'apporter la civilisation aux populations «sombres et sauvages», pour reprendre les mots de Rudyard Kipling.

Perdue dans cette marée humaine, Phébée essayait de marcher au même rythme que les deux cent cinquante hommes du 65e Régiment. Elle tournait la tête vers la gauche pour apercevoir Jules entre les épaules des badauds.

Souvent, elle butait contre des personnes sur son chemin, bredouillait des excuses, puis poursuivait sa progression.

Son amoureux était beau dans son uniforme noir rehaussé de galons rouges, son fusil sur l'épaule. En y regardant de plus près, on pouvait voir que le vêtement portait des traces d'usure. Déjà, dans les journaux, on évoquait la nécessité de mieux équiper ces miliciens.

Devant les hommes avançant en rangs serrés, deux lieutenants-colonels allaient à cheval, portant quant à eux un uniforme tout neuf avec dorures et ruban, et un couvre-chef orné de plumes. À leur crédit, ces hommes l'avaient payé de leurs deniers, pour être sûrs de leur élégance. L'un d'eux était Joseph-Aldéric Ouimet, résolu à tirer toute la gloire de cette aventure.

Ces miliciens, sûrs de la victoire, allaient au combat dans une atmosphère de carnaval. Toutes les poitrines hurlaient *The Girl I Left Behind*, une ancienne chanson populaire dans divers territoires de langue anglaise. Phébée voulait croire que les paroles lui étaient personnellement destinées.

Près de la gare Dalhousie régnait le plus grand désordre. Elle n'avançait plus qu'avec beaucoup de peine.

— C'est mon fiancé, là, répétait-elle. Je veux lui dire au revoir.

Chaque fois, après un regard appuyé, on la laissait passer. Tout le long du discours patriotique de Joseph-Aldéric Ouimet, elle progressa de cent verges. Au gré de son parcours, elle entendit à quelques reprises cette critique en anglais :

— C'est idiot d'envoyer des Canadiens français affronter d'autres Canadiens français. Ils refuseront de combattre.

Cela ne faisait que confirmer à ses yeux l'inutilité de cette aventure. À la fin du discours du lieutenant-colonel, les hommes purent rompre les rangs. Des mères, des pères ou des fiancées déferlèrent alors sur le quai. Phébée reçut des coups d'épaule et en distribua sa juste part avant de se retrouver dans les bras de Jules.

— Promets-moi de revenir.

— Je reviendrai. Je te le promets.

— Je vais compter les heures, les minutes même, de ton absence…

Un baiser la fit taire. Ils demeurèrent l'un contre l'autre jusqu'à ce que le *All aboard!* retentisse pour la troisième fois. Jules monta dans le wagon et chercha une fenêtre pour la regarder jusqu'à ce que la locomotive s'éloigne dans un nuage de vapeur.

La Dominion Cotton et la Macdonald Tobacco se trouvaient à égale distance de la ruelle Berri, aussi les employés de ces deux manufactures faisaient parfois ensemble le dernier bout de chemin. Ce 2 avril, Marie Robichaud présentait un visage marqué par l'inquiétude. N'avoir aucune nouvelle de sa sœur la préoccupait tout autant qu'en recevoir.

À son arrivée devant la maison, la présence d'un garçon d'une douzaine d'années appuyé contre le cadre de la porte ajouta à son désarroi. Un mauvais pressentiment l'incita à demander tout de suite :

— C'est à propos de Pélagie, n'est-ce pas ?

— T'es Marie ?

— Oui.

Le messager hésita un instant, soumis à l'examen de trois paires d'yeux.

— Elle est morte hier.

Recruté au hasard dans la rue, il ne savait pas livrer les mauvaises nouvelles avec tact. La jeune ouvrière se figea et des larmes montèrent bientôt à ses yeux. Bon prince, Charles lança une pièce de deux sous au garçon pour sa peine. Il quitta les lieux, l'air navré.

— Je suis désolé, murmura ensuite le mécanicien en prenant l'épaule de sa collègue.

Considérant avoir satisfait aux exigences de la bienséance et mal à l'aise devant des pleurs de femme, lui aussi s'esquiva bientôt. Ne sachant quoi dire, Félicité prit sa voisine dans ses bras.

— Elle est morte hier, se lamenta sa voisine, et je l'apprends aujourd'hui seulement.

Pareil retard ne s'expliquait pas. Toutes deux habitaient la même ville, pourtant.

— Je dois aller à l'hôpital pour savoir ce qui s'est passé, dit-elle en se redressant, les yeux inondés de larmes.

— Je t'accompagne.

— C'est pas nécessaire… Pis le souper sera servi dans quelques minutes.

— Je vais avec toi, insista Félicité en prenant son bras.

L'Hôtel-Dieu, une grande bâtisse de pierre, s'élevait en bordure de la rue des Pins. La sœur portière les reçut en fronçant les sourcils. Les visiteurs n'étaient plus les bienvenus à cette heure tardive.

— Pélagie Robichaud, commença la jeune femme éplorée.

Les traits de la dame s'adoucirent.

— Je suis sa sœur, plaida encore la visiteuse.

— … Je vais chercher la supérieure.

Laissées seules dans l'entrée, les deux ouvrières gardaient les yeux baissés tellement l'endroit les intimidait. Venant des couloirs faiblement éclairés, elles entendaient des plaintes étouffées. La misère, la souffrance et la mort semblaient suinter des murs.

— Ma fille, je suis désolée de vous voir en de si tristes circonstances.

La vieille femme au visage encadré de toile blanche parlait doucement.

— C'est impossible, ma mère ! Ma sœur peut pas être morte, elle était bien y a pas longtemps encore.

Mener une vie de misère, fuir un emploi de domestique afin d'échapper à des mains envahissantes pour se faire embaucher par des religieuses, puis disparaître. Ce sort pitoyable bouleversait Félicité. Et la mère supérieure ne tenta pas de prendre la malheureuse Marie dans ses bras, de la consoler. Son costume l'isolait du reste de l'humanité. Elle poursuivit sur le même ton plutôt neutre :

— Ma fille, Dieu l'a rappelée à lui hier.

— Pourquoi personne m'a dit de venir ?

La vieille femme se raidit devant le reproche implicite.

— Nous ne connaissions les noms d'aucun de ses proches. Nous n'avons trouvé aucune lettre parmi ses effets personnels, rien pour nous permettre de localiser des parents.

Pourtant, quelqu'un savait : un garçon était venu lui porter la mauvaise nouvelle. Peut-être la domestique en avait-elle dit plus long à une collègue qu'à sa patronne. Marie arrivait à maîtriser ses pleurs devant le visage austère.

— Les funérailles, c'est pour quand ?

Un silence gêné suivit la question, puis la religieuse lui dit à voix basse :

— Hier nous avons célébré un service dans notre chapelle. Elle a été inhumée derrière l'hôpital.

— Mais…

Les coups se succédaient. Marie paraissait chanceler sous
l'avalanche de mauvaises nouvelles.

— Votre sœur est décédée d'une maladie extrêmement
contagieuse, nous avons dû procéder très rapidement.
Attendre aurait été trop dangereux. Comprenez-le bien, en
faisant aussi vite, nous avons sauvé des vies.

Sur les conseils du médecin, pour prévenir un mouvement
de panique, la directrice ne nommait pas cette affection.
On avait mis une mince couche de chaux vive sur la dépouille
pour éviter la contamination et les personnes affectées à son
enterrement ne cessaient de se laver les mains depuis.

— Qu'avez-vous fait de ses affaires ?

— Par prudence, nous les avons brûlées.

Ainsi, aucun souvenir ne subsistait. Ni un peigne avec
quelques cheveux coincés entre les dents ni le moindre
vêtement. Rien.

— Je veux voir sa tombe.

La religieuse lui accorda ce dernier au revoir. La sœur
portière se vit confier la mission de la guider. Félicité tenait
toujours le bras de sa voisine sans dire un mot, juste pour
la rassurer un peu par sa présence.

Derrière l'établissement, les deux visiteuses reconnurent
d'abord une parcelle de terrain où se dressaient plusieurs
rangées de croix identiques les unes aux autres. Les religieuses reposaient là pour l'éternité. Puis au-delà, des
tombes anonymes, celles de patients dont le corps n'avait
jamais été réclamé par les familles, ou alors dont on ignorait tout à fait l'identité. Tous les jours, des miséreux
venaient tenter leur chance en ville. Les plus malchanceux

disparaissaient dans un isolement total, sans même quelqu'un pour les identifier.

Bientôt, les trois femmes se retrouvèrent devant un rectangle de terre fraîchement remuée. Marie Robichaud laissa couler des sanglots contenus, à l'image de la jeune femme née et disparue discrètement, sans faire de bruit, sans rien demander, sans rien obtenir.

La vieille sœur commença de sa voix éraillée :

— Je vous salue, Marie, mère de Dieu…

Les deux autres se joignirent à l'incantation, la répétèrent une dizaine de fois.

— Avec la Sainte Vierge, notre mère à toutes, elle se trouve maintenant près du Seigneur, conclut la portière. Maintenant, rentrez chez vous et priez pour elle.

La froideur du soir incita les deux jeunes femmes à se plier à l'injonction. Son bras accroché à celui de Félicité, Marie regagna son logis en silence, exprimant sa douleur par des reniflements répétés.

Le lendemain, au souper, l'atmosphère dans la pension de la ruelle Berri se révéla lugubre. L'une pleurait sa sœur, l'autre un fiancé exposé à mourir sous les balles. Crépin se sentait responsable de remonter le moral de ses voisines en répétant des inepties comme « Dieu a dit : Je viendrai comme un voleur », ou alors « Nous sommes peu de chose entre les mains de notre Créateur ». Toutefois, jamais il n'osa dire « Les meilleurs partent en premier », car lui se trouvait toujours là, en bonne santé.

Au moment de rejoindre sa chambre, Marie Robichaud évoqua des frissons et des maux de tête.

— C'est bien naturel, la petite, dit Vénérance pour la rassurer. Une mauvaise nouvelle comme ça chamboule toute la carcasse.

Les deux sœurs s'étaient vues pour la dernière fois le 15 mars, soit quinze jours avant le décès de Pélagie. Ce délai suffisait à l'incubation d'un virus passé d'une personne à l'autre. Après ce délai, répandu dans le sang, il commençait ses ravages. La jeune femme ne connaissait même pas le nom de la maladie responsable de la perte de sa parente. Surtout peut-être, son esprit se refusait à établir ce lien.

Le lendemain matin, un vendredi, Marie se rendit au travail malgré son état. Elle se voyait mal rester à la maison, où elle aurait probablement ressassé des idées noires. À la Macdonald Tobacco, la travailleuse passa une bien mauvaise journée. Le samedi fut encore pire. Toute la matinée, elle réussit à rouler les cigares sous sa paume, pour ensuite les déposer dans un moule. Les ouvrières se tenaient de part et d'autre d'une longue table, elle devait y poser la main pour se maintenir debout.

Vers deux heures, son estomac se tordit, son maigre dîner et son petit-déjeuner se répandirent sur sa production.

— Ça, cria le contremaître depuis son poste d'observation, j'vais devoir le couper de tes gages.

— Mais c'est pas ma faute...

La protestation se termina par une nouvelle convulsion de l'estomac, de la bile vint gâcher quelques autres cigares. Ses voisines s'éloignèrent un peu, dégoûtées.

— Rentre à la maison, fit l'homme sur un ton un peu moins hargneux. Tu vas pas bien.

La tête baissée, la travailleuse obtempéra. De toute façon, à cause des amendes elle perdait de l'argent plutôt que d'en gagner. Les deux mains devant la bouche pour éviter de souiller quoi que ce soit avec son prochain haut-le-cœur, elle parcourut tout le chemin d'un pas mal assuré.

Elle ne trouva personne dans la maison de la ruelle Berri. Vénérance devait se trouver au marché. Monter l'escalier consomma ses dernières forces. Dans la chambre, elle se laissa choir sur sa paillasse sans se donner la peine d'allumer la bougie. Dans la plus parfaite obscurité, elle pria :

— Doux Jésus, aidez-moi…

Ce serait son seul recours.

Les autres locataires arrivèrent un peu avant sept heures, comme d'habitude. Tous se retrouvèrent à table un peu plus tard, après avoir pris le temps de se laver un peu, de se changer et de passer par les latrines.

— Marie n'est pas revenue de la manufacture ? demanda Félicité.

— Je suis surpris de pas la voir ici, déclara Charles. À la sortie, les filles racontaient l'avoir vue partir en courant. Elle a été malade.

— J'ai frappé contre sa porte, tout à l'heure, précisa Hélidia. Elle est pas là. Si elle est pas bien, elle doit se trouver chez des connaissances.

— Ou alors elle fait une longue marche, intervint Crépin. Pour les ennuis de digestion, l'air frais constitue le meilleur remède.

Tout le monde y allait de son hypothèse. Le plus probable, c'était une visite à des connaissances. Née à Montréal, elle devait bien avoir des parents ou des amis dans la ville.

Après le repas, John demanda discrètement à Phébée si elle souhaitait marcher un peu. Il devinait combien elle voudrait éviter la compagnie des autres.

— Je prends mon manteau et je reviens avec Félicité.

L'ébéniste faisait sans doute des jaloux, puisqu'il se trouverait entre deux jolies femmes. En cette soirée du 4 avril, l'obscurité n'enveloppait pas encore tout à fait la ville. Mine de rien, Phébée les guidait vers la rue Berri. À proximité de l'intersection de la rue Sainte-Catherine, elle s'arrêta devant une jolie maison de brique de deux étages.

— Il habite là.

— Qui ça, ton promis ? demanda John.

— Qui d'autre ? Il a une jolie chambre avec du papier peint, un vrai matelas à la place d'une paillasse, et même un *water closet*. Je ne l'ai pas vu, mais il me l'a dit.

— Arrête, tu me donnes envie d'être infidèle à Vénérance, ricana l'ébéniste.

Son amie lui donna un coup de poing affectueux à l'épaule, comme ceux que l'on assène parfois à des grands frères trop taquins.

— Penses-tu qu'il est arrivé à destination, maintenant ? demanda-t-elle. Il m'a dit qu'ils se rendraient à la rivière Saskatchewan.

— Je ne pense pas. Leur train a sans doute atteint l'ouest de l'Ontario, peut-être même le Manitoba. Ils seront certainement là demain, cependant.

Tous les employés des ateliers du Canadien Pacifique connaissaient les horaires et la durée des trajets. Cela alimentait leurs rêves de longs voyages.

— Tu crois que ce sera dangereux pour lui ? Vraiment dangereux ?

— Ils sont entraînés et bien équipés.

— Les autres sont des chasseurs, ils savent utiliser leur fusil. Ils l'ont montré à Duck Lake.

La jeune femme souhaitait se faire rassurer, elle connaissait déjà toutes les hypothèses déprimantes.

— Tu peux passer des semaines à imaginer le pire scénario, comme tu peux l'imaginer revenir couvert de gloire et de médailles.

— Je préfère être réaliste, ne pas me raconter d'histoires.

— Tu t'en racontes déjà : celles qui finissent mal. Tes états d'âme ne changeront rien à l'avenir, alors cesse de te torturer.

Après un court silence, Phébée glissa :

— Tu ferais un bon père, tu sais comment réconforter. Quel gaspillage de rester vieux garçon comme ça !

Affectueusement, il passa son bras autour de ses épaules, la serra un peu contre lui. En rentrant à la maison, les jeunes femmes souhaitèrent une bonne nuit à leur compagnon. Phébée échangea un long regard avec lui, reconnaissante. Devant leur ancienne chambre, Félicité demanda :

— On devrait peut-être frapper pour voir si elle va bien ?

— Si elle ne va pas bien, ce serait dommage de la réveiller. Regarde, il n'y a pas de lumière sous la porte.

Elles regagnèrent la quiétude de leur lit.

Le lendemain matin, avant de se rendre à l'église comme les autres, Félicité remarqua :

— Madame Paquin, j'ai peur pour Marie. Nous ne l'avons pas vue hier soir ni ce matin.

— Si elle file pas, le mieux, c'est de dormir.

— Mais là, ça fait plus de douze heures.

Vénérance devint songeuse, puis elle déclara, avec plus de douceur dans la voix :

— T'en fais pas. Si elle se montre pas d'ici une demi-heure, je monterai voir.

— Merci, madame.

Elle se dirigea vers l'église Saint-Jacques en tenant Phébée par le bras. La blonde entendait se confesser tous les dimanches, et avouer au curé tout ce qu'il souhaitait entendre. Son enthousiasme pour une vie vertueuse la servirait quand son collègue de Sainte-Rose recueillerait des informations en vue du mariage.

À la fin de la cérémonie, mue par l'habitude, sur le parvis Phébée chercha Jules des yeux, puis son visage s'attrista.

— Tu veux venir manger quelque chose ? demanda son amie.

— Je n'en profiterais pas, avec cette inquiétude qui me ronge. Prenons quelque chose à la boulangerie, et rentrons, si tu le veux bien. Tu me liras quelques épisodes du feuilleton du *Daily Star*.

Cet expédient devait parfaire la prononciation anglaise de Félicité. Ces histoires naïves, où la pauvre héroïne se trouvait inévitablement sauvée de ses ennuis par un beau jeune homme, leur permettaient surtout de rêver un peu. Une demi-heure plus tard, les deux jeunes femmes remontaient la ruelle Berri en portant des brioches dans un sac de papier. Une voiture basse, un peu comme celles des bouchers, était stationnée devant leur porte. Vénérance, en larmes, se tordait les mains.

— Phébée, Félicité, un grand malheur frappe la maison.

Les amies franchirent les dernières verges au pas de course pour la rejoindre plus vite.

— Marie..., balbutia la logeuse. Elle descendait pas, je suis montée voir dans sa chambre vers dix heures. Ça sentait la marde... et je sais pas quoi. Une puanteur que j'oublierai jamais.

Après une pause, elle reprit, bouleversée :

— J'ai couru vers la rue Saint-Denis, j'ai cogné aux portes de quatre docteurs avant d'en trouver un.

La plupart des professionnels devaient alors se trouver à la messe.

— Le docteur a ouvert la porte de force. Tout de suite, y m'a renvoyée chez lui pour dire à sa femme d'appeler l'Hôtel-Dieu. Vous savez, avec ces machines...

Le mot « téléphone » ne figurait pas encore dans son vocabulaire.

— Ils ont envoyé ça pour l'amener.

Du doigt, elle désignait l'ambulance. Ce service de transport avait été inauguré l'année précédente. Les malades ou les blessés y trouvaient certainement plus de confort que dans un fiacre, ou même parfois dans une brouette.

Du bruit vint de la maison, un gros homme en sortit le premier, suivi d'une civière et d'un autre porteur. Un corps à peu près totalement caché par une couverture s'y trouvait. La partie du visage découverte montrait une peau noirâtre.

— Elle est morte ? demanda Phébée d'une voix blanche.

— Pas encore, dit l'un des ambulanciers, trop pressé pour se montrer délicat.

Le corps fut enfourné sans ménagement dans la voiture, puis ils montèrent sur la banquette. Un troisième homme les suivit bientôt, élégant dans sa jaquette grise, un chapeau melon sur la tête. Il tenait une main gantée sur son nez.

— Monsieur le docteur, commença Vénérance, elle va guérir, n'est-ce pas?

— Par rapport à vous, qui est-elle? Votre fille?

— … Une locataire.

Il ne se donna pas la peine de faire dans la délicatesse:

— Non, madame. Elle ne passera pas la nuit. Ne laissez personne monter à l'étage, et ne rentrez pas dans la maison. Des hommes viendront tout désinfecter dans l'après-midi.

Son regard engloba les deux jeunes femmes quand il continua:

— Je parle très sérieusement. N'entrez pas là-dedans avant le passage du service d'hygiène.

Le médecin fit mine de s'éloigner, mais Phébée posa sa main sur son avant-bras pour le retenir.

— Monsieur, qu'est-ce qu'elle a?

L'autre marqua une hésitation avant de dire:

— La variole.

Le mot pénétra lentement dans les esprits.

— Mais d'habitude, on a le visage couvert de…

Le mot échappait à la couturière, l'homme vint à son secours:

— De pustules. Vous avez raison, la plupart du temps, c'est comme ça. Dans ces cas, les chances de survie sont bonnes. Cette jeune femme a la picote noire. On n'y échappe pas.

La blonde affichait une si grande incompréhension qu'il s'épargna le devoir de poursuivre. On parlait de variole rouge, ou noire au terme de la coagulation, quand elle causait de multiples hémorragies dans le corps. Dans ces cas, la mort était inévitable, et très rapide. Sans un mot de plus, il s'esquiva d'un pas vif, laissant trois femmes désespérées derrière lui.

— Les enfants! s'écria la logeuse, sortie soudainement de sa torpeur.

Elle regagna sans tarder les appartements où se terrait le reste de la famille. Moins de trois minutes plus tard, les gamins et le père sortaient, paniqués, sans manteau.

— Vous allez chez ma sœur, sur la rue Mignonne, ordonna la mégère.

— Tu viens pas? maugréa l'époux.

— Quelqu'un doit attendre les autres docteurs. Tu veux le faire à ma place?

Pour elle, toutes les personnes intervenant dans ce genre de situation devaient être des « docteurs ». L'homme la toisa un bref instant, puis dit d'une voix où perçait la peur:

— Suivez-moi, nous allons chez votre tante.

Dans cette famille, le courage, comme l'application au travail, se trouvait réparti très inégalement. Vénérance égrena quelques insultes entre ses dents.

— Madame, intervint Félicité, et les autres?

— Les pensionnaires? Vous êtes les premières à revenir de la messe.

Comme elle n'offrait pas de dîner le dimanche, le petit groupe se dispersait dans la ville plutôt que de rentrer directement.

— On n'est pas pour rester plantées là, reprit Vénérance. J'vas chercher des chaises.

Phébée dit doucement, sur un ton un peu désemparé:

— N'y allez pas. C'est peut-être dangereux.

— … T'as raison, répondit l'autre, soudainement plus inquiète.

La pauvre fille mesurait alors combien aller s'exposer aux balles des Métis pouvait finalement constituer un moins grand danger que de rester sagement à la maison.

✿

Trois hommes apparurent au bout de la ruelle vers une heure cet après-midi-là, l'un bien mis, les deux autres portant une vareuse d'ouvrier.

— Mais c'est monsieur Gray, le patron de Jules! dit Phébée en posant la main sur l'avant-bras de son amie.

Le pharmacien se trouvait là en vertu de son poste à la tête du comité d'hygiène de la ville. Elle se précipita vers lui, Félicité sur ses talons, et demanda :

— Vous vous souvenez de nous?

L'autre la dévisagea, esquissa un sourire.

— Comment vous oublier? Vous êtes la fiancée de Jules, et vous, leur fidèle chaperon.

— Cette maladie, c'est grave?

— Oui, affirma-t-il avec sympathie. Je vous reparlerai en sortant, car nous avons une tâche urgente à effectuer.

Sans tarder, il s'approcha de Vénérance pour échanger quelques mots, puis pénétra dans la maison avec ses acolytes. Pendant au moins quarante minutes, le trio s'affaira. Des bruits de portes défoncées se firent entendre jusque dans la rue. La logeuse grimaçait comme si son propre corps encaissait les coups. Puis le professionnel revint, salua ses assistants avant de se tourner vers la tenancière.

— Madame, comme il faut tout désinfecter, nous avons ouvert les chambres portant un cadenas.

— À coups d'épaule, j'ai entendu, dit-elle, l'air crispé. Qui va payer les réparations?

— J'ai bien peur que ces dépenses vous incombent. Par le fait même, je vous annonce qu'il vous faudra débourser pour l'installation de nouvelles latrines respectant les règles élémentaires d'hygiène.

La logeuse allait crier son indignation. Il la fit taire en levant la main.

— Il y en a d'excellentes, qui ne demandent pas d'être raccordées à un égout. Comme c'est là, vous risquez le choléra.

— Je suis locataire, ici. Vous pouvez donner vos conseils au propriétaire, le conseiller Martin.

Que ces hommes portant de beaux habits s'entendent sur ce qu'il convenait de faire, se dit la logeuse, du moment que son loyer n'augmentait pas. L'évocation du nom de l'échevin découragea Gray. Celui-là ne ferait rien. Autant en finir tout de suite avec ses recommandations :

— Nous avons mis du soufre à brûler dans des chaudrons pour décontaminer la place. Laissez les fenêtres et les portes fermées pendant six heures.

— Dans mes chaudrons ? Vous allez me les rembourser.

— Vous pensez au prix de ces vieux contenants ? s'indigna le pharmacien. Vous avez déjà une morte. Inquiétez-vous donc de ça, et agissez pour qu'il n'y en ait pas d'autre. Personne n'entre là avant huit heures ce soir. Vous avez compris ?

— J'ai compris.

— Ensuite, vous ouvrirez tout pour chasser l'odeur.

Elle hocha lentement la tête, mais rien dans sa mine n'indiquait une détermination particulière à suivre ces conseils. Lorsque le pharmacien voulut s'en aller, Phébée l'accompagna quelques pas avant de dire :

— Monsieur…

— Ah oui, fit-il en se retournant, je vous oubliais. Mademoiselle ?…

— Drolet. Et voici mademoiselle Dubois, indiqua-t-elle rapidement. La variole, c'est très contagieux ?

L'autre contempla les traits délicats et trouva Jules idiot de s'éloigner d'elle pour des mois, peut-être.

— Ça l'est.

— Nous allons l'attraper ?

Ajouter à son angoisse aurait été cruel. Il trouva son sourire le plus rassurant pour dire :

— Pas nécessairement. Votre voisine a dû être infectée il y a un bon deux semaines, peut-être un peu plus, avant de ressentir les premiers symptômes. Et vous-mêmes, dit-il en regardant aussi Félicité, les ressentiriez actuellement. Vous semblez bien-portantes, non ?

La profonde angoisse que lui inspirait l'absence de son fiancé et la perspective qu'une maladie cruelle puisse l'affecter se conjuguaient pour donner un début de migraine à Phébée.

— Oui, je pense, répondit-elle malgré tout.

— … Moi aussi, dit Félicité.

— Dans ce cas, vous y avez sans doute échappé. Ne vous en faites pas.

Ses yeux allaient de l'une à l'autre. Aucune des deux ne paraissait vraiment calmée. Pourtant, la blonde déclara en faisant un effort pour donner le change :

— Nous vous remercions, monsieur. Du fond du cœur.

Félicité acquiesça. L'homme prit congé sur un « Mesdemoiselles » en touchant le bord de son melon, puis s'en alla. L'ancienne institutrice le regarda marcher jusqu'à la rue Dorchester. Déjà, elle avait échappé à la pneumonie, même si Floris en était mort peu de temps auparavant. Maintenant, espérait-elle, la variole ne la toucherait pas. Marie, logée dans la chambre voisine, n'y survivrait pas. Le visage rendu difforme par les hémorragies, l'odeur écœurante, c'était le masque de la Faucheuse.

À quel étrange jeu de hasard Dieu se livrait-il ? Les uns succombaient sans avoir eu le temps de vivre. D'autres, juste comme ils arrivaient à l'âge adulte. Tout ça de façon totalement aléatoire. Elle leva brièvement les yeux au ciel, comme s'il pouvait en venir une explication. Puis elle prit Phébée par la taille, apprécia la chaleur rassurante de son corps à travers la robe. Aujourd'hui, toutes les deux se trouvaient ensemble, demain ne viendrait peut-être jamais.

— Allons marcher un peu, suggéra-t-elle. Peut-être l'orchestre joue-t-il encore, au carré Viger.

Son amie, maintenant accrochée à son bras, la suivit de bonne grâce.

Quelques mots

À Montréal, les premières victimes de l'épidémie de variole furent recensées en avril 1885. Comme pour toute épidémie, retracer le premier cas se révèle une tâche ardue. Selon Michael Bliss (*Montréal au temps du grand fléau. L'histoire de l'épidémie de 1885*, Montréal, Libre Expression, 1993), il s'agirait de E. H. Shattuck. Contrôleur des wagons-lits du Grand Tronc, il aurait été contaminé par une passagère qui, de retour d'Europe, se dirigeait vers Chicago. Quelques jours après son retour à Montréal, le diagnostic tomba et on l'astreignit à une quarantaine. L'un de ses collègues, George Longley, avait entre-temps attrapé la maladie à son contact. Le médecin attitré de la compagnie ferroviaire tenta de le faire admettre au General Hospital, ce que la direction ne permit pas, craignant trop le risque de contamination. Il s'adressa alors à l'un de ses collègues, Irlandais et catholique, qui obtint que l'Hôtel-Dieu s'occupe du malade, bien que celui-ci soit protestant.

Employée à cet endroit, une domestique d'origine acadienne, Pélagie Robichaud, contracta la maladie et la transmit à sa sœur, Marie. Il s'agirait des deux premiers décès attribuables à la variole de 1885, Shattuck et Longley ayant tous deux survécu.